« BEST-SELLERS »
Collection dirigée par Henriette Joël et Isabelle Laffont

ROBERT LUDLUM

L'ÉCHANGE RHINEMANN

roman

traduit de l'américain par Claire Beauvillard

ÉDITIONS ROBERT LAFFONT
PARIS

Titre original : THE RHINEMANN EXCHANGE
© Robert Ludlum, 1974
Traduction française : Éditions Robert Laffont, S.A., Paris, 1990

ISBN 2-221-06484-4
(édition originale :
ISBN 0-440-15079-5 Dell Publishing Co., Inc., New York)

Toute ma gratitude
à Norma et Ed Marcum.

Préface

20 mars 1944, Washington, D.C.

– *David ?*

La jeune femme entra dans la pièce et resta un instant silencieuse, les yeux tournés vers l'homme qui regardait par la fenêtre de l'hôtel. La pluie tombait par un froid de mars, au milieu des rafales de vent et des nuages épais qui surplombaient Washington.

Spaulding se retourna. Il savait qu'elle était là, bien qu'il ne l'ait pas entendue.

– *Pardon, tu as dit quelque chose ?*

Elle tenait son imperméable à la main. Dans ses yeux, il lut l'inquiétude et la peur qu'elle tentait de dissimuler.

– *C'est fini, dit-elle doucement.*

– *C'est fini, répondit-il, ou ce le sera dans une heure.*

– *Ils seront tous là ? demanda-t-elle en s'approchant de lui.*

Elle tenait toujours son manteau devant elle, comme un bouclier.

– *Oui, ils n'ont pas le choix... Je n'ai pas le choix.*

Sous sa tunique, Spaulding avait l'épaule enveloppée de bandages, le bras soutenu par une large écharpe noire.

– *Tu veux bien m'aider, s'il te plaît ? Il pleut toujours aussi fort.*

Joan Cameron déplia le manteau avec réticence et l'ouvrit.

Elle s'arrêta net, les yeux fixés sur le col de la chemise militaire. Puis sur le revers de l'uniforme de Spaulding.

Tous les insignes avaient disparu. A leur place, l'étoffe était légèrement décolorée.

Il n'y avait aucune marque de grade, aucun galon d'or ou d'argent qui permît de l'identifier. Pas même les initiales en lettres d'or du pays qu'il servait.

Qu'il avait servi.

9

Il comprit.

– C'est comme ça que j'ai commencé, dit-il calmement. Sans rang, sans nom, sans histoire. Rien qu'un numéro. Suivi d'une lettre. Je veux qu'ils s'en souviennent.

La jeune femme resta immobile, les doigts crispés sur le manteau.

– Ils vont te tuer, David, fit-elle d'une voix à peine audible.

– Certainement pas, répondit-il posément. Il n'y aura ni assassins, ni accident, ni ordre urgent pour m'envoyer en Birmanie ou à Dar es-Salaam. C'est terminé... Ils ne savent pas ce que j'ai fait.

Il lui sourit doucement et lui effleura le visage. Ce charmant visage. Elle respira profondément, comme pour montrer qu'elle restait maîtresse d'elle-même. Il savait qu'elle ne l'était pas. Elle fit glisser l'imperméable sur son épaule gauche tandis qu'il tentait d'enfiler la manche droite. Un bref instant, elle posa la joue contre son dos.

– Je n'aurai pas peur. Je te le promets, dit-elle.

Mais il remarqua le léger tremblement de sa voix.

Il sortit du hall de l'hôtel Shoreham et salua le portier qui se tenait sous le dais. Il ne chercha pas de taxi. Il préférait marcher. Pour laisser à sa colère le temps de se consumer, de s'éteindre. Une longue marche.

Ce serait la dernière fois de son existence qu'il porterait l'uniforme.

Cet uniforme sans insigne, qui ne permettait aucune identification.

Il passerait la seconde porte du ministère de la Guerre et donnerait son nom aux gardes.

David Spaulding.

Il n'en dirait pas plus. Cela suffirait. Personne ne l'arrêterait, personne ne s'interposerait.

Des autorités anonymes – seule la division dont ils avaient la charge serait identifiée – auraient donné la consigne de le laisser s'engager dans ces couloirs gris, vers une pièce anonyme aussi.

Telle serait la consigne transmise au bureau de la Sécurité, à la suite d'un autre ordre. Un ordre dont on ne connaissait pas la provenance. Que nul ne comprenait...

Disaient-ils. Scandalisés.

Pas aussi scandalisés que lui pourtant.

Cela aussi, ces chefs inconnus le savaient.

Dans la pièce anonyme, il retrouverait des gens qui, il y a quelques mois à peine, lui étaient étrangers. Des gens qui, aujourd'hui, représentaient à ses yeux une duplicité révoltante. Il avait vraiment l'impression d'avoir perdu la raison.

Howard Oliver.

Jonathan Craft.

Walter Kendall.

Ces noms semblaient inoffensifs. Ils auraient pu appartenir à des centaines de milliers de gens ordinaires. Ils étaient tellement... américains.

Et pourtant ces noms, ces hommes, l'avaient presque rendu fou.

Ils seraient là, dans cette pièce banale, et ils lui rappelleraient les absents.

Erich Rhinemann, Buenos Aires.

Alan Swanson, Washington.

Franz Altmüller, Berlin.

Autres symboles. Autres fils...

L'abîme de trahison dans lequel l'avait plongé... l'ennemi.

Comment diable cela s'était-il produit ?

Comment cela avait-il été possible ?

Mais cela s'était produit. Et il avait pris note de tout ce qu'il avait appris.

Il avait tout consigné et rangé... le document dans une mallette d'archives qu'il avait déposée dans le coffre d'une banque du Colorado.

Impossible à retrouver. Bouclé sous terre pour un millénaire... C'était mieux ainsi.

A moins que ceux qui se trouvaient dans la pièce anonyme ne le forcent à agir autrement.

En ce cas, des millions de gens se diraient qu'ils avaient perdu la tête. L'horreur ne respecterait ni les frontières ni l'isolement des tribus lointaines.

Les chefs deviendraient des parias.

Comme lui.

Un numéro suivi d'une lettre.

Il gravit les marches qui menaient au ministère de la Guerre. Les piliers de pierre foncée n'étaient plus, pour lui, symboles de force. Ils n'avaient plus qu'une apparence de pâte brune, légère.

Ils n'avaient plus de substance.

Il franchit une porte à deux battants avant d'arriver au bureau de la Sécurité où l'attendait un lieutenant-colonel d'âge moyen, flanqué de deux sergents.

— Spaulding, David, dit-il avec calme.

— Votre plaque d'identification... (Le lieutenant-colonel regarda les épaules de son imperméable, puis le col.) Spaulding...

— Je m'appelle David Spaulding. J'appartiens à l'unité de Fairfax, répéta doucement David. Consultez vos papiers.

Le lieutenant-colonel redressa la tête. Tandis qu'il observait Spaulding, son mécontentement fit bientôt place à un grand étonnement. David ne s'était montré ni insolent, ni même impoli. Simplement précis.

Le sergent qui se trouvait à la gauche du lieutenant-colonel lui tendit une feuille de papier sans l'interrompre. Celui-ci y jeta un coup d'œil.

Puis il leva de nouveau les yeux vers David, un bref instant, et lui fit signe de passer.

En avançant le long du couloir gris, son imperméable sur le bras, Spaulding sentit les regards se poser sur lui, sur son uniforme dépouillé. On répondit à ses saluts de manière hésitante.

Personne n'était au courant.

Certains se retournèrent. D'autres le fixèrent des yeux dans l'entrebâillement d'une porte.

C'était... l'officier. Leurs regards le disaient. Ils avaient entendu des rumeurs, des murmures, des mots prononcés à voix basse, dans des lieux reculés. C'était bien lui.

On avait donné un ordre...

L'homme en question.

Prologue

1.

8 septembre 1939, New York

Les deux officiers, tête nue, les plis de l'uniforme bien marqués au fer, regardaient, à travers le panneau de verre, un groupe d'hommes et de femmes en civil. La pièce où ils étaient assis était sombre.

Il y eut un éclair de lumière rouge. Une puissante musique d'orgue jaillit de deux haut-parleurs placés dans les coins de la cabine obscure. On entendit le hurlement lointain de deux chiens – des chiens féroces –, puis une voix, profonde, claire, menaçante, qui couvrit le son de l'orgue et les aboiements.

C'est dans la folie, au milieu des cris des désespérés, que vous trouverez la longue silhouette de Jonathan Tyne. Il attend, il observe dans l'ombre, prêt à lutter contre les forces de l'enfer. Le visible et l'invisible...

Il y eut soudain un cri perçant, terrifiant. Dans la pièce éclairée, une femme obèse lança un clin d'œil au petit homme aux verres épais qui venait de lire un papier tapé à la machine et s'éloignait du micro en mâchant son chewing-gum.

La voix profonde poursuivit son discours.

Ce soir, Jonathan Tyne vole au secours de Lady Ashcroft. Celle-ci est terrorisée. Son mari a disparu dans la brume de la lande écossaise, à minuit, trois semaines plus tôt. Et chaque soir, à minuit précis, on entend, dans les champs obscurs, hurler ces chiens inconnus. Ils semblent défier celui qui avance dans le brouillard d'un pas furtif: Jonathan Tyne. Le chasseur du mal, la Némésis de Lucifer. Le défenseur des malheureuses victimes des ténèbres...

13

L'orgue joua crescendo. Les aboiements se firent plus menaçants.

Le plus âgé des deux officiers, un colonel, regarda son compagnon, un lieutenant. Celui-ci contemplait le groupe d'acteurs nonchalants dans la lumière du studio. Ses yeux trahissaient de l'inquiétude.

Le colonel tressaillit.

– Intéressant, n'est-ce pas ? dit-il.

– Quoi ?... Oh oui, mon colonel! Très intéressant. Lequel est-ce ?

– Le grand là-bas, dans le coin. Celui qui lit son journal.

– Il joue le rôle de Tyne ?

– Qui ? Oh non, lieutenant! Il a un petit rôle, je crois. Dans un dialecte espagnol.

– Un petit rôle... dans un dialecte espagnol.

Le lieutenant répéta les propos du colonel d'une voix hésitante, apparemment ébahi.

– Pardonnez-moi, mon colonel, je ne sais plus où j'en suis. Je ne sais plus ce que nous faisons ici, ce qu'il fait ici. Je pensais qu'il était ingénieur du bâtiment.

– Il l'est.

L'orgue se mit à jouer pianissimo. Les aboiements des chiens s'évanouirent. Une autre voix, plus légère, plus amicale, une voix où l'on ne sentait plus percer le drame, sortit de la grille des haut-parleurs.

Pèlerin : le savon aux senteurs des fleurs de mai. Le savon du Mayflower. *Une fois de plus, Pèlerin vous entraîne dans... « Les Aventures de Jonathan Tyne ».*

L'épaisse porte doublée de liège de la cabine s'ouvrit. Un homme à moitié chauve entra, droit, vêtu d'un costume très classique. Il tenait une enveloppe de papier brun dans la main gauche. Il tendit la droite au colonel.

– Bonjour, Ed, fit-il d'un ton calme, sans murmurer. Je suis content de vous revoir. Inutile de vous dire que j'ai été surpris de votre appel.

– J'imagine. Comment allez-vous, Jack ?... Lieutenant, je vous présente John Ryan, autrefois le commandant John N.M.I. Ryan des « Six-Corps ».

L'officier se leva.

– Asseyez-vous, lieutenant, fit Ryan en lui serrant la main.

– Ravi de faire votre connaissance, monsieur. Merci, monsieur.

Ryan s'avança entre les rangées de fauteuils de cuir noir et s'assit à

14

côté du colonel, devant le panneau de verre. La musique de l'orgue était repartie de plus belle, aussi forte que les aboiements des chiens. Quelques acteurs s'étaient regroupés autour des deux micros, les yeux tournés vers un homme qui se tenait derrière un panneau, dans une autre cabine de verre, éclairée celle-ci, de l'autre côté du studio.

— Comment va Jane ? demanda Ryan. Et les enfants ?

— Elle déteste Washington, mon fils aussi. Ils préféreraient retourner à Oahu. Mais Cynthia est ravie. Elle a dix-huit ans à présent, et avec tous les bals que l'on donne à Washington !

L'homme qui se trouvait dans la cabine éclairée fit un signe de la main. Les acteurs attaquèrent le dialogue.

— Et vous ? Washington, c'est une bonne affectation pour l'avancement.

— Je suppose, mais personne ne sait que je suis là. Je n'en tirerai aucun profit.

— Ah ?

— G-2.

— Vous êtes en pleine ascension, me semble-t-il, Jack.

— Il paraît. Ce n'est pas foulant, ajouta-t-il avec un étrange sourire. Il y a au moins dix personnes dans l'agence qui pourraient faire ce que je fais... mieux que moi. Mais ils ne sont pas passés par West Point. Je suis un symbole, une garantie d'intégrité pour l'agence. Les clients adorent le style militaire.

Le colonel éclata de rire.

— Foutaises ! Vous avez toujours été parfait avec les huiles. Les grands chefs vous envoyaient les parlementaires.

— Vous me flattez.

— Eeaagh ! hurla l'actrice obèse dans le second micro, tout en continuant à mâcher son chewing-gum.

Elle recula pour laisser la place à un comédien mince, quelque peu efféminé.

— Ça crie beaucoup, n'est-ce pas ? fit le colonel d'un ton qui n'était guère interrogateur.

— Des aboiements, un orgue désaccordé, des grognements et des personnages à bout de souffle. Tyne est la plus populaire de nos émissions.

— Je dois reconnaître que je l'ai déjà écoutée. Toute ma famille aussi, depuis que nous sommes revenus.

— Vous n'allez pas me croire quand je vous dirai qui écrit la plupart de nos scénarios.

— Ah bon ?

— Un poète qui a remporté le Pulitzer. Sous un autre nom, bien entendu.

– C'est curieux.

– Pas du tout. Il faut bien vivre. Nous payons bien. La poésie ne paie pas.

– C'est pour cette raison qu'*il* fait ça ?

Le colonel hocha la tête et fit un geste en direction du grand homme brun qui venait de poser son journal. Il était resté dans un coin du studio, loin des autres acteurs, adossé au mur blanc tapissé de liège.

– Je suis sidéré. Je veux dire, je ne savais pas qui il était... Enfin, si, mais je ne savais rien de lui... jusqu'à votre coup de fil.

Ryan tendit l'enveloppe brune au colonel.

– Voici la liste des spectacles et des agences pour lesquels il a travaillé. Je les ai tous appelés... en leur faisant comprendre que nous pensions à lui pour un rôle principal. Les Hammert ont souvent recours à lui...

– Qui ?

– Ce sont des producteurs. Ils ont une quinzaine de programmes, des séries pour la journée et des spectacles pour le soir. D'après eux, il est très fiable. Pas de salades. On l'utilise exclusivement pour les dialectes, semble-t-il. Et certaines langues étrangères, le cas échéant.

– L'allemand et l'espagnol.

– C'est ça...

– Simplement, ce n'est pas l'espagnol, mais le portugais.

– Quelle importance ? Vous connaissez ses parents.

Encore une affirmation qui n'attendait que d'être confirmée.

– Richard et Margo Spaulding. Des pianistes très célèbres en Angleterre et en Europe. Situation actuelle : semi-retraite à Costa del Santiago, au Portugal.

– Pourtant ils sont américains, n'est-ce pas ?

– Tout à fait. J'ai vérifié : leur fils est bien né ici. Il a fait ses études dans des écoles américaines, partout où ils ont vécu. Puis ils l'ont renvoyé ici pour les deux dernières années de lycée et les études universitaires.

– Pourquoi le Portugal, alors ?

– Qui sait ? C'est en Europe qu'ils ont remporté leurs premiers succès, et ils ont décidé d'y rester. J'ai l'impression que cela va plutôt nous arranger. Ils reviennent ici, de temps en temps, en touristes, de plus en plus rarement... Saviez-vous qu'il était ingénieur du bâtiment ?

– Non, mais c'est intéressant.

– Intéressant ? Juste intéressant ?

Ryan sourit, avec une lueur de tristesse dans le regard.

– Eh bien, ces six dernières années, on n'a pas beaucoup construit, n'est-ce pas ? Je veux dire, on n'a pas eu besoin d'ingénieurs... à part le C.C.C. [1] et le N.R.A. [2].

Il leva sa main droite et l'agita devant lui pour désigner le groupe d'hommes et de femmes.

— Vous savez qui est là ? Un avocat que ses clients — quand il en trouve — ne peuvent pas payer, un cadre de chez Rolls-Royce remercié en 1938 et un ancien sénateur qui a perdu son travail. Ses campagnes électorales lui ont coûté son poste et lui ont mis à dos un certain nombre de futurs employeurs qui voient en lui un rouge. Ne vous faites pas d'illusions, Ed. La crise est loin d'être terminée. Ces gens-là ont eu de la chance. Ils ont trouvé une occupation dont ils ont fait une carrière... Tant que ça durera !

— Si je fais mon boulot, leur carrière ne durera pas beaucoup plus d'un mois.

— C'est bien ce que je pensais. La tempête approche, non ? Nous y serons bientôt. Et je serai de retour... Où allez-vous l'envoyer ?

— Lisbonne.

David Spaulding s'éloigna du mur blanc du studio. Son texte à la main, il s'avança vers le micro et s'apprêta à donner la réplique.

Pace le regarda à travers le panneau de verre et se demanda quel timbre avait sa voix. Lorsque Spaulding s'approcha des acteurs agglutinés autour du micro, le groupe se scinda comme si le nouvel arrivant était un étranger. A moins que ce ne fût de la simple courtoisie, que l'on ait voulu lui céder la place, mais le colonel ne le pensait pas. Il n'y eut ni sourires, ni regards complices, ni signes de familiarité, comme en échangeaient les autres participants.

Personne ne broncha. Même la femme obèse, qui hurlait, mâchait du chewing-gum et mettait la main au panier de ses partenaires masculins, se contenta de l'observer sans bouger, le chewing-gum coincé entre les mâchoires.

Puis il se produisit une chose curieuse.

Spaulding sourit, et tous les autres, même l'homme mince et efféminé qui était en plein monologue, lui adressèrent de grands sourires en hochant la tête. La femme obèse lui fit un clin d'œil.

« Étrange moment », pensa le colonel Pace.

La voix de Spaulding, chaude, incisive, avec un fort accent, sortit des haut-parleurs. Il jouait le rôle d'un médecin fou, presque comique. Il aurait été comique, songea Pace, s'il n'avait pas donné

---

1. C.C.C. : Civilian Conservation Corps, institution créée par Roosevelt, qui engageait des chômeurs pour divers travaux d'intérêt général, exploitation de forêts, construction de routes, etc.

2. N.R.A. : National Recovery Administration, autre institution créée par Roosevelt et devant permettre l'exécution du plan.

tant d'autorité au texte de l'auteur. Pace ne connaissait rien au jeu théâtral, mais il savait reconnaître un homme convaincant. Spaulding était convaincant.

Ce serait nécessaire à Lisbonne.

L'intervention de Spaulding se termina quelques minutes plus tard. La femme obèse se mit à hurler. Il retourna dans son coin et ouvrit tranquillement son journal en prenant soin de ne pas froisser les feuilles. Il s'adossa au mur et sortit un crayon de sa poche. Il faisait les mots croisés du *New York Times*.

Pace ne parvenait pas à détacher son regard de Spaulding. Il lui paraissait important d'observer, le plus possible, tout sujet avec qui il devait prendre contact. Observer les petits détails : sa démarche, son port de tête, l'assurance ou le manque d'assurance de son regard. Ses vêtements, sa montre, ses boutons de manchettes. Ses chaussures reluisaient-elles ? Ses talons étaient-ils usés ? Quel était l'aspect général de sa silhouette ?

Pace tenta de comparer l'individu qui, appuyé contre le mur, écrivait sur son journal au dossier qui se trouvait dans son bureau de Washington.

Son nom s'était dégagé des dossiers du Corps des ingénieurs militaires. David Spaulding s'était enquis de la création éventuelle d'une commission. Il ne s'était pas porté volontaire : que pouvait-on lui proposer d'autre ? Y avait-il quelque gros projet de construction ? Combien de temps lui faudrait-il s'engager ? Le genre de questions que des milliers d'hommes compétents posaient en sachant que la législation sur le service sélectif entrerait en vigueur dans une semaine ou deux. Si les personnels ainsi recrutés s'engageaient pour une période plus courte, s'ils avaient le loisir de poursuivre leur activité professionnelle en même temps, cela valait mieux qu'une banale mobilisation.

Spaulding avait rempli tous les imprimés nécessaires. L'armée le contacterait, lui avait-on dit. Depuis six semaines, il n'en avait plus entendu parler. Non qu'il n'intéressât pas le Corps. Mais les services de Roosevelt avaient décidé que la loi de mobilisation serait votée d'un jour à l'autre, et les projets de développement des camps militaires étaient tels que le recrutement d'ingénieurs — et tout particulièrement d'un ingénieur du *bâtiment* aussi qualifié que Spaulding — était devenu un objectif prioritaire.

Les plus hautes autorités du Corps des ingénieurs savaient que le Service de renseignements de l'état-major et le ministère de la Guerre se chargeraient du recrutement.

Calmement, lentement. On ne pouvait se permettre la moindre erreur.

Ils transmirent donc le dossier de David Spaulding au G-2, qui leur demanda de ne plus s'occuper de l'affaire.

18

L'homme que recherchait le S.D.R. devait correspondre à trois critères de qualification. On passait ensuite au crible les autres éléments du dossier, à la recherche des qualités indispensables à ses futures fonctions. Les trois conditions premières n'étaient pas faciles à remplir : le sujet devait parler couramment le portugais, mais aussi posséder l'allemand et une expérience d'ingénieur suffisante pour analyser avec rapidité et précision des plans, des photographies et même des descriptions verbales de projets industriels extrêmement divers. Des ponts, des usines, des entrepôts et des complexes ferroviaires.

Ces différentes compétences seraient indispensables à l'homme de Lisbonne. Il les utiliserait tout au long de la guerre, cette guerre dans laquelle les États-Unis ne pouvaient pas ne pas s'engager tôt ou tard.

L'homme de Lisbonne serait responsable du développement d'un réseau d'espionnage dont la première mission serait de détruire les installations de l'ennemi, à l'intérieur même de son territoire.

Des hommes et des femmes sillonnaient ces lieux inhospitaliers. La base de leurs activités mal définies se trouvait en pays neutre. L'homme de Lisbonne les utiliserait... avant que d'autres ne le fassent.

Et puis il en formerait d'autres à l'infiltration. Des unités d'espionnage. Des équipes d'agents bilingues et trilingues qui traverseraient la France jusqu'à la frontière allemande. Qui transmettraient leurs observations. Qui finiraient par apporter eux-mêmes la destruction.

Les Anglais étaient d'accord : on avait besoin d'un Américain comme lui à Lisbonne. Les services secrets britanniques avaient reconnu leur propre inefficacité au Portugal. Ils y étaient depuis trop longtemps. Ils étaient trop voyants. Et puis la sécurité n'était pas toujours assurée à Londres, loin de là. Le MI5 avait été infiltré.

Lisbonne allait devenir un projet américain.

Si l'on parvenait à trouver un Américain qui convienne.

Les fiches de candidature de David Spaulding répondaient aux premières conditions. Il parlait trois langues, et ce depuis l'enfance. Ses parents, les célèbres Richard et Margo Spaulding, entretenaient trois résidences : un petit appartement à Londres dans le quartier résidentiel de Belgravia, un pied-à-terre pour l'hiver à Baden-Baden, en Allemagne, et une maison au bord de la mer à Costa del Santiago, une ville d'artistes au Portugal. C'est dans cet environnement qu'avait grandi Spaulding. Quand il avait atteint l'âge de seize ans, son père avait exigé, malgré les protestations de sa mère, qu'il terminât ses études secondaires aux États-Unis pour y entrer dans une université.

Andover dans le Massachusetts, Dartmouth dans le New Hampshire, enfin le Carnegie Institute en Pennsylvanie.

Bien entendu, le service des renseignements n'avait pas trouvé toutes ces informations dans les fiches de Spaulding. A New York, un certain Aaron Mandel leur avait révélé tout cela et bien d'autres choses encore.

Les yeux toujours rivés sur l'homme grand et mince qui avait posé son journal et observait les acteurs autour du micro avec un détachement quelque peu amusé, Pace se rappela son unique rencontre avec Mandel. Il compara les renseignements fournis par ce dernier à l'individu qu'il avait devant lui.

On avait classé Mandel sous la rubrique « Références ». *Fondé de pouvoir, organisateur des concerts des parents.* Il avait une adresse : une suite-appartement dans l'immeuble Chrysler. Mandel était un gros impresario. Juif russe, il était le rival de Sol Hurok, bien qu'il fût plus discret et n'eût aucun désir d'attirer davantage l'attention sur lui.

– David est comme un fils pour moi, avait dit Mandel à Pace. Mais je suppose que vous le savez déjà.

– Qu'est-ce qui vous fait croire ça ? Je sais ce que j'ai lu sur ses fiches de candidature. Plus quelques renseignements glanés ici et là, ses succès scolaires, ses références professionnelles.

– Disons que je vous attendais. Vous ou quelqu'un comme vous.

– Je vous demande pardon ?

– Allons, allons. David a passé de nombreuses années en Allemagne. On pourrait presque dire qu'il y a grandi.

– Sa fiche de... En fait, son passeport indique aussi les résidences familiales de Londres et de Costa del Santiago au Portugal.

– J'ai dit presque. Il parle couramment allemand.

– Portugais aussi, si je ne m'abuse.

– Également. Et l'espagnol, une langue cousine... Je n'imaginais pas que le recrutement d'un ingénieur militaire retiendrait l'attention d'un colonel, ni une étude de son passeport.

Mandel sourit, ce qui fit se plisser les rides autour de ses yeux.

– Je ne m'attendais pas à quelqu'un comme vous, répondit le colonel avec une grande simplicité. La plupart des gens considèrent ce type d'enquête comme de la routine. Ou... ils se persuadent que ce n'est qu'une question de routine... en se donnant un peu de mal.

– Tout le monde n'a pas été juif à Kiev du temps des tsars... Qu'attendez-vous de moi ?

– Pour commencer, avez-vous parlé de ma visite à Spaulding ? Ou à quiconque...

– Bien sûr que non, l'interrompit doucement Mandel. Je vous ai dit que c'était un fils pour moi. Je n'aimerais pas lui mettre de telles idées en tête.

– Tant mieux. Et puis ça ne donnera peut-être rien.

– Vous espérez le contraire.

– Franchement, oui. Mais nous devons d'abord répondre à certaines questions. Non seulement son passé n'est pas ordinaire, mais, de plus, il est rempli de contradictions. Tout d'abord, il est étrange que le fils de musiciens renommés... Je veux dire...

– De concertistes.

Mandel lui souffla le terme qu'il cherchait.

– Oui, de concertistes. Les enfants de ces gens-là ne deviennent pas ingénieurs. Ni experts-comptables, vous voyez ce que je veux dire. Je suis certain que vous comprendrez cela : une fois le fait bien établi – le fils est bien ingénieur –, on s'aperçoit que la majeure partie de ses revenus provient d'un travail à la radio, ce qui est étonnamment illogique. Et signe d'une certaine instabilité. Pour ne pas dire d'une instabilité certaine.

– Vous avez, comme tous les Américains, la manie de la cohérence. Je ne dis pas cela méchamment. Je ferais un très mauvais neurochirurgien. Vous jouez peut-être fort bien du piano, mais je doute que je vous présenterai un jour salle Pleyel... Il est très facile de répondre aux questions que vous posez. Sans doute le mot *stabilité* est-il au centre de tout ça... Avez-vous la moindre idée de ce qu'est l'univers d'un artiste qui va de spectacle en spectacle. De la folie... David a vécu dans ce monde-là pendant près de vingt ans. Je suppose... Non, je ne suppose pas, je sais... il détestait cette vie... Et puis on ne se préoccupe pas assez de certaines caractéristiques du musicien. Des traits de caractère relativement héréditaires. Un grand musicien est, à sa manière, un grand mathématicien. Prenez Bach. Un génie des mathématiques...

D'après Aaron Mandel, David Spaulding avait choisi sa future profession en deuxième année d'université. La solidité, la permanence de la création structurelle associées à la précision de l'ingénierie lui permettraient d'échapper à l'univers changeant des « concerts ». Mais il avait également hérité d'autres caractéristiques. Spaulding possédait une forte personnalité, indépendante. Il avait besoin d'être approuvé, reconnu. Ce n'était pas chose aisée pour un jeune ingénieur sortant de l'université et travaillant, dans les années trente, dans une grande entreprise new-yorkaise. Il n'y avait ni grande tâche à accomplir ni fonds pour en entreprendre une.

– Il a quitté New York, poursuivit Mandel, et accepté un certain nombre de projets individuels où il pensait gagner davantage d'argent, être plus indépendant. Aucun lien ne le retenait. Il pouvait voyager. Plusieurs chantiers dans le Midwest, un... non, deux en Amérique centrale, quatre au Canada, je crois. Il avait décroché les premiers en lisant les petites annonces. D'autres sont venus. Il est rentré à New York il y a environ dix-huit mois. Il ne disposait pas de beaucoup d'argent, je l'avais prévenu. Il n'était pas non plus seul maître de ses projets. Interventions locales... régionales.

– Et cela l'a conduit à la radio ?

Mandel éclata de rire en s'adossant à son fauteuil.

– Comme vous le savez peut-être, mon colonel, j'ai diversifié mes activités. Les concerts et la guerre en Europe – qui va bientôt gagner nos rivages, nous le savons tous – ne font pas bon ménage. Ces dernières années, mes clients ont exercé leurs talents ailleurs, y compris à la radio, une industrie qui paie fort bien. David a saisi les occasions qui se présentaient, et je l'ai soutenu. Il se débrouille très bien, vous savez.

– Mais ce n'est pas un professionnel.

– Non. Il a autre chose... Réfléchissez. Comme presque tous les enfants d'artistes renommés, de politiciens de haut vol ou de parents très riches, il n'a pas peur du public, il a de l'assurance, si vous préférez, quelles que soient ses angoisses personnelles. Après tout, ces gens-là sont en représentation depuis qu'ils ont l'âge de marcher et de parler. David est ainsi, sans nul doute. Et il a beaucoup d'oreille, comme son père et sa mère, bien entendu. La mémoire des rythmes musicaux et linguistiques... Il ne joue pas, il lit. Presque toujours dans des dialectes étrangers qu'il parle couramment...

C'était donc l'argent qui avait motivé cette incursion de David Spaulding dans l'« eldorado du monde radiophonique ». Il était habitué à une certaine aisance. A une époque où les propriétaires des sociétés d'ingénierie avaient le plus grand mal à s'assurer cent dollars par semaine, la radio lui en versait quelque trois ou quatre cents.

– Vous l'avez sans doute compris, dit Mandel, David cherche à se constituer des réserves suffisantes pour fonder sa propre affaire. Il y parviendra bientôt, à moins que la situation mondiale ne vienne perturber ses projets. Il n'est pas aveugle. Il suffit de lire un journal pour voir que la guerre est imminente.

– Vous croyez que nous devons intervenir ?

– Je suis juif. A mon avis, nous sommes en retard.

– Ce Spaulding, tel que vous me le décrivez, me semble plein de ressources.

– Je ne vous ai donné que les renseignements que vous auriez pu trouver ailleurs. C'est *vous* qui avez tiré cette conclusion de ces informations banales. Vous ne savez pas tout de lui.

A ce moment-là, Pace s'en souvint, Mandel s'était levé de son fauteuil et, fuyant son regard, avait fait les cent pas. Il cherchait les points négatifs. Il essayait de trouver les mots qui disqualifieraient « son fils ». Pace s'en était rendu compte.

– Vous avez certainement été frappé, dans mes propos, par l'égoïsme de David. Il aime bien son confort, si vous préférez. Dans les affaires, ce peut être considéré comme une qualité. C'est pourquoi j'ai dissipé vos inquiétudes quant à son instabilité. Cela dit, il serait malhonnête de vous dissimuler son extrême entêtement. Il aura certainement beaucoup de peine à se soumettre à une quelconque autorité. En un mot, c'est un égoïste rebelle à toute discipline. Cela me chagrine de vous dire ça. Je l'aime tant...

A mesure que Mandel poursuivait son discours, le mot *affirmatif* s'inscrivait à l'encre noire, indélébile, sur le dossier de Spaulding. Pace ne crut pas un instant aux comportements excessifs que décrivait Mandel. Si tout cela était vrai, Spaulding ne pourrait pas être aussi « stable » qu'il semblait l'être. Si ce n'était qu'à moitié vrai, ce n'était pas un handicap. C'était un atout.

La dernière condition.

Car s'il devait y avoir un seul soldat de l'armée des États-Unis, en uniforme ou non, qui dût opérer en solitaire, sans pouvoir s'abriter derrière des supérieurs hiérarchiques, sans connaître leurs décisions les plus délicates, ce serait l'officier de renseignements que l'on allait envoyer au Portugal.

L'homme de Lisbonne.

8 octobre 1939, Fairfax, Virginie

Il n'y avait pas de nom.
Seulement des chiffres et des lettres.
Des chiffres, puis des lettres.
Deux, six, B. Trois, cinq, Y. Cinq, un, C.
Il n'y avait ni histoires personnelles ni passés.
... Aucune allusion à une femme, des enfants, un père, une mère... pas de pays, de villes, de lieu de résidence, d'écoles, d'universités. Il n'y avait que des corps, des esprits et des intelligences distinctes, spécifiques, réceptives.

C'était au fin fond des terrains de chasse de Virginie, au milieu des collines et des torrents, des zones de forêt dense bordaient des plaines plates. Des marais, dangereux avec leurs sables mouvants et leurs occupants inhospitaliers, reptiles et insectes, s'étendaient à quelques mètres de rochers aux pentes abruptes qui semblaient jaillir de terre.

On avait choisi l'endroit avec soin. Il était entouré d'une clôture anti-ouragan où passait un courant électrique continu, paralysant sinon mortel. Tous les trois mètres, on avait planté un panneau d'interdiction indiquant à tout visiteur que cette portion de terre – forêt, marais, prairie et colline – était la propriété exclusive de l'État américain. Il était non seulement interdit mais dangereux d'y pénétrer. Les articles et les paragraphes des textes législatifs valant acte de propriété y étaient inscrits à côté du voltage.

C'était l'un des terrains les plus accidentés que l'on pût trouver à une distance raisonnable de Washington. Il correspondait très précisément à la topographie requise pour la formation que l'on dispensait à l'intérieur de la gigantesque enceinte.

Des chiffres suivis de lettres.

Pas de noms.

Une seule entrée au centre de la partie nord du périmètre, que l'on atteignait par un chemin de terre. Au-dessus du portail, en face des maisons des gardes, une pancarte métallique :

QUARTIER GÉNÉRAL – DIVISION DES MANŒUVRES – FAIRFAX

était inscrit en lettres majuscules.

Aucune autre indication, aucun renseignement permettant d'en définir les activités.

Devant chaque maison de garde, on trouvait les mêmes panneaux, les mêmes avertissements placés tous les trois cent cinquante mètres, réaffirmant l'interdiction de pénétrer dans ce lieu, avec l'indication des textes législatifs et du voltage.

Aucun droit à l'erreur.

On attribua une identité à David Spaulding, son identité de Fairfax. Il était désormais 2-5-L.

Pas de nom : deux chiffres suivis d'une lettre.

2-5-L.

Traduction : son entraînement serait terminé le cinq du deuxième mois. Sa destination : Lisbonne.

C'était incroyable. En l'espace de quatre mois, il allait s'habituer à une nouvelle vie, intégrer un nouveau mode de vie, le faire totalement sien.

– Vous n'y parviendrez probablement pas, lui dit le colonel Edmund Pace.

– Je ne suis pas certain de le vouloir, avait répliqué Spaulding.

Mais la motivation faisait partie de l'entraînement. Une motivation profonde, solide, bien ancrée, au-delà du doute... mais pas au-delà de la réalité psychologique telle qu'elle était perçue par le candidat.

Avec « 2-5-L », le gouvernement des États-Unis ne brandissait guère son drapeau et n'invoquait pas non plus, à cor et à cri, les grandes causes nationales. De telles méthodes n'auraient eu aucune signification. Le candidat avait été éduqué loin de son pays, dans un milieu international et sophistiqué. Il parlait la langue du futur ennemi. Il en connaissait le peuple, les chauffeurs de taxi les épiciers, les banquiers, les avocats, et les Allemands de ses relations n'étaient pas, pour la plupart, abrutis par la propagande. En revanche – argument de poids pour Fairfax –, c'étaient des imbéciles qui se laissaient mener par une bande de criminels psychopathes. Leurs chefs étaient des fanatiques. On avait des preuves éclatantes de leurs crimes. Ces crimes allaient jusqu'au meurtre gratuit, aveugle, à la torture et au génocide.

Sans l'ombre d'un doute.

Des criminels.

Des psychopathes.

Et puis il y avait Adolf Hitler.

Adolf Hitler tuait les juifs. Par milliers, par millions bientôt si la *solution finale* était menée à bien.

Aaron Mandel était juif. Son second « père » était juif. Le père qu'il aimait plus que son père naturel. Et ces imbéciles qui toléraient un point d'exclamation après le mot *Juden*.

David Spaulding en viendrait à haïr ces imbéciles, les chauffeurs de taxi, les épiciers, les banquiers et les avocats, sans remords, par la force des choses.

En plus de cette approche on ne peut plus rationnelle, on utilisait couramment une autre « arme » psychologique, à l'intérieur de l'enceinte, plus ou moins, selon les sujets, mais jamais elle n'était exclue.

Les élèves de Fairfax avaient un don, ou une tare. Tout dépendait du regard que l'on portait sur eux. Nul n'y était accepté sans cette caractéristique.

Un sens de la compétition hautement développé. La rage de vaincre.

Une chose était sûre : à Fairfax, l'arrogance n'était nullement méprisée.

Les commandants de Fairfax comprirent, au profil psychologique de David Spaulding, dont le dossier avait reçu une approbation soutenue de la division des renseignements, que le candidat pour le poste de Lisbonne était un doux que l'entraînement pourrait durcir, durcirait s'il y survivait. Tous les progrès qu'il pourrait faire dans l'enceinte seraient les bienvenus. Surtout chez un tel sujet.

Spaulding était sûr de lui, indépendant, extrêmement doué... parfait. Mais 2-5-L avait un point faible. Il y avait en lui une certaine lenteur à tirer profit d'une situation, une hésitation à saisir l'occasion de tuer. Verbalement et physiquement.

Le colonel Edmund Pace l'avait constaté au cours de la troisième semaine d'entraînement. 2-5-L obéissait à un code de l'honneur abstrait qui n'avait pas cours à Lisbonne.

Le colonel Pace savait comment y remédier : en faisant plier le corps, on modèlerait l'esprit.

« Saisir, tenir et relâcher », tel était l'intitulé banal du cours. Il ne laissait rien deviner de l'entraînement physique, ardu, que l'on suivait à Fairfax. Combat rapproché. Couteau, chaîne, fil de fer, aiguille, corde, doigts, genoux, coudes... jamais d'arme à feu.

Réaction, réaction, réaction.

Sauf quand on attaquait le premier.

2-5-L progressait. C'était un homme grand, mais il avait la coordination rapide des êtres plus compacts. Il fallait donc bloquer sa progression. Humilier l'homme. On allait lui donner une leçon de pragmatisme.

Des hommes plus petits, plus arrogants.

Le colonel Edmund Pace « emprunta » les meilleurs éléments des unités de commando britanniques. Ce fut le commandement du transport des bombardiers qui les amena sur place. Trois « spécialistes » un peu perdus que l'on introduisit discrètement dans l'enceinte de Fairfax et qui reçurent des instructions :

« Faites-en baver à 2-5-L. »

Ce qu'ils firent. Pendant des semaines de manœuvres.

Jusqu'au jour où ils ne purent plus le faire impunément.

David Spaulding n'acceptait plus l'humiliation. Il était devenu aussi fort que les « spécialistes ».

L'homme de Lisbonne avait gagné la partie.

Le colonel Edmund Pace reçut les rapports dans son bureau du ministère de la Guerre.

Le programme était respecté.

Les semaines passèrent, puis les mois. Les élèves de Fairfax étudiaient, sous tous les angles, toutes les armes offensives et défensives portables connues, tous les appareils de sabotage, toutes les méthodes permettant d'entrer ou de sortir d'un territoire, à couvert ou à découvert. Les codes et le chiffre devinrent des langages familiers, le bricolage une seconde nature. 2-5-L progressait toujours. Chaque fois qu'il se relâchait, les « spécialistes » du programme d'entraînement « Saisir, tenir et relâcher » recevaient des instructions plus dures. Tout reposait sur une humiliation physique, observable.

Jusqu'à ce que ce ne soit plus possible. Jusqu'à ce que les commandos se soient surpassés.

On avait scrupuleusement respecté le programme.

– Après tout, vous y arriverez peut-être, dit le colonel.

– Je ne sais pas très bien à quoi, répondit David, qui, en uniforme de lieutenant, buvait un verre au bar du Mayflower. S'il existait des diplômes de criminalité avancée, je les obtiendrais sans doute les doigts dans le nez.

Dans dix jours, l'entraînement de 2-5-L serait terminé. Contre tous les règlements, on lui avait accordé un laissez-passer de vingt-quatre heures. Pace l'avait exigé. Il fallait qu'il parle à Spaulding.

– Cela vous ennuie ? demanda Pace.

Spaulding regarda le colonel, assis en face de lui.

– Je suis certain que cela m'ennuierait si j'avais le temps d'y réfléchir. Et vous ?

– Non, parce que j'en comprends les raisons.

– D'accord. Alors, moi aussi.

– Elles vous sembleront plus claires sur le terrain.

– Bien sûr, acquiesça laconiquement David.

Pace observa Spaulding avec attention. Comme prévu, le jeune homme avait changé. Disparu le charme un peu affecté de son ton et de ses gestes. Remplacé par une certaine tension, une concision de mouvement et de langage. La transformation n'était pas totale, mais il s'était bien amélioré.

On commençait à voir la patine du professionnel. Lisbonne allait l'endurcir davantage.

– Cela ne vous impressionne pas que Fairfax vous ait fait sauter un grade ? Il m'a fallu dix-huit mois pour obtenir cette barre argentée.

– C'est encore une question de temps. Je n'ai pas eu le temps de réagir. Je n'avais pas porté l'uniforme jusqu'à ce jour. A mon avis, ce n'est pas très confortable.

Spaulding donna une pichenette sur sa tunique.

– Bon. Ne vous y habituez pas trop.

– Pourquoi dites-vous ça ?...

– Comment vous sentez-vous ? l'interrompit Pace.

David regarda le colonel. Il retrouva un court instant la grâce, la douceur et même cet humour à froid qui le caractérisaient.

– Je ne sais pas... Comme si j'avais été fabriqué à la chaîne, à toute vitesse. Une sorte de tapis roulant accéléré, si vous voyez ce que je veux dire.

– Vous en faites une description relativement précise. Mais vous avez apporté beaucoup de vous-même à l'usine.

Spaulding fit lentement tourner son verre. Il contempla les glaçons qui flottaient avant de lever les yeux vers Pace.

– J'aimerais pouvoir prendre ça comme un compliment, fit-il doucement. Mais je ne crois pas que ce soit possible. Je connais mes compagnons d'entraînement. Ils forment une drôle de bande.

– Ils sont très motivés.

– Ces Européens sont aussi fous que ceux qu'ils veulent combattre. Ils ont leurs raisons. Je n'ai pas l'intention de les mettre en question...

27

– Bien, coupa le colonel, nous n'avons pas autant d'Américains. Pas encore.

– Vos recrues ont l'air de sortir de taule.

– Ce ne sont pas des militaires.

– Je ne le savais pas, dit aussitôt Spaulding avec un sourire. Naturellement.

Pace se mordit la langue. Il venait de commettre une indiscrétion mineure, certes, mais une indiscrétion quand même.

– Ce n'est pas important. Dans dix jours, vous aurez quitté la Virginie. L'uniforme disparaîtra. A vrai dire, on n'aurait jamais dû vous en donner un. Nous ne sommes pas encore rodés. Ce n'est pas facile de changer les règles d'intendance et d'approvisionnement.

Pace avala une gorgée en évitant le regard de Spaulding.

– Je croyais que je devais tenir le rôle d'attaché militaire à l'ambassade. Entre autres.

– Officiellement, oui. Ils constitueront un dossier sur vous. Mais vous ferez un peu exception à la règle. Cela fait partie de votre couverture. Vous ne porterez pas d'uniforme. Nous ne pensons pas que ce soit souhaitable.

Pace posa son verre et regarda David.

– Vous raconterez que vous avez dégoté un poste tranquille, sans histoires, grâce aux langues que vous parlez, à la résidence et aux relations de vos parents. En deux mots, vous avez fui comme la peste toute occasion de devenir un vrai militaire.

Spaulding réfléchit un instant.

– Cela paraît logique. Pourquoi semblez-vous soucieux ?

– A l'ambassade, un seul sera au courant. Il se fera connaître... Au bout de quelque temps, certains soupçonneront peut-être... Mais ils ne sauront pas. Ni l'ambassade ni le personnel. Ce que j'essaie de vous faire comprendre, c'est que vous ne serez pas populaire.

David rit doucement.

– J'imagine que vous me changerez de poste avant que je ne sois lynché.

– D'autres changeront de poste. Pas vous, répondit aussitôt Pace, d'un ton calme, presque brusque.

– Je ne comprends pas, fit Spaulding en soutenant le regard du colonel.

– Je ne suis pas certain de pouvoir tout vous expliquer, dit Pace, qui posa son verre sur la petite table de bar. Allez-y en douceur, avec une extrême précaution. Les Anglais du MI5 nous ont donné quelques noms, juste de quoi démarrer. Ce sera à vous de bâtir notre propre réseau. Des gens qui ne resteront en contact qu'avec vous seul. Vous voyagerez donc beaucoup. Vous parcourrez le nord du pays, vous franchirez la frontière espagnole. Le Pays Basque... les antiphalangistes. Les zones situées au sud des Pyrénées vont devenir des voies de passage, de fuite... Nous ne nous faisons aucune illusion : la ligne Maginot ne tiendra pas. La France tombera...

– Mon Dieu, l'interrompit David. Vous avez fait des prévisions détaillées.

– Nous ne faisons pratiquement que ça. C'est la raison d'être de Fairfax.

Spaulding s'adossa à son siège et fit tourner son verre entre ses mains, une fois de plus.

– Pour le réseau, je comprends ce que vous attendez de moi. C'est plus ou moins dans ce but que nous avons tous été formés ici. Mais c'est la première fois que j'entends parler du nord de l'Espagne, du Pays Basque. Je connais la région.

– Nous nous trompons peut-être. Ce n'est qu'une théorie. Vous trouverez sans doute des filières par la mer... la Méditerranée, Malaga, la Biscaye ou la côte portugaise... Plus facile. Ce sera à vous de décider. Et d'exploiter.

– D'accord. Je comprends... Quel rapport avec un changement de poste ?

– Vous n'avez pas encore rejoint votre poste, sourit Pace. Vous avez déjà hâte d'être en permission ?

– C'est vous qui avez mis le sujet sur le tapis. Quelque peu brutalement.

– C'est vrai, admit le colonel en changeant de position.

Spaulding avait l'esprit vif. Il saisissait les mots au vol et il lui fallait peu de temps pour en comprendre toute la portée. Il serait parfait pour les interrogatoires. Des enquêtes rapides, dures. Sur le terrain.

– Nous avons décidé que vous resteriez au Portugal pendant toute votre mission. Que vous preniez ou non des vacances dans le Sud. Il y a tout un tas de résidences le long de la côte...

– Dont Costa del Santiago, le coupa Spaulding. Le refuge des riches de la société internationale.

– Exactement. Cherchez-y quelques couvertures. Montrez-vous avec vos parents. Soyez un des leurs, ajouta Pace avec un sourire hésitant. Il y a pire comme mission.

– Vous ne connaissez pas ces gens... Si je vous suis, comme on dit à Fairfax, le candidat 2-5-L ferait bien de jeter un dernier regard aux rues de Washington et de New York. Il ne les reverra pas de sitôt.

– Nous ne pouvons pas prendre le risque de vous faire revenir une fois monté votre réseau, et nous partons du principe que vous allez en monter un. Si, pour une raison quelconque, vous vous rendiez en territoire allié, l'ennemi vous suivrait à la trace, dans vos moindres déplacements, pendant des mois. Tout serait mis en péril. Vous serez plus en sécurité, nos intérêts seront mieux protégés si vous restez sur place. Les Anglais nous ont appris cela. Certains de leurs agents travaillent là-bas depuis des années.

– Ce n'est guère réconfortant.

– Vous ne faites pas partie du MI5. Votre mission n'aura qu'un temps. La guerre ne durera pas éternellement.

Ce fut au tour de Spaulding de sourire. Le sourire d'un homme pris dans un engrenage qu'il ne contrôle pas.

– Il y a quelque chose de fou dans ce que vous venez de dire... *La guerre ne durera pas éternellement...*

– Pourquoi ?

– Nous n'y sommes pas encore.

– Vous y êtes, conclut Pace.

2.

8 septembre 1943, Peenemünde, Allemagne

L'homme en costume rayé, confectionné par un tailleur de l'Alte Strasse, regarda d'un air incrédule les trois hommes assis en face de lui. Il leur aurait opposé un refus catégorique si les trois experts du laboratoire n'avaient pas porté sur le revers de leur blouse blanche et amidonnée un insigne carré de métal rouge, un badge, indiquant qu'ils avaient le droit de pénétrer dans les lieux strictement réservés à l'élite de Peenemünde. Il portait lui-même ce badge sur le revers de son costume. Cette autorisation temporaire ne lui semblait guère opportune.

Elle ne l'était certainement pas à ce moment précis.

— Je ne suis pas d'accord avec vous, dit-il calmement. C'est absurde.

— Venez avec nous, rétorqua celui qui se trouvait au milieu en hochant la tête en direction de son compagnon de droite.

— Inutile d'essayer de nous retarder, ajouta le troisième savant.

Ils quittèrent tous les quatre leur fauteuil et se dirigèrent vers la porte d'acier qui, seule, permettait d'entrer dans la pièce. Ils dégrafèrent tour à tour l'insigne rouge qu'ils pressèrent contre une plaque grise accrochée au mur. A l'instant où le contact se fit, une petite lampe blanche s'alluma, deux secondes, avant de s'éteindre. Le temps de prendre une photo. Le dernier du groupe, qui appartenait au personnel de Peenemünde, ouvrit alors la porte. Ils pénétrèrent dans le hall.

S'ils n'avaient été que trois, ou cinq, ou un nombre quelconque qui ne correspondît pas au cliché, des sonneries d'alarme se seraient déclenchées.

Ils avancèrent en silence dans le long couloir blanchi à la chaux, le

Berlinois devant en compagnie du savant qui, à la table, se tenait entre les deux autres et, de toute évidence, leur servait de porte-parole. Les autres suivaient.

En arrivant au palier des ascenseurs, ils procédèrent une nouvelle fois au rituel des badges rouges, de la plaque grise et de la petite lumière blanche. Sous la plaque, un numéro s'alluma également. Six.

Les épaisses portes d'acier de l'ascenseur numéro six s'ouvrirent et l'on entendit un bruit de sonnerie étouffée. Ils entrèrent un à un.

L'ascenseur descendit huit étages dont quatre en sous-sol, vers les niveaux les plus bas de Peenemünde. Les quatre hommes se retrouvèrent dans un autre couloir blanc. Un individu grand, vêtu d'une étroite combinaison verte, un énorme étui pendant à sa ceinture, large et brune, vint à leur rencontre. L'étui renfermait un Lüger Sternlicht, pistolet muni d'un viseur télescopique. Comme l'indiquait sa casquette à visière, ce type d'arme était réservé à la Gestapo.

L'officier de la Gestapo reconnut les trois savants. Il leur sourit pour la forme et se tourna vers l'homme au costume rayé, lui tendit la main et lui fit signe de retirer son badge.

Le Berlinois obtempéra. L'homme de la Gestapo prit le badge, se dirigea vers un téléphone accroché au mur du couloir et appuya sur une combinaison de touches. Il donna le nom du Berlinois et attendit, dix secondes peut-être.

Puis il replaça le combiné et s'avança vers l'homme au complet rayé. Son arrogance avait disparu.

— Je vous demande pardon de ce retard, Herr Strasser. J'aurais dû savoir...

Il rendit son badge au Berlinois.

— Pas d'excuses inutiles, Herr Oberleutnant. Elles auraient été justifiées si vous n'aviez pas fait votre devoir.

— *Danke,* répondit le policier, qui fit signe aux quatre visiteurs de franchir la barrière de sécurité.

Ils s'avancèrent vers une porte à deux battants. On entendit cliqueter les serrures qui s'ouvraient. De petites lampes blanches s'allumèrent au-dessus des moulures. On photographia de nouveau ceux qui passaient par la double porte.

Lorsque le couloir se divisa, ils tournèrent à droite dans un autre corridor d'un brun foncé, si sombre qu'il fallut plusieurs secondes aux yeux de Strasser pour s'accoutumer à l'obscurité soudaine du passage. Les seules sources lumineuses étaient de minuscules plafonniers.

— Vous n'étiez jamais venu ici, dit le porte-parole des savants au Berlinois. Ce couloir, conçu par un ingénieur en optique, est censé acclimater l'œil aux lampes très puissantes du microscope. A notre avis, c'est du gaspillage.

Au bout du long tunnel sombre se trouvait une porte d'acier. Strasser posa la main sur son insigne, un geste automatique. Le savant hocha la tête.

– La lumière est insuffisante pour les photos, dit-il en faisant un petit signe de la main. Le garde a été alerté.

La porte s'ouvrit et les quatre hommes pénétrèrent dans un grand laboratoire. Le long du mur de droite, des tabourets étaient alignés devant de puissants microscopes équidistants les uns des autres et placés sur un établi. Derrière chaque microscope, une lampe très puissante projetait sa lumière sur la surface blanche immaculée d'où jaillissait un pied de lampe en forme de tige recourbée. Le mur de gauche était quelque peu différent. Il n'y avait pas de tabourets et moins de microscopes. La paillasse était plus haute. Ce lieu était certainement réservé à ces conférences où une multitude de paires d'yeux venaient regarder à travers les mêmes lentilles. On avait rarement besoin d'un siège. Ces messieurs s'entretenaient debout.

A l'extrémité de la pièce se trouvait une autre porte. Pas une entrée. Une chambre forte. Une chambre forte d'acier lourd, de deux mètres de haut sur un mètre de large, à la porte noire. Les deux leviers et le mécanisme de la combinaison étaient en argent luisant.

Le porte-parole des savants s'en approcha.

– Nous avons quinze minutes avant que le minuteur scelle le panneau et les tiroirs. J'ai demandé une fermeture d'une semaine. Bien entendu, j'aurai besoin de votre propre autorisation.

– Et vous êtes certain que je vais vous la donner, n'est-ce pas ?

– Oui.

Le savant tourna le mécanisme vers la droite, puis vers la gauche en s'arrêtant sur les chiffres de la combinaison.

– Les chiffres changent automatiquement toutes les vingt-quatre heures. Le mécanisme se maintient sur la dernière position.

Il tendit la main vers les leviers d'argent, abaissa la manette supérieure qui déclencha un bourdonnement à peine audible. Quelques secondes plus tard, il leva le levier inférieur.

Le bourdonnement cessa, on entendit des déclics métalliques, et le savant ouvrit l'épaisse porte d'acier.

– Voici la matière première de Peenemünde, dit-il en se tournant vers Strasser. Voyez vous-même.

Strasser s'approcha de la chambre forte. A l'intérieur, il aperçut cinq rangées de casiers de verre amovibles. Chaque rangée comprenait une centaine de casiers, cinq cents en tout.

Les casiers vides étaient marqués, sur le dessus, d'une bande blanche où était clairement imprimé le mot *Auffüllen*.

Les casiers pleins étaient désignés par une bande noire sur la tranche.

Il y avait quatre rangées et demie de casiers blancs. Vides.

Strasser les observa avec attention, en tira certains, les repoussa et fixa du regard le savant de Peenemünde.

– C'est votre unique dépôt ? demanda-t-il avec calme.

– Oui. Nous avons six mille caissons terminés. Dieu seul sait combien seront expérimentés. A vous d'estimer jusqu'où nous pouvons aller.

Strasser fixait le savant du regard.

– Vous vous rendez compte de ce que vous dites ?

– Je sais. Nous ne livrerons qu'une fraction de ce qui était prévu. Pas assez. Peenemünde est un désastre.

9 septembre 1943, en mer du Nord

La flottille de bombardiers B-17 avait manqué la cible d'Essen, en raison de la couverture nuageuse. Passant outre aux objections de ses pilotes, le chef d'escadrille avait ordonné le départ d'une seconde mission : les chantiers navals au nord de Bremerhaven. Personne n'aimait Bremerhaven. Les ailes d'interception des Messerschmitt et des stukas faisaient des ravages. C'étaient les commandos suicides de la Luftwaffe, de jeunes nazis fous qui, quand ils ne tiraient pas, se jetaient sur les appareils ennemis. Pas nécessairement par héroïsme. Souvent par inexpérience ou par manque d'entraînement.

Bremerhaven-Nord n'était pas un objectif secondaire de tout repos. Quand il s'agissait d'un premier objectif, la 8ᵉ escadrille de chasseurs d'escorte déblayait le terrain. Mais ils ne se déplaçaient pas pour un objectif secondaire.

Le chef d'escadrille était un homme intraitable. Pis, il sortait de West Point. Il ne suffisait pas d'atteindre l'objectif secondaire. Encore fallait-il le faire à une altitude garantissant le maximum de précision. Il ne tolérait pas les critiques verbales de son commandant en second, à bord de l'appareil de soutien. Une telle altitude lui semblait peu raisonnable en présence des chasseurs d'escorte. Sans eux, c'était tout simplement ridicule. Le tir était trop fourni. Pour toute réponse, le commandant lui avait récité la litanie des nouveaux ordres de navigation avant de rompre le contact radio.

Quand ils atteignirent les couloirs aériens de Bremerhaven, les intercepteurs allemands arrivaient de partout. Les tirs antiaériens se révélèrent meurtriers. Le chef d'escadrille, dont l'avion était en première ligne, perdit de l'altitude jusqu'à ce qu'il puisse obtenir la précision maximale. L'appareil explosa en plein ciel.

Le commandant en second attachait plus d'importance à la vie et au matériel que son supérieur de West Point. Il ordonna à l'escadrille de reprendre de l'altitude et aux bombardiers de se délester comme ils le pourraient après avoir atteint une altitude maximale et réduit les risques de représailles des intercepteurs et de la D.C.A.

Pour quelques-uns, ce fut trop tard. L'un des bombardiers prit feu et tomba en vrille. De l'appareil ne sortirent que trois parachutes. Deux avions, sévèrement touchés, perdirent aussitôt de l'altitude. Les pilotes et l'équipage sautèrent. La plupart d'entre eux, du moins.

Les avions restants continuèrent leur ascension. Poursuivis par les Messerschmitt, ils allaient de plus en plus haut, au-delà des limites raisonnables. On leur ordonna de prendre leurs masques à oxygène. Ceux-ci ne fonctionnaient pas tous.

Au bout de quatre minutes, ce qui restait de l'escadrille volait dans la nuit claire. Les étoiles semblaient étonnamment brillantes, la lune plus propice aux bombardiers que jamais.

C'était dans cette zone qu'ils trouveraient le salut.

— Navigateur ! dit le commandant en second, épuisé mais soulagé. Nous retournons à Lakenheath. Donnez nous les caps, si ça ne vous ennuie pas.

Le soulagement fut de courte durée.

— Il est mort, colonel. Nelson est mort, répondit, à la radio, un chasseur de l'arrière.

Ils n'eurent pas le temps de commenter la nouvelle.

— Appareil numéro trois, à vous de faire le point, dit le colonel qui se trouvait dans l'appareil numéro deux.

On lui donna les caps. La formation se regroupa et, tout en regagnant une altitude moins périlleuse, sous la couverture nuageuse, se dirigea vers la mer du Nord.

Cinq minutes passèrent, puis sept, puis douze. Vingt minutes enfin. Il y avait peu de nuages en dessous. Cela faisait au moins deux minutes qu'ils auraient dû apercevoir la côte anglaise. Certains pilotes étaient inquiets. Plusieurs en firent la remarque.

— Appareil numéro trois, nous avez-vous donné les bonnes coordonnées ? demanda le commandant de l'escadrille.

— Affirmatif, mon colonel, répondit la radio.

— Y a-t-il des navigateurs qui ne soient pas d'accord ?

Des réponses négatives lui parvinrent des autres appareils.

— Ne vous en faites pas pour les caps, mon colonel, déclara la voix du capitaine de l'appareil numéro cinq. C'est la manœuvre qui ne va pas.

— De quoi diable parlez-vous ?

— Vous avez pointé deux-trois-neuf. J'ai pensé que mes cadrans étaient fichus...

Les autres pilotes de l'escadrille décimée l'interrompirent aussitôt.

— J'ai lu un-sept...

– Mon appareil indiquait deux-neuf-deux, bon Dieu ! Nous avons été heurtés de plein fouet...

– Seigneur ! J'avais six-quatre...

– Nous avons pris un pruneau au beau milieu de la carlingue. Je ne faisais absolument pas confiance à mes chiffres !

Puis il y eut un silence. Ils avaient tous compris.

Compris l'incompréhensible.

– Coupez toute fréquence, dit le chef d'escadrille. Je vais essayer d'atteindre la base.

Il y eut une trouée dans la couverture nuageuse. Pas pour long-temps, pas assez longtemps. A la radio, on entendit la voix du capi-taine de l'appareil numéro trois.

– Mon colonel, il suffit de réfléchir deux minutes pour savoir que nous piquons vers le nord-ouest.

Il y eut un nouveau silence.

– Je vais contacter quelqu'un, dit le commandant au bout d'un instant. Vos jauges disent-elles la même chose que la mienne ? Nous avons encore du carburant pour environ dix ou quinze minutes de vol ?

– La route a été longue, mon colonel, fit l'appareil numéro sept. Certainement pas plus.

– J'ai l'impression que nous tournons en rond depuis cinq minutes, déclara l'appareil numéro huit.

– Non, dit l'appareil numéro quatre.

Le colonel chercha Lakenheath sur une fréquence d'urgence.

– Autant que je puisse déterminer votre position, fit une voix anglaise, tendue, nerveuse et pourtant maîtrisée, je veux dire à tra-vers les lignes de défense côtières, terrestres et maritimes, vous approchez du secteur de Dunbar. C'est la frontière écossaise, mon colonel. Que diable faites-vous là ?

– Je n'en sais fichtrement rien ! Y a-t-il un terrain ?

– Pas pour votre appareil. Certainement pas pour une formation, peut-être pour un ou deux...

– Je ne veux pas le savoir, espèce de crétin ! Donnez-moi les consignes d'urgence !

– Nous ne sommes pas du tout prêts à...

– Vous m'entendez ? Nous sommes les seuls survivants d'une escadrille qui a été pulvérisée. Il nous reste du carburant pour six minutes de vol. Alors, allez-y !

Le silence qui suivit dura quatre secondes. Lakenheath répondit aussitôt. Avec fermeté.

– Vous allez apercevoir la côte sous peu. L'Écosse probablement. Piquez vers la mer... Nous ferons tout ce que nous pourrons, les gars.

— Lakenheath, nous avons onze bombardiers ! Ce n'est pas un vol de canards !

— Nous n'avons pas le temps, mon colonel... Les problèmes de logistique sont insurmontables. Après tout, nous ne vous avons pas envoyés là-bas. Piquez vers la mer... Nous ferons ce que nous pourrons... Foncez !

Première partie

1.

10 septembre 1943, Berlin, Allemagne

Albert Speer, ministre de l'Armement du IIIe Reich, monta quatre à quatre l'escalier qui menait au ministère de l'Air, dans le Tiergarten. La pluie tombait à verse d'un ciel gris, drue, en diagonale, mais il ne la sentait pas. Il ne remarqua pas non plus que son imperméable déboutonné s'était entrouvert et que la tempête automnale avait trempé sa tunique et sa chemise. Aveuglé par la colère, il ne pensait plus qu'à la crise qui venait de se produire.

Folie! Pure, invraisemblable, impardonnable folie!

Les réserves industrielles de l'Allemagne étaient presque épuisées. Mais il résoudrait ce problème. En utilisant convenablement le potentiel industriel des pays occupés. Il modifierait ces pratiques ingérables d'importation de main-d'œuvre. De la main-d'œuvre? Des esclaves!

Une productivité désastreuse, un sabotage permanent, incontrôlable.

Qu'attendait-on?

L'heure du sacrifice était venue! Hitler ne pouvait pas continuer à tout donner à tout le monde! Il ne pouvait plus se permettre de distribuer d'énormes Mercedes, de monter des opéras et de remplir les restaurants. Il fallait des chars, des munitions, des navires, des avions! C'étaient les priorités!

Mais le Führer ne pourrait jamais chasser le souvenir de la révolution de 1918.

Quelle incohérence! Le seul homme qui avait assez de volonté pour modeler l'histoire, au moment de réaliser son rêve le plus fou, celui d'un Reich millénaire, restait pétrifié au souvenir des troubles populaires, du mécontentement des masses.

Speer se demanda si les futurs historiens rapporteraient ce fait. S'ils comprendraient combien Hitler était faible dès qu'il s'agissait de ses compatriotes. Comme il tremblait quand la production de biens de consommation accusait un certain retard.

Quelle folie !

Du moins lui, le Reichsminister de l'Armement, tâcherait-il de limiter les conséquences de cette lamentable incohérence ; il était persuadé que ce n'était qu'une question de temps. Quelques mois, six tout au plus.

Car il y avait Peenemünde.

Les fusées.

Tout dépendait de Peenemünde.

Nul ne pourrait lutter contre Peenemünde qui provoquerait l'effondrement de Londres et de Washington. Les deux gouvernements comprendraient l'inutilité de poursuivre leur programme d'anéantissement.

Des hommes raisonnables s'assiéraient alors autour d'une table pour conclure des traités tout aussi raisonnables.

Même s'il fallait, pour cela, réduire au silence ceux qui refusaient de se montrer raisonnables. Hitler entre autres.

Il n'était pas seul de cet avis. Speer le savait. Le Führer présentait quelques signes troublants de tension, de fatigue. Il s'entourait de personnalités médiocres, mû par un désir latent de vivre en compagnie d'êtres du même niveau intellectuel. Le Reich commençait à en pâtir. Le ministre des Affaires étrangères était un marchand de vins, celui des Affaires orientales un propagandiste de troisième ordre, le responsable de l'économie tout entière un ancien pilote de chasse !

Même lui, le petit architecte effacé, était devenu ministre de l'Armement.

Peenemünde allait changer tout cela.

Même lui. Dieu merci !

Mais il fallait d'abord que Peenemünde fût opérationnel. Son succès ne saurait être mis en doute. Sans Peenemünde, la guerre était perdue.

Et ne venait-on pas de lui annoncer qu'il y avait un problème ? Un contretemps qui pourrait bien annoncer la défaite de l'Allemagne.

Un caporal au regard vague ouvrit la porte du cabinet. Speer entra et constata que la table de conférence était au tiers vide, les assistants par petits groupes, comme si l'on se suspectait mutuellement. A l'intérieur du Reich, les rivalités s'exacerbaient.

Il s'avança vers l'extrémité de la table. A sa droite se trouvait le seul en qui, dans cette pièce, il pût avoir confiance. Franz Altmüller.

Altmüller était un cynique. Il avait quarante-deux ans. Grand, blond, aristocratique, l'image même de l'Aryen du IIIᵉ Reich. Cela dit, il était prêt à soutenir n'importe qui pourvu qu'il en tirât profit.

En public.

En privé, au milieu de ses collaborateurs les plus proches, il disait la vérité.

A condition que cette vérité pût aussi le servir.

Speer n'était pas seulement l'associé d'Altmüller, il était son ami. Leurs familles étaient plus que voisines. Leurs pères avaient fait des affaires ensemble, leurs mères étaient camarades de classe.

Altmüller tenait de son père, homme d'affaires extrêmement compétent, spécialisé dans la gestion de la production.

– J'espère que la journée sera bonne, dit Altmüller, en écartant d'un petit geste un fil imaginaire du revers de sa tunique.

Il portait l'uniforme du parti plus souvent que nécessaire, préférant pécher par excès de zèle.

– C'est très improbable, répliqua Speer en prenant rapidement place.

Autour de la table, les groupes parlaient entre eux. Les regards étaient tous tournés vers Speer. Ils s'apprêtaient à faire silence, bien qu'aucun ne voulût paraître inquiet ni coupable.

Le silence se ferait dès qu'Altmüller ou Speer se lèverait pour s'adresser à l'assistance. Ce serait le signal. Pas avant. Toute attention anticipée pouvait passer pour de la peur. Avoir peur, c'était reconnaître une erreur. A la table de conférence, nul ne tenait à se retrouver dans une telle situation.

Altmüller ouvrit une chemise de papier brun, qu'il posa devant Speer. C'était la liste des gens convoqués à la réunion. Ils se divisaient en trois factions distinctes, elles-mêmes subdivisées. Chacune avait son porte-parole. Speer lut les noms et leva les yeux discrètement, pensa-t-il, pour s'assurer de la présence des trois leaders et de leurs places respectives.

A l'extrémité de la table, resplendissant dans son uniforme de général, une brochette de décorations acquises trente ans plus tôt sur sa tunique, se trouvait Ernst Leeb, chef du service du matériel et des dépôts : un homme de taille moyenne, très musclé, étonnamment musclé pour ses soixante ans. Il tenait un fume-cigarette d'ivoire qui lui permettait d'interrompre les conversations de ses subordonnés à volonté. Leeb était une caricature qui détenait encore un certain pouvoir. Hitler l'aimait, autant pour son port de soldat impérieux que pour ses capacités.

Au milieu de la table, sur la gauche, se tenait Albert Vögler, agressif et dur directeur général de l'industrie du Reich. Vögler avait la robuste apparence d'un bourgmestre. La chair molle et plissée de son visage lui donnait en permanence un air renfrogné et interrogateur. Il riait beaucoup, d'un rire âpre. Une attitude plus qu'une manifestation de joie. Il convenait parfaitement à la position qu'il occupait.

Vögler adorait conduire les négociations entre industriels, surtout entre adversaires acharnés. Il tenait d'autant mieux ce rôle de médiateur que les différentes parties le craignaient.

En face de Vögler, légèrement sur la droite, près d'Altmüller et de Speer se trouvait Wilhelm Zangen, représentant officiel du Patronat allemand de l'industrie. Zangen avait les lèvres minces. Il était svelte et totalement dépourvu d'humour. Ce squelette décharné trouvait son bonheur au milieu des tableaux et des graphiques. C'était un homme précis que la nervosité faisait transpirer du visage. Il transpirait à présent et s'épongeait sans cesse avec un mouchoir. Son aspect physique ne laissait rien deviner de ses talents d'orateur. Jamais il ne discutait sans s'appuyer sur des faits indiscutables.

Ils étaient tous persuasifs, pensa Speer. S'il n'avait pas été en colère, ces hommes auraient pu l'intimider. Il en était conscient. Albert Speer était honnête avec lui-même. Il se rendait compte qu'il n'avait aucune autorité personnelle. Il éprouvait le plus grand mal à exprimer son opinion sans détour, face à l'hostilité latente de son auditoire. Pour l'instant, celui-ci était sur la défensive. Speer devait maîtriser sa colère. Qu'elle n'engendre pas la panique. Qu'ils ne cherchent pas leur seul salut.

Ils avaient besoin d'un remède. L'Allemagne avait besoin d'un remède.

Il fallait sauver Peenemünde.

– Par où voulez-vous commencer ? demanda Speer à Altmüller, d'une voix inaudible pour le reste de l'assistance.

– Cela n'a pas la moindre importance. Nous en aurons pour une heure d'explications obscures et ennuyeuses et de vives discussions avant de parvenir à quelque chose de concret.

– Les explications ne m'intéressent pas...

– Des excuses, alors.

– Surtout pas d'excuses. Ce que je veux, c'est une solution.

– Si vous voulez en trouver une autour de cette table, il vous faudra supporter leur verbiage. Il en sortira peut-être quelque chose. Mais j'en doute.

– Pouvez-vous m'expliquer pourquoi ?

Altmüller regarda Speer droit dans les yeux.

– En fait, je ne suis pas certain qu'il y ait une solution. Mais, s'il doit y en avoir une, je ne crois pas que nous la trouverons ici... Je peux me tromper. Pourquoi ne pas les écouter ?

– D'accord. Commencez par le sommaire que vous avez préparé. Je crains de perdre patience avant la fin de cette réunion.

– Si je puis vous faire une suggestion, murmura Altmüller, il est indispensable que vous vous mettiez en colère à un moment ou à un autre. Je ne vois pas comment nous pouvons éviter cela.

– Je comprends.

Altmüller repoussa sa chaise et se leva. Un groupe après l'autre, toute conversation cessa autour de la table.

– Messieurs, nous vous avons convoqués à cette réunion d'urgence pour des raisons qui ne vous ont certainement pas échappé. Du moins devriez-vous en être conscients. Apparemment, seuls le ministre de l'Armement et son équipe n'en avaient pas été informés. Un oubli que le Reichsminister et son cabinet trouvent très regrettable... En bref, l'opération Peenemünde traverse une crise d'une extrême gravité. Malgré les millions engloutis dans ce programme de recherche d'une importance capitale, malgré les assurances renouvelées de vos services respectifs, nous venons d'apprendre que la production risquait de cesser totalement dans les semaines qui viennent. Quelques mois avant le délai fixé pour la sortie des premières fusées opérationnelles. Cette date n'a jamais été remise en question. C'était la pierre angulaire de toute notre stratégie militaire. Des armées entières ont été déplacées pour assurer la coordination avec ce projet. La victoire de l'Allemagne en dépend... Or Peenemünde est menacé... Si les prévisions découvertes et analysées par les services du Reichsminister sont exactes, le complexe de Peenemünde aura épuisé ses ressources en diamants industriels dans moins de trois mois. Sans diamants industriels, le travail de précision effectué à Peenemünde ne pourra se poursuivre.

Un concert de voix, nerveuses, gutturales, rivalisant les unes avec les autres pour attirer l'attention, s'éleva à l'instant même où Altmüller reprit sa place. Le fume-cigarette du général Leeb fendit l'air devant lui, tel un sabre. Albert Vögler, les yeux plissés, l'air sombre, posa ses grosses mains sur la table et parla d'un ton âpre et monotone. Le mouchoir de Wilhelm Zangen passait à toute allure de son visage à son cou, sa voix suraiguë contrastait avec celle de ses collègues.

Franz Altmüller se pencha vers Speer.

– Avez-vous déjà vu des ocelots furieux en cage dans un zoo ? Le gardien doit les empêcher de se jeter sur les barreaux. Je vous propose de vous mettre en colère plus tôt que prévu. Maintenant, par exemple.

– Ce n'est pas une bonne tactique.

– Ne leur faites pas croire que vous vous laissez intimider...

– Ni que je veux les intimider.

Speer interrompit son ami, un très léger sourire aux lèvres.

– Messieurs, dit-il en se levant.

Les voix s'apaisèrent.

– Herr Altmüller vous a parlé durement. C'est, j'en suis certain, que je lui avais moi-même parlé très durement. Ce matin, tôt dans la matinée. De grandes perspectives s'ouvrent devant nous. Ce n'est pas le moment de discuter. Je ne dis pas cela pour minimiser les aspects négatifs de la situation qui sont loin d'être négligeables. Mais la colère n'a jamais rien résolu. Et nous avons besoin de solutions... C'est pour cela que je vous demande votre coopération, la coopération des plus grands experts de l'industrie et de l'armée du Reich. Nous devons tout d'abord connaître les détails de l'affaire. Je commencerai par Herr Vögler. En tant que directeur de l'industrie du Reich, quelle est votre analyse de la situation ?

Vögler était contrarié. Il n'avait nul désir d'ouvrir le feu.

– Je ne pense pas être en mesure de vous apporter des éclaircissements, Herr Reichsminister. Je suis, moi aussi, dépendant des rapports qui me sont remis. Ils étaient optimistes. Jusqu'à la semaine dernière, il n'avait jamais été question de la moindre difficulté.

– Que voulez-vous dire par « optimistes » ? demanda Speer.

– Les quantités de borts [1] et de diamants carbonados semblaient suffisantes. De plus les expériences sur le lithium, le carbone et la paraffine se poursuivent. Notre service de renseignements nous a indiqué que l'Anglais Storey était en train de vérifier les théories de Hannay-Moissan au British Museum. On a déjà produit des diamants de cette façon.

– Qui contrôle cet Anglais ? demanda Altmüller d'un ton sec. Vous rendez-vous compte que ce genre de donnée doit être transmise ?

– C'est l'affaire des renseignements. Je n'en fais pas partie, Herr Altmüller.

– Continuez, dit aussitôt Speer. Qu'y a-t-il d'autre ?

– Il y a aussi une expérience anglo-américaine sous la direction de l'équipe Bridgemann. Ils soumettent le graphite à des pressions de trois mille tonnes par centimètre carré. Nous n'avons eu aucun écho d'une quelconque réussite dans ce domaine.

– Avez-vous eu l'écho d'un quelconque échec ? fit Altmüller d'un ton courtois, en haussant ses sourcils aristocratiques.

– Je vous rappelle que je n'appartiens pas aux renseignements. Je n'ai reçu aucun message de cet ordre.

– Cela fait réfléchir, non ? déclara Altmüller.

– Néanmoins, coupa Speer avant que Vögler ait eu le temps de répondre, vous aviez des raisons de supposer que l'on ne manquait ni de bort ni de carbonado. N'est-ce pas ?

– On n'en manquait pas. Du moins pouvait-on en obtenir, Herr Reichsminister.

_____

1. Borts : diamants dont on fait l'égrisée, une poudre qui sert à tailler des pierres précieuses.

– Comment cela ?

– Je pense que le général Leeb pourra vous en dire davantage à ce sujet.

Leeb en lâcha presque son fume-cigarette. Altmüller remarqua sa surprise.

– Pourquoi le chef de l'intendance détiendrait-il ce type d'information, Herr Vögler ? Je vous demande ça par pure curiosité.

– Par les rapports, une fois de plus. Il me semble que le chef de l'intendance est responsable de l'évaluation des potentiels des territoires occupés en ressources industrielles, agricoles et minérales. Ou des territoires qui le seront.

Ernst Leeb n'était pas totalement pris au dépourvu. Il ne s'attendait certes pas aux insinuations de Vogler, mais il savait que l'on aborderait le sujet. Il se tourna vers son assistant, qui se mit à feuilleter nerveusement son dossier.

– Les services de l'intendance ont eu fort à faire ces derniers jours, tout comme les vôtres, Herr Vögler, bien entendu. Je me demande si le général Leeb a eu le temps.

– Nous l'avons pris, fit Leeb. (Son attitude brusque, militaire, venait en contrepoint du ton bourru de bourgmestre qu'avait adopté Vögler.) Quand nous avons reçu le message des collaborateurs de Herr Vögler nous annonçant une crise imminente, pas encore là mais imminente, nous avons aussitôt cherché les moyens éventuels d'en sortir.

Franz Altmüller porta la main à sa bouche pour dissimuler un sourire involontaire. Il regarda Speer, qui était trop soucieux pour remarquer l'ironie de la situation.

– L'assurance du chef de service de l'intendance est un soulagement pour moi, dit Speer.

Le Reichsminister avait le plus grand mal à dissimuler le peu de confiance que lui inspiraient les militaires.

– Quelle est votre solution ?

– J'ai parlé de moyens *éventuels*, Herr Speer. Nous avons besoin de plus de temps que cela pour parvenir à une solution concrète.

– Très bien. Quels seraient ces moyens éventuels ?

– Il existe un remède immédiat qui n'est pas sans précédent historique.

Leeb s'interrompit pour écraser sa cigarette et l'extraire de son fume-cigarette, opération que l'assistance observa avec la plus grande attention.

– J'ai pris la liberté de demander des études préliminaires au commandant général. Nous aurions besoin d'un corps expéditionnaire d'au moins quatre bataillons... en Afrique. Pour les mines de diamants situées à l'est du Tanganyika.

– Quoi ? fit Altmüller qui ne put s'empêcher d'incliner le torse. Vous dites cela sérieusement ?

– Je vous en prie !

Speer ne tenait pas à ce que son ami interrompît la discussion. Si Leeb avait envisagé une action aussi spectaculaire, elle devait être justifiée. Aucun militaire n'ignorait l'étirement des lignes, broyées sur le font de l'Est, affaiblies par les assauts meurtriers des Alliés en Italie. Jamais il n'aurait proposé une chose aussi absurde s'il n'y avait pas une chance de réussite.

– Poursuivez, mon général.

– Les mines Williamson de Mwadui. Entre les districts du Tanganyika et de Zanzibar, dans la région centrale. Les mines de Mwadui produisent plus d'un million de carats de carbonados par an. Les services de renseignements, par des agents envoyés là-bas à ma demande expresse, m'ont informé qu'il y a là de quoi nous approvisionner plusieurs mois. Nos agents de Dar es-Salaam sont convaincus que nous pourrions mener cette entreprise à bien.

Franz Altmüller passa une feuille de papier à Speer. « Il a perdu la tête ! » avait-il griffonné.

– A quel précédent historique faites-vous allusion ? demanda Speer, qui avait posé la main sur le papier d'Altmüller.

– Tous les districts à l'est de Dar es-Salaam appartiennent de droit au IIIe Reich, toute l'Afrique-Occidentale allemande. Ils nous ont été retirés après la Grande Guerre. Il y a quatre ans, le Führer lui-même l'a dit très clairement.

Le silence se fit autour de la table. Un silence embarrassé. Même ses assistants détournaient leur regard du vieux soldat.

– C'est une justification, pas un précédent, mon général, déclara calmement Speer. Le monde se moque de nos justifications et, bien que je ne trouve pas judicieux d'envoyer quelques bataillons à l'autre bout du globe, vous avez mis le doigt sur quelque chose d'intéressant. Peut-on trouver du bort ou du carbonado plus près... en Afrique orientale peut-être ?

Leeb regarda ses assistants. Wilhelm Zangen se tapota les narines avec son mouchoir en inclinant la tête en direction du général.

– Je vais vous répondre, Herr Reichsminister, dit-il d'une voix haletante, qui reflétait son irritation. Et vous verrez combien cette discussion est vaine... Soixante pour cent des réserves mondiales de bort se trouvent au Congo belge. Les deux centres principaux sont le Kasaï et le Bakwanga, entre deux fleuves, le Kanshi et le Bushimaïe. Le gouverneur général du district est Pierre Rycksmans. Il est dévoué au gouvernement belge en exil à Londres. Je peux affirmer à Leeb que le Congo est bien plus attaché à la Belgique que Dar es-Salaam ne nous l'a jamais été.

Leeb alluma rageusement une cigarette. Speer s'assit de nouveau avant de s'adresser à Zangen :

– D'accord. Soixante pour cent du bort. Et le carbonado, et le reste ?

– En Afrique-Équatoriale française : totalement ralliée au gouvernement de la France libre de De Gaulle. Le Ghana et la Sierra Leone : sous étroit contrôle britannique. L'Angola : sous domination portugaise, neutralité inviolée. Nous le savons de façon certaine. L'Afrique-Occidentale française : elle est sous mandat français et les forces alliées occupent les avant-postes... Nous n'avions qu'un atout dans cette zone et nous l'avons perdu il y a un an et demi. Vichy a abandonné la Côte-d'Ivoire... Nous n'avons plus accès à l'Afrique, Reichsminister. Du moins pas militairement.

– Je vois, répondit Speer qui griffonnait distraitement sur le papier que lui avait donné Altmüller. Vous nous conseillez donc une solution non militaire ?

– Il n'y en a pas d'autre.

Speer se tourna vers Franz Altmüller. Grand, blond, celui-ci les fixait tous du regard. Ils étaient livides.

2.

11 septembre 1943, Washington, D.C.

Le général de brigade Alan Swanson sortit du taxi et leva les yeux vers l'immense porte de chêne de la résidence de Georgetown. Durant la traversée de ces rues pavées, il lui avait semblé entendre un roulement de tambour incessant.

Prélude à une exécution.

En haut de ces marches, derrière cette porte, quelque part à l'intérieur de cette demeure aristocratique haute de quatre étages de brique et de grès brun, il y avait une grande pièce. Et dans cette pièce, on avait prononcé des milliers de condamnations à mort, qui ne concernaient pas ceux qui étaient assis autour de la table.

Prélude à l'anéantissement.

Si les délais étaient respectés. Et il était inconcevable qu'ils ne le fussent pas.

Meurtres en série.

Suivant les ordres qu'il avait reçus, il observa la rue, d'un bout à l'autre, pour vérifier qu'il n'avait pas été suivi. Imbécile ! Le C.I.C. les maintenait sans cesse sous étroite surveillance. Lequel de ces piétons ne le perdait-il pas de vue, laquelle de ces voitures roulant au pas ? Peu importait. Il était également stupide d'avoir choisi un tel lieu de réunion. Croyaient-ils vraiment que la crise resterait secrète ? Pensaient-ils qu'il suffisait de tenir une conférence dans l'un de ces immeubles résidentiels de Georgetown pour que la situation s'améliore ?

Connards !

Il ne prêtait guère attention à la pluie qui tombait dru, régulière. Un orage d'automne à Washington. Son imperméable était ouvert, la veste de son uniforme humide et froissée. Il s'en moquait. Il n'y pensait même pas.

Le seul objet qui le préoccupât était à l'intérieur d'une mallette de métal de quinze centimètres de largeur, douze de profondeur et d'environ trente de longueur. L'objet présentait tous les aspects d'une technologie avancée. Il était conçu pour opérer avec fiabilité et précision, deux qualités fondamentales.

Or il n'était pas fonctionnel. Il ne marchait pas.

L'un après l'autre, tous les tests avaient échoué.

Dix mille bombardiers B-17 sortaient des usines du pays. Sans gyroscopes de haute altitude capables d'atteindre les fréquences radio et de les guider, mieux valait qu'ils restent au sol !

Et, sans ces appareils, l'opération Overlord était sérieusement menacée. Le débarquement en Europe risquait de coûter très cher, trop cher.

Comment demander à des avions de bombarder massivement l'Allemagne jour et nuit sans leur accorder la sécurité en haute altitude ? C'était en envoyer la majorité à la destruction, et leurs équipages à la mort. Les exemples ne manquaient pas : chaque fois que ces gros avions montaient trop haut. On ne pouvait accuser ni l'erreur du pilote, ni le feu de l'ennemi, ni la fatigue des instruments... C'était l'altitude... Vingt-quatre heures auparavant, une escadrille de bombardiers, partie en mission pour Bremerhaven, était sortie des couloirs aériens, épuisant les appareils, pour se regrouper bien au-dessus des niveaux normaux d'oxygène. Apparemment, leurs systèmes de navigation s'étaient déréglés. L'escadrille s'était retrouvée dans le secteur de Dunbar, près de la frontière écossaise. Tous les avions sauf un s'étaient écrasés dans la mer. Les patrouilles côtières avaient recueilli trois survivants. Trois, sur Dieu seul sait combien de pilotes qui étaient revenus de Bremerhaven ! Le seul appareil qui avait tenté un atterrissage avait explosé dans les faubourgs d'une ville... Aucun survivant.

L'Allemagne ne pourrait pas éviter la défaite, mais elle vendrait cher sa peau. Elle s'apprêtait à contre-attaquer. Elle avait retenu la leçon que lui avait donnée la Russie. Les généraux du Reich étaient prêts. Pour que leur reddition ne fût pas inconditionnelle, ils devaient faire payer aux Alliés un prix exorbitant, qui frapperait les esprits et donnerait mauvaise conscience à l'humanité. Ils l'avaient compris.

Un compromis serait alors possible.

Mais c'était inacceptable pour les Alliés. La *reddition inconditionnelle* était au cœur de la politique tripartite. Toute solution autre qu'extrême n'était pas envisageable. On ne transigerait pas. Nations, dirigeants, tous étaient saisis par la fièvre de la victoire totale. A l'apogée cette frénésie, les responsables politiques semblaient ignorer ce que tout le monde avait compris. Ils déclaraient d'un ton héroïque que l'on devait s'attendre à quelques pertes.

Swanson gravit les marches de la maison de Georgetown. La porte s'ouvrit, un commandant le salua avant de lui faire signe d'entrer. Dans le hall, trois sous-officiers, au repos, dans leurs jambières de parachutistes. Swanson reconnut, à leur épaule, l'emblème des bataillons de Rangers. Le ministère de la Guerre avait bien fait les choses.

Un sergent fit entrer Swanson dans un petit ascenseur aux grilles de cuivre. Deux étages plus haut, l'ascenseur s'arrêta et Swanson sortit sur le palier. Il reconnut le visage du colonel qui se tenait devant une porte close à l'extrémité d'un petit couloir. Il ne parvenait pourtant pas à se rappeler son nom. L'homme travaillait dans les opérations clandestines. Il n'attirait jamais l'attention sur lui. Le colonel s'avança et le salua.

– Général Swanson ? Colonel Pace.

Swanson répondit d'un hochement de tête et tendit la main.

– Ah oui ! Ed Pace, n'est-ce pas ?

– Oui, mon général.

– Alors, on vous a sorti des caves. Je ne savais que ce lieu était votre territoire.

– Ça ne l'est pas, mon général. Je voulais juste rencontrer ceux que vous allez voir. Autorisation spéciale.

– Votre présence ici est un gage de notre sérieux.

Swanson sourit.

– Je suis convaincu que nous agissons avec le plus grand sérieux, mais pour faire quoi ? Je l'ignore.

– Vous avez de la chance. Qui est là ?

– Howard Oliver, de Meridian Aircraft. Jonathan Craft, de Packard. Et Spinelli, l'homme du laboratoire, de l'A.T.C.O.

– Quelle journée fantastique en perspective ! Je brûle d'impatience. Qui préside ? Mon Dieu, il doit bien y avoir quelqu'un de notre bord.

– Vandamm.

Swanson serra les lèvres comme pour siffler. Le colonel hocha la tête pour montrer qu'il partageait son sentiment. Frédéric Vandamm était sous-secrétaire d'État et, si l'on en croyait la rumeur, le plus proche collaborateur de Cordell Hull. Le meilleur moyen d'atteindre Roosevelt était de passer par Hull. Si sa porte était close, on contactait Vandamm.

– C'est l'artillerie lourde, dit Swanson.

– Quand ils l'ont vu, je crois que Craft et Oliver ont eu une sacrée trouille. Quant à Spinelli, il est dans un état d'ahurissement permanent. Il prendrait le portier pour Patton.

– Je ne connais Spinelli qu'à travers notre agent. C'est, dit-on, le meilleur spécialiste en gyroscopes de nos laboratoires... Oliver et Craft, je ne les connais que trop. J'aurais fichtrement préféré que vous ne les mettiez pas au courant pour les cartes routières.

– On ne pouvait guère faire autrement, puisqu'ils sont propriétaires de ces routes, mon général.

Le colonel haussa les épaules. De toute évidence, il était du même avis que Swanson.

– Je vais vous donner un tuyau, Pace. Craft n'est qu'un larbin mondain. C'est Oliver le plus dur à cuire.

– Il y en a plus à cuire, répliqua le colonel en riant doucement.

Swanson ôta son imperméable.

– Si vous entendez des coups de feu, colonel, dites-vous que je me détends les nerfs. Passez votre chemin.

– Je considère cela comme un ordre, mon général. Je serai sourd, répondit Pace en tendant la main vers la poignée de la porte, qu'il ouvrit aussitôt pour laisser passer son supérieur.

Swanson entra vite dans la pièce. C'était une bibliothèque dont les meubles avaient été repoussés contre les murs. On avait installé une table de conférence au centre. A l'extrémité se tenait Frédéric Vandamm, aux cheveux blancs, à l'allure aristocratique. A sa gauche, Howard Oliver, obèse, le crâne dégarni, avait posé ses notes devant lui. En face se trouvaient Craft et un homme petit, brun, portant lunettes. Ce devait être Spinelli, se dit Swanson.

On lui avait apparemment réservé le fauteuil vide à l'autre extrémité de la table, en face de Vandamm. Vandamm avait bien distribué les places.

– Veuillez excuser mon retard, monsieur le Sous-Secrétaire d'État. J'aurais eu besoin d'une voiture de fonction. Il n'était pas facile de trouver un taxi... Messieurs.

Les trois hommes d'affaires hochèrent la tête.

– Mon général, murmurèrent Craft et Oliver.

Spinelli se contenta de l'observer derrière le verre épais de ses lunettes.

– Je vous demande pardon, général Swanson, dit Vandamm avec l'accent britannique des nantis. Pour des raisons évidentes, nous ne souhaitions pas que cette réunion se tienne dans un bureau du ministère. Nous ne voulions pas non plus que l'on y attache de l'importance. Ces messieurs risqueraient de faire jaser le ministère de la Guerre, inutile de vous le dire. Le plus tard sera le mieux. Si vous aviez pris une de ces voitures de fonction qui foncent à travers Washington – ne me demandez pas pourquoi, mais apparemment elles ne ralentissent jamais –, vous auriez éveillé l'attention. Vous comprenez ?

Swanson et le vieil homme échangèrent un regard entendu. Vandamm était un malin. C'était un pari risqué que de parler de taxi, mais Vandamm avait compris. Il avait relevé l'argument et s'en était bien servi, impartialement.

Il avait les trois hommes d'affaires à l'œil. Dans cette entrevue, ils étaient l'ennemi.

– J'ai été discret, monsieur le Sous-Secrétaire.

– J'en suis certain. Venons-en au fait. M. Oliver nous a demandé d'exposer la position de Meridian Aircraft.

Swanson observa Oliver. L'homme à la mâchoire puissante mettait de l'ordre dans ses notes. Il le détestait. Il y avait en lui quelque chose de fondamentalement glouton. C'était un manipulateur. Il y en avait de cette espèce dans tout Washington, qui bâtissaient des fortunes sur la guerre, affirmant avec force le pouvoir du marché, le prix du marché, le prix du pouvoir qu'ils détenaient.

– Merci. Nous avons l'impression, chez Meridian, fit la voix rude d'Oliver, entre ses lèvres épaisses, que la... gravité présumée de la situation présente a oblitéré les progrès réels que nous avons faits. L'appareil en question a largement prouvé ses capacités. La nouvelle forteresse améliorée est prête pour le combat. Il ne nous reste que l'altitude à régler.

Oliver se tut brusquement et posa ses mains adipeuses devant lui. Sur ses notes. Il avait terminé sa déclaration. Craft hocha la tête d'un air approbateur. Les deux hommes regardèrent Vandamm, l'air réservé. Gian Spinelli continuait d'observer Oliver de ses yeux grossis par les verres de ses lunettes.

Alan Swanson était ébahi. Pas par la brièveté de l'exposé, mais par l'évidence du mensonge.

– Si telle est votre position, je la trouve totalement inacceptable. L'avion en question n'aura prouvé ses capacités que quand il sera opérationnel aux altitudes spécifiées dans les contrats publics.

– Il est opérationnel, rétorqua Oliver d'un ton sec.

– Opérationnel. Non fonctionnel, monsieur Oliver. Il ne sera fonctionnel que quand on pourra le guider du point A au point B, à l'altitude requise.

– « Requise comme maximum », général Swanson, répliqua aussitôt Oliver, avec un sourire obséquieux qui n'avait rien de courtois.

– Qu'est-ce que cela signifie ?

Swanson regarda le sous-secrétaire d'État.

– M. Oliver s'inquiète de l'interprétation du contrat.

– Moi pas.

– Évidemment, répondit Oliver. Le ministère de la Guerre a refusé de payer Meridian Aircraft. Nous avons un contrat...

– Allez porter votre foutu contrat à quelqu'un d'autre !

– La colère ne résoudra rien, fit Vandamm d'un ton dur.

– Je suis désolé, monsieur le Sous-Secrétaire, mais je ne suis pas ici pour parler de l'interprétation du contrat.

– J'ai bien peur que si, général Swanson, dit Vandamm avec calme. Le service de la comptabilité refuse de payer Meridian, en raison de votre avis négatif. Vous ne leur en avez pas donné l'autorisation.

– Pourquoi devrais-je le faire ? L'appareil ne correspond pas à nos besoins.

– Il correspond au contrat que vous avez signé, déclara Oliver, qui se tourna vers le général de brigade. Soyez assuré, mon général, que nous faisons tous nos efforts pour parvenir au système de navigation d'altitude maximale souhaité. Toutes nos forces y travaillent. Nous sommes sur le point de trouver, nous en sommes convaincus. Mais, en attendant, nous voulons que le contrat soit respecté. Nous l'avons rempli.

– Vous nous proposez de prendre cet appareil en l'état ?

– C'est le meilleur bombardier qui soit ! s'exclama Jonathan Craft d'une voix douce et flûtée.

Son exclamation resta suspendue dans l'air avant de retomber. Il serra ses doigts fins les uns contre les autres comme pour appuyer ses propos.

Swanson ne prêta pas attention à Craft mais observa le petit visage et les yeux agrandis du chercheur de l'A.T.C.O., Gian Spinelli.

– Et les gyroscopes ? Pouvez-vous me répondre, monsieur Spinelli ?

– Utilisez les systèmes existants, l'interrompit brutalement Howard Oliver. Et lancez-vous dans la bataille !

– Non !

Swanson ne put retenir son indignation. C'était un rugissement de dégoût. Que le sous-secrétaire dise ce qu'il veut !

– Notre stratégie comporte des missions de vingt-quatre heures vers les régions les plus éloignées d'Allemagne. Partant de tous les points du globe, connus ou inconnus. Des terrains anglais, italiens, grecs... oui, même des bases non répertoriées de Turquie et de Yougoslavie. Des transports de troupes en Méditerranée et, bon sang, en mer Noire ! Des milliers et des milliers d'avions vont encombrer l'espace aérien. Nous avons besoin de voler à plus haute altitude ! Nous avons besoin de systèmes de navigation nous permettant de le faire ! Il est impensable que nous disposions d'appareils ne répondant pas à ces critères ! ... Je suis désolé, monsieur Vandamm. Mais je crois ma colère justifiée.

– Je comprends, dit le sous-secrétaire d'État. C'est pour cela que nous sommes réunis cet après-midi. Pour chercher une solution... et de l'argent. Le vieil homme tourna son regard vers Craft. Avez-vous quelque chose à ajouter aux propos de M. Oliver, pour nous exposer la position de Packard ?

Craft desserra ses doigts maigres et soignés et inspira profondément, comme s'il allait invoquer un des grands principes de la sagesse universelle. « La fontaine jaillissante de la connaissance administrative qui cherche discrètement l'approbation du président », songea Swanson.

– Bien sûr, monsieur le Sous-Secrétaire. Comme principal sous-traitant de Meridian, nous sommes aussi préoccupés que le général par l'absence de résultats en ce qui concerne la navigation. Nous avons tout fait pour y remédier. La présence de M. Spinelli est là pour en témoigner. Après tout, c'est nous qui avons amené A.T.C.O..., ajouta Craft avec un sourire héroïque et un peu triste. Comme vous le savez, A.T.C.O. est ce qu'il y a de meilleur et de plus cher. Nous avons vraiment tout fait.

– Vous avez fait intervenir A.T.C.O., dit Swanson d'un ton las, parce que vos laboratoires n'étaient pas à la hauteur. Vous avez répercuté les surcoûts de l'opération sur Meridian, qui les répercute à son tour sur nous. Vous ne vous êtes pas donné tant de mal que ça !

– Mon Dieu, mon général ! s'exclama Craft sans grande conviction. Le temps, les négociations... Le temps, c'est de l'argent. Ne vous y trompez pas. Je pourrais vous montrer...

– Le général m'a posé une question. J'aimerais lui répondre, intervint le petit savant, avec une pointe d'accent.

Il semblait repousser l'absurde argumentation de Craft. A moins qu'il ne voulût pas en tenir compte ? Ou les deux à la fois.

– Je vous en serai reconnaissant, monsieur Spinelli.

– Nous avons fait de réels progrès, substantiels si vous préférez. Pas rapides. Nous rencontrons de grosses difficultés. La distorsion des fréquences radio au-delà d'une certaine altitude varie avec la température et les courbures de la masse terrestre. La solution consiste à alterner les compensations. Au cours de nos expériences, nous n'avons cessé de rétrécir le champ de l'inconnu... Nous progresserions plus rapidement si nous n'étions pas perturbés par des interventions incessantes.

Gian Spinelli se tut et tourna ses yeux de grenouille vers Howard Oliver, dont le cou épais et le visage massif s'empourprèrent.

– Nous n'intervenons pas !

– Et ce n'est certainement pas Packard, s'empressa d'ajouter Craft. Nous nous sommes informés presque quotidiennement. Notre intérêt ne s'est jamais relâché !

– Votre intérêt..., fit Spinelli en se tournant vers Craft, comme celui de Meridian... est exclusivement financier, pour autant que je sache.

– C'est ridicule ! Si nous nous sommes inquiétés de cet aspect...
c'est à la requête du service d'audit du contractant...

– C'était indispensable ! (Oliver ne put dissimuler sa fureur à
l'encontre du petit Italien.) Dans votre laboratoire... on n'est pas très
conciliant ! Vous êtes des enfants !

Au cours des trente secondes qui suivirent, les trois hommes parlèrent en même temps, avec la plus grande agitation. Swanson leva
les yeux vers Vandamm. D'un regard, ils se comprirent.

Oliver fut le premier à flairer le piège. Il leva la main... avec l'autorité d'un dirigeant d'entreprise, pensa Swanson.

– Monsieur le Sous-Secrétaire, dit Oliver en réprimant sa rage. Ne
vous méprenez pas sur le léger différend qui nous oppose. Cela ne
nous empêche pas d'être productifs.

– Vous n'avez pas produit ce que nous vous avions demandé,
déclara Swanson. Je me rappelle parfaitement vos prévisions quant à
la réalisation de ce contrat. Tout devait marcher comme sur des rou-
lettes.

Sous le regard d'Oliver, Alan Swanson éprouva le besoin instinctif
de se saisir d'une arme pour se protéger. Le représentant de Meridian
était sur le point d'exploser.

– Nous nous fions aux prévisions de nos subordonnés, répondit
Oliver, lentement, avec hostilité. Les militaires ont aussi commis pas
mal d'erreurs, je crois.

– Ce ne sont pas des subordonnés qui élaborent les grandes stra-
tégies.

Vandamm haussa le ton.

– Monsieur Oliver. Supposons que vous parveniez à convaincre
le général Swanson qu'il ne sert à rien de bloquer les fonds. Quels
délais pouvez-vous nous assurer actuellement ?

Oliver regarda Spinelli.

– A votre avis ? demanda-t-il froidement.

Spinelli fixa le plafond.

– Honnêtement, je ne peux pas vous donner de réponse. Nous
trouverons peut-être la semaine prochaine. Ou l'année prochaine.

Swanson plongea la main dans la poche de sa veste et en sortit une
feuille de papier pliée. Il l'ouvrit devant lui.

– D'après ce mémorandum... le dernier rapport d'A.T.C.O... Une
fois que le système de navigation sera au point, il vous faudra six
semaines d'expérimentation en vol, avez-vous déclaré. Sur le terrain
d'essais du Montana.

– C'est exact, mon général. C'est moi qui ai dicté cela, dit Spinelli.

– Six semaines à partir de la semaine prochaine. Ou de l'année
prochaine. Et en supposant que les expériences effectuées dans le
Montana se révèlent positives, encore un mois pour équiper tous nos
appareils.

– Oui.

Swanson jeta un coup d'œil à Vandamm.

– A la lumière de cette discussion, monsieur le Sous-Secrétaire, il semble que nous soyons contraints de modifier nos priorités immédiates. Ou du moins nos prévisions. Nous n'atteindrons pas nos objectifs logistiques.

– Inacceptable, général Swanson. Nous devons les atteindre.

Swanson fixa le vieil homme du regard. Chacun savait exactement à quoi l'autre faisait allusion : *Overlord*. Le débarquement en Europe.

– Nous devons les remettre à plus tard.

– Impossible. C'est ainsi, mon général.

Swanson regarda les trois hommes autour de la table : l'ennemi.

– Nous resterons en contact, messieurs, conclut-il.

3.

David Spaulding attendait à l'ombre d'un arbre noueux, au feuillage épais, sur la pente rocheuse au-dessus d'un ravin. C'était au Pays Basque, l'air était humide et froid. Le soleil de cette fin d'après-midi disparaissait derrière les collines. Il lui tournait le dos. Quelques années auparavant – cela lui semblait des siècles –, il avait appris à en capter les reflets sur l'acier d'une arme de petite taille. Aussi son fusil était-il terni par du liège pilé et brûlé.

Quatre.

Étrange, mais le chiffre *quatre* l'obsédait tandis qu'il promenait son regard sur les collines.

Quatre.

Il y avait quatre ans et quatre jours exactement. Et le contrat de cet après-midi était prévu pour quatre heures précises.

Il y avait quatre ans et quatre jours, il avait aperçu pour la première fois les uniformes bruns et froissés derrière le panneau de verre épais du studio de radio à New York. Il y avait quatre ans et quatre jours qu'il s'était avancé vers ce mur de verre pour prendre son imperméable sur le dossier d'une chaise et s'était rendu compte que le plus âgé des officiers avait les yeux posés sur lui. Fixement. Froidement. Le plus jeune évitait son regard, comme s'il se sentait coupable d'indiscrétion, mais pas son supérieur hiérarchique, pas le lieutenant-colonel.

Le lieutenant-colonel l'avait observé avec attention.

C'était le commencement.

A présent, cherchant à repérer tout signe de mouvement dans le ravin, il se demandait quand cela prendrait fin. Serait-il vivant pour voir la fin ?

Il en avait l'intention.

Une fois, il avait parlé de tapis roulant. En prenant un verre au Mayflower à Washington. Fairfax était un tapis roulant. Il ne s'était pourtant pas rendu compte, à cette époque-là, à quel point ce terme le poursuivait : un tapis roulant, il courait sans cesse et le tapis ne s'arrêtait jamais.

Il ralentissait de temps en temps. La double pression physique et mentale qu'il subissait exigeait une sorte de décélération à des moments que l'on pouvait repérer, qu'il savait repérer. Des instants où il se rendait compte qu'il devenait moins vigilant... ou trop sûr de lui. Ou pas assez circonspect face à une décision mettant en jeu une autre vie humaine.

Ou la sienne.

Ce genre de décision ne s'imposait que trop facilement. Ce qui l'effrayait parfois. Terriblement.

Alors, il s'éloignait. Il partait vers le sud, le long de la côte portugaise, dans ces enclaves où des privilégiés semblaient ignorer la guerre. Ou il restait à Costa del Santiago, près de parents de plus en plus perplexes. Il lui arrivait aussi de ne pas quitter l'enceinte de l'ambassade de Lisbonne, de se laisser totalement absorber par les tâches insignifiantes d'une diplomatie neutre. Simple attaché militaire sans uniforme. Dans les rues, on n'en portait pas. A l'intérieur du « territoire », si. Lui n'en portait jamais et personne n'y prêtait attention. On ne l'aimait pas beaucoup. Il était trop mondain, voyait trop d'amis d'avant-guerre. En gros, on l'ignorait... non sans un certain dédain.

Durant ces périodes-là, il se reposait. Il se forçait à faire le vide. Pour se recharger.

Il y avait quatre ans et quatre jours, de telles pensées ne lui auraient jamais traversé l'esprit.

Elles le minaient à présent. Quand il avait le temps de réfléchir.

Ce qui n'était pas le cas.

Toujours aucun signe de mouvement dans le ravin. Quelque chose clochait. Il regarda sa montre. L'équipe de San Sebastián était en retard, un retard tout à fait anormal. Six heures auparavant, le maquis français leur avait confirmé, par radio, que tout allait bien. Il n'y avait aucune complication. L'équipe était donc partie.

Les courriers de San Sebastián devaient apporter des photos des terrains d'aviation allemands au nord de Mont-de-Marsan. Les stratèges de Londres les réclamaient à cor et à cri depuis des mois. Ces clichés avaient déjà coûté quatre vies... encore ce nombre maudit... Quatre résistants.

L'équipe aurait plutôt dû être en avance. Les courriers auraient dû attendre l'homme de Lisbonne.

Il aperçut quelque chose au loin. A environ huit cents mètres. C'était difficile à évaluer. Après le ravin, au-delà du flanc opposé, sur l'une des minuscules collines. Une lumière.

Un flash intermittent et rythmé. L'espacement entre les flashes était d'évidence volontaire.

On lui envoyait un signal. C'était le signal de quelqu'un qui connaissait bien ses méthodes de travail. Sans doute quelqu'un qu'il avait entraîné. C'était un avertissement.

Spaulding glissa le fusil sur son épaule et tendit la lanière jusqu'à ce que l'arme devienne un appendice fixe mais souple du haut du corps. Il sentit le fermoir de l'étui pendu à sa ceinture. L'arme était bien en place. Il s'éloigna du tronc du vieil arbre et s'accroupit pour ramper jusqu'en haut de la pente taillée à même le roc.

En arrivant au bord, il se dirigea vers la gauche, courut dans les herbes hautes jusqu'à un verger abandonné, planté de poiriers. Deux hommes aux vêtements raidis par la boue, le fusil à portée de la main, étaient assis par terre et, pour passer le temps, jouaient en silence avec leur couteau à cran d'arrêt. Ils relevèrent brusquement la tête en tendant la main vers leur arme.

Spaulding leur fit signe de rester sur le sol. Il s'approcha et s'adressa à eux en espagnol.

– L'un de vous deux sait-il qui fait partie de l'équipe qui doit arriver ?

– Bergeron, je crois, dit l'homme assis à droite. Et probablement Chivier. Ce vieux bonhomme se débrouille bien avec les patrouilles. Voilà quarante ans qu'il fait de la contrebande de part et d'autre de la frontière.

– Alors c'est Bergeron, déclara Spaulding.

– Quoi ? demanda l'autre homme.

– On nous a envoyé un signal. Ils sont en retard et quelqu'un utilise le peu de soleil qui reste pour attirer notre attention.

– Peut-être pour nous informer qu'ils sont en chemin, dit le premier en replaçant son couteau dans son fourreau.

– C'est possible mais peu probable. Cela ne nous avancerait à rien. Pour les quelques heures qui viennent, du moins.

Spaulding se souleva à demi et dirigea son regard vers l'est.

– Venez ! Nous allons descendre en bas du verger. Nous aurons une vue de l'autre côté.

Les trois hommes se séparèrent tout en restant à portée de voix, puis ils traversèrent en courant le champ qui se trouvait en contrebas du promontoire. Ils parcoururent presque six cents mètres. Spaulding prit position derrière un rocher qui surplombait le ravin. Il attendit les deux autres. Il y avait une rivière à quelque trois cents mètres en dessous, estima-t-il. L'équipe de San Sebastián la traverserait à environ deux cents mètres à l'ouest, en passant par le gué, comme d'habitude.

Les deux hommes arrivèrent à quelques secondes d'intervalle.

– Le vieil arbre où vous vous teniez était le point de ralliement, n'est-ce pas ? demanda le premier homme.

– Oui, répondit Spaulding en sortant ses jumelles d'un étui placé de l'autre côté de sa ceinture.

C'était un instrument puissant, muni de lentilles Zeiss Ikon, la meilleure marque allemande. Ils les avaient récupérées sur un Allemand mort à la rivière Tejo.

– Alors pourquoi sommes-nous descendus jusqu'ici ? S'il y a un problème, vous aviez un meilleur angle de vision. C'est plus direct.

– S'il y a un problème, ils le sauront. Ils passeront par la gauche. L'est. A l'ouest, le ravin s'éloigne du point de ralliement. Ce n'est peut-être rien. Vous aviez sans doute raison. Ils voulaient juste nous prévenir de leur arrivée.

A un peu plus de deux cents mètres, à l'ouest du gué, deux hommes apparurent. L'Espagnol, accroupi à la gauche de Spaulding, toucha l'épaule de l'Américain.

– Ce sont Bergeron et Chivier, dit-il calmement.

Spaulding leur fit signe de se taire et observa l'horizon avec ses jumelles. Il les eut soudain dans sa ligne de mire. De la main gauche, il attira l'attention de ses compagnons.

A quelque cinquante mètres en dessous, quatre soldats portant l'uniforme de la Wehrmacht écartaient le feuillage pour s'approcher de la rivière au fond du ravin.

Spaulding dirigea de nouveau ses jumelles vers les deux Français qui traversaient le gué. Il prit appui sur le rocher jusqu'à ce qu'il aperçoive, dans le bois derrière les deux hommes, ce qu'il pensait trouver.

Un cinquième Allemand se tenait là, un officier, dissimulé dans l'entrelacs des herbes et des branches basses. Il tenait les deux Français au bout de son fusil.

Spaulding passa vite les jumelles au premier des deux Espagnols.

– Derrière Chivier, soupira-t-il.

L'homme regarda et donna les jumelles à son compatriote.

Chacun savait ce qu'il fallait faire. La méthode était claire. Ce n'était qu'une question de temps, de précision. De l'étui placé sur sa hanche droite, Spaulding sortit une courte baïonnette, raccourcie à force d'être aiguisée. Ses deux compagnons firent de même. Ils se penchèrent pour observer les hommes de la Wehrmacht.

Les quatre Allemands avaient de l'eau jusqu'à la taille et le courant, fort sans être excessif, entraînait leur fusil vers l'aval, la lanière croisée au niveau de l'épaule. L'homme de tête de la petite colonne commença à traverser en vérifiant la profondeur de l'eau à chaque pas.

Spaulding et les deux Espagnols quittèrent aussitôt leur abri et se glissèrent le long de la pente, dissimulés par le feuillage. Le bruit de leurs pas était étouffé par celui de l'eau. En moins de trente secondes, ils furent à trois mètres des Allemands, dissimulés par des branches mortes, tombées à terre, et par les herbes hautes. David entra dans l'eau en s'agrippant à la rive. A son grand soulagement, le quatrième homme, qui n'était qu'à un mètre devant lui, avait le plus grand mal à garder l'équilibre sur les rochers glissants. Les trois autres, à dix mètres les uns des autres, concentraient leur attention sur les Français situés en amont. Ils semblaient totalement absorbés.

Le nazi l'aperçut. Une lueur de peur, d'étonnement passa dans son regard. Il lui fallut un quart de seconde pour réagir. David n'eut pas besoin de plus. Couvert par le bruit de la rivière, il sauta sur l'homme de la Wehrmacht et lui plongea son couteau dans la gorge en lui enfonçant la tête sous l'eau. Le sang se mêla au courant.

Il n'y avait pas de temps à perdre, pas une seconde. David relâcha le corps sans vie et aperçut les deux Espagnols sur la rive d'en face. Le premier, accroupi et dissimulé, lui désigna du doigt le soldat qui menait la marche, le second hocha la tête en direction du suivant. David comprit que le troisième était pour lui.

Bergeron et Chivier ne perdirent pas une minute pour atteindre la rive sud : les trois soldats avaient été abattus. Leurs corps flottaient en suivant le courant, rebondissaient sur les rochers, teintaient la rivière de filets de sang.

Spaulding fit signe aux Espagnols de traverser le cours d'eau en direction de la rive nord. Le premier se hissa pour rejoindre David. Il avait une profonde entaille en travers de la paume droite.

– Ça va ? murmura Spaulding.

– La lame a glissé. J'ai perdu mon couteau.

L'homme jura.

– Filez, lui dit David. Faites panser votre plaie à la ferme de Valdero.

– Je peux mettre une bande et la serrer. Ça ira comme ça.

Le second Espagnol les rejoignit. Il grimaça en apercevant la blessure de son compatriote. « Réaction déplacée chez qui vient de plonger la lame d'un couteau dans le cou d'un homme et de lui trancher la tête », songea Spaulding.

– Ce n'est pas très joli, fit-il.

– Vous n'êtes pas opérationnel, ajouta Spaulding, et nous n'avons pas le temps de discuter.

– Je peux...

– Vous ne pouvez pas, dit David d'un ton péremptoire. Retournez à Valdero. Je passerai vous voir dans une semaine ou deux. Allez-y et restez caché !

— Très bien.

L'Espagnol était contrarié mais, de toute évidence, il ne voulait pas, ne pouvait pas désobéir aux ordres de l'Américain. Il rampa à travers bois, en direction de l'est.

— Merci. Beau travail aujourd'hui, cria Spaulding pour se faire entendre malgré le bruit de l'eau.

L'Espagnol fit un grand sourire et courut vers la forêt en se tenant le poignet.

Une seconde plus tard, David posa la main sur le bras de son compagnon et lui fit signe de le suivre. Ils marchèrent côte à côte en remontant la rive. Spaulding s'arrêta auprès d'un arbre déraciné dont le tronc plongeait dans l'eau du ravin. Il se retourna, s'accroupit et ordonna à l'Espagnol de faire de même.

— Je le veux vivant. Je veux l'interroger, dit-il calmement.

— Je vais le cueillir.

— Non, c'est moi. Je ne veux pas de coup de feu. Il se peut qu'il y ait une patrouille de soutien, murmura Spaulding.

L'homme ne put s'empêcher de sourire. Spaulding savait pourquoi : il parlait avec un léger accent castillan, un accent étranger en quelque sorte. C'était tout à fait déplacé au Pays Basque.

Lui non plus n'était pas à sa place.

— Comme vous voudrez, mon ami, fit l'homme. Dois-je retraverser la rivière et rejoindre Bergeron ? Il doit se faire un sang d'encre.

— Non, pas encore. Attendez qu'il n'y ait plus aucun danger de ce côté-ci. Ils continueront leur route, lui et le vieil homme.

David leva la main au-dessus du tronc couché pour évaluer la distance. L'officier allemand se trouvait à quelque soixante mètres, caché dans les bois.

— Je pars dans cette direction pour le prendre à revers. Je vais voir s'il y a la moindre trace de patrouille. Dans ce cas, je reviendrai sur mes pas et nous nous en irons. Dans le cas contraire, j'essaierai de l'attraper... Si ça tourne mal, s'il m'entend, il se dirigera vers la rivière. Attrapez-le.

L'Espagnol hocha la tête. Spaulding vérifia la tension de la lanière de son fusil, la rajusta une dernière fois. Il adressa un sourire hésitant à son compagnon et observa ses mains, des mains immenses, calleuses, aplaties sur le sol, telles des serres. « Si l'officier de la Wehrmacht va vers lui, jamais il ne pourra se dégager de l'emprise de ces mains-là », pensa David.

Il rampa rapidement, en silence, à travers bois. Ses bras et ses pieds avançaient comme ceux d'un chasseur, écartant les branches, contournant les rochers et l'entrelacs des branchages.

En moins de trois minutes, il avait parcouru une trentaine de mètres en contournant l'Allemand sur la gauche. Debout, immobile, il sortit ses jumelles. Il observa la forêt et le sentier. Il n'y avait pas d'autre patrouille. Il se replia en fondant chacun de ses mouvements dans son environnement.

Quand il fut à trois mètres de l'Allemand, David détacha son étui en silence et dégaina. Le soldat était à genoux sur le sol.

– Restez où vous êtes ou je vous fais sauter la cervelle, dit Spaulding en allemand.

Son ton était dur sans être discourtois.

Le nazi fit volte-face et chercha son arme à tâtons. Spaulding s'avança d'un pas rapide et d'un coup de pied lui arracha l'arme des mains. L'homme se redressa. David lui frappa la tempe de sa lourde botte de cuir. La casquette de l'officier tomba à terre. Sa tempe saignait à la racine des cheveux. Le sang coulait sur son visage. Il avait perdu connaissance.

Spaulding se pencha et saisit la veste de l'officier. L'Oberleutnant portait une pochette en bandoulière. David tira la fermeture Éclair cousue dans la toile imperméable. Il ne fut pas surpris par ce qu'il trouva à l'intérieur.

Les photos des installations secrètes de la Luftwaffe, situées au nord de Mont-de-Marsan. Il y avait aussi des dessins d'amateur, des plans. Du moins des plans schématiques, il avait dû les prendre à Bergeron qui avait ensuite amené les Allemands jusqu'au piège.

S'il tirait quelque chose de ces documents, il préviendrait Londres : des unités de sabotage iraient détruire et paralyser la base de la Luftwaffe. Il les y enverrait lui-même.

Les stratèges des forces aériennes alliées étaient des maniaques du bombardement. Les avions surgissaient du ciel, réduisant tout à l'état de ruines et de cratères, que ce fût ou non l'objectif visé, sacrifiant autant de vies innocentes que d'ennemis. Si Spaulding parvenait à éviter un raid sur Mont-de-Marsan, cela compenserait plus ou moins... en quelque sorte... la décision qu'il allait prendre.

Il n'y avait pas de prisonniers de guerre dans les collines de Galice, pas de centres d'internement au Pays Basque.

Le lieutenant de la Wehrmacht qui s'était montré si inefficace dans son rôle de chasseur... qui aurait pu couler des jours paisibles dans quelque tranquille petite ville d'Allemagne... devait mourir. Et lui, l'homme de Lisbonne, serait son exécuteur. Il ranimerait le jeune officier, l'interrogerait à la pointe du couteau pour apprendre jusqu'où les nazis avaient infiltré le maquis de San Sebastián. Puis il le tuerait.

Car l'officier de la Wehrmacht avait vu l'homme de Lisbonne. Il lui serait possible de l'identifier et de reconnaître David Spaulding.

Il aurait pitié de lui, l'exécuterait avec rapidité.

Contrairement aux partisans. Mais cela ne le réconfortait pas vraiment. Il savait qu'au moment d'appuyer sur la détente le monde se mettrait à tourner, un bref instant. Il aurait l'estomac noué, une violente nausée. Il serait bouleversé.

Mais il n'en montrerait rien. Il ne dirait rien, ne laisserait rien transparaître... Le silence. Et la légende continuerait. Le tapis roulant aussi.

L'homme de Lisbonne était un tueur.

4.

20 septembre 1943, Mannheim, Allemagne

Wilhelm Zangen s'épongea avec un mouchoir le menton et la naissance de cheveux de plus en plus dégarnis. Il transpirait. La fente qu'il avait sous la lèvre était couverte de boutons. Le rasage quotidien et la tension permanente ne faisaient qu'aggraver son état.

Tout son visage était irrité.

– Vraiment, Wilhelm, vous devriez voir un médecin. C'est très moche, avait dit Franz Altmüller dont la sollicitude objective n'avait fait qu'augmenter l'embarras de Zangen.

Puis Altmüller s'était levé de table et avait quitté la pièce. Lentement, délibérément, il portait sa mallette, celle qui contenait les fameux rapports, au bout de son bras, tel un appendice malade.

Ils étaient restés face à face. Altmüller avait renvoyé le groupe de savants sans que l'on eût progressé le moins du monde. Il ne lui avait même pas permis à lui, le responsable officiel de l'industrie du Reich, de les remercier de leur collaboration. Les cerveaux les plus brillants du pays avaient été réunis là. Altmüller en était conscient, mais il ne savait pas les prendre. C'étaient des gens sensibles, susceptibles. Ils avaient besoin d'être félicités. Altmüller n'était pas assez patient pour avoir du tact.

On avait pourtant progressé.

Les laboratoires Krupp étaient convaincus que les expériences sur le graphite apporteraient une solution. Cela faisait un mois qu'Essen travaillait, vingt-quatre heures sur vingt-quatre, que les cadres voyaient se succéder les nuits blanches. Ils étaient parvenus à produire des particules de carbone dans des tubes métalliques scellés. Selon eux, ce carbone possédait toutes les propriétés requises pour des instruments de précision. Ce n'était plus qu'une question de temps. Le temps de fabriquer des particules plus grosses, suffisamment volumineuses pour être placées à l'intérieur des mécanismes existants.

Franz Altmüller avait écouté l'équipe de Krupp sans le moindre enthousiasme. En une telle circonstance, il aurait pu manifester un peu plus d'ardeur. Quand le porte-parole de Krupp eut terminé son exposé, Altmüller se contenta de lui poser une question. Avec, sur le visage, l'expression du plus mortel ennui !

– Ces... particules ont-elles été soumises à la pression réelle en cours de fonctionnement ?

– Bien sûr que non ! Comment auraient-elles pu l'être ? On les a soumises à des pressions artificielles, des pressions de substitution. Il était impossible de procéder autrement.

Cette réponse fut considérée comme inacceptable. Altmüller congédia les têtes pensantes de la science contemporaine sans leur manifester la moindre gratitude. Il ne sut leur montrer qu'une hostilité mal déguisée.

– Messieurs, vous ne m'apportez que de belles paroles. Nous n'avons pas besoin de paroles, mais de diamants. Nous en avons absolument besoin, il nous les faut dans les semaines qui viennent. Dans deux mois au plus tard. Retournez dans vos laboratoires et réfléchissez encore à notre problème. Au revoir.

Altmüller était impossible !

Après le départ des savants, Altmüller s'était fait plus caustique encore.

– Wilhelm, avait-il dit d'une voix presque méprisante, était-ce cela la solution non militaire dont vous avez parlé au ministre de l'Armement ?

Pourquoi n'avait-il pas nommé Speer ? Était-il nécessaire d'utiliser ce titre comme une menace ?

– Bien sûr. C'est certainement plus réaliste que cette folle expédition au Congo. Les mines du Bushimaïe ! Quelle folie !

– Cette comparaison est inadmissible. Je vous ai surestimé. Vous ne méritez pas la confiance que je vous ai accordée. Vous avez échoué, vous l'avez compris, j'imagine.

Ce n'était pas une question.

– Je ne suis pas de votre avis. Nous n'avons pas encore les résultats. Vous n'avez pas le droit de dire cela.

– Je l'ai et je l'exerce !

Altmüller avait frappé la table du plat de la main. Claquement de la chair tendre contre le bois dur. Une insulte intolérable.

– Nous n'avons pas le temps ! Nous ne pouvons plus nous permettre de laisser vos minus jouer avec leurs becs Bunsen pour produire de petites pierres qui seront réduites en miettes au premier contact avec l'acier ! Nous avons besoin de ce produit !

– Vous l'aurez.

Sur le menton de Zangen, la sueur rendait luisante une barbe de plusieurs jours.

– Les plus grands cerveaux allemands sont....

– En train de faire des expériences, l'interrompit Altmüller avec le plus souverain mépris. Donnez-nous le produit que nous attendons. Je vous l'ordonne. Nos entreprises les plus puissantes ont une longue histoire derrière elles. Il y en a bien une qui saura retrouver un vieil ami.

Wilhelm Zangen s'était taché le menton. Sa peau le faisait terriblement souffrir.

– Nous avons exploré ce terrain-là. Impossible.

– Recommencez ! s'écria Altmüller en pointant un doigt fin sur le mouchoir de Zangen. C'est vraiment très moche.

24 septembre 1943, New York

Jonathan Craft remonta Park Avenue et regarda sa montre à la lumière d'un réverbère. Ses longs doigts minces tremblaient. Dernier vestige d'une beuverie au Martini, qui avait pris fin vingt-quatre heures auparavant, à Ann Arbor. Malheureusement, il n'avait pas dessaoulé pendant trois jours. Il ne s'était pas rendu à son bureau, qui lui rappelait le général Alan Swanson. Il ne supportait pas ce souvenir. A présent, il lui faudrait le supporter.

Il était neuf heures moins le quart. Dans quinze minutes, il pénétrerait au 800, Park Avenue, sourirait au portier et prendrait l'ascenseur. Il ne voulait pas être en avance, mais n'osait pas être en retard. Il était déjà venu sept fois dans cet immeuble. Toujours pour la même raison : il était porteur de mauvaises nouvelles.

Mais ils avaient besoin de lui. C'était l'homme idéal. Appartenant à une vieille famille fortunée, il avait fréquenté les meilleures écoles, les soirées les plus mondaines. Il avait ses entrées dans des milieux sociaux et institutionnels auxquels de simples commerçants n'auraient jamais accès. Peu importait qu'il fût coincé à Ann Arbor. C'était une situation provisoire, un inconvénient du temps de guerre. Un sacrifice.

Il retournerait à la Bourse de Wall Street dès que ce fichu conflit serait terminé.

Ce soir, il devait garder tout cela en tête. Dans quelques minutes, il allait répéter les mots qu'avait hurlés Swanson dans son bureau, chez Packard. Il avait rédigé un rapport confidentiel sur cette conversation... cette incroyable conversation... et l'avait envoyé à Howard Oliver, chez Meridian.

Si vous avez fait ce que je crois que vous avez fait, vous êtes passible de haute trahison ! Et nous sommes en guerre !

Swanson.

Pure folie.

Il se demanda s'ils seraient nombreux dans l'appartement. Mieux valait qu'ils fussent quelques-uns, disons une douzaine. Ils discuteraient entre eux. On l'aurait presque oublié. Mais pas l'information qu'il leur aurait transmise.

Il fit le tour du pâté de maisons en respirant profondément pour se calmer... pour tenir dix minutes.

Haute trahison !

Et nous sommes en guerre !

Il était neuf heures moins cinq à sa montre. Il entra dans l'immeuble, sourit au portier, indiqua au liftier l'étage auquel il souhaitait se rendre et, quand la grille de cuivre s'ouvrit, il s'avança sur le palier privé du duplex.

Un maître d'hôtel le débarrassa de son pardessus et lui montra le chemin. Il traversa un hall, franchit une porte et descendit les trois marches qui menaient à une immense salle de séjour en contrebas.

Il n'y avait que deux hommes dans la pièce. Craft ressentit une violente douleur à l'estomac. Cette réaction instinctive avait été déclenchée par deux constatations : il n'aurait que deux interlocuteurs au cours de cette réunion capitale, et l'un d'eux était Walter Kendall.

Kendall était un homme de l'ombre, un manipulateur de chiffres, qui restait en coulisse. Il avait la cinquantaine, une taille moyenne, des cheveux gras et dégarnis, une voix âpre. Il était débraillé, sans aucune distinction. Ses yeux ne se fixaient jamais. Il était presque incapable de soutenir un regard. Son esprit, disait-on, était sans cesse concentré sur une multitude de projets et de contre-projets. Il avait apparemment passé sa vie entière à manœuvrer d'autres êtres, amis ou ennemis. Peu lui importait, ces étiquettes n'avaient aucun sens pour lui.

Ils étaient tous de vagues adversaires.

Mais, dans son domaine, Walter Kendall était extrêmement brillant. Tant qu'il restait dans l'ombre, ses manipulations servaient ses clients. Et lui faisaient gagner beaucoup d'argent. A en juger par ses costumes mal coupés, flottants au genou et pendants sous les fesses, il devait amasser sans dépenser un sou. Jamais on ne le voyait. Sa seule présence était le signe d'une crise.

Jonathan Craft méprisait Kendall parce qu'il avait peur de lui.

Étant donné les circonstances, il s'attendait à l'autre présence : c'était Howard Oliver, le responsable des contrats militaires chez Meridian Aircraft, l'obèse.

– Vous êtes à l'heure, dit Walter Kendall d'un ton sec.

Il prit place dans un fauteuil et sortit quelques papiers de la mallette crasseuse posée à ses pieds.

– Bonjour, Jon.

Oliver s'avança vers lui et lui tendit une main neutre.

– Où sont les autres ? demanda Craft.

– Personne n'a voulu venir, répondit Kendall en jetant un coup d'œil furtif à Oliver. Il fallait qu'Oliver soit là. Quant à moi, je suis payé pour ça. Vous avez eu une sacrée discussion avec Swanson.

– Vous avez lu mon rapport ?

– Il l'a lu, intervint Oliver, qui se dirigea vers un chariot recouvert d'un plateau de cuivre rempli de bouteilles et de verres.

– Il a des questions à vous poser, ajouta-t-il.

– Je vous ai tout exposé de la manière la plus claire...

– Pas ce genre de questions, l'interrompit Kendall, qui écrasa l'extrémité de sa cigarette avant de la glisser entre ses lèvres.

Tandis qu'il craquait une allumette, Craft s'approcha du fauteuil de velours, en face du comptable, et s'assit. Oliver s'était versé un whisky. Il était resté debout.

– Si vous voulez un verre, Jon, c'est par ici, lui dit Oliver.

Quand il entendit parler d'alcool, Kendall leva les yeux de ses documents, des yeux de furet.

– Non merci, répondit Craft, j'aimerais voir tout cela le plus vite possible.

– Comme vous voudrez, fit Oliver en regardant le comptable. Posez vos questions.

– Ce Spinelli qui s'occupe de l'affaire à l'A.T.C.O., lui avez-vous parlé depuis votre entrevue avec Swanson ? demanda Kendall en suçotant une cigarette dont la fumée formait de vagues boucles.

– Non. Il n'y avait rien à dire. Rien que *je* puisse dire... sans instructions. Comme vous le savez, j'ai téléphoné à Howard. Il m'a dit d'attendre, de rédiger un rapport et de ne pas bouger.

– C'est Craft qui fait le lien avec l'A.T.C.O., expliqua Oliver. Je ne voulais pas qu'il s'enfuie en courant ni qu'il essaie d'arrondir les angles. Nous aurions eu l'air de cacher quelque chose.

– C'est pourtant le cas.

Kendall éloigna sa cigarette de ses lèvres. La cendre tomba sur son pantalon. Il poursuivit, tout en feuilletant les papiers qu'il avait sur les genoux.

– Voyons les récriminations de Spinelli. Récriminations provoquées par Swanson.

Le comptable aborda chaque point soulevé de manière brève, concise. Ils passèrent en revue toutes les déclarations de Spinelli quant aux retards de livraison, aux transferts de personnels, aux difficultés d'obtenir les plans. Il y avait là une bonne dizaine de problèmes mineurs à traiter. Craft répliqua avec la même brièveté. Il répondit quand il le put et dut parfois admettre son ignorance. Il n'avait aucune raison de cacher quoi que ce fût.

Il avait transmis des instructions. Il ne les avait pas données.

– Spinelli peut-il prouver ces accusations ? Ne vous faites pas d'illusions, ce sont bien des accusations, pas des récriminations.

– Quelles accusations ? explosa Oliver. Ces serpents de laboratoire ont tout foutu en l'air. Pour qui se prend-il pour s'ériger en accusateur ?

– Ça suffit, dit Kendall d'un ton rude. Ne jouez pas à ce jeu-là. Gardez ce genre d'argument pour vos diverses commissions. Ce que je veux, c'est comprendre.

Les propos de Kendall ranimèrent la douleur de Craft. La perspective, même vague, d'une disgrâce pourrait ruiner sa carrière. Et la vie qu'il comptait mener à New York. Ces rustres de financiers, ces *marchands*, ne comprendraient pas.

– Vous allez un peu loin...

Kendall dévisagea Craft.

– Vous n'avez peut-être pas *entendu* Swanson. Je ne vais pas assez loin. Vous avez obtenu les contrats de la forteresse parce que, d'après vos prévisions, vous étiez capables de les remplir.

– Minute ! hurla Oliver. Nous...

– Allez vous faire foutre avec votre légalité, cria Kendall, visiblement furieux d'avoir été interrompu. Ma société..., je... J'ai vérifié ces prévisions. Je sais ce qu'elles signifient, ce qu'elles impliquent. Vous avez devancé tous les autres. Ils n'auraient jamais dit ce que vous avez dit. Ni Douglas, ni Boeing, ni Lockheed. Vous avez eu ce que vous vouliez, mais vous n'êtes pas à la hauteur... A part ça, quoi de neuf ? Revenons à nos moutons : est-ce que Spinelli peut justifier ce qu'il avance ?

– Merde ! éclata Oliver en se dirigeant vers le bar.

– Que voulez-vous dire... justifier ? demanda Jonathan Craft, toujours torturé par son estomac.

– Y a-t-il des notes qui se baladent ici ou là, fit Kendall en tapotant les documents qu'il tenait à la main, et qui porteraient sur cette affaire ?

– Eh bien... hésita Craft.

Il ne pouvait plus supporter cette douleur.

– Quand on a procédé aux transferts de personnels, on les a placés dans des bureaux intermédiaires.

– La réponse est oui, l'interrompit Oliver avec dégoût, tout en se servant un verre.

– Et les réductions de budget ?

Ce fut encore Oliver qui répondit.

– Nous les avons dissimulées. Les demandes de Spinelli se sont perdues dans la paperasserie.

– Il n'a pas hurlé ? Il ne vous a pas bombardés de notes ?

– Ça concerne le service de Craft, rétorqua Oliver en avalant d'une gorgée presque tout son whisky. Spinelli lui servait de cobaye.

– Alors ?

Kendall se tourna vers Craft.

– Eh bien... Il nous a envoyé de nombreuses notes.

Craft se pencha, autant pour atténuer la douleur que pour adopter une attitude plus confidentielle.

– J'ai tout retiré des dossiers, dit-il doucement.

– Bon Dieu ! explosa Kendall sans paraître s'émouvoir pour autant. Je me fous de ce que vous avez retiré. Il en a le double. Les dates.

– Je n'en sais rien...

– Il n'a sûrement pas tapé ces fichus papiers lui-même, n'est-ce pas ? Vous n'avez pas subtilisé les secrétaires, j'imagine ?

– Ce n'est pas la peine d'être agressif...

– Agressif ! Vous êtes drôle ! Ils vous réservent peut-être des galons spéciaux à Leavenworth.

Le comptable poussa un grognement et se tourna vers Howard Oliver.

– Swanson vous tient. Il aura votre peau. Il n'est pas besoin d'être grand clerc pour le comprendre. Vous lui avez caché les faits. Vous vous êtes figuré que vous pourriez utiliser les systèmes de navigation existants.

– Uniquement parce que nous ne parvenions pas à mettre au point les nouveaux gyroscopes ! Parce que ce salaud de chercheur a pris tellement de retard que nous n'avons pas pu respecter les délais !

– Ça vous a aussi économisé quelques millions de dollars... Vous auriez dû amorcer la pompe au lieu de couper l'eau. Vous êtes de gros canards plantés dans un stand de tir. Un aveugle ne vous raterait pas.

Oliver posa son verre.

– Nous ne vous payons pas pour que vous nous teniez ce langage, Walter, dit-il lentement. Vous feriez mieux de trouver autre chose.

Kendall écrasa définitivement son mégot. Ses doigts sales étaient couverts de cendres.

– C'est ce que je fais, déclara-t-il. Vous avez besoin de soutien. Vous vous êtes collé une affaire très délicate sur le dos. Ça va vous coûter cher, mais vous n'avez pas le choix. Il faut que vous cherchiez des partenaires, que vous sonniez à toutes les portes. Contactez Sperry Rand, G.M., Chrysler, Lockheed, Douglas, Rolls-Royce, si c'est nécessaire... tous ceux qui disposent d'un laboratoire d'ingénierie. Un programme intensif d'intérêt national. Comparez vos informations, ouvrez vos armoires.

– On va se faire voler comme au coin d'un bois ! rugit Oliver. Des millions !

– Ça vous coûtera encore plus cher si vous ne le faites pas... Je vais établir d'autres statistiques financières. J'enroberai tout ça si soigneusement qu'il faudra dix ans pour qu'on s'y retrouve. Mais cela aussi, vous le paierez.

Kendall leur adressa un petit sourire narquois, découvrant ses dents tachées.

Howard Oliver observa le comptable. C'était un homme négligé.

– C'est dingue, dit-il calmement. Nous allons gaspiller des fortunes pour quelque chose qu'il est impossible d'acheter puisque ça n'existe pas.

– Mais vous avez prétendu que ça existait. Vous l'avez dit à Swanson avec une assurance éhontée. Vous avez vendu votre immense savoir-faire industriel, et, quand vous vous êtes aperçu que vous ne pouviez pas remplir votre contrat, vous avez menti. Swanson a raison. Vous mettez notre effort de guerre en danger. On devrait vous fusiller.

Jonathan Craft regarda ce minable crasseux, qui souriait de toutes ses dents gâtées. Il eut envie de vomir. Mais il était leur seul espoir.

5.

Wilhelm Zangen se tenait près de la fenêtre qui donnait sur la Reichssieg Platz de Stuttgart. Il avait appliqué un mouchoir sur son menton rouge et luisant. Ce quartier à l'écart du centre de la ville avait été épargné par les bombardements. C'était une zone résidentielle et paisible. On apercevait le Neckar au loin, son flot tranquille, indifférent à la destruction de l'autre côté de la ville.

Zangen se rendit compte qu'il devait prendre la parole, répondre à von Schnitzler qui avait exposé la position d'I.G. Farben. Von Schnitzler et les deux autres participants attendaient son intervention avec impatience. Il était inutile de tergiverser. Il fallait suivre les ordres d'Altmüller.

– Les laboratoires de Krupp ont échoué. Quoi qu'en dise Essen, l'heure n'est plus à l'expérimentation. Le ministère de l'Armement a été très clair sur ce point. Altmüller est déterminé. Il parle au nom de Speer.

Zangen se retourna et regarda les trois hommes.

– Il vous tient pour responsables.

– Comment cela ? demanda, furieux von Schnitzler avec un léger zézaiement. Pourquoi sommes-nous responsables d'une chose que nous ignorions totalement? Ce n'est pas logique. Ridicule !

– Voulez-vous que je transmette cette appréciation au ministre ?

– Je la lui transmettrai moi-même, merci, rétorqua von Schnitzler. Farben n'est pas impliqué.

– Nous sommes tous impliqués, dit Zangen avec calme.

– Qu'a notre société à voir avec cette affaire ? demanda Heinrich Krepps, directeur de Schreibwaren, la plus grosse imprimerie d'Allemagne. Nous n'avons pratiquement rien fait avec Peenemünde.

Tout y était confidentiel jusqu'à l'absurde. Le secret est une chose. Le mensonge à soi-même en est une autre. Ne nous mêlez pas à tout ça, Herr Zangen.

– Vous y êtes mêlés.

– Je rejette votre conclusion. J'ai étudié nos communications avec Peenemünde.

– Vous n'avez peut-être pas eu accès à toutes les informations.

– Imbécile !

– C'est tout à fait possible. Néanmoins...

– On ne peut pas en dire autant de moi, monsieur le représentant du Reich, dit Johann Dietrich, l'héritier efféminé de l'empire des Dietricht Fabriken.

La famille Dietricht avait lourdement contribué aux finances du parti national-socialiste. A la mort de son père et de son oncle, Johann Dietrich était resté à la direction de l'entreprise, officiellement du moins.

– Il ne se passe rien chez Dietricht sans que je sois au courant. Nous n'avons rien à voir avec Peenemünde !

Johann Dietricht sourit en recourbant ses lèvres épaisses. Ses yeux clignaient sans cesse, trahissant son penchant pour l'alcool. Ses sourcils partiellement épilés témoignaient de ses débordements sexuels. L'excès, encore. Zangen détestait Dietricht. Cet homme, qui n'en était pas un, était scandaleux, et sa vie une insulte à l'industrie allemande. Inutile de tourner autour du pot, songea de nouveau Zangen. Ce ne serait une surprise ni pour Schnitzler ni pour Krepps.

– Il y a de nombreux aspects des Ateliers Dietricht dont vous ne savez rien. Vos laboratoires travaillent en permanence avec Peenemünde dans le domaine de la détonation chimique.

Dietricht blêmit. Krepps l'interrompit.

– Où voulez-vous en venir, monsieur le représentant du Reich. Ne nous avez-vous convoqués que pour nous insulter ? Vous nous informez, nous les dirigeants, que nous ne sommes pas maîtres de nos entreprises ? Je ne connais pas assez bien Herr Dietricht, mais je puis vous assurer que von Schnitzler et moi-même, nous ne sommes pas des pantins.

Von Schnitzler observait Zangen avec attention. Il avait remarqué son mouchoir et l'usage qu'il en faisait. Zangen se tapotait nerveusement le menton.

– Je suppose que vous pouvez fournir la preuve de ce que vous avancez, notamment de ce que vous venez de déclarer à Herr Dietricht.

– Oui.

– Vous nous annoncez que l'on poursuit, à notre insu, des opérations isolées dans nos propres usines.

– Oui.

– Alors, pourquoi nous en rendre responsables ? Ce sont des accusations sans fondement.

– Nous le faisons pour des raisons pratiques.

– Vous tournez en rond ! cria Dietricht, qui n'avait pas encore digéré les insultes de Zangen.

– Je dois le reconnaître, déclara Krepps, comme s'il lui répugnait d'être du même avis qu'un homosexuel notoire.

– Allons, messieurs. Faut-il que je vous fasse un dessin ? Ces entreprises sont les *vôtres*. Farben a fourni quatre-vingt-trois pour cent des produits chimiques nécessaires à la fabrication des fusées. C'est Schreibwaren qui a tiré tous les plans. Dietricht a fourni la majorité des composants pour les explosifs. Nous sommes en pleine crise. Si nous ne la surmontons pas, il ne vous servira à rien de protester de votre ignorance. J'irai même jusqu'à dire qu'au ministère et ailleurs on niera vous avoir caché quoi que ce soit. On prétendra que vous avez mené la politique de l'autruche. Je ne suis même pas certain qu'une telle affirmation soit erronée.

– Mensonges ! hurla Dietricht.

– Absurde ! ajouta Krepps.

– Mais terriblement pratique, conclut von Schnitzler en regardant Zangen. C'est donc ce que vous aviez à nous dire. Ce dont Altmüller nous informe. Soit nous conjuguons nos forces pour trouver une solution et venir au secours de nos *Schwachling* industriels, soit nous nous exposons à la colère du ministère.

– Et du Führer. Et au jugement du Reich.

– Mais comment ? demanda un Johann Dietricht terrifié.

Zangen se souvint avec précision des propos d'Altmüller.

– Vos entreprises ont une longue histoire derrière elles. Des structures et des hommes. De la Baltique à la Méditerranée, de New York à Rio de Janeiro, de l'Arabie Saoudite à Johannesburg.

– Et de Shanghai jusqu'en Australie et à la mer de Tasmanie, en passant par la Malaisie, déclara tranquillement von Schnitzler.

– Cela ne nous concerne pas.

– Je ne le pensais pas.

– Vous prétendez qu'il faut chercher une solution au problème de Peenemünde dans nos associations passées ?

Von Schnitzler se pencha en avant, les mains posées sur la table, les yeux fixés sur ses mains.

– Nous sommes en crise. Rien ne doit être négligé. On peut accélérer la circulation de l'information.

– Sans aucun doute. Qu'est-ce qui vous fait croire que nous échangeons des renseignements ? poursuivit le directeur d'I.G. Farben.

– Les bénéfices, répliqua Zangen.

– Difficile de jeter l'argent par les fenêtres face à un peloton d'exécution.

Von Schnitzler déplaça sa masse corpulente et leva les yeux vers la fenêtre, pensif.

– Vous pensez à des transactions spécifiques. Je fais allusion à certaines omissions.

– Voulez-vous préciser votre pensée? dit Krepps, les yeux toujours fixés sur la table.

– Il existe sans doute vingt-cinq sources d'approvisionnement envisageables pour le bort et le carbonado, envisageables dans la mesure où l'on pourrait, en une seule fois, en tirer des quantités suffisantes. Ces mines sont gérées par des sociétés qui obéissent à des règles strictes de sécurité : anglaises, américaines, françaises libres, belges... Vous les connaissez. Les chargements sont contrôlés, les destinations précisées... Nous vous proposons de détourner ces chargements, d'en modifier la destination en territoire neutre. En oubliant de respecter les consignes de sécurité. Par des actes d'incompétence, si vous voulez. L'erreur humaine, en somme, pas la trahison.

– Des erreurs extrêmement rentables, résuma von Schnitzler.

– Exactement, dit Wilhelm Zangen.

– Et où trouverez-vous des hommes pour le faire? demanda Johann Dietricht de sa voix suraiguë.

– Partout, répondit Heinrich Krepps.

Zangen s'épongea à nouveau le menton avec son mouchoir.

6.

29 novembre 1943, Pays Basque espagnol

Spaulding courut au pied de la colline jusqu'à ce qu'il aperçoive les branches croisées des deux arbres. C'était le point de repère. Il tourna à droite et entreprit de gravir l'escarpement sur une distance approximative de cent vingt mètres. Le deuxième point de repère. Puis il tourna à gauche et fit lentement le tour de la colline jusqu'au versant ouest, en position basse, scrutant l'horizon dans toutes les directions. Il tenait son arme d'une main ferme.

Sur la pente ouest, il chercha un rocher isolé, un parmi tant d'autres sur ces rocailleuses collines de Galice, un rocher dont la paroi portait trace d'un travail soigneux : on y avait gravé trois dentelures. C'était le troisième et dernier point de repère.

Il y parvint après avoir remarqué les herbes couchées le long de la pente escarpée. Il posa un genou à terre et regarda sa montre. Deux heures quarante-cinq.

Il avait un quart d'heure d'avance, comme prévu. Dans un quart d'heure, il descendrait le versant ouest en partant du rocher. Puis il trouverait un tas de branchages. Derrière les branchages, il y aurait une grotte aux parois basses. Dans cette grotte – si tout se passait normalement –, trois hommes l'attendraient. L'un appartenait à un groupe d'infiltration. Les deux autres étaient des *Wissenschaftler,* des savants allemands attachés aux laboratoires Kindorf de la vallée de la Ruhr. Leur défection – leur fuite – avait été organisée depuis longtemps. Un objectif à long terme.

On rencontrait toujours les mêmes obstacles.

La Gestapo.

La Gestapo avait fait parler un maquisard qui s'occupait de l'opération. Mais elle gardait ces renseignements pour elle, comportement typique des S.S., en attendant un plus gros gibier que ces deux chercheurs. Les agents de la Gestapo leur avaient laissé une relative liberté. La surveillance s'était relâchée, les patrouilles s'étaient faites discrètes jusqu'à l'inefficacité. On avait négligé jusqu'aux interrogatoires de routine.

Contradictions.

La Gestapo n'était ni inefficace ni négligente. Les S.S. tendaient leur piège.

Spaulding avait donné des instructions simples, laconiques : Laissez-les dresser leur piège. Mais qu'il n'y ait pas de proie dans leurs filets.

Une information avait filtré :

Les deux chercheurs qui devaient passer le week-end à Stuttgart étaient en réalité partis vers le nord pour rejoindre Bremerhaven par l'intermédiaire d'une filière clandestine. Ils avaient alors pris contact avec un officier de marine de haut rang passé dans le camp adverse. Il s'apprêtait à les conduire vers les Alliés dans un petit bâtiment qu'il avait réquisitionné. Tout le monde savait que la marine allemande était le foyer d'une importante agitation. Elle était devenue le terrain de recrutement des factions anti-hitlériennes qui commençaient à se former dans tout le Reich.

Cette information allait en faire réfléchir quelques-uns, songea Spaulding. La Gestapo suivrait les deux hommes qu'elle prenait pour les *Wissenschaftler* de Kindorf. Il s'agissait en fait de deux soldats débonnaires de la Wehrmacht, envoyés en fausse mission de surveillance.

Attaques et contre-attaques.

Si dur, si loin de lui ! Les préoccupations élargies de l'homme de Lisbonne.

Le travail de l'après-midi était une concession. Exigée par le réseau de résistance allemand. C'était à lui d'établir le dernier contact, à lui seul. La clandestinité se plaignait que l'homme de Lisbonne eût rendu les opérations trop complexes, que l'on eût laissé trop de place à l'erreur et à la contre-infiltration. Ce n'était pas vrai, pensa David, mais si une mission en solitaire pouvait calmer les nerfs des antinazis, ce n'était pas trop demander.

L'équipe de Valdero se tenait en haut des collines, à environ sept cents mètres de là. Deux coups de feu, et ils accourraient à son secours sur de rapides chevaux andalous.

Le moment était venu. Il pouvait s'avancer vers la grotte pour établir l'ultime contact.

Il se glissa le long de la surface dure, plongeant les talons dans la terre et dans les cailloux de la forte pente, jusqu'à ce qu'il se trouve au-dessus du tas de branches qui marquait l'ouverture de la cachette. Il prit une poignée de boue et la jeta dans une ouverture du feuillage.

On lui répondit comme on en avait reçu instruction : en lançant un bâton dans les branches. Puis on entendit le bruissement d'ailes d'un oiseau jaillissant d'un buisson.

Spaulding avança à petits pas rapides jusqu'à l'entrée et resta près du camouflage.

– *Alles in Ordnung. Kommen Sie,* dit-il calmement mais fermement. Vous êtes presque au bout de votre voyage.

– *Halt !* lui répondit-on du fond de la grotte.

Il ne s'y attendait pas.

David fit volte-face, appuya son dos à la colline et leva son colt. A l'intérieur, la voix se fit de nouveau entendre. En anglais.

– Êtes-vous... Lisbonne ?

– Pour l'amour du ciel, oui ! Ne faites plus jamais ça ! Vous allez vous faire buter !

« Mon Dieu, pensa Spaulding, le groupe d'infiltration a dû prendre un enfant ou un imbécile, ou les deux à la fois, comme courrier. »

– Sortez !

– Je vous présente mes excuses, Lisbonne, dit la voix tandis que les branches s'écartaient pour dégager le passage. Nous avons vécu des heures difficiles.

Le courrier émergea. De toute évidence, ce n'était pas quelqu'un que David avait entraîné. Il était petit, très musclé. Il devait avoir vingt-cinq ou vingt-six ans. Son regard laissait deviner sa peur et sa nervosité.

– A l'avenir, dit Spaulding, ne répondez pas aux signaux. Questionnez celui qui les envoie au dernier moment. A moins que vous n'ayez l'intention de le tuer. *Es ist Schwarztuchchiffre.*

– *Was ist das ?* Black...

– Le Drap Noir, mon vieux. Avant notre époque. Cela signifie : confirmer et terminer. Peu importe, mais ne faites plus ça. Où sont les autres ?

– A l'intérieur. Ils vont bien. Très fatigués, terrorisés mais indemnes.

Le courrier se retourna pour écarter davantage les branches.

– Sortez. C'est l'homme de Lisbonne.

Les deux chercheurs, des hommes d'âge moyen, apeurés, sortirent de la grotte en rampant avec prudence. Ils plissèrent les yeux en apercevant le soleil, l'implacable soleil. Ils lancèrent à David un regard reconnaissant.

– Voici..., fit le plus grand dans un anglais hésitant, la minute que nous avons tant attendue. Tous nos remerciements.

Spaulding sourit.

– Eh bien, vous n'êtes pas encore tirés d'affaire. *Frei.* Vous êtes des hommes courageux. Nous ferons tout ce qui sera en notre pouvoir pour vous sortir de là.

– Il ne reste... *nichts,* intervint le plus petit des deux savants. Mon ami est socialiste... La *Politik...* était impopulaire. Ma défunte épouse était... *eine Jüdin.*

– Pas d'enfants ?

– *Nein,* répondit l'homme. *Gott sei dank.*

– J'ai un fils, déclara froidement le plus grand. *Er ist... Gestapo.*

Il n'y avait plus rien à dire, pensa Spaulding. Il se tourna vers le courrier qui observait la colline et la forêt en contrebas.

– Je vais prendre la relève maintenant. Retournez à la Base 4 dès que vous le pourrez. Un gros contingent nous arrive de Coblence dans quelques jours. Nous aurons besoin de tout le monde. Reposez-vous un peu.

Le courrier hésita. David avait déjà vu cette expression... si souvent. L'homme allait voyager seul à présent. Sans aucune compagnie, plaisante ou déplaisante. Tout seul.

– Ce n'est pas ce que j'avais compris, Lisbonne. Je dois rester avec vous...

– Pourquoi ? l'interrompit Spaulding.

– J'ai reçu des instructions...

– De qui ?

– De San Sebastián. Herr Bergeron et ses hommes. On ne vous a pas informé ?

David regarda le courrier. Il avait si peur qu'il mentait mal, pensa-t-il. Ou bien c'était autre chose. Quelque chose d'inattendu parce que illogique. C'était totalement inconcevable. A moins que...

David accorda le bénéfice du doute au jeune homme, qui semblait à bout de nerfs. Le bénéfice, pas l'exonération. On verrait cela plus tard.

– Non, on ne m'a rien dit, fit-il. Venez. Nous allons nous diriger vers le camp Bêta. Nous y resterons jusqu'au matin.

Spaulding fit signe de le suivre. Ils longèrent le pied de la colline.

– Je ne suis jamais descendu jusque-là, déclara le courrier, qui avait pris place derrière David. Vous ne voyagez pas la nuit, Lisbonne ?

– Parfois, répondit Spaulding en regardant les deux savants qui, derrière lui, marchaient côte à côte. Pas quand nous pouvons l'éviter. Les Basques tirent sur tout ce qui bouge, la nuit. Et puis ils lâchent leurs chiens.

– Je vois.

– Marchons en file indienne. Mettez-vous derrière nos hôtes, dit David au courrier.

Les quatre hommes parcoururent plusieurs kilomètres en direction de l'est. Spaulding avançait à une allure soutenue. Les deux savants ne se plaignaient pas, mais, de toute évidence, ils avaient du mal à le suivre. Plusieurs fois, David demanda à ses compagnons de rester où ils se trouvaient tandis qu'il pénétrait dans la forêt. Il réapparaissait quelques minutes plus tard. Chaque fois, les deux hommes se reposaient, heureux de faire une pause. Pas le courrier. Il semblait terrifié, comme s'il redoutait que l'Américain ne revînt pas. Spaulding ne les incitait guère à bavarder, mais, après l'une de ses disparitions, le jeune Allemand ne put s'en empêcher.

– Qu'est-ce que vous faites ? demanda-t-il.

David regarda le *Widerstandskämpfer* et sourit.

– Je prends des messages.

– Des messages ?

– On en a laissé çà et là. Le long de notre route. Nous sommes convenus de points de repère où nous déposons les renseignements que nous ne voulons pas transmettre par radio. S'ils étaient interceptés, ce serait trop dangereux.

Ils avancèrent sur un chemin étroit, en lisière du bois, jusqu'à la première trouée. Ils arrivèrent à un pâturage, au pied des collines environnantes. Les *Wissenschaftler* transpiraient abondamment. Ils étaient hors d'haleine. Ils avaient mal aux jambes.

– Nous allons nous reposer un instant, dit Spaulding, au grand soulagement des deux hommes. Il est temps que j'établisse le contact.

– *Was ist los ?* demanda le jeune courrier. Contact ?

– Pour donner notre position, répondit David, qui tira un petit miroir de métal de la poche de sa veste de combat. Les éclaireurs sont plus tranquilles s'ils savent où nous nous trouvons... Si vous devez travailler au nord, ce que vous appelez le sud, vous devrez vous souvenir de tout ça.

– Je m'en souviendrai. Je m'en souviendrai.

David capta le soleil dans son miroir et dirigea le rayon lumineux vers le sommet d'une colline, au nord. Il effectua plusieurs mouvements du poignet en faisant basculer le miroir d'avant en arrière à un rythme extrêmement précis.

Quelques secondes plus tard, on lui répondit du milieu de la plus haute colline, au nord. Des éclairs jaillirent au loin, qui venaient d'un point minuscule au milieu d'une masse verte. Spaulding se tourna vers les autres.

– Nous n'irons pas à Bêta, dit-il. Il y a des patrouilles phalangistes dans le coin. Nous resterons ici jusqu'à ce qu'on nous fasse signe de passer. Vous pouvez vous reposer.

Le robuste Basque posa son miroir de poche. Son compagnon scrutait encore, avec ses jumelles, le terrain à quelques kilomètres en dessous, là où l'Américain et ses trois protégés étaient assis sur le sol.

– Il dit qu'ils sont suivis. Nous allons rester cachés et nous mettre en position, déclara l'homme au miroir de métal. Nous irons chercher les savants demain matin.

– Que va-t-il faire ?

– Je ne sais pas. Il dit de prévenir Lisbonne. Il va rester dans la colline.

– Il sait garder la tête froide, conclut le Basque.

2 décembre 1943, Washington, D.C.

Alan Swanson prit place à l'arrière du véhicule militaire en essayant de rester calme. Il regarda par la fenêtre. La circulation était fluide en cette fin de matinée. La population active de Washington avait rejoint ses différents lieux de travail. Les machines bourdonnaient, les téléphones sonnaient, les hommes s'agitaient et, souvent, prenaient leur premier verre. L'exaltation apparente dans les premières heures de la journée s'évanouissait à l'approche de midi. A onze heures et demie, la plupart des gens songeaient à la monotonie de la guerre, à l'ennui de ces tâches mécaniques qu'ils reproduisaient deux, trois, quatre fois, à l'infini. Ils ne comprenaient pas la nécessité d'une logistique minutieuse ni pourquoi ainsi faire passer l'information par les innombrables maillons de la chaîne hiérarchique.

Ils ne le comprenaient pas parce qu'ils n'avaient pas une vue d'ensemble. Ils ne disposaient que de fragments, de statistiques répétitives.

Ils étaient inquiets. Comme Swanson l'avait été quatorze heures plus tôt à Pasadena, en Californie.

Tout avait échoué.

Meridian Aircraft avait fait démarrer – avait été contraint de faire démarrer – un programme d'urgence, mais les cerveaux les plus brillants du milieu scientifique n'étaient pas parvenus à éliminer les errements de la petite boîte du système de navigation. Les minuscules disques sphéroïdes et tournoyants ne seraient pas fiables à haute altitude. Ils s'affolaient. Exacts une seconde, décalés la suivante.

Le décalage le plus infinitésimal pouvait entraîner la collision de deux appareils géants en plein vol. Et avec le nombre d'appareils devant participer au bombardement de saturation qui précéderait l'opération Overlord, programmée dans moins de quatre mois, les collisions seraient inévitables.

Mais, ce matin-là, tout était différent.

Pourrait être différent si ce qu'on lui avait dit s'avérait juste. Il n'avait pas pu dormir dans l'avion. Il avait à peine mangé. Jusqu'à l'atterrissage à Andrews. Il s'était précipité vers son appartement de Washington, avait pris une douche, s'était rasé, avait changé d'uniforme et appelé sa femme à Scarsdale, où elle demeurait en compagnie de sa sœur. Il ne se souvenait pas de leur conversation : contrairement à leur habitude, ils n'avaient échangé aucuns propos tendres. Ils n'avaient évoqué que des questions superficielles. Il n'avait pas de temps à lui consacrer.

La voiture officielle s'engagea sur l'autoroute de Virginie et accéléra. Ils se rendaient à Fairfax. Ils y seraient dans environ vingt minutes. Dans moins d'une demi-heure, il saurait si l'impossible était devenu possible. L'événement s'était produit au tout dernier stade de l'exécution. C'étaient le galop de la cavalerie dans les collines lointaines, la sonnerie affaiblie des clairons annonçant le sursis.

Une sonnerie très affaiblie, songea Swanson tandis que son véhicule bifurquait sur une route secondaire de Virginie. A Fairfax, au beau milieu des zones de chasse, un terrain clos couvrant quelque quatre-vingts hectares abritait des baraques préfabriquées à côté d'énormes écrans-radar et de tours de contrôle radio qui jaillissaient du sol, telles des excroissances géantes et difformes. C'était le quartier général de la division des manœuvres des opérations clandestines. Tout près des salles souterraines de la Maison-Blanche où s'étaient installés les services les plus sensibles de l'espionnage allié.

La veille, tard dans l'après-midi, le Q.G.D.M. de Fairfax avait reçu la confirmation de renseignements que l'on considérait depuis longtemps comme erronés. L'information venait de Johannesburg. D'Afrique du Sud. Elle n'avait pas été dûment vérifiée, mais elle semblait suffisamment crédible.

Des gyroscopes directionnels de haute altitude avaient été mis au point. On pourrait en obtenir les plans.

2 décembre 1943, Berlin, Allemagne

Altmüller sortit de Berlin à vive allure et prit l'autoroute de Spandau en direction de Falkensee. Il avait baissé la vitre de sa Duesenberg. En ce début de matinée, l'air était froid. Et c'était bon.

Il était de si joyeuse humeur qu'il pardonna le côté théâtral de ses complots secrets au Nachrichtendienst, nom de code d'une unité d'élite du service d'espionnage que seuls connaissaient quelques grands ministres et dont la plupart des membres du haut commandement ignoraient jusqu'à l'existence. Une caractéristique du Gehlen.

Pour cette raison on ne tenait jamais de conférences dans Berlin intra-muros. Toujours en dehors de la ville, dans un lieu à l'écart, isolé, dans une petite ville, dans un environnement tranquille, loin d'éventuels curieux.

Ce matin-là, c'était à Falkensee, à une trentaine de kilomètres au nord-ouest de Berlin. La réunion se tiendrait dans un pavillon situé dans une propriété qui appartenait à Gregor Strasser.

Altmüller serait allé jusqu'à Stalingrad pour vérifier le bien-fondé de ce qu'il avait appris.

Le Nachrichtendienst avait trouvé une solution au problème de Peenemünde !

La solution existait donc. Aux autres de la mettre en œuvre.

Cette solution qu'avait écartée les groupes de « négociateurs » que l'on avait envoyés aux quatre coins du globe pour voir ce que l'on pourrait tirer des « relations » d'avant-guerre. Le Cap, Dar es-Salaam, Johannesburg, Buenos Aires...

Échec.

Il n'y eut pas une société, pas un individu pour négocier avec l'Allemagne. L'Allemagne venait de se lancer dans une lutte à mort, qui ne pouvait s'achever que par la défaite.

C'était ce que l'on pensait à Zurich. Et le monde international des affaires ne mettait pas en doute ce que l'on pensait à Zurich.

Mais le Nachrichtendienst avait percé à jour une autre vérité.

On l'en avait informé.

Le puissant moteur de la Duesenberg ronflait. La voiture atteignit sa vitesse de pointe. Les couleurs automnales des feuillages s'estompaient.

Le portail de pierre de la propriété de Strasser apparut sur la gauche. Chaque pilier était surmonté de l'aigle de bronze de la Wehrmacht. Il tourna dans la longue allée sinueuse et s'arrêta devant un portail gardé par deux soldats et des bergers allemands qui grognaient. Altmüller tendit ses papiers au garde, qui semblait attendre sa venue.

– Bonjour, *Herr Unterstaatssekretär*. Suivez l'allée sur la droite, après la maison principale.

– Les autres sont-ils arrivés ?

– Ils vous attendent, monsieur.

Altmüller passa devant la maison principale, atteignit le chemin en pente et ralentit. Le pavillon se trouvait au-delà d'un virage, dans la partie boisée de la propriété. Il ressemblait plus à un pavillon de chasse qu'à une résidence.

Sur un emplacement couvert de gravier stationnaient quatre limousines. Il gara sa voiture et sortit. Puis il tira sa veste et lissa l'étoffe de son revers. Droit comme un I, il s'engagea dans l'allée qui menait à la porte.

On ne citait jamais de nom au cours des conférences du Nachrichtendienst. Bien que l'identité de chacun fût connue – et il fallait qu'elle le fût –, on n'en faisait pas mention pendant la réunion. On s'adressait à ses pairs d'un regard, au groupe tout entier d'un geste.

Il n'y avait pas de longue table de conférence, comme l'avait prévu Altmüller. Aucune disposition obéissant à quelque obscur protocole. Au lieu de cela, une demi-douzaine de participants vêtus simplement, entre la cinquantaine et la soixantaine, se tenaient sous le haut plafond bavarois et bavardaient dans le calme en buvant un café. On salua Altmüller, « Herr Unterstaatsekretär », et on l'informa que la réunion du matin serait de courte durée. Les choses sérieuses commenceraient dès l'arrivée du dernier invité.

Altmüller accepta une tasse de café et essaya de se plonger dans l'atmosphère informelle ambiante. Il en fut incapable. Il avait envie de crier sa désapprobation, d'exiger une discussion immédiate des véritables problèmes. Ne comprenaient-ils donc pas ?

Mais c'était le Nachrichtendienst. On ne criait pas. On n'exigeait pas.

Enfin, après avoir rongé son frein pendant une éternité, lui sembla-t-il, Altmüller entendit une automobile à l'extérieur du pavillon. Quelques instants plus tard, la porte s'ouvrit. Sa tasse de café faillit lui tomber des mains. Il avait rencontré l'homme qui venait d'entrer plusieurs fois, quand il accompagnait Speer à Berchtesgaden. C'était le valet du Führer, qui n'avait plus, à présent, l'air servile d'un domestique.

Le silence se fit spontanément. Certains prirent place dans un fauteuil, d'autres s'adossèrent au mur, d'autres encore restèrent groupés autour de la table basse. Devant la cheminée, un homme âgé, vêtu d'une lourde veste de tweed, prit la parole. Il regarda Franz, resté seul derrière le canapé de cuir.

– Il n'y a aucune raison de prolonger la discussion. Nous pensons avoir l'information que vous cherchez. J'ai dit « pensons », car nous recueillons les renseignements, nous ne les exploitons pas nous-mêmes. Le ministère n'a peut-être pas l'intention de s'en servir.

– Cela me semblerait inconcevable, dit Altmüller.

– Très bien. J'ai plusieurs questions à poser. Il n'y a donc ni conflit ni malentendu.

Le vieil homme se tut et alluma une grosse pipe en écume.

– Vous avez épuisé tous les canaux ordinaires des renseignements ? Zurich et Lisbonne ?

– Oui. Et de nombreux autres endroits, ennemis et neutres.

– Je faisais référence aux filières habituelles, la Suisse, la Scandinavie et le Portugal avant tout.

– Nous n'avons pas concentré nos efforts sur les pays scandinaves. Herr Zangen ne pense pas...

– Pas de nom, je vous prie. Sauf pour ce qui concerne la confrontation des sources et ce qui est de notoriété publique. Utilisez les titres officiels, si vous voulez. Pas les individus.

– Le Reichsamt de l'Industrie, qui s'occupe en permanence des affaires de la Baltique, était convaincu que nous ne trouverions rien par là. Pour des raisons géographiques, je suppose. Il n'y a pas de diamants dans la Baltique.

– Ou on les brûle trop souvent, dit un homme d'âge moyen, sans trait distinctif, qui était assis sur le sofa. Si vous voulez informer Washington de vos faits et gestes avant toute opération, passez par les Scandinaves.

– Analyse on ne peut plus exacte, l'appuya un autre membre du Nachrichtendienst, qui se tenait près de la table basse, une tasse à la main. J'étais à Stockholm la semaine dernière. Nous ne pouvons même pas faire confiance à ceux qui nous soutiennent publiquement.

– A eux moins qu'à tout autre, insista le vieil homme devant la cheminée. (Il sourit et dirigea de nouveau son regard vers Franz.) Vous leur avez fait des propositions substantielles, j'imagine ? En francs suisses, bien entendu.

– Substantiel est un terme bien modeste en comparaison des chiffres dont nous avons parlé, répondit Altmüller. Je serai franc. Personne ne veut travailler avec nous. Ceux qui le pourraient sont persuadés que nous serons vaincus, comme on le pense à Zurich. Ils craignent d'être rétribués. Ils parlent même d'investigations bancaires après la guerre.

– Si ce genre de rumeur parvient jusqu'au haut commandement, elle sèmera un vent de panique, déclara avec humour le valet, confortablement installé dans un fauteuil.

L'homme devant la cheminée poursuivit son discours.

– Il vous faut donc renoncer à l'appât du gain comme incitation... même s'il s'agit d'énormes sommes d'argent.

– Nos groupes de négociateurs ont échoué. Vous le savez.

Altmüller avait la plus grande peine à dissimuler son irritation. Pourquoi n'en venaient-ils pas au fait ?

– Et il n'y a personne à l'horizon susceptible de changer de camp pour des raisons idéologiques. En tout cas, personne qui ait accès aux diamants industriels.

– Évidemment, *mein Herr.*

– A vous de trouver une autre motivation. Un autre moyen de les inciter à nous suivre.

– Je ne vois pas où vous voulez en venir. On m'a dit...

– Vous allez comprendre, l'interrompit le vieil homme en tapotant sa pipe contre le manteau de la cheminée. Nous avons constaté que nos ennemis étaient dans le même état... de panique que nous. Cette inquiétude générale s'explique aisément. Chaque camp détient la solution de l'autre.

Soudain, Franz Altmüller eut peur. Il n'était pas certain de comprendre les tenants et les aboutissants de cette affirmation.

– Que dites-vous ?

– Peenemünde a mis au point un système de navigation en haute altitude, n'est-ce pas ?

– Certainement. Qui fait partie intégrante du mécanisme de base des fusées.

– Mais, sans livraison de diamants industriels, il n'y aura pas de fusées ou, au mieux, quelques malheureuses unités.

– De toute évidence.

– Certaines sociétés américaines sont dans une impasse.

Il s'interrompit une seconde avant de poursuivre :

– Face à des problèmes *insurmontables* qu'elles ne pourront résoudre que par l'acquisition de gyroscopes fonctionnant à haute altitude.

– Vous nous suggérez de...

– Le *Nachrichtendienst* ne suggère rien, *Herr Unterstaatssekretär*. Nous nous contentons de dire ce qui est, déclara-t-il en éloignant sa pipe d'écume de ses lèvres. Quand cela se justifie, nous transmettons des renseignements concrets à leurs divers destinataires. Ce ne sont que des faits. Nous avons agi de la sorte à Johannesburg. Quand l'agent envoyé par I.G. Farben pour acheter les diamants des mines Koening eut échoué, nous sommes entrés en scène et nous avons obtenu confirmation d'une information que nous détenions depuis longtemps et qui, nous le savions, serait rapportée à Washington. Nos agents de Californie nous ont renseignés sur le problème de l'industrie aéronautique. Nous croyons que le moment est opportun.

– Je ne suis pas certain de comprendre...

– A moins que nous n'ayons commis une erreur, nous allons tenter de rétablir le contact avec l'un des hommes d'I.G. Farben. Nous avons laissé la porte ouverte, du moins je l'imagine, à ce type d'éventualité.

– Bien sûr. A Genève. Les circuits habituels.

– Alors, marché conclu. Nous vous souhaitons un bon retour à Berlin.

2 décembre 1943, Fairfax, Virginie

L'intérieur du préfabriqué n'avait rien du caractère austère de la façade. Il était beaucoup plus spacieux que la plupart des bâtiments de ce type et les cloisons de métal étaient isolées par un matériau absorbant le bruit, qui tombait d'un seul tenant de la hauteur du plafond. Il n'avait pas l'aspect attendu d'un hangar à avions, mais celui d'une immense carcasse sans fenêtres, aux murs épais. Tout autour de la pièce était installée une rangée d'écrans radio à haute fréquence. Il y avait, en face de chaque écran, des dizaines de cartes détaillées, sous verre. Il suffisait de pousser un bouton pour en modifier la disposition. Au-dessus de ces cartes étaient suspendus de fins marqueurs d'acier qui ressemblaient un peu aux aiguilles d'un détecteur de mensonges et qui manipulaient les opérateurs radio. Des hommes munis de bloc-notes en assuraient la surveillance. Le personnel était entièrement militaire, tous d'un grade au moins égal à celui de lieutenant.

Aux trois quarts de la surface du bâtiment s'élevait un mur plein qui, de toute évidence, n'était pas le dernier de la structure. Il n'y avait qu'une porte, au centre, fermée, une lourde porte d'acier.

Swanson n'avait jamais pénétré dans ce bâtiment-là. Il s'était souvent rendu à la division des manœuvres de Fairfax, pour prendre connaissance de renseignements de la plus haute importance, recueillis par les services secrets, pour surveiller la formation de certaines équipes d'espionnage ou d'insurrection. Mais, malgré son rang de général de brigade et bien qu'il eût en tête un certain nombre de secrets, il n'avait jamais eu accès à ce bâtiment-là. Une fois admis, on restait à l'intérieur de l'enceinte pendant des semaines, des mois parfois. Les permissions étaient rares. Il fallait qu'il y eût urgence, et l'on était accompagné.

C'était fascinant, pensa Swanson qui croyait sincèrement avoir perdu toute capacité d'ébahissement. Pas d'ascenseur, pas d'escalier au fond, pas de fenêtres. Il aperçut la porte des toilettes sur sa gauche et, sans y pénétrer, il comprit que l'endroit était aéré par un ventilateur. Il n'y avait qu'une entrée. Une fois à l'intérieur, nul ne pouvait se cacher ni sortir sans avoir été scrupuleusement contrôlé. On déposait ses effets personnels à l'entrée. Aucune mallette, aucune enveloppe, aucun papier ou matériel ne pouvait sortir du baraquement sans l'autorisation signée du colonel Edmund Pace. Le colonel se tenait aux côtés de l'individu qui faisait l'objet d'une telle exception.

Si la sécurité totale avait jamais existé, c'était dans ce lieu.

Swanson s'approcha de la porte d'acier. Le lieutenant qui l'accompagnait pressa un bouton. Une petite lumière rouge s'alluma au-dessus de l'interphone.

— Général Swanson, mon colonel, dit le lieutenant.

— Merci, lieutenant, lui répondit la grille circulaire qui se trouvait sous la lampe.

On entendit le déclic d'une serrure, et le lieutenant tendit la main vers la poignée.

A l'intérieur, le bureau de Pace ressemblait à n'importe quel quartier général de services secrets. D'immenses cartes sur les murs, un éclairage aveuglant au-dessus des cartes, des lumières et des cartes que l'on pouvait déplacer en appuyant sur des boutons du bureau. Des télétypes à égale distance les uns des autres, sous des pancartes imprimées désignant les principaux théâtres d'opérations. L'équipement habituel. A l'exception des meubles. C'était simple, sommaire, pour ainsi dire. Pas de fauteuils confortables, pas de canapés. Il n'y avait que des chaises à dossier droit, en métal, et un plancher sans moquette. C'était une pièce conçue pour une activité intense. On ne s'y reposait pas.

Edmund Pace, commandant la division des manœuvres de Fairfax, se leva de son siège, fit le tour de la table et salua Swanson.

Un autre homme était présent, un civil. Frédéric Vandamm, le sous-secrétaire d'État.

– Général. Je suis content de vous revoir. La dernière fois, c'était chez M. Vandamm, si ma mémoire est bonne.

– Tout à fait. Comment les choses se passent-elles ici ?

– Nous sommes un peu isolés.

– C'est certain.

Swanson se tourna vers Vandamm.

– Monsieur le Sous-Secrétaire ? Je suis revenu ici dès que j'ai pu. Inutile de vous dire mon impatience. Nous avons traversé un mois difficile.

– J'en suis conscient, répondit l'aristocratique Vandamm avec un sourire prudent. Venons-en au fait. Colonel Pace, voulez-vous informer le général de notre discussion ?

– Oui, monsieur. Et puis je m'en irai.

Pace avait parlé d'un ton dégagé. C'était, pour un militaire, le moyen de transmettre un message à un autre officier : *faites attention.*

Pace se dirigea vers une carte accrochée au mur, où se trouvaient certaines marques. C'était le plan détaillé d'un quartier de Johannesburg, en Afrique du Sud. Frédéric Vandamm prit place sur une chaise devant le bureau. Swanson suivit Pace et resta à ses côtés.

– On ne sait ni où ni quand on est susceptible de glaner une information.

Pace prit une baguette de bois sur la table et désigna un point bleu sur la carte.

– Ni même si l'endroit est important. Dans ce cas, il se pourrait qu'il le soit. Il y a une semaine, un membre du Parlement sud-africain, avocat et ancien directeur des mines Koening Ltd., a été contacté par deux hommes de la Staats-Bank de Zurich. C'était du moins ce qu'il pensait. Ils lui ont demandé de servir d'intermédiaire dans une négociation avec Koening : une simple transaction, des francs suisses contre des diamants, sur une grande échelle, avec l'assurance préalable que le cours du diamant serait plus stable que celui de l'or.

Pace se tourna vers Swanson.

– Jusque-là, ça va. Le prêt-bail et les systèmes monétaires s'en vont à vau-l'eau, ce qui explique la spéculation croissante sur le marché du diamant. Il pourrait bien y avoir quelques règlements de comptes après la guerre. Notre homme accepta le contrat. Mais vous imaginez sa surprise quand, arrivant à la réunion, il découvrit que l'un des deux « Suisses » était une vieille connaissance, un vieil et très bon ami d'avant-guerre. Un Allemand qui avait été son camarade de classe. La mère de notre Afrikaner était autrichienne, son père boer. Les deux hommes ne s'étaient jamais perdus de vue jusqu'en 1939. L'Allemand travaillait pour le compte d'I.G. Farben.

– Quel était l'objet de ce rendez-vous ?

Swanson ne dissimulait guère son impatience.

– J'y arrive. Mais le contexte est important.

– D'accord. Poursuivez.

– Ce n'était ni une question de spéculation sur le marché du diamant ni une transaction avec une banque de Zurich. Il s'agissait d'une commande pure et simple. L'homme d'I.G. Farben voulait acheter de grosses quantités de bort et de carbonado...

– Des diamants industriels ? l'interrompit Swanson.

Pace acquiesça.

– Il a proposé une fortune à son vieil ami pour lui arranger le coup. L'Afrikaner a refusé. Mais il a tu l'incident en souvenir de leur amitié passée. Jusqu'à il y a trois jours.

Pace posa la baguette et s'avança vers son bureau. Swanson comprit que le colonel disposait de renseignements supplémentaires, de renseignements écrits, et qu'il avait besoin de s'y référer. Le général se dirigea vers la chaise qui se trouvait à côté de Vandamm et s'assit.

– Il y a trois jours, poursuivit Pace, debout derrière son bureau, on a de nouveau contacté l'Afrikaner. Sans chercher, cette fois, à dissimuler la véritable identité du demandeur. Celui-ci lui a dit qu'il était allemand et possédait des renseignements susceptibles d'intéresser les Alliés. Des renseignements qu'ils cherchaient depuis longtemps.

– L'objet de nos investigations ?

– Pas exactement ce que nous attendions... L'Allemand désirait se rendre dans le bureau de l'Afrikaner, mais il a pris la précaution de se couvrir. Il a prévenu l'avocat que, s'il tentait de le retenir d'une façon ou d'une autre, son vieil ami d'I.G. Farben serait exécuté en Allemagne.

Pace prit une feuille de papier sur son bureau.

– Voilà l'information, le rapport qu'on nous a envoyé par courrier, ajouta Pace en se penchant pour le tendre à Swanson.

Swanson lut la lettre tapée à la machine sur le papier à en-tête du Service des Renseignements militaires. Au-dessus de ULTRA-SECRET inscrit en lettres capitales était écrit : *Ne pas remettre. Fairfax, 4-0.*

28 novembre 1943, Johannesburg : confirmé par le Nachrichtendienst. Gyroscopes de navigation substratosphériques mis au point. Tous les tests positifs. Peenemünde. Contact suivant : Genève. Correspondant de Johannesburg.

Swanson s'imprégna de ce qu'il venait d'apprendre. Il relut le document plusieurs fois.

– Genève ? demanda-t-il de manière laconique à Edmund Pace.

– Le circuit. La filière neutre. Officieusement, bien entendu.

– Qu'est-ce que c'est que ce... *Nachrichtendienst ?*

– Un service de renseignements. Restreint, spécialisé, si confidentiel qu'il n'est même pas connu des milieux les mieux informés. Nous nous demandons parfois s'il soutient la politique des autorités. Il préfère observer sans participer, semble-t-il. Il se préoccupe plus de l'après-guerre que du présent. Nous pensons que c'est une opération du Gehlen. Il ne s'est jamais trompé. Il ne nous a jamais trompés.

– Je vois.

Swanson tendit de nouveau le papier à Pace.

Le colonel ne le prit pas. Il contourna le bureau, pour se diriger vers la porte d'acier.

– Je vous laisse, messieurs. Quand vous aurez terminé, prévenez-nous en appuyant sur le bouton blanc qui se trouve sur mon bureau.

Il ouvrit la porte et sortit. La lourde structure métallique se referma hermétiquement. On entendit le déclic de la serrure.

Frédéric Vandamm regarda Swanson.

– Vous détenez enfin votre solution, général. Votre gyroscope. A Peenemünde. Il ne vous reste plus qu'à envoyer quelqu'un à Genève. Il est à vendre.

Alan Swanson contempla le papier qu'il tenait à la main.

7.

4 décembre 1943, Berlin, Allemagne

Altmüller contempla le papier qu'il tenait à la main. Il était plus de minuit, la ville était plongée dans l'obscurité. Berlin venait de subir des bombardements meurtriers, une nuit de plus. C'était terminé à présent. Il n'y aurait plus de raids jusqu'à la fin de la matinée. Cela se passait généralement ainsi. Les rideaux étaient pourtant bien tirés devant la fenêtre. Comme partout dans le ministère.

Tout était une question de vitesse. Dans le tourbillon des opérations, il ne fallait pourtant pas négliger les précautions élémentaires. Le rendez-vous avec le contact de Genève n'était qu'une première étape, un prélude. Il exigeait néanmoins une grande habileté. On devait prêter la plus grande attention non à ce qui serait dit, mais aussi à qui le dirait. Le message pouvait être transmis par n'importe quel agent compétent, par n'importe quelle autorité reconnue. Mais en cas d'effondrement de l'Allemagne, ce quelqu'un ne représenterait en aucun cas le IIIe Reich. Speer s'était montré catégorique.

Et Altmüller le comprenait : si l'Allemagne perdait la guerre, il ne fallait pas que l'on pût accuser le Reichsminister de trahison. Ni les dirigeants dont le pays aurait besoin après la défaite. En 1918, après le traité de Versailles, les récriminations internes étaient allées bon train. On avait assisté à une polarisation profonde, incontrôlée, contre certaines gens, et dans cette paranoïa nationale le fanatisme des années vingt avait trouvé son fondement. L'Allemagne n'avait pas su accepter la défaite, n'avait pas pu tolérer la destruction de son identité par des traîtres.

Des excuses que tout cela, bien entendu.

Mais il fallait éviter la répétition d'un tel phénomène, si lointain fût-il. Speer lui-même en était obsédé. Le correspondant de Genève serait une personnalité sans lien avec le haut commandement. Un homme sorti des rangs de l'industrie allemande, qui n'aurait aucun rapport avec les dirigeants du IIIe Reich. Quelqu'un que l'on puisse sacrifier.

Altmüller tenta de démontrer l'incohérence de la manipulation de Speer : il était inconcevable de remettre les plans des gyroscopes de haute altitude à un homme d'affaires médiocre et sacrifiable. Peenemünde était sous terre, littéralement enfoui dans le sol. Et soumis à des mesures de sécurité draconiennes.

Mais Speer ne voulait rien entendre, et Altmüller comprit soudain la logique du Reichsminister. Il avait bien déplacé le problème en désignant ceux dont les mensonges et les cachotteries avaient conduit Peenemünde au bord du désastre. Une fois de plus, Albert Speer s'en était lavé les mains, comme de tant d'autres choses : le travail forcé, les camps de la mort, les massacres. Il voulait des résultats positifs, mais refusait de se salir les mains.

Dans ce cas particulier, pensa Altmüller, Speer avait raison. Si l'on devait courir le risque d'une disgrâce, que l'industrie allemande le prenne ! Que les hommes d'affaires du Reich assument leurs responsabilités !

Le rendez-vous de Genève était capital parce qu'il servait d'introduction. On y tiendrait des propos prudents qui conduiraient ou ne conduiraient pas au deuxième stade de l'incroyable négociation.

Ce deuxième stade était géographique : le lieu de l'échange, si échange il y avait.

La semaine passée, jour et nuit, Altmüller ne s'était occupé que de cette affaire. Il avait examiné la question du point de vue de l'ennemi comme du sien. Sa table de travail était couverte de cartes, son bureau rempli de rapports décrivant en détail le climat politique de tous les territoires neutres du globe.

Le lieu devait être neutre. Présenter des garanties que chaque camp pourrait examiner et respecter. Et surtout il devait être situé à des milliers de kilomètres... des zones contrôlées par les deux protagonistes.

La distance.

L'éloignement.

Mais avoir à sa disposition des moyens de communication instantanée.

L'Amérique du Sud.

Buenos Aires.

Le bon choix, songea Franz Altmüller. Les Américains se diraient peut-être que cela les avantagerait. Ils ne le rejetteraient certainement pas. Buenos Aires avait de quoi satisfaire les deux parties. Ils y exerçaient tous deux une grande influence, mais sans autorité véritable.

Tel qu'il l'avait conçu, le troisième stade prenait en compte le facteur humain, défini par le terme *Schiedsrichter*.

L'arbitre !

Un homme capable de superviser l'échange, assez puissant pour mettre en place la logistique nécessaire dans le territoire neutre.

Quelqu'un qui aurait l'apparence de l'impartialité... et surtout l'aval des Américains.

Cet homme-là s'était réfugié à Buenos Aires.

L'une des gigantesques erreurs de Hitler.

Il s'appelait Erich Rhinemann. Un juif, contraint à l'exil, disgracié par Goebbels et sa propagande folle. Ses terres et ses sociétés avaient été expropriées par le Reich.

Ces terres et ces sociétés, il ne les avait pas monnayées avant d'être foudroyé par le régime. Elles ne représentaient qu'un faible pourcentage de ses biens, suffisant pour déchaîner la fureur maniaque de la presse antisémite. Ce n'était qu'une toute petite brèche dans son immense fortune.

Erich Rhinemann vivait un somptueux exil à Buenos Aires. Sa fortune était en sécurité dans les banques suisses, ses affaires se développaient dans toute l'Amérique latine. Peu de gens savaient qu'Erich Rhinemann était un fasciste plus convaincu que le noyau dur du parti hitlérien, un autocrate en matière financière et militaire, un élitiste au regard de la condition humaine, un bâtisseur d'empire qui restait étrangement, stoïquement, silencieux.

Il avait raison.

Quelle que fût l'issue du conflit, il retournerait en Allemagne. Il le savait.

Si le IIIᵉ Reich était victorieux, le stupide décret de Hitler serait aboli, tout comme les pouvoirs du Führer, qui commençaient déjà à se désagréger. Si l'Allemagne était vaincue, comme le croyait Zurich, on aurait besoin de la compétence et des comptes en Suisse de Rhinemann pour reconstruire le pays.

Tout cela, c'était l'avenir. Le présent pour l'instant importait. Or Erich Rhinemann était juif, contraint à l'exil par ses compatriotes, ennemis de Washington.

Les Américains lui donneraient leur aval.

Il allait donc gérer les intérêts du Reich à Buenos Aires.

Les stades deux et trois, songea Altmüller, avaient le mérite de la clarté. Mais ils n'auraient aucune signification sans l'accord de Genève. Il fallait d'abord jouer le prélude avec des instruments mineurs et le réussir.

On avait besoin d'un homme pour Genève. Quelqu'un qu'on ne puisse suspecter d'avoir des liens avec le Reich et qui pourtant ait une certaine notoriété sur la place de Zurich.

Altmüller contemplait toujours les feuilles étalées sous sa lampe de bureau de ses yeux fatigués, comme tout son être, mais il n'avait pas le droit de quitter cette pièce ni de dormir avant d'avoir pris une décision.

Sa décision. Il était seul. Speer l'approuverait le lendemain matin, après y avoir jeté un coup d'œil. Un nom. Qui ne serait pas discuté. Quelqu'un d'immédiatement acceptable.

Étaient-ce les lettres de Johannesburg ou un processus d'élimination subconscient qui avaient provoqué le déclic? Il ne le saurait jamais. Mais ses yeux se fixèrent sur un nom, qu'il entoura. Il se dit qu'une fois de plus, c'était le bon choix.

Johann Dietricht, l'héritier des Dietricht Fabriken, l'homosexuel sans séduction, enclin à l'alcoolisme, prompt à la panique. Un membre tout ce qu'il y avait de sacrifiable parmi la communauté industrielle. Même les plus cyniques auraient du mal à le considérer comme agent de liaison du haut commandement.

Médiocre et sacrifiable.

Un messager.

5 décembre 1943, Washington, D.C.

Le carillon de la pendule de la cheminée sonna l'heure, d'un son lugubre. Il était six heures du matin, et Alan Swanson regardait par la fenêtre les sombres immeubles de Washington. Il avait un appartement au douzième étage, avec une jolie vue sur l'horizon de la capitale, surtout du salon. Il était en robe de chambre et pieds nus.

Il avait contemplé le paysage urbain une grande partie de la nuit... presque toutes les nuits depuis trois jours. Les quelques heures de sommeil qu'il s'accordait étaient agitées, tourmentées, entrecoupées de veilles. Son oreiller absorbait la sueur qui ruisselait sans cesse sur sa nuque.

Si sa femme était là, elle exigerait qu'il consultât à l'hôpital Walter Reed et se fît faire un bilan de santé. Elle le harcèlerait jusqu'à ce qu'il se soumette. Mais elle n'était pas là. Il avait été catégorique. Elle resterait avec sa sœur à Scarsdale. La nature de ses activités avait bouleversé ses horaires. Résultat : le militaire n'avait plus de temps à consacrer à sa femme. Celle-ci comprenait : la crise était grave, et son mari serait certainement incapable de faire face à la fois à cette crise et aux exigences d'une épouse, si minimes fussent-elles. Il n'aimait pas qu'elle l'observât dans cette situation. Il savait qu'elle le savait. Elle resterait à Scarsdale.

Mon Dieu! C'était incroyable!

Personne n'en avait parlé. Peut-être n'avait-il pas même le droit d'y penser.

C'était ça, bien sûr. Les rares, les très rares privilégiés qui avaient eu accès à ces documents se voilaient la face. Ils abandonnaient la transaction en cours, refusant de participer à la seconde moitié de la négociation. Aux autres de s'en occuper. Pas à eux.

Tout comme Frédéric Vandamm, ce vieux renard d'aristocrate. *C'est votre solution, général. Votre système de navigation. A Peenemünde... Il est à vendre.*

C'était tout.

Achetez-le.

Nul ne voulait connaître le prix. Peu importait le prix... Que les autres se chargent de régler les détails. Sous aucun prétexte, *aucun prétexte,* on ne devait parler de ces détails insignifiants ! Il suffisait de s'en occuper.

Résultat : l'exécution des ordres se répercuterait à tous les niveaux hiérarchiques. Cela ne nécessitait aucune, absolument aucune élaboration, ni clarification ni justification. Toute explication spécifique était à rejeter. C'était perdre son temps. Or les échelons supérieurs n'avaient pas de temps à perdre, telle était la sacro-sainte règle des armées. Enfin quoi, mon vieux, *nous sommes en guerre*! Nous devons nous consacrer aux grandes affaires de l'État !

Aux hommes moins haut placés d'exécuter les basses besognes... De temps à autre, leurs mains gardent l'odeur fétide de leurs devoirs les plus bas, mais c'est la dure loi de la hiérarchie.

Achetez !

Nous n'avons pas le temps. Nous détournons les yeux. Nous avons l'esprit occupé ailleurs.

Faites exécuter l'ordre de votre propre initiative.

Comme un bon soldat qui comprend la logique hiérarchique. Nul ne cherchera à en savoir plus. C'est le résultat qui compte. Nous le savons tous. La hiérarchie, mon vieux.

Démence.

Par la plus étrange des coïncidences, un agent de Johannesburg nous a transmis une information secrète selon laquelle on cherchait à se procurer des diamants industriels. Une opération pour laquelle I.G. Farben, le géant allemand de l'armement, était prêt à payer une fortune en francs suisses.

Peenemünde possédait le système de navigation. On pouvait l'obtenir. En payant le prix.

Nul besoin d'être grand clerc pour connaître ce prix.

Les diamants industriels.

Pour des raisons que l'on ne chercherait pas à déterminer, l'Allemagne avait désespérément besoin de diamants. Pour des raisons qui n'étaient que trop claires, les Alliés avaient besoin d'un système dc navigation en haute altitude.

Un échange entre ennemis au plus fort du conflit le plus âpre qu'ait connu l'humanité.

De la démence. Au-delà de tout entendement.

Le général Swanson isola donc cet ordre de son contexte... général.

Le carillon de la pendule qui sonna quatre heures interrompit le cours de ses pensées. Çà et là, dans le noir labyrinthe de béton, des lumières vinrent éclairer une pléiade de minuscules fenêtres. Le ciel sombre prit des teintes grises et rouges. On commençait à discerner les vagues contours de minces bandes nuageuses.

En altitude.

Swanson s'éloigna de la fenêtre, se dirigea vers le canapé en face de la cheminée et s'assit. Cela faisait douze heures – onze heures et quarante-cinq minutes pour être précis – qu'il avait engagé le processus.

Il avait déplacé... délégué en toute logique. A ceux qui étaient à l'origine de la crise. A ceux dont les mensonges et les manipulations avaient mis Overlord au bord du précipice.

Il avait ordonné à Howard Oliver et à Jonathan Craft de le retrouver dans son appartement à six heures. Il y avait douze heures et quart de cela. Il leur avait téléphoné la veille en leur faisant comprendre qu'il ne tolérerait aucune excuse. S'ils avaient le moindre problème de transport, il se chargeait de le résoudre, mais ils devaient être à Washington, dans son appartement, à six heures.

S'ils ne répondaient pas à l'appel, toute l'affaire serait révélée.

Ils étaient arrivés à six heures précises. La pendule était là pour en témoigner. A ce moment précis, Swanson comprit qu'il était en position de force. Des hommes comme Oliver et Craft, surtout Oliver, n'auraient jamais été si ponctuels s'ils n'avaient pas eu peur.

Les ordres avaient été transmis avec la plus grande simplicité.

On disposait d'un numéro de téléphone à Genève, en Suisse. A ce numéro, un homme devait répondre à une phrase codée et mettre en contact les deux parties, jouer un rôle d'interprète si cela se révélait nécessaire. La seconde, telle qu'elle était définie, avait accès à un système de navigation opérationnel. La première, quant à elle, saurait où trouver, pourrait peut-être livrer... une cargaison de diamants industriels. Le point de départ pourrait être les mines Koening de Johannesburg.

Tels étaient les renseignements portés à leur connaissance.

On avait conseillé à MM. Oliver et Craft d'utiliser cette information sur-le-champ.

En cas d'échec, on les traduirait en justice, eux et les entreprises concernées, pour tromperie lors de la signature des contrats d'armement.

Il y eut un long silence. Puis les deux hommes acceptèrent peu à peu les conséquences du discours que l'on venait de leur tenir.

Alan Swanson leur apporta alors la subtile confirmation de leurs pires craintes : il ne devait pas connaître l'homme qui se rendrait à Genève, quel qu'il fût. Ni lui ni aucun des membres de leurs sociétés qui traitaient avec le ministère de la Guerre. C'était de la plus haute importance.

A Genève se tiendrait une réunion exploratoire. Celui qui serait envoyé en Suisse devait être bien informé et, si possible, capable de déceler toute duperie. Ce devait donc être un homme qui la pratiquait.

Cela ne devait pas leur poser de problème insoluble. Pas dans les milieux qu'ils fréquentaient. Ils connaissaient certainement quelqu'un.

En effet. Un comptable du nom de Walter Kendall.

Swanson leva les yeux vers la pendule de la cheminée. Il était six heures vingt.

Pourquoi le temps paraissait-il si long ? Mais aussi pourquoi ne s'arrêtait-il pas ? Pourquoi tout ne s'arrêtait-il pas, à l'exception du soleil ? Pourquoi fallait-il des nuits ?

Dans une heure, il se rendrait à son bureau et prendrait des dispositions pour qu'un certain Walter Kendall parte pour Genève en passant par les zones neutres. Il placerait les directives concernant cette opération dans une mallette bleue, avec d'autres ordres et autorisations de transport. Ces ordres ne seraient pas signés. Ils porteraient simplement le cachet de la division des manœuvres de Fairfax. La procédure habituelle.

Mon Dieu ! pensa Swanson. Si seulement il pouvait y avoir contrôle... sans participation.

Mais il savait que ce n'était pas possible. Tôt ou tard, il devrait affronter la réalité, les conséquences de ce qu'il venait de faire.

8.

6 décembre 1943, Pays Basque espagnol

Cela faisait huit jours qu'il était dans le Nord. Il n'avait pas prévu que ce serait si long, mais Spaulding savait que c'était nécessaire... bien qu'inattendu. Ce qui avait commencé comme une évasion ordinaire : deux savants quittant la vallée de la Ruhr, avait pris une tout autre tournure.

Les chercheurs n'étaient que des appâts. Les appâts de la Gestapo. Le courrier qui avait mené à bien l'expédition n'était pas un membre de la résistance allemande. C'était un agent de la Gestapo.

Il avait fallu trois jours à Spaulding pour en être absolument sûr. L'homme de la Gestapo était l'un des meilleurs espions qu'il eût rencontrés. Mais ses erreurs le trahirent : ce n'était pas un passeur. Quand il en eut la conviction, il sut exactement ce qu'il devait faire.

Pendant cinq jours, il conduisit son compagnon « résistant » par monts et par vaux, vers l'est, jusqu'à la Sierra de Guara, à presque cent cinquante kilomètres des routes de passage clandestin. Il se rendit dans des villages éloignés et eut des « entrevues » avec des hommes qu'il savait être des phalangistes mais qui ne le connaissaient pas. Il les présenta comme des partisans à l'homme de la Gestapo. Il sillonna des chemins de terre, descendit jusqu'à la rivière, le Guayardo, et lui expliqua que c'était la route habituelle... Contrairement à ce que croyaient les Allemands, les voies de passage étaient à l'est, vers la Méditerranée, non vers l'Atlantique. Cette erreur de l'ennemi était l'une des raisons principales du bon fonctionnement du réseau pyrénéen. Deux fois, il envoya le nazi chercher du ravitaillement dans de petites villes. Les deux fois, il le suivit et remarqua qu'il pénétrait dans des bâtiments dont le toit était surmonté d'un réseau de fils téléphoniques.

L'information était transmise en Allemagne. Cela justifiait que l'on y investisse encore cinq jours. Les intercepteurs allemands seraient immobilisés des mois durant sur les « routes » de l'est. Le réseau de l'ouest serait relativement dégagé.

A présent, la partie tirait à sa fin. C'était bien ainsi, pensa David. Il avait du travail à Ortegal, sur la côte de Biscaye.

Le petit feu de camp n'était plus qu'un tas de cendres, l'air de la nuit était froid. Spaulding regarda sa montre. Il était deux heures du matin. Il avait ordonné au « passeur » de monter la garde loin du camp... loin de la lueur du feu. Dans l'obscurité. Il avait donné à l'agent de la Gestapo assez de temps et d'espace pour s'éloigner. Mais l'Allemand ne s'était pas éloigné. Il était resté à son poste.

Soit, pensa David. L'homme n'était sans doute pas aussi compétent qu'il l'avait imaginé. Ou alors les renseignements que lui avaient donnés ses hommes dans la colline n'étaient pas exacts. Aucun escadron de soldats allemands, des chasseurs alpins, semblait-il, n'était descendu de la montagne pour récupérer l'agent de la Gestapo.

Et lui.

Il s'approcha du rocher où était assis l'Allemand.

– Allez vous reposer. Je prends la relève.

– *Danke,* fit l'homme en se redressant. Tout d'abord, j'ai un besoin pressant. Il faut que je soulage mes intestins. Je vais chier un bon coup dans le champ.

– Allez plutôt dans les bois. Des animaux paissent ici. Et puis il y a le vent.

– Bien sûr. Vous pensez à tout.

– J'essaie, répondit David.

L'Allemand retourna vers le feu, vers son paquetage. Il prit une petite pelle de camping et se dirigea vers les bois qui bordaient le champ. Spaulding l'observa, certain que sa première impression était la bonne. L'agent de la Gestapo était bien un expert. Le nazi n'avait pas oublié que, six jours plus tôt, les deux chercheurs de la Ruhr avaient disparu la nuit, à un moment où il était assoupi. David avait remarqué la fureur dans le regard de l'Allemand. Il savait qu'il se remémorait cet incident.

Si Spaulding avait bien évalué la situation présente, l'agent de la Gestapo allait attendre une heure au moins, à son poste d'observation, pour s'assurer que lui, David, ne prenait pas contact dans l'obscurité avec d'invisibles partisans. Alors seulement l'Allemand lancerait le signal. Les chasseurs alpins sortiraient de la forêt. Le fusil au poing.

Mais l'homme de la Gestapo avait commis une erreur. Il avait trop vite pris pour argent comptant, sans se poser de questions, les remarques de Spaulding sur le terrain et le vent, son conseil d'aller se soulager dans les bois.

Ils avaient atteint cet endroit au crépuscule. C'était une terre nue, à l'herbe acide, la pente rocailleuse. Aucun animal n'aurait pu y paître, pas même une chèvre.

Et puis il n'y avait pas du tout de vent. La nuit était froide mais calme.

Un passeur expérimenté aurait relevé ces détails, avec humour sans doute. Il l'aurait envoyé sur les roses, refusant de chier dans cette forêt où il faisait noir comme dans un four. Mais l'agent de la Gestapo n'avait pas résisté à la tentation d'établir son propre contact.

Si toutefois ce contact existait, pensa Spaulding. Il le saurait dans quelques minutes.

David attendit trente secondes après la disparition de l'homme dans la forêt. Puis, rapidement, silencieusement, il se jeta à terre et s'écarta du rocher en rampant, jusqu'à ce que sa position forme un angle aigu avec le point où avait disparu le passeur.

Quand il eut parcouru vingt ou vingt-cinq mètres dans l'herbe, il se redressa à demi et courut jusqu'à la lisière du bois. Il devait se trouver à environ cinquante-cinq mètres de l'Allemand.

Il s'enfonça dans l'épaisseur du feuillage et, sans faire de bruit, réduisit la distance qui les séparait. Il ne le voyait pas, mais il savait qu'il le trouverait bientôt.

Puis il aperçut quelque chose. Le signal de l'Allemand. Celui-ci craqua une allumette, la couvrit de sa main et l'éteignit aussitôt.

Puis une autre. Qu'il laissa brûler quelques secondes avant de souffler légèrement sur la flamme.

Des profondeurs de la forêt lui parvinrent deux réponses brèves, espacées. On avait craqué deux allumettes. Dans deux directions opposées.

David estima la distance à quelques dizaines de mètres. L'Allemand, qui était peu habitué à la forêt basque, resta en bordure du champ. Ceux qui avaient envoyé les signaux se rapprochèrent. Sans perturber le bourdonnement des bois environnants, Spaulding poursuivit son avancée.

Il entendit le murmure des voix. Il ne distinguait que des mots isolés. Mais cela lui suffit.

Il revint sur ses pas à travers les herbes hautes, jusqu'à son point de départ. Il courut vers son poste d'observation, le rocher. Puis il sortit une petite torche de sa veste, plaça deux doigts sur le verre et l'orienta au sud-ouest.

Il appuya cinq fois sur le bouton, à intervalles rapides, et rangea l'instrument dans sa poche.

Ce ne serait plus long maintenant.

Ce ne le fut pas.

L'Allemand sortit du bois, la pelle à la main, la cigarette aux lèvres. La nuit était noire. La lune ne perçait que par intermittence l'épaisse couverture nuageuse. L'obscurité était presque totale. David grimpa sur le rocher et siffla pour lui faire signe, l'Allemand s'approcha de lui.

– Qu'y a-t-il, Lisbonne ?

– *Heil Hitler*, dit Spaulding, très vite.

Deux mots.

Puis il plongea sa baïonnette dans le ventre du nazi. Il enfonça la lame, tua l'homme instantanément.

Le corps tomba sur le sol, le visage distordu. On n'entendit qu'un souffle, le début d'un cri étouffé par deux doigts rigides de Spaulding plantés dans la bouche du cadavre, tel un couteau, et qui bloquaient toute respiration.

David courut dans l'herbe jusqu'à la lisière du bois, à la gauche du premier passage. Plus près, mais pas beaucoup, du lieu où le nazi avait murmuré quelques mots à ses compatriotes. Il se dissimula dans un buisson de fougères persistantes au moment où la lune sortait des nuages. Pendant quelques secondes, il resta immobile à guetter le moindre bruit.

Il n'y en eut pas. La lune s'était de nouveau cachée, ramenant l'obscurité. La clarté avait été trop brève. Dans le champ, on n'avait pas repéré le cadavre. Ce simple fait était très révélateur.

S'il y avait des chasseurs alpins dans cette forêt, ils ne se trouvaient pas en bordure du bois. Ou ils ne prêtaient guère attention au pré.

Ils attendaient. Ils surveillaient d'autres axes.

Ou bien ils se contentaient d'attendre.

Il se mit à genoux et se dirigea vers l'ouest à travers les branchages, le corps et les membres fléchis à chaque branche basse, noyant le bruit de son pas dans le bruissement de la forêt. Il atteignit l'endroit où les trois hommes avaient discuté quelques minutes plus tôt. Il ne sentit aucune présence, ne vit rien.

Il tira une boîte d'allumettes imperméabilisées de sa poche et en prit deux. Il craqua la première et, à l'instant où elle s'alluma, l'éteignit. Puis il craqua la seconde et la laissa brûler quelque temps avant de l'éteindre.

Dans les bois, à une dizaine de mètres, quelqu'un craqua une autre allumette. En plein nord.

Presque simultanément lui parvint une seconde réponse. Celle-ci venait de l'ouest, à quinze ou vingt mètres.

Puis plus rien.

C'était assez.

Spaulding obliqua à travers bois, toujours en rampant. Vers le nord-est. Il parcourut quatre ou cinq mètres, pas plus, et s'accroupit contre le tronc d'un *ceiba*.

Il attendit. Et, en attendant, il sortit de la poche de sa veste de treillis un fil de fer mince, court et souple. A chaque extrémité du fil se trouvait une poignée de bois de la taille d'une main humaine.

Ce soldat allemand était bien bruyant pour un chasseur alpin, pensa David. Il se dépêchait, impatient de se rendre à son rendez-vous. Spaulding en déduisit autre chose : l'agent de la Gestapo était un homme exigeant. Ses troupes resteraient donc en place en attendant les ordres. Les initiatives personnelles seraient réduites au minimum.

Il n'eut pas le temps de penser. Le soldat passa près du *ceiba*.

David bondit en silence en levant le fil de fer des deux mains. La boucle s'abattit sur le casque. Il tira si vite, si brutalement, sur les poignées que le fil trancha net la chair du cou.

De nouveau, on n'entendit qu'un souffle.

David Spaulding avait si souvent entendu ce son qu'il n'en était plus ému. Comme il l'avait été auparavant...

Le silence.

Puis le craquement reconnaissable des branchages. Des pas foulant le sol d'un sentier mal connu. Quelqu'un de pressé, d'impatient. Comme avait été impatient le mort qui gisait à ses pieds.

Spaulding remit le fil ensanglanté dans sa poche et sortit la baïonnette raccourcie de la sacoche qui pendait à sa ceinture. Il n'y avait aucune raison de se hâter, il le savait. Le troisième homme attendrait. Désorienté, il aurait peur peut-être... probablement pas, si c'était un chasseur alpin. Les troupes alpines étaient plus dures encore que la Gestapo. On les choisissait, lui avait-on dit, d'abord pour leur caractère sadique. Des robots capables de vivre dans des lieux montagneux, nourrissant leur haine dans un isolement glacé, jusqu'à ce qu'ils reçoivent l'ordre d'attaquer.

Il n'y avait pas de doute, pensa David, on pourrait prendre un certain plaisir à tuer un chasseur alpin.

Le tapis roulant.

Il poursuivit son avancée, le couteau au poing.

– *Wer ?... Wer ist dort ?* murmura la silhouette dans l'obscurité, visiblement agitée.

– *Hier, mein Soldat,* répondit David.

La lame de sa baïonnette s'enfonça d'un coup dans la poitrine de l'Allemand.

Les partisans descendirent des collines. Ils étaient cinq, quatre Basques et un Catalan. Le chef était basque. Baraqué et brusque.

– Vous nous en avez fait voir de toutes les couleurs, Lisbonne. Parfois, nous avons cru que vous étiez *loco*[1]. Bon Dieu ! Nous avons fait au moins cent cinquante kilomètres !

– Les Allemands en feront dix fois plus, je peux vous l'assurer. Qu'y a-t-il au nord ?

– Un groupe de chasseurs alpins. Une vingtaine sans doute. Tous les six kilomètres, jusqu'à la frontière. On les laisse perdre leur temps ?

– Non, répondit Spaulding, songeur. Tuez-les... tous, sauf les trois derniers. Harcelez-les pour qu'ils retournent d'où ils viennent. Ils confirmeront à la Gestapo ce que nous voulons qu'elle croie.

– Je ne comprends pas.

– Ce n'est pas nécessaire.

David s'approcha du feu mourant et donna un coup de pied dans les braises. Il devait rejoindre Ortegal. Il ne pensait plus qu'à cela.

Il se rendit compte que le grand Basque l'avait suivi. L'homme se tenait de l'autre côté du feu. Il voulait lui dire quelque chose. Il regarda David d'un œil dur.

– Nous devons vous mettre au courant. Nous avons appris comment ces porcs ont établi le contact. Il y a huit jours.

– De quoi parlez-vous ?

Spaulding était irrité. La transmission des ordres au nord était, au mieux, un risque calculé. Il se ferait remettre des rapports écrits. Il ne souhaitait pas en parler. Il voulait dormir, se réveiller et se rendre à Ortegal. Mais le Basque parut blessé. Il ne le fallait surtout pas.

– Vas-y, *amigo*.

– Nous ne vous l'avons pas dit avant. Nous craignions que la colère ne vous fasse réagir trop brutalement.

– Comment ? Pourquoi ?

– C'était Bergeron.

– Je ne vous crois pas...

– C'est pourtant vrai. Ils l'ont pris à San Sebastián. Il n'a pas craqué facilement, mais ils l'ont brisé. Dix jours de torture... De l'électricité dans les parties génitales, entre autres sévices, y compris des injections de drogue. On nous a dit qu'il était mort en leur crachant au visage.

David regarda le Basque. Il était resté insensible à l'écoute de son récit. Insensible. Et cette absence de sentiment était un avertissement... il devait faire attention. Il avait entraîné ce Bergeron, vécu dans les collines avec lui, parlé des heures avec lui de ces choses que seuls évoquent les hommes isolés de tout. Bergeron s'était battu avec lui, s'était sacrifié pour lui. Bergeron était son meilleur ami dans le Nord.

---

1. Fou.

Deux ans plus tôt, ce type de nouvelle l'aurait rendu fou furieux. Il aurait piétiné le sol et organisé un raid de l'autre côté de la frontière, un raid de représailles.

Un an plus tôt, il se serait éloigné du porteur de la nouvelle et exigé quelques minutes de solitude. Un bref moment de silence pour réfléchir... seul... sur l'homme qui avait donné sa vie et sur les souvenirs que cet homme faisait surgir.

A présent, il ne ressentait rien.

Rien du tout.

Et c'était terrible de ne rien ressentir du tout.

— Ne refaites pas une erreur pareille, dit-il au Basque. La prochaine fois, dites-le-moi. Je n'ai pas de réaction violente.

9.

13 décembre 1943, Berlin, Allemagne

Johann Dietricht déplaça son immense masse molle dans le fauteuil de cuir qui se trouvait en face du bureau d'Altmüller. Il était dix heures et demie du soir, et il n'avait pas dîné. Il n'en avait pas eu le temps. Son retour de Genève en Messerschmitt avait été très inconfortable, terrifiant même. Tout bien considéré, Dietricht était dans un état d'épuisement avancé. Une réalité qu'il rappela plusieurs fois à l'Unterstaatssekretär.

— Nous sommes conscients des épreuves que vous avez subies, Herr Dietricht. Et de l'immense service que vous avez rendu à votre pays, fit Altmüller avec sollicitude. Nous n'en avons plus que pour quelques minutes. Ensuite, je vous ferai conduire où vous le désirez.

— Dans un restaurant correct, si vous en trouvez un ouvert à cette heure-ci, dit Dietricht d'un ton irrité.

— Nous vous présentons toutes nos excuses pour la hâte avec laquelle nous vous avons envoyé là-bas. Mais vous passerez peut-être une soirée agréable. Un bon repas. Du schnaps, une agréable compagnie. Dieu sait que vous le méritez... Il y a une auberge à quelques kilomètres de la ville. Une clientèle triée sur le volet. Ce sont surtout de jeunes lieutenants de l'armée de l'air qui ont terminé leur formation. La cuisine y est vraiment excellente.

Johann Dietricht ne se crut pas obligé de rendre son sourire à Altmüller. Certaines choses faisaient naturellement partie de son train de vie. Depuis des années, l'on faisait tout pour le satisfaire. C'était un homme important, et l'on s'efforçait toujours de lui plaire. Tout comme Herr Altmüller s'efforçait en ce moment de lui plaire.

– Cela me reposerait. J'ai eu une journée épouvantable. Longue comme un jour sans pain, vraiment.

– Bien sûr. Si vous désirez quoi que...

– Non, non. J'accepte votre proposition... Allons-y !

– Très bien. Nous allons revoir certains points pour qu'il n'y ait pas d'erreurs... L'Américain n'avait rien contre le choix de Buenos Aires ?

– Il a sauté sur l'occasion. Quel homme répugnant ! Il ne vous regardait jamais dans les yeux, mais il ne parlait pas pour ne rien dire. Répugnant quand même. Ses vêtements, même ses ongles. Sale type !

– Oui, bien sûr. Mais vous êtes certain d'avoir compris ?

– Je parle anglais couramment. Je comprends même les nuances. Il était très content. Deux conditions étaient remplies : un endroit suffisamment éloigné, à des milliers de kilomètres, et une ville contrôlée par les intérêts américains.

– Oui, nous avions prévu cette réaction. Avait-il l'autorité pour confirmer sa décision ?

– Sans aucun doute. En dépit de son aspect fruste, c'était, de toute évidence, quelqu'un de haut placé, un décideur. Incontestablement sournois, mais impatient de procéder à l'échange.

– Avez-vous évoqué, même de manière lointaine, les motivations des deux parties ?

– Mais c'était inévitable ! Ce Kendall était on ne peut plus direct. Il s'agit purement et simplement d'un problème financier. Il n'y a aucun autre motif. Je le crois volontiers. Il parle chiffres, c'est tout. Il ramène tout aux chiffres. Je doute qu'il soit capable d'autre chose. Et je suis extrêmement perspicace.

– Nous comptions sur votre perspicacité. Et Rhinemann ? Lui non plus n'a rien trouvé à redire ?

– Inexistant. J'ai insisté sur le risque calculé que nous prenions pour apaiser les soupçons. Dit que Rhinemann avait été contraint à l'exil. Seule la fortune de Rhinemann est parvenue à impressionner ce Kendall.

– Et les délais ? Nous devons être très précis. Revoyons les dates prévues. Si je faisais la moindre erreur, ce serait désastreux. Si je vous ai bien compris, l'Américain a programmé des livraisons échelonnées de bort et de carbonado...

– Oui, oui, l'interrompit Dietricht, comme s'il s'adressait à un enfant. Après tout, il n'avait aucune idée de nos besoins. Naturellement, j'ai fixé le maximum. En termes de délais, cela ne faisait pas beaucoup de différence. Ils doivent détourner les chargements de leurs lieux d'origine. Il serait trop risqué de réquisitionner les réserves existantes.

– Je ne suis pas certain de comprendre cela. Ne serait-ce pas un stratagème ?

– Ils sont coincés par leurs propres mesures de sécurité. Depuis un mois, tout dépôt de diamants industriels subit un nombre incroyable de contrôles, chaque kilo est soumis à des dizaines de signatures. Une commande massive constitue un risque certain.

– Les inconvénients des procédures démocratiques. On donne des responsabilités à des sous-fifres. Et une fois qu'on les leur a données, difficile de les leur retirer. Incroyable !

– Comme l'a si bien dit ce Kendall, cela provoquerait plein de questions. Trop de gens seraient impliqués dans l'affaire. L'opération serait très sensible. Leurs services de sécurité sont infestés de jeunes turcs.

– Nous sommes obligés d'accepter leurs conditions, dit Altmüller avec résignation.

Il en avait pris son parti, sans chercher à épargner Dietricht.

– Et le délai prévu pour ces détournements de cargaisons est de quatre à six semaines. On ne peut pas faire moins ?

– Certainement. Si nous acceptons de traiter le minerai nous-mêmes.

– Impossible. Nous nous retrouverions avec des tonnes de déchets inutiles. Il nous faut le produit fini, bien entendu.

– Naturellement. J'ai été clair sur ce point.

– J'ai l'impression que ce retard ne se justifie pas. Je vais voir s'il n'y a pas d'obstacles, Herr Dietricht. Ne m'avez-vous pas dit que ce Kendall était sournois ?

– Mais pressé de conclure. Je vous ai également dit qu'il était pressé de conclure. Il a eu recours à une métaphore qui donne du poids à ses arguments. D'après lui, ils sont un peu comme un homme qui, ayant pénétré dans les coffres de la Banque nationale du Kentucky, ressortirait avec des caisses de lingots... En avons-nous terminé ?

– A peu près. La filière de Genève sera-t-elle informée du nom de l'homme de Buenos Aires ? Celui qui nous servira de contact ?

– Oui. Dans trois ou quatre jours. Kendall pense que ce pourrait être un savant du nom de Spinelli. Un spécialiste des gyroscopes.

– C'est à vérifier, j'imagine. Il est italien ?

– Mais il a la nationalité américaine.

– Je vois. Il fallait s'y attendre. Les modèles seront examinés avec soin, cela va de soi. Il nous reste à considérer les différents contrôles que nous effectuerons jusqu'au moment de l'échange. Une danse rituelle.

– *Ach !* C'est le travail de vos services. J'ai lancé l'opération, ce qui était, je crois, le plus important.

– Cela ne fait aucun doute. Et je suppose que vous vous êtes montré digne de la confiance que vous a accordée le Führer par l'intermédiaire de ce service. Vous n'avez adressé la parole à personne pendant votre voyage à Genève ?

– Personne. Le Führer n'a pas mal placé sa confiance. Il le sait. Tout comme mon père et mon oncle, les Dietrich font preuve d'une loyauté et d'une obéissance sans faille.

– Il en parle souvent. Nous avons terminé, *mein Herr*.

– Parfait ! C'était nerveusement épuisant... ! Je vous fais confiance pour le restaurant. Si vous voulez bien prendre les dispositions nécessaires, je vais téléphoner pour que l'on vienne me chercher en voiture.

– Comme vous voudrez, mais il m'est facile de demander à mon chauffeur personnel de vous conduire. Comme je vous l'ai dit, la clientèle est triée sur le volet. Mon chauffeur est un jeune homme débrouillard.

Altmüller regarda Dietrich. Leurs regards se croisèrent un très bref instant.

– Le Führer serait navré d'apprendre que je vous ai importuné.

– Très bien. Je suppose que ce serait plus facile. Et puis il ne faut pas contrarier le Führer.

Dietrich s'extirpa du fauteuil avec la plus grande difficulté. Altmüller se leva et fit le tour de son bureau.

– Merci, Herr Dietrich, fit l'Unterstaatssekretär en lui tendant la main. Le moment venu, nous rendrons public l'immense service que vous nous avez rendu. Vous êtes un héros du Reich, *mein Herr*. C'est un privilège de vous connaître. L'adjudant qui attend dehors vous conduira à la voiture. Le chauffeur est à votre disposition.

– Quel soulagement ! Bonsoir, Herr Altmüller.

Johann Dietrich se dirigea vers la porte en se dandinant. Franz appuya sur le bouton qui se trouvait sur son bureau.

Le lendemain matin, Dietrich serait retrouvé mort dans des circonstances si gênantes que l'on se contenterait d'en parler à voix basse, sans chercher à en savoir davantage.

Dietrich, l'inadapté, serait éliminé.

Et toute trace de la manipulation de Genève et du rôle joué par les dirigeants du Reich disparaîtrait avec lui. A Buenos Aires, tout était désormais entre les mains de Rhinemann et de ses anciens collègues de l'industrie allemande.

Sauf lui. Sauf Franz Altmüller.

Le véritable manipulateur.

15 décembre 1943, Washington, D.C.

Swanson détestait les méthodes qu'il était contraint d'utiliser. Ce n'était que le commencement, pressentait-il, d'une interminable série de tricheries. Or il n'avait rien d'un tricheur. Il savait pourtant les repérer mieux que d'autres, non qu'il possédât pour cela des qualités particulières, mais parce qu'il était sans cesse exposé au danger.

Ces méthodes étaient détestables : observer des hommes qui ne savaient ni qu'on les surveillait ni qu'on les écoutait, qui parlaient sans la méfiance qu'ils éprouveraient s'ils connaissaient l'existence de ces yeux, de ces oreilles et de ces magnétophones qui les enregistraient. Tout cela appartenait à un autre monde, au monde d'Edmund Pace.

Manipuler n'était pas une tâche difficile. Les services secrets militaires disposaient de salles de surveillance, dans tout Washington. Pace lui en avait donné une liste : il avait choisi celle de l'hôtel Sheraton. Quatrième étage, suite 4-M, deux pièces visibles et une troisième qui ne l'était pas. Cette pièce invisible se trouvait derrière un mur, avec deux ouvertures en verre unidirectionnel donnant dans les deux pièces de la suite. Ces deux postes d'observation étaient dissimulés par des tableaux impressionnistes accrochés en permanence dans la chambre et dans le salon. On avait installé des magnétophones reliés à des micros sur des étagères, en dessous des ouvertures, à l'intérieur de la pièce invisible. Des haut-parleurs amplifiaient les conversations sans trop déformer les voix. L'observation visuelle n'était altérée que par les tons pastel des tableaux.

Pas vraiment d'obstruction.

Il n'avait pas non plus été difficile de mener les trois hommes jusqu'à cette chambre du Sheraton. Swanson avait téléphoné à Jonathan Craft, chez Packard, pour l'informer que Walter Kendall serait bientôt de retour de Genève, qu'il avait pris l'avion en début d'après-midi. Le puissant général avait aussi prévenu le civil apeuré que les militaires souhaitaient le joindre au téléphone. Il lui avait donc suggéré de retenir une chambre dans un hôtel du centre-ville, où il y avait beaucoup de passage. Le Sheraton, par exemple.

Craft était inquiet. Il risquait sa vie. Si le ministère de la Guerre proposait le Sheraton, ce serait le Sheraton. Il y avait donc réservé une chambre sans prendre la peine d'en avertir Howard Oliver, l'homme de Meridian Aircraft.

La réception s'était occupée du reste.

Quand Walter Kendall était arrivé, il y avait une heure de cela, Swanson avait été frappé par l'aspect débraillé du comptable. Cette apparence négligée avait quelque chose d'inné. Ce n'était nullement l'effet du voyage. Ce désordre vestimentaire avait contaminé jusqu'à ses gestes, jusqu'à son regard incapable de se fixer. On aurait dit un gigantesque rongeur. L'association entre des hommes comme Oliver et Craft, surtout Craft, et un Walter Kendall paraissait incongrue. Ce qui ne faisait que rehausser la valeur de Kendall. Kendall possédait un cabinet d'audit à New York. C'était un analyste financier. Différentes sociétés avaient recours à ses services pour manipuler prévisions et statistiques.

Le comptable ne leur avait pas serré la main. Il s'était immédiatement dirigé vers un fauteuil confortable, juste en face du canapé, s'était assis et avait ouvert sa mallette. Puis il leur avait fait un rapport succinct.

– Ce salopard était un homo, j'en mettrai ma main à couper !

Pendant une heure, Kendall décrivit, dans les moindres détails, tout ce qui s'était passé à Genève. Les quantités de bort et de carbonado sur lesquelles on s'était mis d'accord, les garanties de qualité, Buenos Aires, Gian Spinelli, les plans des gyroscopes, leur authentification, leur livraison, et l'agent de liaison, Erich Rhinemann, le juif exilé. Kendall était un rongeur autoritaire qui se sentait à l'aise dans les souterrains fangeux de la négociation. Il y était comme un poisson dans l'eau.

– Comment être sûr qu'ils sont de bonne foi ? demanda Craft.

– De bonne foi ?

Kendall eut un petit sourire narquois, grimaça, puis sourit de nouveau au dirigeant de Packard.

– Là vous charriez. De bonne foi.

– Ils pourraient ne pas nous donner les plans que nous recherchons, poursuivit Craft. Nous remettre d'autres produits, des produits sans aucune valeur !

– Il a raison, l'appuya Oliver, la mâchoire carrée, les lèvres pincées.

– Et nous pourrions leur livrer des caisses d'éclats de verre. Vous croyez qu'ils n'y ont pas pensé ?... Mais ils ne le feront pas et nous non plus. Pour la même foutue raison. Nous avons tous la tête sur le billot.

Oliver, qui était assis en face de Kendall, fixa le comptable du regard.

– Eux les généraux de Hitler, nous le ministère de la Guerre.

– C'est exact. Nous sommes deux chaînes d'approvisionnement. Pour l'amour de Dieu, de notre pays et pour quelques dollars. Et nous sommes tous en mauvaise posture. Nous ne prétendons pas apprendre à faire la guerre à leurs foutus généraux et ils ne prétendent pas non plus nous apprendre à maintenir le niveau de la production. S'ils se gourent de stratégie ou s'ils perdent une bataille, nous resterons muets. Mais si nous sommes à court de matériel, si nous ne livrons pas la marchandise, ces salopards nous feront la peau. Ce n'est vraiment pas juste. Cette pédale de Dietricht est du même avis que moi. Nous devons nous protéger.

Craft se leva du canapé. C'était un mouvement de nervosité, un geste d'incertitude.

– Ce n'est pas un moyen normal de se protéger, fit-il d'une voix douce et hésitante. Nous traitons avec l'ennemi.

– Quel ennemi ?

Kendall feuilleta les papiers qu'il tenait sur les genoux. Il ne leva pas les yeux vers Craft.

– Encore une fois, c'est mieux que « normal ». Peu importe qui gagne. Nous aurons chacun un atout en main quand tout sera terminé. Nous nous sommes également mis d'accord sur ce point.

Le silence s'installa pendant quelques instants. Oliver se pencha, les yeux toujours rivés sur Kendall.

– Ça peut nous rapporter quelque chose, Walter. Ce n'est pas si bête que ça.

– Pas bête du tout, répliqua le comptable en jetant un rapide coup d'œil à Oliver. Nous nettoyons la merde de leurs villes. Nous rayons leurs usines de la carte à coups de bombardements, leurs voies ferrées, leurs autoroutes. Tout part en fumée. Ça ira de mal en pis. Il y aura beaucoup d'argent à gagner quand on remettra tout ça sur pied. L'argent de la reconstruction.

– Et si les Allemands gagnent ? demanda Craft qui se tenait près de la fenêtre.

– Très peu probable, répondit Kendall. L'important, ce sont les dégâts causés des deux côtés, et c'est nous qui possédons le matériel lourd. Plus il y aura de dégâts, plus cela coûtera cher de les réparer. Y compris en Angleterre. Soyez malins, tenez-vous prêts à croquer une part du gâteau de l'après-guerre.

– Les diamants..., dit Craft en se plaçant dos à la fenêtre. A quoi serviront-ils ?

– Quelle importance ?

Kendall détacha une feuille du bloc qu'il tenait et y inscrivit quelques mots.

– Ils en manquent. Ils pédalent dans la choucroute. Comme vous avec le système de navigation... A propos, Howard, avez-vous eu un entretien préliminaire avec les mines ?

Oliver était plongé dans ses pensées. Il battit des paupières avant de lever les yeux.

– Oui, avec Koening. Leurs bureaux de New York.

– Comment leur avez-vous présenté ça ?

– Comme un projet ultra-secret ayant reçu l'approbation du ministère de la Guerre. L'autorisation viendrait des services de Swanson, mais même lui n'était pas au courant.

– Ils ont gobé ça ?

Le comptable était toujours en train d'écrire.

– J'ai dit que ce serait de l'argent propre. Ils vont vraisemblablement gagner quelques millions. Notre entrevue a eu lieu au club des Banquiers.

– Ils ont gobé ça, répéta Kendall d'un ton affirmatif, cette fois.

– Walter..., poursuivit Oliver, vous avez parlé de Spinelli. Ça ne me plaît pas. Ce n'est pas un bon choix.

Kendall cessa d'écrire et regarda le représentant de Meridian.

– Je n'avais pas l'intention de lui dire quoi que ce soit. Juste que nous achetons. Il devait tout vérifier avant le règlement, s'assurer de l'authenticité des documents.

– Ça ne va pas. On ne peut pas le retirer du projet. Pas maintenant. Il y aurait trop de questions. Trouvez quelqu'un d'autre.

– Je vois ce que vous voulez dire.

Kendall posa son crayon. Il se mit un doigt dans le nez. C'était ainsi qu'il réfléchissait.

– Attendez une minute... Il y a quelqu'un. A Pasadena. C'est un drôle d'oiseau, mais il serait parfait.

Kendall éclata de rire en soufflant par la bouche.

– Il ne parle même pas. Je veux dire, il ne peut pas parler.

– Est-il bien ? demanda Oliver.

– Il a des problèmes, mais il sera sans doute mieux que Spinelli, répondit Kendall en griffonnant quelques mots sur un autre morceau de papier. Je vais m'en occuper... Ça vous coûtera assez cher.

Oliver haussa les épaules.

– Comptez ça parmi les dépassements budgétaires, espèce d'ordure. Et ensuite ?

– Un contact à Buenos Aires. Quelqu'un qui traitera avec Rhinemann, qui peaufinera les détails du transfert.

– Qui ? demanda Craft non sans appréhension, les mains croisées devant lui.

Le comptable sourit en découvrant ses dents décolorées.

– Vous êtes volontaire ? Vous avez une tête de curé.

– Mon Dieu, non ! Je demandais simplement...

– Combien, Kendall ? l'interrompit Oliver.

– Plus que vous n'êtes prêt à payer, mais je ne crois pas que vous ayez le choix. Je transmettrai ce que je pourrai à l'Oncle Sam. Je vous économiserai le maximum.

– C'est ça.

– Il y a pas mal de militaires à Buenos Aires. Swanson va se heurter à certaines interférences.

– Il ne s'en occupera pas, dit aussitôt Oliver. Il a été catégorique. Il ne veut plus entendre parler de vous ni vous rencontrer.

– Je n'en ai rien à foutre. Mais ce Rhinemann exigera certaines garanties. Ça, je peux vous l'affirmer.

– Swanson sera contrarié, déclara Craft d'une voix aiguë et puissante à la fois. Nous ne voulons pas le contrarier.

– Contrarié, merde ! Il tient à garder son bel uniforme propre et net... Je vais vous dire, ne l'ennuyez pas maintenant. Donnez-moi du temps. J'ai encore quelques points à tirer au clair. Il se peut que je trouve le moyen de ne pas salir son uniforme. Qui sait ? Peut-être lui enverrai-je la note ?

Il tient à garder son bel uniforme bien propre...
« Il faut l'espérer de tout notre cœur, monsieur Kendall », pensa Swanson qui se dirigeait vers le palier des ascenseurs.

Mais impossible pour l'instant. Il devrait salir son uniforme. L'entrée en scène d'un homme du nom d'Erich Rhinemann avait rendu cela nécessaire.

Rhinemann était l'un des fiascos de Hitler. Berlin le savait. Londres et Washington le savaient. Rhinemann était un individu compromis avec le pouvoir : financièrement, politiquement, militairement. A ses yeux, toute autorité devait émaner d'une seule source, et il ferait tout pour se retrouver au cœur de cette source.

Son origine juive importait peu. Un détail qui disparaîtrait à la fin du conflit.

Quand la guerre serait terminée, on rappellerait Erich Rhinemann. Ce qui resterait de l'industrie aurait besoin de lui. Les gros bonnets de la haute finance mondiale l'exigeraient. Quand Rhinemann réapparaîtrait sur le marché international, il serait plus puissant que jamais.

Sans la manipulation de Buenos Aires.

Après une opération semblable, son influence serait considérable.

Ce qu'il aurait appris, sa participation à un tel échange lui fourniraient une arme infaillible qu'il pourrait utiliser contre tous les camps, tous les gouvernements.

Surtout contre Washington.

Il faudrait éliminer Rhinemann.

Après l'échange.

Et, ne serait-ce que pour cela, Washington devait placer un autre homme à Buenos Aires.

10.

L'officier responsable de Fairfax ne devait quitter les lieux sous aucun prétexte, mais le colonel Edmund Pace en avait reçu l'ordre.

Pace, debout devant le bureau du général Swanson, commençait à comprendre. Les instructions de Swanson furent brèves. Elles comportaient néanmoins des implications plus vastes que ne le laissait supposer leur brièveté. Il s'agissait d'extraire des dossiers de dizaines d'armoires fermées à double tour et d'en examiner un grand nombre avec minutie.

Swanson s'attendait à une première réaction désapprobatrice de Pace. Au début, le commandant de Fairfax ne put dissimuler son étonnement. Il fallait que l'agent en question parle couramment l'allemand et l'espagnol. Pour être opérationnel, il devait également posséder de sérieuses connaissances en ingénierie aéronautique, y compris en dynamique des métaux et en systèmes de navigation. Il n'était pas nécessaire qu'il fût expert en la matière, mais il ne pouvait se contenter des notions simples qui permettent de tenir une conversation. Ce devait être un homme capable d'assumer une couverture, sans doute au niveau diplomatique. Il leur fallait donc un individu possédant les qualités requises pour évoluer dans les milieux d'argent et dans l'arène diplomatique.

A ce moment-là, Pace avait regimbé. Ce qu'il savait du courrier de Johannesburg et de la filière de Genève l'obligeait à le contredire. Il interrompit donc Swanson, qui lui demanda aussitôt de garder ses remarques jusqu'à la fin de l'intervention de son supérieur.

Dernière qualification requise pour l'homme de Buenos Aires – et le général lui concéda alors l'incohérence d'une telle exigence avec les précédentes qualifications techniques –, l'agent devait avoir l'expérience des « missions spéciales ».

Il devait savoir ce que c'était que tuer. Pas en plein combat, séparé de ses adversaires, dans le bruit et la fureur du champ de bataille. Non. Un individu capable de tuer en silence, face à la cible. Seul.

Cette dernière exigence apaisa Pace. Quelle que fût l'opération dans laquelle ses supérieurs s'étaient engagés, ce n'était pas ce qu'il avait redouté. Le soulagement se peignit sur son visage. Le ministère de la Guerre ne rechercherait pas un homme de ce type s'il avait l'intention de respecter des accords de façade.

L'officier responsable de Fairfax ne fit aucun commentaire. Il était entendu qu'il procéderait seul à la recherche documentaire. Il demanda qu'on lui donne un code, un mot auquel il puisse se référer pour toute communication.

Swanson se pencha pour observer la carte posée sur son bureau. La carte qui se trouvait là depuis trois heures.

– Appelez-le « Tortugas », dit-il.

18 décembre 1943, Berlin, Allemagne

Altmüller fixa du regard le cachet de la grande enveloppe brune qui n'avait pas encore été brisé. Il le plaça sous sa lampe de bureau et sortit une loupe du premier tiroir. Il examina le cachet grossi par le verre. Il fut satisfait. On n'y avait pas touché.

Le courrier de l'ambassade était arrivé de Buenos Aires, via le Sénégal et Lisbonne. On lui avait remis l'enveloppe en main propre, suivant la consigne. Le courrier étant basé en permanence en Argentine, Altmüller ne tenait pas à ce qu'il répandît la moindre rumeur. Il avait donc eu avec lui une innocente conversation où il avait mentionné plusieurs fois la lettre en question sur un ton désinvolte, presque négligent. Il lui avait fait comprendre qu'il s'agissait d'un truc ennuyeux, d'un mémorandum sur les finances de l'ambassade, dont le *Finanzministerium* aurait dû s'occuper, mais qu'y pouvait-on ? L'ambassadeur était, de notoriété publique, un vieil ami de Speer.

A présent que le courrier était parti et la porte close, Altmüller fixa son attention sur l'enveloppe. Elle venait d'Erich Rhinemann.

Il en coupa le bord supérieur. La lettre était écrite à la main, de l'écriture à peine déchiffrable de Rhinemann.

Mon cher Altmüller,
Servir le Reich est un privilège que j'accepte avec enthousiasme. Je vous suis, bien entendu, reconnaissant de l'assurance que vous me

donnez que mes vieux amis seront informés de mes efforts. Étant donné les circonstances, vous ne pouviez guère faire moins.

Vous serez satisfait d'apprendre que, dans la zone côtière, au large de Punta Delgada, au nord des Caraïbes, mes navires battent pavillon paraguayen, un pavillon neutre. Cet avantage pourra vous être de quelque utilité. Je dispose d'un certain nombre de bateaux, des bâtiments de petite et de moyenne taille, avec des moteurs très performants. Ils peuvent traverser rapidement les eaux territoriales. Il existe des dépôts d'approvisionnement en fuel qui permettent de franchir des distances considérables en peu de temps. Aucune comparaison avec l'avion, mais on peut ainsi voyager dans le plus grand secret, loin des regards indiscrets que l'on rencontre sur les terrains d'aviation. Nous qui sommes neutres devons sans cesse contourner les blocus.

Je réponds ainsi aux questions étrangèrement obscures que vous avez soulevées.

A l'avenir, je vous demanderai d'être plus précis. Cela dit, soyez assuré de ma fidélité au Reich.

Mes associés bernois m'ont récemment informé que votre Führer présentait quelques signes de fatigue. N'était-ce pas prévisible ?

Souvenez-vous, mon cher Franz, que le concept est toujours plus important que l'homme. Dans la situation actuelle, le concept a précédé l'homme. C'est lui l'élément capital.

J'attends vos ordres.

Erich Rhinemann

Quelle délicatesse, quelle subtilité dans ce Rhinemann !... Fidélité au Reich... associés bernois... présentait quelques signes de fatigue... prévisible...

... le concept plus important que l'homme...

Rhinemann faisait ainsi état de ses capacités, de son pouvoir financier, de ses inquiétudes « légitimes » et de sa fidélité sans équivoque au Reich. En rappelant ces divers facteurs, en les juxtaposant, il s'élevait au-dessus du Führer en personne. Et de ce fait il condamnait Hitler... pour la plus grande gloire du Reich. Rhinemann avait certainement en sa possession des copies de sa lettre. Rhinemann devait se constituer un dossier très complet sur l'opération de Buenos Aires. Et, un jour, il l'utiliserait pour se propulser au sommet, dans l'Allemagne de l'après-guerre. Peut-être même dans toute l'Europe ? Car il posséderait l'arme qui lui permettrait de se faire accepter.

En cas de victoire ou de défaite. Un dévouement sans faille ou, à l'inverse, un chantage prenant de telles proportions que les Alliés trembleraient rien que d'y penser.

« Advienne que pourra », pensa Altmüller. Il n'avait rien contre

Rhinemann. C'était un spécialiste de ce genre d'affaire. Il était méthodique à l'excès, conservateur dans l'action, en ce sens qu'il maîtrisait tous les détails avant de se lancer. Et surtout, il avait une imagination fertile.

Les mots de Rhinemann attirèrent le regard d'Altmüller :

A l'avenir, je vous demanderai d'être plus précis.

Franz sourit. Il avait été obscur. Pour une raison évidente : il ne savait pas très bien où il allait, où on le menait peut-être. Il savait seulement qu'il fallait examiner soigneusement des caisses de diamants carbonados et que cela prendrait du temps. Plus de temps que ne le pensait Rhinemann, si les renseignements qui lui étaient parvenus de Peenemünde se révélaient exacts. D'après Peenemünde, il serait très simple aux Américains d'emballer des milliers de borts de mauvaise qualité, indétectables à un œil non exercé. Des pierres qui éclateraient au premier contact avec l'acier.

Si l'opération était confiée aux Britanniques, on pouvait s'attendre à une telle manœuvre.

Et même si les Américains disposaient de bons manipulateurs au sein de leurs services secrets. A condition que lesdits services secrets prennent part à l'échange. Altmüller en doutait pourtant. Le gouvernement américain était hypocrite. Il allait sans doute s'adresser à ses industriels et exigerait d'obtenir satisfaction. Il fermerait les yeux sur les méthodes employées. On manifestait, à Washington, en paroles du moins, un puritanisme absolu.

Quels enfants ! Mais les enfants furieux, frustrés, étaient dangereux.

Il faudrait examiner ces caisses avec minutie.

A Buenos Aires.

Et une fois la cargaison acceptée, on ne pouvait pas prendre le risque qu'elle se volatilise dans les airs ou dans l'océan. Il semblait donc judicieux de s'informer, auprès de Rhinemann, des éventuelles issues de secours. En un lieu ou en un autre, d'une manière ou d'une autre, ces caisses devraient prendre le chemin de l'Allemagne par la voie la plus logique.

Le sous-marin.

Rhinemann comprendrait. Sans doute serait-il enchanté de la précision de leur future correspondance.

Altmüller se leva de son fauteuil et s'étira. Il fit les cent pas dans son bureau, l'air absent, essayant de se débarrasser des crampes que lui avait values une trop longue immobilité. Il s'approcha du fauteuil de cuir dans lequel Johann Dietricht s'était assis quelques jours auparavant.

Dietricht était mort. On avait trouvé le messager sacrifiable, l'inadapté, sur son lit, dans un bain de sang. Les ragots que l'on colportait sur cette soirée de débauche étaient tellement avilissants que l'on avait décidé de les enterrer avec le corps, sans délai.

Altmüller se demanda si les Américains avaient assez de tripes pour prendre de telles décisions.

Il en doutait.

19 décembre 1943, Fairfax, Virginie

Swanson attendait en silence devant la lourde porte d'acier qui se trouvait à l'intérieur du bâtiment préfabriqué. Le lieutenant chargé de la sécurité resta près de l'interphone accroché au mur, juste le temps d'annoncer le général. Le lieutenant hocha la tête, replaça l'appareil et salua le général pour la seconde fois. La porte fit un bruit métallique. Swanson sut qu'il pouvait entrer.

Le commandant de Fairfax était seul, comme Swanson le lui avait ordonné. Il se tenait à la droite de sa table de travail, un dossier à la main. Il salua son supérieur.

— Bonjour, mon général.

— Bonjour. Vous avez travaillé vite. Je vous en suis reconnaissant.

— Ce ne sera peut-être pas l'idéal, mais c'est ce que nous avons trouvé de mieux... Asseyez-vous, mon général. Je vais vous donner son curriculum. S'il reçoit votre approbation, le dossier est à vous. Dans le cas contraire, il retournera au coffre.

Swanson s'avança vers l'un des fauteuils à dos droit qui se trouvaient en face du bureau du colonel et s'assit.

Il semblait légèrement contrarié. Ed Pace, comme tant de ses subordonnés dans ce service des opérations clandestines, se comportait comme quelqu'un qui ne se sent responsable que devant Dieu. Et même Lui devait obtenir l'autorisation de Fairfax. Swanson songea qu'il serait beaucoup plus simple que Pace lui remît tout simplement le dossier et le lui laissât lire.

D'autre part, l'endoctrinement que l'on pratiquait à Fairfax instillait une profonde méfiance dans les esprits : tout témoin pouvait un jour ou l'autre être capturé par l'ennemi. On pouvait être à Washington une semaine. A Anzio ou aux îles Salomon, la suivante. Les méthodes de Pace n'étaient pas dénuées de logique : un réseau géographique d'agents clandestins pouvait être mis en danger par une simple rupture de la chaîne de sécurité.

C'était quand même très agaçant. Pace semblait prendre plaisir à ce rôle. Il n'avait aucun humour, songea Swanson.

— Le sujet en question est un homme qui a fait ses preuves sur le terrain. Il a agi avec indépendance dans l'un de nos postes les plus périlleux. Quant aux langues, il les parle relativement couramment.

Tenue et couverture : extrêmement adaptable. Il est à l'aise dans toutes les couches de la société civile, des thés de l'ambassade au café des maçons... Il est très mobile et très convaincant.

– C'est un dossier positif que vous me proposez là, mon colonel.

– Si c'est vrai, j'en suis désolé. Il fait de l'excellent travail là où il se trouve. Mais vous n'avez pas entendu la suite. Peut-être changerez-vous d'avis.

– Continuez.

– Inconvénient : ce n'est pas un militaire. Je ne veux pas dire qu'il soit uniquement civil. En fait, il a le grade de capitaine, mais je ne crois pas qu'il l'ait jamais fait valoir. Il n'a jamais opéré au sein de la hiérarchie. C'est lui qui a constitué le réseau. C'est lui qui commande. Il y est depuis presque quatre ans.

– Pourquoi est-ce un inconvénient ?

– Il est impossible de savoir comment il réagira face à la discipline. Comment il acceptera les ordres.

– Il n'aura pas beaucoup de latitude pour agir. C'est clair, net et précis...

– Très bien... Second inconvénient : il n'a aucune connaissance en aéronautique...

– Ça, c'est important ! fit Swanson d'un ton rude.

Pace perdait son temps. L'homme de Buenos Aires devait comprendre ce qui se passait, peut-être même plus que comprendre.

– Il travaille dans une branche qui n'est pas très éloignée, mon général. Un domaine qui, d'après nos services, le prédispose à exécuter des instructions urgentes.

– De quoi s'agit-il ?

– Il est ingénieur du bâtiment. Avec une grosse expérience en mécanique, en électricité et en traitement des métaux. Il a eu professionnellement l'occasion de réaliser des structures complètes, des fondations aux finitions. C'est un expert en plans.

Swanson attendit un instant avant de hocher la tête d'un air réservé.

– D'accord. Poursuivez.

– Le plus difficile, dans votre requête, était de trouver quelqu'un – quelqu'un qui corresponde à ces critères techniques et qui possède une expérience pratique des « missions spéciales ». Vous l'avez reconnu vous-même.

– Je sais.

Swanson comprit qu'il était temps de se montrer un peu plus humain. Pace semblait épuisé. Ses recherches n'avaient pas été aisées.

– Je vous ai confié une tâche ardue. Y a-t-il un rapport concernant les missions spéciales de votre ingénieur civil, de cet être si mobile ?

– Nous essayons d'éviter tout rapport, parce que...

– Vous voyez ce que je veux dire.

– Oui. Il est stationné dans un endroit où c'est inévitable. A l'exception des agents travaillant en Birmanie et en Inde, il a eu, plus que n'importe lequel de nos hommes de terrain, recours aux solutions de dernière extrémité. A notre connaissance, il n'a jamais hésité à les mettre en œuvre.

Swanson parla, puis hésita. Il fronça les sourcils, le regard interrogateur.

– On ne peut pas s'empêcher d'admirer des hommes de cette trempe, n'est-ce pas ?

– Ils sont entraînés. Ils font leur boulot comme tout le monde... pour un objectif précis. Ce n'est pas un tueur par nature. Ceux qui sont vraiment bons le sont rarement.

– Je n'ai jamais compris votre travail, Ed. N'est-ce pas étrange ?

– Pas du tout. Je serais incapable de m'adapter à votre service au ministère de la Guerre. Tous ces tableaux, ces graphiques et ces civils au double langage sèment la confusion dans mon esprit... Que dites-vous du sujet ?

– Vous n'en avez pas d'autres à me proposer ?

– Plusieurs. Mais chacun d'entre eux présente le même inconvénient. Ceux qui parlent les langues requises et possèdent les compétences en aéronautique n'ont aucune expérience des « missions spéciales ». Aucune trace de... solution extrême. Je suis parti du principe que ce facteur était aussi important que les autres.

– Vous avez bien fait... Dites-moi, le connaissez-vous ?

– Très bien. C'est moi qui l'ai recruté. J'ai surveillé chaque phase de son entraînement. Je l'ai vu sur le terrain. C'est un pro.

– C'est ce que je veux.

– Alors, c'est peut-être votre homme. Mais, avant tout, je voudrais vous poser une question. Il le faut. On me la posera à moi aussi.

– J'espère pouvoir vous répondre.

– Ça n'a rien d'extraordinaire.

– Qu'est-ce que c'est ?

Pace s'avança au bord du bureau, se rapprocha de Swanson. Il croisa les bras. Encore une convention militaire. Qui signifiait : *je suis votre subordonné mais, en ce moment, nous sommes sur un pied d'égalité.*

– Je vous ai dit que le sujet travaillait bien là où il se trouvait. C'est peu dire. Sa présence est inestimable, essentielle. En le retirant de ce poste, nous mettons en péril une opération très sensible. Nous sommes capables de faire face, mais les risques sont considérables. Il faut que je sache si sa nouvelle mission justifie ce transfert.

– Écoutez, colonel, fit Swanson d'une voix douce mais ferme. Cette mission est absolument prioritaire, à l'exception peut-être du projet Manhattan. Vous avez entendu parler du projet Manhattan, je suppose ?

– Oui.

Pace se redressa.

– Et le ministère de la Guerre confirmera cette priorité par l'intermédiaire de vos services ?

– Oui.

– Alors le voilà, mon général.

Pace tendit le dossier à Swanson.

– C'est l'un de nos meilleurs hommes. C'est notre agent de Lisbonne... Spaulding. Le capitaine David Spaulding.

11.

26 décembre 1943, Ribadavia, Espagne

La moto de David fonçait vers le sud, le long de la route parallèle à la rivière, le Minho. C'était la route la plus rapide qui menât à la frontière, juste au sud de Ribadavia. Une fois de l'autre côté, il devait prendre vers l'ouest et se diriger vers un terrain d'aviation aux portes de Valence. Le vol pour Lisbonne durerait deux heures, si le temps se maintenait et s'il y avait un avion disponible. On ne l'attendait pas à Valence avant deux jours. Tous les appareils seraient peut-être pris.

Son angoisse était à la mesure de la vitesse des roues qui se déportaient sur la chaussée. C'était invraisemblable. Cela n'avait aucun sens. Personne à Lisbonne n'aurait donné des ordres comme ceux qu'il avait reçus d'Ortegal!

Que s'était-il *passé*?

Il eut l'impression soudaine qu'une part importante de son existence était menacée. Puis il s'interrogea sur sa propre réaction. Il n'aimait pas ce monde qui était provisoirement le sien. Il ne prenait aucun plaisir à ces innombrables manipulations et contre-manipulations. En fait, il méprisait la plupart de ces activités au jour le jour. Cette peur constante, ces facteurs de risque à n'en plus finir, qu'il fallait évaluer à chaque décision, lui donnaient la nausée.

Il comprit pourtant ce qui le préoccupait ainsi : il s'était habitué à ce travail. Cela faisait des siècles qu'il avait débarqué à Lisbonne pour commencer une nouvelle vie, il la maîtrisait à présent. Elle avait en quelque sorte remplacé tous les immeubles qu'il désirait construire, tous ces plans à l'encre bleue qu'il voulait transformer en mortier et en acier. Ce métier avait quelque chose de précis, d'irrévocable. On en recueillait les fruits chaque jour. Souvent plusieurs fois par jour. Comme on étudie les centaines de paramètres indispensables à toute construction, il collectait les renseignements, les mettait bout à bout pour avoir une vision globale de la réalité.

Et c'était de cette réalité que dépendaient les autres.

Et voilà qu'on l'obligeait à quitter Lisbonne ! Quitter le Portugal et l'Espagne ! Était-ce aussi simple que cela ? Ses rapports avaient-ils déchaîné la fureur d'un général ? La stratégie avait-elle été remise en question parce qu'il avait dit la vérité sur une opération soi-disant victorieuse ? Les huiles de Washington et de Londres étaient-elles ennuyées au point d'ôter de leur pied cette épine, de muter cet élément trop critique ? C'était possible. On lui avait assez raconté qu'à Londres, à Tower Road, dans des pièces en sous-sol, ses déclarations en avaient fait bondir plus d'un. Il savait qu'à Washington le bureau des services stratégiques se plaignait qu'il empiétât sur son territoire. Même le G-2, sa propre agence, critiquait ses relations avec les groupes de transfuges.

Mais au-delà de toutes ces plaintes, un argument l'emportait sur le reste : il était bon. Il avait constitué le meilleur réseau d'Europe.

Voilà pourquoi tout lui semblait si confus. Un point le préoccupait plus que tout, bien qu'il se refusât à l'admettre : il avait besoin de louanges.

Il n'y aurait pas de grands immeubles, pas de projets extraordinaires susceptibles de se transformer en des édifices plus extraordinaires encore. Il n'y en aurait peut-être jamais. Quand tout serait terminé, lui, l'ingénieur, aurait atteint l'âge mûr. Un ingénieur d'âge mûr qui n'aurait pas exercé son métier pendant des années, pas même dans la grande armée des États-Unis, dont le corps d'ingénieurs constituait la plus gigantesque équipe de constructeurs de l'histoire.

Il essaya de ne pas y penser.

Il traversa la frontière à Mendoso. Aux yeux des gardes, il passait pour un riche expatrié, irresponsable, qui voulait avant tout fuir les dangers de la guerre. Ils acceptaient sa libéralité et lui faisaient un signe de la main quand il s'éloignait.

Une pluie violente contraria le vol qui le mena de Valence jusqu'au petit terrain d'aviation de Lisbonne. On dut se poser deux fois, à Agueda et à Pomba, avant d'arriver à destination. Une voiture de l'ambassade l'attendait. Le chauffeur, un employé au chiffre du nom de Marshall, était le seul membre de l'ambassade qui connût ses véritables fonctions.

– Quel temps pourri ! s'exclama l'homme des codes en s'installant derrière le volant, tandis que David balançait son paquetage sur le siège arrière. Je ne vous envie pas de vous enfermer dans une carlingue pareille. Avec cette pluie !

126

– Ces pilotes qui font du rase-mottes volent si bas que l'on pourrait sauter de l'avion. Je me suis fait du souci pour les arbres.

– Moi, je me ferais du souci tout court.

Marshall démarra et se dirigea vers le portail déglingué qui servait d'entrée à l'aérodrome. Sur la route, il alluma ses phares. Il n'était pas encore six heures, mais le ciel était sombre, les phares nécessaires.

– Vous auriez pu vous donner la peine de me flatter en me demandant pourquoi un expert de ma qualité vous servait de chauffeur. Je suis là depuis quatre heures. Allez, demandez-le-moi. C'est long, quatre heures?

Spaulding sourit.

– Mon Dieu, Marsh, moi qui pensais que vous vouliez simplement entrer dans mes bonnes grâces. Alors, je vous emmène avec moi au Nord, au prochain voyage. Ou bien ai-je été nommé général de brigade?

– Vous avez été nommé quelque part, David, dit gravement Marshall. J'ai reçu moi-même le message de Washington. Il n'est parvenu qu'à moi, à mon niveau: remettre au chef uniquement.

– Je suis flatté, fit doucement Spaulding, soulagé de pouvoir parler à quelqu'un de l'incroyable nouvelle de son transfert. De quoi s'agit-il, bon sang?

– Bien entendu, je n'ai pas la moindre idée de ce qu'ils attendent de vous, mais il y a au moins une chose dont je suis sûr: ils ne peuvent plus attendre. Ils ont déjà épuisé tous les délais. Nous avons reçu l'ordre de dresser une liste de tous vos contacts, avec l'histoire détaillée de chacun: motifs, dates, ordres renouvelés, monnaie, itinéraires, codes... tout. Rien n'a été négligé. Ordre suivant: alerter le réseau que vous êtes hors stratégie.

– Hors...

David répéta ces mots d'une voix hésitante. Il ne pouvait pas y croire. Hors stratégie, on utilisait cette expression aussi bien pour les traîtres que pour les transferts. Elle avait une connotation irrévocable. C'était la rupture définitive.

– C'est dingue! Enfin c'est mon réseau!

– Ça ne l'est plus. Ils ont envoyé un homme de Londres, ce matin. Je crois qu'il est cubain. Riche aussi. Il a fait des études d'architecture à Berlin, avant la guerre. Il s'est terré dans un bureau pour étudier vos rapports. C'est lui que vous remplacera... Je tenais à ce que vous le sachiez.

David regarda le pare-brise zébré par les trombes d'eau qui s'abattaient alors sur Lisbonne. Ils roulaient sur la route asphaltée qui traversait le quartier d'Alfama, avec ses rues en pente, sinueuses, au pied des tours de la cathédrale Saint-Georges-le-Maure et du Sé gothique. L'ambassade américaine se trouvait dans le Baixa, au-delà de Terreiro do Paço. A vingt minutes de là.

C'était donc terminé, pensa Spaulding. On le renvoyait. L'homme de Lisbonne était désormais un architecte cubain. Un sentiment de dépossession s'empara de lui. Être renvoyé et dans des conditions aussi extraordinaires, cela faisait beaucoup. Hors stratégie...

– Qui a signé les ordres ?

– Ça aussi, c'est fou. L'utilisation des codes les plus secrets implique l'intervention d'une autorité supérieure. Personne d'autre n'y a accès. Et pourtant personne ne les a signés. Aucun autre nom que le vôtre n'apparaît sur le câble.

– Que suis-je censé faire ?

– Vous prenez l'avion demain. L'heure du vol sera postée ce soir. L'appareil fera une escale. L'aérodrome de Terceira, aux Açores. On vous remettra les ordres là-bas.

12.

26 décembre 1943, Washington, D.C.

Swanson tendit la main vers le minuscule levier de l'interphone qui se trouvait sur son bureau.

– Faites entrer M. Kendall, dit-il.

Il se leva, resta sur place et attendit que la porte s'ouvre. Il ne ferait pas le tour de son bureau pour aller au-devant de Kendall et le saluer. Il ne lui tendrait pas la main, même en signe de bienvenue. Walter Kendall n'avait pas serré la main de Craft et d'Oliver au Sheraton, il s'en souvenait. On ne lui refuserait pas une poignée de main. Même si son interlocuteur devait remarquer son attitude.

Kendall entra. La porte se referma. Swanson constata que le comptable avait peu modifié son aspect extérieur depuis cet après-midi où il avait observé leur réunion, dans la pièce invisible, quelque onze jours plus tôt. Kendall portait le même costume et vraisemblablement la même chemise sale. Dieu seul savait à quoi pouvait ressembler son linge de corps. Ce n'était guère une pensée divertissante. La lèvre supérieure de Kendall était à peine arrondie. Cette quasi-rectitude n'exprimait ni la colère ni même le dédain. C'était dû à sa façon de respirer, simultanément par la bouche et par le nez. Comme respirait un animal.

– Entrez, monsieur Kendall. Asseyez-vous.

Kendall obtempéra sans le moindre commentaire. Son regard croisa, un bref instant seulement, celui de Swanson.

– Si je vous ai inscrit sur mon carnet de rendez-vous, c'est pour que vous m'expliquiez le retard dans l'exécution d'un contrat avec Meridian, dit le général en s'asseyant. Je ne vous demande pas de le justifier, juste de m'en donner les raisons. En tant que... cabinet d'audit extérieur, vous êtes susceptible de me répondre.

– Mais ce n'est pas pour ça que je suis ici, n'est-ce pas ?

Kendall sortit de sa poche un paquet de cigarettes froissé. Il écrasa l'extrémité d'une cigarette avant de l'allumer. Swanson remarqua ses ongles sales, rognés, cassés. Le général de brigade comprit, sans y réfléchir davantage, qu'il y avait quelque chose de malsain chez cet être. Son aspect extérieur n'en était que la manifestation.

– Non, ce n'est pas pour ça que vous êtes ici, répondit-il d'un ton abrupt. Je tiens à fixer les règles pour qu'aucun de nous deux ne se méprenne... et d'abord pour que vous ne vous mépreniez pas.

– Il n'y a pas de règles sans jeu. A quel jeu allons-nous jouer, mon général ?

– Peut-être... Pourrait-on le nommer « nettoyer les uniformes ». Ou bien comment réagir à « une interférence à Buenos Aires ». Cela vous semblera sans doute plus précis.

Kendall, qui contemplait sa cigarette, leva brusquement les yeux.

– Alors Oliver et Craft n'ont pas pu attendre. Il se sont crus obligés de rapporter leur cueillette à leur professeur. Je ne pensais pas que ça vous intéresserait.

– Ni Craft ni Oliver ne se sont mis en rapport avec ce bureau. Ni avec moi depuis plus d'une semaine. Depuis que vous avez quitté Genève.

Kendall réfléchit avant de parler.

– Alors, votre uniforme est plutôt dégueulasse... le Sheraton. Je trouvais que ce n'était pas très chic pour Craft. Il est du genre à descendre au Waldorf... Vous aviez donc posé des micros. Vous avez piégé ces connards.

Kendall parlait d'une voix rauque, basse, sans colère.

– Vous vous rappelez certainement comment j'en étais arrivé là. Comment je suis parti pour Genève. Vous avez ça sur vos bandes.

– Nous traitions une requête du bureau des industries de guerre. Relative à une négociation avec une société de Genève. Cela se produit souvent. Nous donnons généralement suite si nous avons des raisons de penser qu'il y a préjudice...

– Foutaises !

Swanson soupira ostensiblement.

– Votre réaction est injustifiée. Je n'ai pas l'intention de m'expliquer. Je sais exactement de quoi il retourne. J'ai... une bobine qui pourrait vous envoyer tout droit au peloton d'exécution ou à la chaise électrique. Oliver aussi... Craft s'en tirerait peut-être avec la prison à vie. Vous vous êtes moqué de ses hésitations. Vous ne l'avez pas laissé s'exprimer... et, malgré tout, nous savons de quoi il retourne.

Kendall se pencha et écrasa sa cigarette dans le cendrier posé sur le bureau de Swanson. Mû par une peur soudaine, il regarda le général. Il le dévisagea.

– Mais Buenos Aires vous intéresse davantage que la chaise électrique. N'est-ce pas ?

– Nécessairement. Bien que cela me déplaise souverainement. Que cela me répugne...

– Arrêtez vos conneries ! l'interrompit Kendall avec dureté.

Dans de telles discussions, Kendall n'était pas un amateur. Il savait quand il fallait s'affirmer.

– Comme vous l'avez dit, vous savez de quoi il retourne. Vous êtes dans la ménagerie avec les autres porcs... Alors, ne jouez pas au saint. Votre auréole pue l'hypocrisie.

– Ce n'est pas faux. Mais n'oubliez pas qu'il y a une dizaine de porcheries où je pourrais me réfugier. Un grand et beau ministère de la Guerre qui pourrait m'envoyer en Birmanie ou en Sicile en quarante-huit heures. Pas vous. Vous, vous êtes... au beau milieu de la fange. Bien en évidence. Et la bobine que je détiens montre que vous y jouez un rôle tout spécial. Voilà ce que je voulais vous faire comprendre. J'espère que j'y suis parvenu.

Kendall écrasa l'extrémité d'une seconde cigarette et alluma l'autre bout. La fumée sortit de ses narines. Il allait répondre, mais il ne le fit pas. Il lança au général un regard mêlé de peur et d'hostilité.

Swanson évitait consciemment le regard de Kendall. Le regarder à ce moment précis, c'était accepter le pacte. Puis il comprit ce qui pouvait rendre le pacte supportable. C'était la réponse, *sa* réponse. Superficiellement du moins. Il fut surpris de ne pas y avoir pensé plus tôt.

Walter Kendall devait être éliminé.

Tout comme Erich Rhinemann devait être éliminé.

Quand l'opération de Buenos Aires serait presque réglée, la mort de Kendall s'imposerait.

Avec lui disparaîtrait tout lien avec le gouvernement des États-Unis.

Il se demanda un instant si, à Berlin, on était prêt à mettre en œuvre des décisions aussi radicales. Il en doutait.

Il leva les yeux vers le petit comptable sale et malsain, et soutint son regard. Le général Alan Swanson n'avait plus peur. Il n'était plus rongé par la culpabilité.

C'était un soldat.

– Nous poursuivons, monsieur Kendall ?

Le comptable avait préparé avec soin l'opération de Buenos Aires. Son sens de la manœuvre et de la contre-attaque éblouit Swanson. Il avait l'intelligence calculatrice d'un rat d'égout : il se méfiait instinctivement de toute source d'odeur ou de lumière. C'étaient cette méfiance, cette manière permanente de moduler les jugements qu'il portait sur ses adversaires qui faisaient sa force. Kendall était un véritable animal : un prédateur et un rusé.

Les préoccupations majeures des Allemands étaient au nombre de trois : la qualité des borts et des carbonados, le volume de la livraison et enfin la sécurité du transport jusqu'en Allemagne. La garantie de ces trois facteurs était la condition sine qua non de la livraison des plans des gyroscopes et du système de navigation.

D'après Kendall, la cargaison de diamants serait inspectée par un groupe d'experts. Ils ne se contenteraient pas d'un homme ou deux.

On ferait venir une équipe de trois à cinq spécialistes. L'inspection durerait sans doute une bonne semaine. Tout dépendait de la sophistication de leurs instruments. C'était Koening qui, à New York, lui avait transmis cette information. Pendant ce temps, un arrangement entre les deux parties devait permettre à un physicien en aéronautique d'examiner les plans en provenance de Peenemünde. Si les nazis étaient aussi prudents que le pensait Kendall, ils ne livreraient les plans que par fractions, à mesure que leur équipe d'inspection leur donnerait l'assurance de la bonne qualité des diamants. Le savant chargé de contrôler le gyroscope ne pourrait certainement consulter les plans qu'isolé, sans aucune possibilité de réaliser un photostat ou une copie, tant que le travail de vérification des diamants ne serait pas achevé.

Quand les deux parties seraient satisfaites de leurs livraisons respectives, Kendall prévoyait une clause de sauvegarde qui garantirait l'arrivée à bon port des deux cargaisons. Cette « arme » devait logiquement être identique pour les deux contractants : la menace de tout dévoiler. La trahison de la cause et de la patrie.

Peine : la mort.

C'était cette même arme que le général lui opposerait à lui, Walter Kendall.

A part cela, quoi de neuf ?

D'après Kendall, était-il possible d'obtenir les plans, puis de saboter ou de récupérer la cargaison de diamants ?

Non. Pas tant que l'échange restait civil. Le risque de scandale était trop important, les preuves des contacts trop nombreuses. Une crise naîtrait aussitôt, d'un côté comme de l'autre. On connaissait les noms. Ce péché de collaboration marquerait à jamais les négociateurs. Il était facile de faire circuler des rumeurs « authentifiées ».

Et, si les militaires s'en mêlaient, les civils se retireraient instantanément. Ils n'assumeraient plus la responsabilité de la livraison.

Swanson aurait dû le savoir : c'était exactement le schéma qu'il avait conçu.

Swanson le savait.

Où les diamants seraient-ils contrôlés ? Quel était le meilleur endroit ?

Kendall lui répondit de manière très concise : tout lieu présentant un avantage pour l'une des parties serait rejeté par l'autre. Les Allemands avaient déjà prévu tout cela, pensait-il, et c'était pour cette raison qu'ils avaient suggéré Buenos Aires. C'était sur la bande magnétique. Swanson ne l'avait-il pas écoutée ?

En Argentine, les hommes qui détenaient quelque pouvoir soutenaient incontestablement l'Axe, mais le gouvernement dépendait économiquement des Alliés, et cela comptait avant tout. La neutralité reposait sur des facteurs économiques. Chaque camp y trouverait donc son compte : les Allemands bénéficieraient d'un environnement favorable, mais les Américains pourraient y exercer une influence assez forte pour contrebalancer cet avantage, sans l'éliminer.

Kendall respectait les hommes de Berlin qui avaient choisi Buenos Aires. Ils avaient compris la nécessité de trouver un équilibre entre les différents facteurs psychologiques, de céder tout en conservant certaines sphères d'influence. Ils étaient forts.

Chaque partie devrait faire preuve d'une grande prudence. La synchronisation serait capitale.

Swanson savait comment on sortirait les plans : un groupe d'avions de chasse survolerait les lignes côtières, d'une base à l'autre, sous couverture diplomatique. Cette couverture serait également militaire. Mais lui seul serait au courant de l'opération. Personne d'autre n'en serait informé, ni dans ses services ni, a fortiori, au sein du gouvernement. Il se chargerait de l'organisation de l'échange et préviendrait Kendall en temps voulu.

– Quel moyen de transport les Allemands utiliseront-ils ? demanda le général.

– Cela leur pose un gros problème. Ils le reconnaissent tout à fait. Ils exigeront certainement des conteneurs hermétiques. Il est possible qu'ils gardent un otage, mais je ne le crois pas.

– Pourquoi ?

– Dans cette affaire, je me demande qui n'est pas sacrifiable ! Mon Dieu ! Si c'était moi, vous seriez le premier à dire : « Descendez ce salaud ! »

Le regard de Kendall croisa de nouveau celui de Swanson, un bref instant seulement.

– Mais, pour ce faire, il faudrait bien entendu que vous ignoriez tout des précautions que j'ai prises. Un certain nombre d'uniformes en seraient salis.

Swanson prit la menace de Kendall pour ce qu'elle était. Il s'en arrangerait. Il y réfléchirait, mais cela pouvait attendre. La disparition de Kendall ne se heurtait à aucun obstacle majeur. Il suffisait de l'isoler. Puis un dossier élaboré...

– Occupons-nous d'abord de la sortie des borts et des carbonados. Cela ne sert à rien de chipoter, dit Swanson.

– Nous sommes au-dessus de ça ?

– Je le crois.

– Bon. Mais ne l'oubliez pas, fit Kendall.

– On transportera les diamants jusqu'à Buenos Aires. A-t-on pris les dispositions nécessaires ?

– Oui. Ils doivent être livrés dans trois semaines, trois semaines et demie. A moins qu'il n'y ait un pépin dans l'Atlantique Sud. Mais nous ne le pensons pas.

– Puis le groupe d'inspection fera son boulot à Buenos Aires. Nous leur enverrons un physicien... Ce sera qui ? Spinelli ?

– Non. Nous l'avons écarté du projet. Cela vaut mieux pour tout le monde. Mais vous savez que...

– Oui. Qui alors ?

– Un homme nommé Lyons. Eugène Lyons. Je vous fournirai son dossier. Vous n'aurez plus un poil de sec quand vous le lirez, mais il n'y a que lui qui soit meilleur que Spinelli. Nous ne devons prendre aucun risque. Il est à New York en ce moment.

Swanson en prit note.

– Et le transport vers l'Allemagne. Vous avez des idées ?

– Deux ou trois. Un avion-cargo neutre qui partirait du Brésil, au nord de Recife, ferait route vers l'est, Palmas ou quelque part en Guinée, sur la côte africaine. Puis il se dirigerait vers Lisbonne et vers l'Allemagne. C'est l'itinéraire le plus rapide. Mais ils ne prendront peut-être pas le risque de suivre les couloirs aériens.

– Vous parlez comme un militaire.

– Quand je fais un boulot, je le fais bien.

– Quoi d'autre ?

– Ils préfèreront vraisemblablement un sous-marin. Deux peut-être, pour faire diversion. C'est plus lent mais plus sûr.

– Les sous-marins ne peuvent pas entrer dans les ports argentins. Au sud, nos patrouilles les torpillent. S'ils pénètrent dans les eaux territoriales, ils seront confisqués. Nous n'allons pas changer ces règles.

– Vous y serez peut-être contraints.

– Impossible. Il faut chercher un autre moyen.

– Alors, trouvez quelque chose. N'oubliez pas ces beaux uniformes tout propres.

Swanson détourna le regard.

– Et Rhinemann ?

– Qu'y a-t-il ? Il est sur le chemin du retour. Avec l'argent qu'il a, même Hitler ne peut pas l'empêcher de revenir.

– Je n'ai pas confiance en lui.

– Vous seriez un bel imbécile si vous lui faisiez confiance. Mais le pire qu'il puisse faire, c'est de retenir des parts de marché ou de faire cracher les deux camps. Et alors ? Il respectera le contrat. Pourquoi ne le ferait-il pas ?

– Je suis certain qu'il le respectera. Je suis catégorique sur ce point... Ce qui m'amène à l'élément clef de notre entrevue. Je veux un autre homme à Buenos Aires. A l'ambassade.

Kendall prit le temps de réfléchir avant de répondre. Il saisit le cendrier et le posa sur le bras de son fauteuil.

– Un de nos hommes ou un des vôtres ? Nous avons besoin de quelqu'un. Nous pensions que vous nous demanderiez de vous le fournir.

– Vous vous êtes trompés. Je l'ai choisi.

– Ce pourrait être dangereux. Je ne peux pas vous donner de conseils... mais je vous aurai prévenu.

– Si nous entrons en scène, le contingent civil se retire ? demanda-t-il.

– C'est logique...

– Seulement si l'homme que j'envoie est au courant pour les diamants. A vous de faire en sorte qu'il n'apprenne rien, déclara Swanson.

C'était sans ambiguïté.

– A vous d'y faire très attention, Kendall. Votre vie en dépend.

Kendall fixa Swanson.

– De quoi s'agit-il ?

– Il y a dix mille kilomètres entre Buenos Aires et les usines de Meridian Aircraft. Je tiens à ce que votre voyage se passe sans encombre. Je tiens également à ce que ces plans soient rapportés par un professionnel.

– Vous risquez de salir vos uniformes, n'est-ce pas, mon général ?

– Non. Nous lui dirons que Rhinemann a conclu un marché pour faire sortir les plans de Peenemünde. Nous lui raconterons que Rhinemann a fait travailler la résistance allemande. Pour obtenir les itinéraires.

– Ça ne tient pas debout. Depuis quand les clandestins travaillent-ils pour de l'argent ? Pourquoi feraient-ils cinq mille kilomètres ? Pourquoi coopéreraient-ils avec Rhinemann ?

– Parce qu'ils ont besoin de lui et qu'il a besoin d'eux. Rhinemann a été exilé parce qu'il était juif. Ce fut une erreur. Il était le rival de Krupp. Il y a beaucoup de gens, dans l'industrie allemande, qui lui sont restés fidèles. Il a toujours des bureaux à Berne... Nos problèmes de gyroscope ne sont un secret pour personne, nous en sommes conscients. Rhinemann se servira de cet élément pour conclure un marché à Berne.

– Pour faire intervenir la résistance ?

– J'ai mes raisons. Elles ne vous regardent pas, dit Swanson d'un ton abrupt, coupant.

Il était encore surmené, songea-t-il, vaguement. Il fallait surveiller ça. Il se sentait vulnérable quand il était fatigué. Et il devait se montrer convaincant. Il fallait que Kendall obtempère sans poser de questions. L'important, c'était que Spaulding fût à même de surveiller Rhinemann. La cible, c'était Rhinemann.

Le général regarda l'individu crasseux qui se tenait devant lui. Cette espèce de déchet humain lui était indispensable. Cela lui donnait la nausée. En était-il réduit à utiliser ce genre de type ? se demanda-t-il. Utiliser, puis ordonner son exécution. Cela rapprochait leurs deux univers.

– D'accord, monsieur Kendall, je vais vous mettre les points sur les i... L'homme que j'ai choisi d'envoyer à Buenos Aires est l'un de nos meilleurs agents secrets. Il rapportera ces plans. Mais je ne veux pas qu'il apprenne quoi que ce soit du transfert de diamants. Ce serait trop risqué. Je ne laisserai pas non plus Rhinemann opérer seul. Il est trop suspect. S'il collabore avec la résistance allemande, il devient au-dessus de tout soupçon.

Swanson avait fait son enquête. Tout le monde parlait de la résistance en France et dans les Balkans. Or la résistance allemande travaillait dur, elle aussi avec une extrême efficacité, essuyant des pertes plus lourdes que tous les autres réunis. L'ancien agent de Lisbonne ne pouvait pas l'ignorer. Ainsi l'opération de Buenos Aires deviendrait-elle acceptable et légitime.

– Attendez une minute... Mon Dieu ! Attendez une minute.

L'expression hostile de Kendall se modifia brusquement. Comme s'il avait soudain, presque à contrecœur, trouvé un point positif dans l'argumentation de Swanson.

– Il y aurait peut-être un biais.

– Que voulez-vous dire, un biais ?

– Simplement ça. Vous dites que vous allez vous servir pour votre agent de ce genre d'argument. La résistance est au-dessus de tout soupçon et toutes ces conneries... D'accord, allons plus loin. Vous venez de définir la garantie que nous devrons leur donner.

– Quelle garantie ?

– Que le chargement de diamants de Koening pourra sortir de Buenos Aires... Ce sera le point le plus casse-couilles... Permettez-moi de vous poser quelques questions. Et répondez-moi franchement.

« Quel rat d'égout ! » pensa Swanson en observant la silhouette échevelée, agitée, du comptable.

– Allez-y.

— Il y a pas mal d'agents de cette résistance hors d'Allemagne, des gens très importants. Tout le monde le sait.

— Ils sont – elle est – très efficaces.

— A-t-elle des antennes dans la marine allemande ?

— Je suppose. Les services secrets alliés doivent le savoir précisément...

— Vous ne voulez pas faire appel à eux, n'est-ce pas ?

— Hors de question.

— Mais c'est possible ?

— Quoi ?

— La marine allemande, bon sang ! Les sous-marins !

Kendall était penché, le regard rivé sur celui de Swanson.

— Je le crois. Je n'appartiens pas... vraiment aux services secrets. La résistance allemande a un réseau très étendu. J'imagine qu'elle a des contacts parmi les autorités navales.

— Alors, c'est possible.

— Oui, tout est possible, fit Swanson à voix basse, avec réticence. C'est possible.

Kendall s'adossa à son fauteuil et écrasa sa cigarette. Il sourit, de son sourire déplaisant, et agita son index devant Swanson.

— Voilà une affaire qui marche. Blanc comme neige et au-dessus de tout soupçon, bon Dieu ! Pendant que vous achetez ces plans, un sous-marin allemand rôde dans les parages, par le plus grand des hasards bien entendu, prêt à faire surface, et vous livre un, deux si vous voulez, transfuges importants. Avec les compliments de la résistance. Quelle meilleure raison pour qu'un sous-marin fasse surface dans des eaux inhospitalières ? Loin de la surveillance des patrouilles... Mais personne n'en sortira. Au lieu de cela, une cargaison toute fraîche montera à bord.

Swanson essaya de comprendre toutes les subtilités de la manœuvre que venait de lui proposer Kendall.

— Il risque d'y avoir des complications...

— Pas du tout ! Il sera isolé. L'un n'a rien à voir avec l'autre. Ce ne sont que des paroles, après tout.

Le général de brigade savait reconnaître un homme plus fort que lui sur le terrain.

— C'est possible. Black-out radio. Par instructions du bureau central des services secrets alliés.

Kendall se leva de son fauteuil.

— Quant aux détails, fit-il doucement, je m'en chargerai... Et vous allez me payer, oh oui, vous allez le payer !

13.

27 décembre 1943, archipel des Açores

Les pilotes qui traversaient l'Atlantique par la route du sud faisaient régulièrement escale dans une île de l'archipel des Açores, Terceira, à mille deux cent quarante-sept kilomètres à l'ouest de Lisbonne. A la descente, ils pouvaient compter, sentiment réconfortant, sur un trafic réduit et sur l'assistance au sol d'équipes efficaces qui leur permettraient de repartir au plus vite. Le terrain de Lajes fonctionnait à merveille. Le personnel qui y était affecté tenait à se montrer à la hauteur de cette réputation.

Pour cette raison, le commandant en charge du B-17 cargo et transport de troupes et de son unique passager, David Spaulding, ne comprenait pas le retard qui leur était infligé. Tout avait commencé lors de la descente, à quatorze mille pieds. La tour de Lajes avait interrompu les consignes d'approche et ordonné au pilote de rester en attente. Le commandant avait protesté. Cela ne se justifiait nullement, à son avis. Le champ était libre. Le radio de la tour de Lajes, qui partageait l'opinion du commandant, l'informa qu'il ne faisait que répéter les instructions qu'il avait reçues au téléphone et qui provenaient du quartier général américain de Ponta Delgada, sur l'île voisine de São Miguel. C'était Az-An-HQ qui donnait les ordres. On attendait quelqu'un à l'arrivée de l'appareil, semblait-il, et ce quelqu'un n'était pas là. La tour tiendrait le commandant au courant. Incidemment, le commandant transportait-il une cargaison prioritaire ? Juste par curiosité.

Certainement pas. Il n'y avait pas de cargaison. Un simple attaché militaire du nom de Spaulding, en provenance de l'ambassade de Lisbonne. L'un de ces foutus diplomates qui passent leur temps dans les thés mondains. Ce n'était qu'un voyage de routine, un vol-retour vers Norfolk. Pourquoi diable ne pouvait-il pas atterrir ?

La tour tiendrait le commandant au courant.

Le B-17 atterrit à treize heures précises, après vingt-sept minutes d'attente.

David se leva de son siège amovible, s'accrocha aux crampons du plancher et s'étira. Le pilote, un commandant agressif à qui Spaulding donnait à peu près treize ans d'âge mental, émergea du cockpit clos et l'informa qu'une Jeep l'attendait dehors – ou du moins serait bientôt là – pour conduire le capitaine hors de la base.

– J'aimerais respecter un horaire raisonnable, dit le jeune pilote à son supérieur, sans le moindre humour. Je sais bien que vous, les diplomates, vous avez pas mal d'amis dans ces postes mondains, mais, pour moi, la route est longue. Ne perdez pas ça de vue, s'il vous plaît.

– Je vais essayer d'écouter le match de polo, juste trois manches, répondit David d'un ton las.

– C'est ça.

Le commandant tourna les talons et se dirigea vers le fond de la cabine. Un sergent de l'armée de l'air avait ouvert la trappe par laquelle on sortait de l'appareil. Spaulding le suivit en se demandant qui l'attendait à l'extérieur.

– Je m'appelle Ballantyne, mon capitaine, dit un civil d'âge mûr qui était au volant de la Jeep, et il lui tendit la main. Je suis un Américain des Açores. Montez. Nous n'en aurons que pour quelques minutes. Nous nous rendons chez le prévôt, à quelques centaines de mètres de la clôture.

David remarqua que les gardes à l'entrée n'avaient pas pris la peine d'arrêter Ballantyne. Ils s'étaient contentés de lui faire signe de passer. Le civil prit une route sur la droite, parallèle au terrain, et accéléra. En moins de temps qu'il ne faut pour allumer une cigarette, la Jeep s'engagea dans une allée qui menait à une demeure de style espagnol et de plain-pied, passa devant la maison et se dirigea vers ce que l'on pourrait décrire comme un belvédère étrangement placé.

– Nous sommes arrivés. Venez, mon capitaine, dit Ballantyne, qui, en sortant, indiqua la porte grillagée.

– Mon associé, Paul Hollander, nous attend.

Hollander était aussi un civil, d'âge mûr. Il était presque chauve et portait des lunettes à monture d'acier qui le vieillissaient. Tout comme Ballantyne, il avait l'air secret. Dans les deux sens du terme. Hollander lui adressa un sourire sincère.

– C'est un plaisir rare, Spaulding. Comme tant d'autres, je suis un admirateur du travail de l'homme de Lisbonne.

« Secret comme services secrets », pensa David.

– Merci. J'aimerais savoir pourquoi je ne le suis plus.

– Je ne peux pas vous répondre. Ballantyne non plus, je le crains.

– Peut-être pensaient-ils que vous aviez mérité du repos, se hasarda ce dernier. Mon Dieu, cela fait... combien déjà... que vous êtes là-bas ? Trois ans sans congé.

– Presque quatre, répondit David. Mais j'ai eu plein de « congés ». La Costa Brava, c'est cent fois mieux que Palm Beach. On m'a dit que vous – je suppose que c'est vous – aviez des ordres pour moi... Je ne voudrais pas vous sembler impatient, mais le pilote est un sale gamin qui a le grade de commandant. Et lui, il est impatient.

– Envoyez-le paître, rétorqua en riant celui qui s'appelait Hollander. Nous avons effectivement des ordres pour vous... et une petite surprise : vous êtes promu lieutenant-colonel. Dites au commandant de faire donner un coup de fer à son uniforme.

– Il semble que j'aie sauté un échelon.

– Pas vraiment. Vous avez été promu l'année dernière. Vous n'aviez apparemment pas besoin de titres à Lisbonne.

– Ni de fonctions militaires, lança Ballantyne.

– Ni de l'un ni de l'autre, en effet, dit David. Au moins je n'ai pas été rétrogradé. Je craignais qu'on ne m'envoie monter la garde autour des latrines.

– Il y a peu de chances.

Hollander s'assit dans un transatlantique et fit signe à David de faire de même. Ce fut sa manière de lui indiquer que leur entrevue pourrait durer plus qu'il ne l'avait escompté.

– Si le temps était aux défilés et aux révélations, je suis certain que vous seriez placé dans les premiers rangs.

– Merci, répondit David en s'asseyant. Cela m'ôte un poids. Alors, de quoi s'agit-il ?

– Encore une fois, nous ne sommes pas en mesure de vous répondre. Nous n'avons que des instructions d'en haut. Nous allons vous poser quelques questions. Il y en a une parmi celles-ci qui pourrait nous empêcher de vous transmettre les ordres. Commençons par là. J'imagine que vous avez envie de connaître votre destination.

Hollander lui adressa de nouveau un sourire sincère.

– Bien sûr. Allez-y.

– Depuis que vous avez été relevé de vos fonctions à Lisbonne, avez-vous pris contact – intentionnellement ou non – avec quiconque à l'extérieur de l'ambassade ? Je veux dire, même le plus innocent des adieux. Ou le règlement d'une facture, une note de restaurant, de magasin. Une rencontre de hasard, à l'aéroport ou sur le chemin de l'aéroport ?

– Non. Et j'ai envoyé mes bagages par la valise diplomatique. Pas de valise, pas d'attirail de voyageur.

– Vous pensez à tout, dit Ballantyne, qui était resté debout.

– Il le fallait. Naturellement, j'avais quelques obligations pour la semaine qui suivait mon retour du Nord...

– D'où ? demanda Hollander.

– Du Pays Basque et de Navarre. Des lieux de contact au sud de la frontière. Je programmais toujours quelques invitations. Pour ne pas briser le contact. Pas beaucoup, juste assez pour ne pas se perdre de vue. Cela faisait partie de la couverture. J'en avais de deux sortes cette semaine : un déjeuner et des cocktails.

– Que va-t-il se passer ? s'enquit Ballantyne, qui prit place à côté de David.

– J'ai demandé à Marshall – c'est le cryptographe qui recevait les ordres me concernant – d'appeler les uns et les autres juste avant la réception où j'étais censé me montrer. De dire que j'avais été retardé. C'est tout.

– Pas que vous ne seriez pas là ?

Hollander semblait ébahi.

– Non, juste en retard. Cela convient mieux à ma couverture.

– Je vous crois sur parole, dit Hollander en riant. Vous nous avez donné des réponses plus que satisfaisantes. Que pensez-vous de New York ?

– Toujours la même chose : agréable à condition de ne pas y rester trop longtemps.

– Je ne sais pas combien de temps vous y resterez, mais c'est là que vous devez vous rendre. Et sans uniforme, mon colonel.

– J'ai habité New York. J'y connais beaucoup de monde.

– Votre nouvelle couverture est la simplicité même. Vous avez été démobilisé le plus honorablement du monde, après avoir servi en Italie. Pour des raisons médicales, des blessures sans gravité.

Hollander sortit une enveloppe de la poche intérieure de sa veste et la tendit à David.

– Tout est là. Rien de plus simple, des papiers... tout.

– D'accord, dit David en prenant l'enveloppe. Je suis un canard boiteux de retour à New York. Jusque-là, c'est parfait. Vous n'auriez pas pu faire plus véridique, non ?

– Les papiers sont simples. Je n'ai pas dit authentiques. Désolé.

– Moi aussi. Que se passera-t-il ensuite ?

– Quelqu'un s'occupera de vous avec beaucoup de sollicitude. Vous aurez un bon boulot, un salaire très honnête. Chez Meridian Aircraft.

– Meridian ?

– Service des projets.

– Je croyais que Meridian était installé dans le Midwest. L'Illinois ou le Michigan.

– Ils ont un bureau à New York.

– Des plans d'avion, je suppose ?

– J'imagine.

– S'agit-il de contre-espionnage ?

– Nous ne le savons pas, répondit Ballantyne. On ne nous a donné que les noms des deux hommes auxquels vous vous présenterez.

– Ils sont dans l'enveloppe ?

– Non, dit Hollander. C'est à nous de vous les transmettre oralement. Rien d'écrit tant que vous ne serez pas sur place.

– Mon Dieu, cela ressemble à Ed Pace. Il adore ce genre d'idiotie.

– Désolé. Ça vient de plus haut que Pace.

– Quoi ?... Je ne pensais pas qu'il y ait qui que ce soit au-dessus de lui, à part le Seigneur... Alors comment faites-vous vos rapports ? Et à qui ?

– Par courrier prioritaire envoyé directement à une adresse à Washington. Il n'y a pas de dénomination de service, mais tout est transmis en priorité à la division des manœuvres de Fairfax.

Spaulding émit un léger sifflement, à peine audible.

– Quels sont ces deux noms ?

– Le premier est Lyons. Eugène Lyons. C'est un physicien en aéronautique. Il est un peu bizarre, mais c'est un vrai génie.

– En d'autres termes, ne pas tenir compte de l'homme et apprécier le génie.

– Quelque chose comme ça. Je suppose que vous y êtes habitué, fit Ballantyne.

– Oui, répondit Spaulding. Et l'autre ?

– Un dénommé Kendall.

Hollander croisa les jambes.

– Rien sur lui. Ce n'est qu'un nom. Walter Kendall. Je n'ai aucune idée de ce qu'il fait.

Installé sur le fauteuil amovible, David croisa la sangle sur sa poitrine et l'attacha. Les moteurs du B-17 tournaient à plein régime et faisaient vibrer l'immense fuselage. Il regarda autour de lui comme il ne l'avait jamais fait, en essayant de réduire l'envergure et le blindage à quelque plan imaginaire. Si Hollander lui avait décrit son poste avec précision – et pourquoi ne l'aurait-il pas fait ? – il allait, dans quelques jours, étudier des plans d'aéronautique.

Ce qui lui paraissait étrange, c'étaient les précautions prises. En un mot, elles ne lui semblaient pas raisonnables. Elles dépassaient même les mesures de sécurité les plus strictes. Il lui aurait été si facile de se rendre à Washington, de recevoir une nouvelle affectation et un briefing complet. Apparemment, il n'y aurait pas de briefing.

Pourquoi ?

Allait-il accepter de suivre les ordres de deux hommes qu'il n'avait jamais vus ? Sans qu'aucune autorité militaire ne lui ait donné son aval ni ne les lui ait présentés. Que faisait donc Ed Pace ?

Désolé... Cela vient de plus haut que Pace.

Voilà ce qu'avait déclaré Hollander.

... Envoyé directement à la division des manœuvres de Fairfax.

Encore Hollander.

David comprit qu'à l'exception de la Maison-Blanche il n'y avait aucune autorité supérieure à Fairfax. Mais Fairfax appartenait à l'armée. Or il ne recevrait pas d'instructions de Fairfax. Il se contenterait de « passer » par eux.

Les questions que devait lui poser Hollander n'étaient pas de véritables questions. Elles commençaient par une locution interrogative : Savez-vous ? Avez-vous ? Pouvez-vous ? Mais ce n'étaient que des instructions, d'autres instructions.

— Avez-vous des amis dans une quelconque compagnie aérienne ? Au plus haut niveau ?

Il n'en savait rien, bon sang ! Cela faisait si longtemps qu'il avait quitté le pays qu'il n'était plus certain d'y avoir encore des amis, point final.

Quoi qu'il en soit, avait poursuivi Hollander, il devait éviter ces amis-là, pour peu qu'ils existent. Donner leur nom à Walter Kendall s'il les rencontrait par hasard.

— A New York, avez-vous, parmi vos relations, des femmes très en vue ?

Pourquoi lui posait-on une telle question ? C'était la chose la plus stupide qu'il ait jamais entendue ! En quoi cela pouvait-il intéresser Hollander ?

Le binoclard chauve, l'agent Az-Am, le lui expliqua de manière succincte. David avait travaillé à la radio pour arrondir son salaire de civil. C'était inscrit dans son dossier. Cela signifiait qu'il connaissait des actrices.

— Et des acteurs, ajouta Spaulding. Et alors ?

— En fréquentant des comédiennes célèbres, on risquait de retrouver sa photo dans les journaux, intervint Hollander. Ou de faire l'objet de potins de la rubrique mondaine, d'avoir son nom imprimé. Cela aussi, il fallait l'éviter.

David se souvint qu'il connaissait, qu'il avait connu plusieurs filles qui, depuis son départ, avaient fait carrière dans le cinéma. Il avait eu une brève liaison avec une actrice devenue une des stars de la Warner. A contrecœur, il dut reconnaître le bien-fondé des inquiétudes de Hollander. L'agent avait raison. Mieux valait éviter ce genre de relation.

– Êtes-vous capable de retenir rapidement et de mémoriser les détails spécifiques d'un plan sans rapport avec le dessin industriel ?

A condition de disposer d'un index des symboles utilisés et des facteurs matériels, la réponse était : « Probablement oui. »

A lui d'acquérir une formation, d'une manière ou d'une autre, en matière de dessin aéronautique.

C'était évident, avait songé Spaulding.

C'était tout ce qu'on pouvait lui dire, avait conclu Hollander.

Le B-17 s'avança jusqu'à l'extrémité ouest de la piste de Lajes et vira pour décoller. Le commandant, toujours aussi revêche, avait mis un point d'honneur à l'attendre au pied de la trappe de sortie, les yeux rivés sur sa montre. Spaulding avait bondi hors de la Jeep, serré la main de Ballantyne et levé trois doigts en direction du commandant.

– On a arrêté le chronomètre pendant la dernière manche, dit-il au pilote. Vous savez comment ça se passe avec ces garçons en culotte rayée.

Le commandant n'avait pas semblé apprécier la plaisanterie.

L'appareil prit de la vitesse, le sol cognait avec une intensité croissante contre le train d'atterrissage. Dans quelques secondes, l'avion serait dans les airs. David se pencha pour ramasser le journal des Açores que lui avait donné Hollander et qu'il avait posé à ses pieds pendant qu'il fixait sa sangle.

Il se produisit alors une explosion d'une telle violence que le siège amovible sortit de ses attaches et valdingua contre la paroi de droite, entraînant David, plié en deux, avec lui. Il ne sut jamais, bien qu'il se le fût souvent demandé par la suite, si le journal des Açores lui avait sauvé la vie.

La fumée avait tout envahi. L'appareil dévia de sa route et se mit à tournoyer latéralement. Le bruit de la tôle tordue emplissait la cabine. Des lambeaux d'aluminium tombaient du toit et des parois du fuselage, craquants, déformés, sortis de leur structure.

Une seconde explosion souffla le poste de pilotage. Les parois qui tombaient en vrille, éclatées, étaient éclaboussées de sang, de lambeaux de chair. Un fragment de cuir chevelu, avec des traces de brûlure à la naissance des cheveux, sous le flot rouge et visqueux vint heurter de plein fouet le bras de Spaulding. A travers la fumée, David aperçut la lumière vive du soleil à l'avant de l'avion.

L'appareil avait été scindé en deux.

David comprit instantanément qu'il n'avait qu'une seule chance de survie. Les réservoirs d'essence avaient été remplis avant la longue traversée de l'Atlantique. Ils allaient s'enflammer dans quelques secondes. Il posa la main sur la boucle de la sangle et tira de toutes ses forces. Elle était bloquée. La chute en vrille avait fait plisser la sangle et le tissu était coincé dans le boîtier. Il tira par à-coups, imprima une torsion. L'attache sauta. Il se libéra.

L'avion, ce qui en restait du moins, fut pris de convulsions accompagnées de détonations, dernier combat avant de s'écraser sur le terrain accidenté qui se trouvait en bout de piste et qui se rapprochait à toute allure. David fut projeté en avant, puis il tenta de ramper vers l'arrière. Il fut contraint de s'arrêter et de s'accrocher au plancher, le visage entre les bras. Un morceau de métal tranchant vint se planter dans son épaule droite.

La trappe était grande ouverte. Le sergent de l'armée de l'air, à moitié sorti de la carlingue, était mort, la poitrine ouverte de la gorge à la cage thoracique. David évalua la distance qui le séparait du sol avec une précision considérablement réduite par la panique et se jeta hors de l'appareil en s'enroulant sur lui-même pour amortir sa chute et s'éloigner au plus vite de la dérive qui le suivait de près.

La terre était dure et rocailleuse, mais il était *sauf*. Il continua de rouler, rouler, ramper, creuser, agripper ses mains ensanglantées au sol ferme et sec, jusqu'à ce qu'il ne puisse plus respirer, épuisé par l'effort.

Étendu sur le sol, il entendit les sirènes qui hurlaient au loin.

Puis une explosion retentit de tous côtés, qui fit trembler la terre.

La salle des opérations du terrain de Lajes et la division des manœuvres de Fairfax s'envoyèrent des messages radio sur une haute fréquence.

David Spaulding devait quitter Terceira par le prochain vol à destination de Terre-Neuve, qui partait dans moins d'une heure. A Terre-Neuve, un avion de chasse l'attendrait à la base aérienne, qui le conduirait directement à l'aérodrome de Mitchell, à New York. Dans la mesure où le colonel n'avait subi aucun traumatisme majeur, les ordres qu'il avait reçus ne seraient pas modifiés.

Les différentes explosions ayant eu lieu à bord du B-17 et entraîné la mort de deux individus étaient, de toute évidence, dues à un sabotage. Programmé au départ de Lisbonne ou réalisé pendant l'escale à Lajes. Une enquête approfondie serait mise en route dans les plus brefs délais.

Hollander et Ballantyne avaient accompagné David, qui s'était fait examiner et soigner par le médecin militaire anglais. Après que l'on eut suturé et enveloppé son épaule droite d'un bandage, nettoyé les coupures de ses mains et de son bras, David déclara qu'il était secoué mais opérationnel. Le médecin partit après lui avoir administré un calmant qui devait lui permettre de se reposer pendant la dernière partie de son voyage vers New York.

– Je suis certain que l'on vous accordera une semaine ou deux de congé, lui dit Hollander. Mon Dieu, vous avez de la chance d'être encore parmi nous !

– *Vivant,* pour être plus précis, ajouta Ballantyne.

– Étais-je visé ? demanda Spaulding. Cela avait-il un rapport avec ma présence à bord ?

– Fairfax ne le pense pas, répondit Hollander. Ils sont persuadés que ce sabotage n'est qu'une pure coïncidence.

Spaulding observa l'agent Az-Am. Hollander lui parut hésiter, comme s'il lui cachait quelque chose.

– Une drôle de coïncidence, n'est-ce pas ? J'étais le seul passager.

– Quand l'ennemi parvient à éliminer un gros appareil et le pilote avec, j'imagine qu'il considère cela comme une opération positive. Et puis, à Lisbonne, la sécurité est nulle.

– Pas là où je me trouvais. Généralement pas.

– Eh bien, peut-être qu'ici à Terceira... Je me contente de vous rapporter ce que l'on pense à Fairfax.

On frappa à la porte du dispensaire et Ballantyne ouvrit. Un lieutenant apparut, droit comme un I.

– Il est temps de vous préparer, mon colonel, dit-il à David d'une voix douce, visiblement conscient que celui-ci venait d'échapper à la mort. Nous devons décoller dans vingt minutes. Puis-je vous aider en quoi que ce soit ?

– Je n'ai rien, lieutenant. Tout ce que je possédais se trouve dans cette masse de décombres calcinés, là-bas au bout du terrain.

– Bien sûr, je suis désolé.

– Vous n'y êtes pour rien. Mieux vaut que ce soit mon paquetage que moi... J'arrive dans une seconde.

David se tourna vers Ballantyne et Hollander, et leur serra la main.

Quand il prit congé de Hollander, il croisa le regard de l'agent. Hollander lui cachait quelque chose.

Le commandant des forces navales britanniques ouvrit la porte à moustiquaire du belvédère et entra. Paul Hollander se leva de son transatlantique.

– L'avez-vous apporté ? demanda-t-il à l'officier.

– Oui.

Le commandant posa son attaché-case sur la table de fer forgé et ouvrit les serrures. Il en sortit une enveloppe qu'il remit à l'Américain.

– Le laboratoire de photo a fait du bon travail. Bon éclairage, vues arrière et avant. Presque aussi bien que l'objet réel.

Il déroula la ficelle du rabat de l'enveloppe et en tira une photographie. C'était l'agrandissement d'un petit médaillon, une étoile à six branches.

C'était l'étoile de David.

Au centre de la face se trouvait une inscription manuscrite en hébreu. Sur le revers était gravé un couteau dont la lame croisait un éclair.

— Le nom du prophète Haggai est inscrit en hébreu. C'est le symbole d'une organisation de juifs fanatiques, qui opère hors de Palestine. On l'appelle la Haganah. Leur rôle, rôle qu'ils revendiquent, consiste à accomplir une vengeance vieille de deux mille ans. Nous nous attendons à quelques troubles dans les années à venir. Ils ont été clairs sur ce point, je le crains.

— Vous dites que c'était soudé à la traverse inférieure de la cabine arrière.

— De manière à rester intact après une explosion directe. Votre appareil a été détruit par la Haganah.

Hollander s'assit en contemplant la photo. Puis il leva les yeux vers le commandant britannique.

— Pourquoi ? Pour l'amour du ciel, pourquoi ?

— Je suis incapable de vous répondre.

— Fairfax aussi. Je ne crois même pas qu'ils veuillent l'admettre. Ils souhaitent étouffer l'affaire.

14.

27 décembre 1943, Washington, D.C.

Quand il entendit, dans l'interphone, la voix douce et neutre du lieutenant du corps féminin des armées qui lui servait de secrétaire, Swanson comprit qu'il ne s'agissait pas d'un message ordinaire.

— Fairfax en ligne, mon général. C'est le colonel Pace. Il demande à vous parler.

Depuis qu'il avait transmis le dossier de David Spaulding, le commandant de Fairfax hésitait à appeler personnellement. Il ne lui avait jamais rien dit de cette réticence, mais il demandait à ses subordonnés de lui faire parvenir les messages. Tous concernaient le transfert de Spaulding, son départ du Portugal, et l'attitude de Pace était limpide : il monterait l'opération mais refuserait toujours de reconnaître une participation quelconque.

Edmund Pace ne se satisfaisait pas des explications brumeuses qu'on lui avait données, de cette « extrême priorité » que l'on invoquait à propos de Spaulding. Après son transfert, il n'aurait qu'à suivre les ordres.

— Mon général, j'ai reçu un appel urgent du terrain de Lajes à Terceira, dit Pace d'un ton insistant.

— Mais qu'est-ce que cela signifie ? Où ?

— Aux Açores. Le B-17 qui transportait Spaulding a été saboté. Il a explosé au décollage.

— Mon Dieu !

— Puis-je vous suggérer de venir ici, mon général ?

— Spaulding est mort ?

— D'après les premiers rapports, il semble que non, mais je ne veux rien affirmer. Tout est on ne peut plus flou. Je voulais attendre jusqu'à plus ample informé, mais je ne le peux plus. Il s'est produit quelque chose d'inattendu. Je vous en prie, venez, mon général.

– J'arrive. Renseignez-vous pour Spaulding.

Swanson rassembla les papiers éparpillés sur son bureau – les renseignements que lui avait fournis Kendall –, qu'il avait agrafés avant de les ranger dans une boîte de métal. Il les avait ensuite enfermés dans une armoire blindée dotée de deux combinaisons et d'une clef.

Ces papiers étaient le type même de document exigeant une sécurité totale.

Il tourna les deux volants de la combinaison, puis la clef. Peut-être fallait-il procéder autrement et emporter ces papiers, se dit-il. Non, c'était insensé. Ils étaient en sécurité dans ce fichier. Un fichier rivé au sol valait mieux que la poche d'un individu qui se promenait dans les rues et conduisait une automobile. Un fichier n'avait pas d'accidents, n'était pas sujet aux malaises d'un général de brigade de cinquante-cinq ans.

Il salua le soldat de garde à l'entrée et descendit à pas pressés les marches qui le séparaient du trottoir. Son chauffeur l'attendait, prévenu par la secrétaire du corps féminin des armées, dont l'efficacité rendait vaines ses tentatives renouvelées d'être pour lui autre chose qu'une secrétaire efficace. Un jour, quand la pression serait trop forte, il la ferait venir dans son bureau, verrouillerait la porte et la sauterait sur le cuir brun de son canapé.

Pourquoi pensait-il à sa secrétaire ? Il se fichait pas mal de ce lieutenant qui restait planté, l'air protecteur, à la porte de son bureau.

Il prit place sur le siège et retira son chapeau. Il savait pourquoi il pensait à sa secrétaire : cela lui procurait un soulagement temporaire. Il chassa de son esprit les complications qui allaient ou n'allaient pas découler de cette explosion sur une piste des Açores.

Mon Dieu ! L'idée de refaire tout ce qu'il avait péniblement mis en place lui faisait horreur. Revenir en arrière, reconstruire, rechercher l'homme qui convenait, tout cela lui semblait impossible. Il lui était assez difficile d'appréhender tous les détails de la situation présente.

Les détails que lui avait fournis le rat d'égout.

Kendall.

Une énigme. Un horrible puzzle dont même le G-2 ne parvenait pas à mettre les pièces bout à bout. Swanson avait demandé une enquête à son sujet, une enquête de routine. Après tout, Kendall était au courant des contrats de Meridian. Les types des services secrets et les barbouzes de Hoover, ces maniaques sans charisme, n'avaient trouvé que des noms et des dates. Ils avaient reçu instruction de ne pas interroger le personnel de Meridian ni quiconque ayant le moindre lien avec l'A.T.C.O. et Packard. Ces consignes avaient apparemment rendu leur tâche quasi impossible.

Kendall avait quarante-six ans, il était asthmatique et expert-comptable. Il n'était pas marié, n'avait que peu d'amis et habitait à deux rues de la société qui lui appartenait au cœur de Manhattan.

Les avis sur sa personnalité étaient relativement uniformes : Kendall était un individualiste asociable, désagréable, doublé d'un brillant statisticien.

Son dossier aurait pu révéler un passé douloureux : celui d'un enfant abandonné par son père, déshérité, la routine, mais ce n'était pas le cas. Nulle trace de cette pauvreté, de ces privations ou de ces épreuves qui avaient été le lot de milliers de gens pendant les années de crise.

Nulle trace de périodes noires non plus.

Une énigme.

Mais les détails de l'opération de Buenos Aires, tels que Walter Kendall les avait conçus, n'avaient, eux, rien d'énigmatique. C'était la limpidité même. Ce défi avait stimulé un instinct déjà prédominant de manœuvrier. Il agissait comme s'il devait mettre sur pied le « marché » du siècle, ce qui n'était pas faux, pensa Swanson.

L'opération se divisait en trois phases distinctes : l'arrivée et l'inspection de la cargaison de diamants, l'examen simultané des plans du gyroscope, dès leur livraison, et le transfert dans le sous-marin. Les caisses de bort et carbonado seraient stockées dans un entrepôt situé dans la Darsena Norte du district de Puerto Nuevo, dont on interdirait l'accès. Les Allemands placés dans l'entrepôt dépendraient uniquement d'Erich Rhinemann.

L'expert en physique aéronautique, Eugène Lyons, serait cantonné dans un appartement surveillé du district de San Telmo, un quartier ressemblant à celui de Gramercy Park à New York, cossu, isolé, facile à surveiller. A mesure que les plans seraient livrés, il ferait un rapport à Spaulding.

Ce dernier devait arriver à Buenos Aires avant Lyons. Il serait rattaché à l'ambassade sous un prétexte quelconque, pourvu qu'il parût plausible à Swanson. Il aurait pour tâche – c'était du moins ce qu'il pensait – de coordonner l'acquisition des plans de gyroscope et, si l'on en confirmait l'authenticité, d'autoriser le paiement. Cette autorisation devait prendre la forme d'un code envoyé par radio à Washington et censé permettre un transfert de fonds sur un compte en Suisse, au nom de Rhinemann.

Puis Spaulding attendrait, sur un terrain d'aviation choisi à l'avance, le vol qui l'emporterait loin de l'Argentine. Il ne recevrait l'autorisation de décoller que lorsque Rhinemann aurait été informé du « versement ».

En réalité, le code qu'enverrait Spaulding était le signal indiquant au sous-marin allemand qu'il était temps de faire surface à l'endroit prévu, point de rencontre avec le petit bâtiment transportant la cargaison de diamants. Toutes les patrouilles aériennes ou navales auraient déserté les lieux. S'il y avait le moindre contrordre, ce qui était peu probable, on invoquerait l'hypothèse des transfuges de la résistance.

Le transfert effectué, le sous-marin confirmerait par radio le « paiement » fait à Rhinemann. Il devait alors plonger et retourner en Allemagne. Spaulding pourrait alors partir pour les États-Unis.

Les deux parties n'auraient pu trouver meilleures garanties. Kendall était persuadé qu'il saurait convaincre Erich Rhinemann. Il avait, comme Rhinemann, une objectivité qui faisait défaut aux autres.

Swanson ne contestait pas cette similitude. C'était une raison de plus pour justifier la mort de Kendall.

Dans une semaine, le comptable se rendrait à Buenos Aires pour prendre les dernières dispositions, en accord avec l'exilé allemand. On ferait comprendre à Rhinemann que Spaulding jouerait le rôle d'un courrier expérimenté, gardien de l'excentrique Eugène Lyons. Kendall en admit la nécessité. Spaulding ne serait rien de plus. Il ne prendrait pas part au transfert de diamants. Il ignorerait tout du sous-marin. Il détiendrait les codes nécessaires au transfert sans savoir à quoi ils correspondaient. Et il n'aurait aucun moyen de l'apprendre.

Hermétique, cuirassé : acceptable.

Swanson avait lu et relu les « détails » de l'opération que lui avait envoyés Kendall. Il ne trouvait rien à redire. Ce furet de Kendall avait réduit une négociation extrêmement complexe à une série de procédures simples et de motifs séparés. D'une certaine manière, Kendall avait conçu une gigantesque tromperie. A chaque étape correspondait une vérification, à chaque manœuvre une contre-manœuvre.

Swanson allait y ajouter, quant à lui, la dernière duperie : David Spaulding tuerait Erich Rhinemann.

Origine de l'ordre : instruction du bureau central des services secrets alliés. Par la nature même de son engagement, Rhinemann constituait un danger trop grand pour la résistance allemande. A l'ancien agent de Lisbonne de choisir la meilleure méthode. Engager des tueurs, le faire lui-même. Cela dépendrait de la situation. Il devait simplement s'assurer de l'exécution.

Spaulding comprendrait. Depuis des années, il vivait dans le monde trouble des agents et des agents doubles. Si l'on devait en croire son dossier, David Spaulding prendrait cet ordre pour ce qu'il était : une solution raisonnable et professionnelle.

A condition que Spaulding fût encore vivant.

Mon Dieu ! Que s'était-il passé ? Où donc ? Lapess, Lajes. Sur quel foutu aérodrome des Açores ? Sabotage ! Explosion au décollage ! Qu'est-ce que cela pouvait bien signifier ?

Le chauffeur donna un coup de volant pour sortir de l'autoroute et s'engagea sur une petite route de Virginie. Ils n'étaient plus qu'à un quart d'heure de la base de Fairfax. Swanson se surprit à mordiller sa lèvre inférieure. Il l'avait même mordue. Il sentit le goût du sang.

– Nous avons d'autres renseignements, dit le colonel Edmund Pace qui se tenait devant une carte photographique, celle de l'île de Terceira, aux Açores. Spaulding va bien. Secoué, bien entendu. Quelques points de suture et des ecchymoses. Rien de cassé. Il s'en est sorti par miracle, c'est moi qui vous le dis. Le pilote, le copilote, un homme d'équipage, tous morts. Les seuls survivants étaient Spaulding et un tireur à l'arrière qui ne s'en remettra probablement pas tout à fait.

– Il est transportable ? Spaulding ?

– Oui. Hollander et Ballantyne sont avec lui en ce moment. J'ai pensé que vous souhaiteriez le sortir de là...

– Évidemment, l'interrompit Swanson.

– Je l'ai fait transférer à Terre-Neuve. A moins que vous ne désiriez envoyer un contrordre, un appareil d'une patrouille côtière ira le chercher là-bas et le ramènera au sud. Sur l'aérodrome de Mitchell.

– Quand arrivera-t-il ?

– Tard dans la soirée, si le temps le permet. Sinon tôt demain matin. Est-ce que je le fais venir ici ?

Swanson hésita.

– Non... Qu'un médecin de Mitchell l'examine soigneusement. Mais laissez-le à New York. S'il a besoin de quelques jours de repos, offrez-lui une chambre d'hôtel. Dans le cas contraire, pas de changement.

– Eh bien...

Pace semblait légèrement contrarié de l'attitude de son supérieur.

– Il faudra pourtant que quelqu'un le voie.

– Pourquoi ?

– Ses papiers. Tout ce que nous avions préparé est parti en fumée avec l'avion. Il ne reste plus qu'un petit tas de cendres.

– Oh oui, bien sûr ! Je n'y pensais pas.

Swanson s'éloigna de Pace, se dirigea vers le fauteuil près de l'austère et sombre bureau et s'assit.

Le colonel observa le général. De toute évidence, il était inquiet du manque d'attention et de concentration dont venait de faire preuve Swanson.

– Nous pouvons en faire d'autres assez facilement. Cela ne pose pas de problème.

– Bon! Faites-le, voulez-vous? Puis envoyez quelqu'un à Mitchell et donnez-les-lui.

– D'accord... Mais vous changerez peut-être d'avis.

Pace s'approcha de son bureau, mais resta debout.

– A ce sujet? Pourquoi?

– Quelles qu'en soient les raisons... l'appareil a été saboté, je vous l'ai dit. Souvenez-vous, je vous ai demandé de venir ici à cause d'un événement inattendu.

Swanson leva les yeux vers son subordonné.

– J'ai eu une semaine difficile. Et je vous ai informé de l'importance de ce projet. Alors, ne jouez pas à cache-cache avec moi, comme on en a l'habitude à Fairfax. Je ne prétends nullement être un expert dans votre domaine. Tout ce que je vous demande, c'est votre coopération. Ce que j'ordonne, si vous préférez. Alors, épargnez-moi tous ces préambules.

– J'ai essayé de vous aider, rétorqua Pace d'un ton sec et poli. Ce n'est pas facile, mon général. Je vous accorde une demi-journée pour trouver une solution de rechange. L'avion a été détruit par la Haganah.

– La quoi?

Pace lui parla de cette organisation qui opérait hors de Palestine. Ce faisant, il observa Swanson.

– C'est fou! Ça n'a pas de sens! Comment le savez-vous?

– La première chose que fait une équipe d'inspection sur les lieux d'un sabotage, c'est d'arroser, de ramasser les débris, de chercher un indice qui pourrait fondre sous l'effet de la chaleur ou brûler si l'on a utilisé des explosifs. Il s'agit d'un contrôle préliminaire, effectué très rapidement... On a trouvé un médaillon de la Haganah rivé à la dérive. Ils tenaient donc à ce que l'on sache qu'ils avaient fait le coup.

– Mon Dieu! Qu'avez-vous dit aux gens sur place?

– Vous avez une journée pour y réfléchir, mon général. J'ai donné instruction à Hollander de minimiser cette information et de ne pas en parler à Spaulding. D'invoquer une coïncidence, si le bruit se répandait. La Haganah est une organisation indépendante, fanatique. La plupart des organisations sionistes ne veulent rien avoir de commun avec elle. Elles la considèrent comme une bande de sauvages.

– Comment le bruit pourrait-il se répandre? demanda Swanson, inquiet pour d'autres raisons.

– Vous n'ignorez pas, j'en suis certain, que les Açores sont placées sous contrôle britannique. Un vieux traité portugais leur donne le droit d'y installer des bases militaires.

– Je le sais, fit Swanson, visiblement irrité.

– Ce sont les Anglais qui ont trouvé le médaillon.

– Que vont-ils faire ?

– Réfléchir, puis adresser un rapport au bureau central des services secrets alliés.

– Mais vous, vous êtes déjà au courant.

– Hollander est un type bien. Il nous rend des services. Et nous renvoyons l'ascenseur.

Swanson se leva de son fauteuil et se mit à tourner en rond.

– Qu'en pensez-vous, Ed ? Était-ce à cause de Spaulding ?

Il regarda le colonel.

L'expression peinte sur le visage de Pace ne lui laissa plus de doutes : Pace commençait à comprendre ses angoisses. Certes, il ne savait toujours rien de ce projet qui n'était pas de son ressort, ce qu'il acceptait, mais il se rendait compte qu'un officier de ses collègues pouvait être contraint à naviguer dans des eaux qui ne lui étaient pas familières, à s'aventurer sur un territoire sans avoir reçu l'entraînement adéquat. En un moment semblable, tout militaire digne de ce nom éprouvait une certaine compassion.

– Je ne puis vous donner que des conjectures, très vagues, pas même des pressentiments... Il est posssible que Spaulding en soit la cause. Et même si c'est le cas, cela ne signifie pas que cet attentat ait un lien avec votre projet.

– Comment cela ?

– Je ne sais pas quelles ont été les activités de Spaulding sur le terrain. Pas exactement. Et la Haganah est pleine de psychopathes de tout poil, des fous dangereux. Ils sont à peu près aussi rationnels que les unités de Julius Streicher. Spaulding a peut-être été contraint d'éliminer un juif portugais ou espagnol ? Ou d'en utiliser un comme « piège de couverture ». Dans un pays catholique, il n'en faudrait pas plus à la Haganah... Mais l'attentat pouvait tout aussi bien viser un autre passager de l'avion. Un officier ou un homme d'équipage ayant un ami antisioniste, surtout s'il s'agit d'un ami *juif* et antisioniste. Je vais vérifier... On ne connaît pas ces youpins tant qu'on ne les a pas vus à l'œuvre.

Swanson resta silencieux pendant quelques instants.

– Merci..., fit-il, avec une certaine gratitude. Mais ce n'est probablement rien de tout ça, n'est-ce pas ? Je veux dire, ces histoires de juifs espagnols, de « piège de couverture » ou d'oncle de pilote... c'est Spaulding.

– Vous n'en savez rien. Spéculez, si vous voulez. Mais n'affirmez rien.

– Je ne parviens pas à comprendre comment cela s'est produit.

Swanson s'assit de nouveau et se mit à penser tout haut.

– Tout bien considéré...

154

Puis il réfléchit en silence.

– Puis-je vous faire une suggestion ?

Pace se dirigea vers son fauteuil. Ce n'était pas le moment d'adopter une attitude hautaine envers un supérieur perplexe.

– Volontiers, dit Swanson, qui lança un regard plein de gratitude au colonel, cet homme des services secrets, terre à terre, sûr de lui.

– Je ne suis pas au courant de votre projet et, soyons clair, je ne veux pas l'être. C'est une opération du ministère de la Guerre, et c'est très bien ainsi. Je vous ai dit il y a quelques minutes que vous devriez considérer une solution de rechange... il le faudrait vraiment. Si vous découvrez qu'il y a un lien direct. Or je vous ai observé et vous n'en voyez aucun.

– Parce qu'il n'y en a pas.

– Votre affaire n'a aucun lien – et d'après ce que je sais de l'information de Johannesburg, je ne vois pas quel il pourrait être – avec les camps de concentration ? Auschwitz ? Belsen ?

– Pas même lointain.

Pace inclina le torse, les coudes posés sur le bureau.

– La Haganah s'en préoccupe beaucoup. Ainsi que des « juifs espagnols » et des « pièges de couverture »... Ne prenez aucune décision maintenant, mon général. Vous le feriez trop vite, sans avoir tous les éléments en main.

– Les éléments..., fit Swanson, incrédule. On a détruit un avion. On a tué des hommes !

– N'importe qui peut accrocher un médaillon à une dérive. Il est tout à fait possible que l'on ait voulu vous mettre à l'épreuve.

– Qui ?

– Je suis incapable de vous répondre. Prévenez Spaulding. Cela va lui sembler drôle : il était dans l'avion. Mais laissez l'agent que je vais envoyer à Mitchell l'avertir que cela pourrait se reproduire. De faire attention... Il y était, mon général. Il saura se débrouiller... Et, en attendant, puis-je vous suggérer de chercher quelqu'un pour le remplacer ?

– Le remplacer ?

– Spaulding. S'il arrivait quoi que ce soit, cela pourrait se révéler utile. Il serait hors de combat.

– Vous voulez dire qu'il serait tué ?

– Oui.

– Mais dans quel monde vivez-vous ? demanda Swanson d'une voix douce.

– C'est compliqué, répondit Pace.

15.

29 décembre 1943, New York

Spaulding contemplait le flot des voitures de la fenêtre de sa chambre d'hôtel, qui donnait sur la Cinquième Avenue et sur Central Park. Le Montgomery était l'un de ces petits hôtels chics où descendaient ses parents quand ils étaient de passage à New York. L'idée de se retrouver là l'emplissait de nostalgie. Le vieil employé de la réception avait versé quelques larmes discrètes en inscrivant son nom sur le registre. Spaulding avait oublié – heureusement il s'en souvint avant que l'encre de sa signature fût sèche – que, des années auparavant, le vieil homme l'avait promené dans le parc. Il y avait presque un quart de siècle !

Les promenades dans le parc. Les gouvernantes. Les chauffeurs qui attendaient dans le hall, prêts à conduire ses parents à la gare, au concert, à une répétition. Les critiques musicaux. Les représentants des compagnies de disques. Les interminables dîners où il faisait une « apparition » avant d'aller se coucher, où son père l'invitait à dire à l'un ou l'autre des invités à quel âge Mozart avait composé la quarantième symphonie. Des dates, des événements dont il devait se souvenir et dont il se moquait éperdument. Les disputes. Les crises d'hystérie parce que le chef d'orchestre était médiocre, que la représentation s'était mal passée ou que les critiques n'étaient pas favorables.

La folie.

Et toujours la silhouette d'Aaron Mandel, apaisant, rassurant, si paternel envers ce père impérieux qui étouffait une mère toujours en retrait, en dépit de sa force naturelle.

Et les instants de tranquillité. Les dimanches où il n'y avait pas de concert, où ses parents se rappelaient soudain son existence et essayaient de rattraper en une journée toute l'attention qu'ils avaient déléguée aux gouvernantes, aux chauffeurs et aux employés de l'hôtel, si gentils, si polis. Pendant ces moments-là, ces moments de paix, il avait compris la bonne volonté de son père, sincère et artificielle à la fois. Il aurait aimé lui dire que tout allait bien ainsi, qu'il ne manquait de rien. Qu'ils n'étaient pas obligés de passer des journées entières, en automne, dans les zoos et dans les musées. De toute façon, les musées et les zoos étaient beaucoup plus beaux en Europe. Il n'était pas nécessaire de l'emmener, l'été, à Coney Island ni sur les plages du New Jersey. Qu'étaient ces plages en comparaison de celles du Lido ou de la Costa del Santiago ? Mais, dès qu'ils étaient en Amérique, ses parents éprouvaient le besoin irrépressible de se conformer à l'image idéalisée des « parents américains ».

Triste, drôle, incohérent. Et surtout impossible.

Pour quelque raison cachée, il n'était pas revenu, ces derniers temps, dans ce petit hôtel élégant. Bien sûr, ce n'était pas indispensable, mais il aurait pu faire un effort. La direction aimait sincèrement la famille Spaulding. Cela lui parut bien. Après des années d'éloignement, il avait envie d'un point de chute sur cette terre étrange, où il se sentirait en sécurité, du moins dans ses souvenirs.

Spaulding quitta la fenêtre pour s'approcher du lit où le groom avait posé sa valise neuve et les vêtements civils qu'il avait achetés chez Rogers Peet. Tout venait de ce magasin, y compris la valise. Pace avait eu la prévoyance de lui faire parvenir de l'argent par le commandant qui lui avait apporté les duplicata des papiers détruits à Terceira. Il avait dû faire des pieds et des mains pour obtenir l'argent, mais pas pour les papiers. Cela l'avait amusé.

Le commandant qui était venu le chercher à l'aérodrome de Mitchell – sur le terrain même – l'avait escorté jusqu'à l'infirmerie de la base où un médecin militaire, mort d'ennui, l'avait déclaré bon pour le service mais « à plat ». Il avait critiqué, professionnellement parlant, les points de suture effectués par son collègue britannique des Açores. Mais il ne voyait aucune raison de les refaire. Il suggéra donc à David de prendre deux comprimés d'aspirine toutes les quatre heures et de se reposer.

Au patient de prendre ses responsabilités.

Avec ce goût maniaque du secret qui caractérisait Fairfax, la division des manœuvres analysait encore les raisons du sabotage de Lajes, lui avait dit le commandant qui servait de courrier. Il en était peut-être la cible, en raison de méfaits commis à Lisbonne. Il devait faire attention et notifier tout incident suspect au colonel Pace, à Fairfax. Spaulding retiendrait également le nom du général de brigade Alan Swanson, au ministère de la Guerre. Il rendrait compte à Swanson, qui prendrait contact avec lui dans quelques jours, dix tout au plus.

Alors pourquoi appeler Pace ? En cas d'« incidents ». Pourquoi ne pas contacter directement ce Swanson ? Puisque c'était lui son supérieur direct.

Instructions de Pace, répondit le commandant, jusqu'à ce que le général de brigade prenne la relève. C'était plus simple comme ça.

Encore des cachotteries, pensa David qui n'avait pas oublié le regard voilé de Paul Hollander, l'agent Az-Am de Terceira.

Il se passait quelque chose. Le transfert hiérarchique s'opérait d'une manière peu orthodoxe : des codes prioritaires non signés qu'il avait reçus à Lisbonne à l'ordre le plus invraisemblable. Hors stratégie. Des papiers que lui apportèrent au beau milieu de l'océan des agents Az-Am, après l'avoir dûment questionné, à l'étrange consigne lui demandant de rendre compte à deux civils de New York, sans avoir reçu le moindre briefing préalable.

Cela ressemblait fort à une valse-hésitation. C'était du professionnalisme sans faille ou de l'amateurisme complet. En fait, songea-t-il, un mélange des deux. La rencontre avec ce général Swanson ne pouvait qu'être des plus intéressantes. Il n'avait jamais entendu parler de lui.

Il s'allongea sur son lit. Il avait l'intention de se reposer une heure, puis de se doucher, de se raser et de se promener dans New York la nuit, pour la première fois depuis plus de trois ans. De voir ce que la guerre avait changé au Manhattan nocturne. Elle n'avait rien changé aux couleurs de la journée, pour peu qu'il puisse en juger. Il n'avait vu que les affiches. Ce serait bon d'avoir une femme. Mais, s'il avait cette chance-là, il voulait que tout se passe bien, ne pas avoir à se battre, ne pas se dépêcher. Il lui semblait avoir droit à une coïncidence heureuse. Un aimable interlude, très aimable. En revanche, il n'avait nullement l'intention de feuilleter l'annuaire pour le provoquer. Trois ans et neuf mois avaient passé depuis qu'il avait décroché un téléphone à New York. Pendant ce temps, il avait appris à se méfier des situations qui se modifiaient en l'espace de quelques jours, à ne rien dire de ces trois ans et neuf mois.

Il évoqua plaisamment le souvenir de ces fonctionnaires transférés à l'ambassade de Lisbonne, intarissables quand ils parlaient de leurs conquêtes féminines, de retour au pays. Surtout à Washington et à New York où le nombre de femmes et l'instabilité ambiante favorisaient les aventures d'une nuit. Puis il se souvint, avec une pointe de résignation amusée, que c'étaient les mêmes qui s'extasiaient sur le prestige de l'uniforme, surtout celui des grades supérieurs.

Ces quatre dernières années, il avait porté l'uniforme exactement trois fois : dans le salon de l'hôtel Mayflower en compagnie d'Ed Pace, le jour de son arrivée au Portugal et le jour de son départ du Portugal.

Il n'en possédait même pas un.

Le téléphone sonna, qui le fit sursauter. Ce n'était que Fairfax et, se dit-il, ce général de brigade, Swanson savait où le trouver. Il avait appelé le Montgomery de l'infirmerie de l'aérodrome pour confirmer sa réservation. Le commandant lui avait dit de prendre trois jours de congé. Il avait besoin de repos. Personne ne le dérangerait. Mais n'était-on pas en train de le déranger ?

– Allô ?

– David !

C'était une voix de femme, grave, cultivée comme on en entend au Plaza.

– David Spaulding ?

– Qui est à l'appareil ?

Il se demanda, l'espace d'une seconde, si les phantasmes auxquels il avait donné libre cours n'étaient pas en train de lui jouer un tour.

– Leslie, chérie ! Leslie Jenner ! Mon Dieu, cela fait presque cinq ans !

Il se mit à gamberger. Il avait rencontré Leslie Jenner à New York, mais pas à la radio. Elle faisait partie de ses camarades d'université. Les rendez-vous au pied de l'horloge, à Baltimore. Les soirées qui se prolongeaient au LaRue. Les soirées dansantes où on l'invitait parce qu'il était le fils des Spaulding, ces musiciens renommés. Leslie était une demoiselle B.C.B.G., issue d'une famille huppée et fréquentant les meilleures universités.

Seul son nom avait changé. Elle avait épousé un étudiant de Yale. Il ne se rappelait pas son nom.

– Leslie, c'est... eh bien, une surprise ! Comment as-tu appris que j'étais là ?

Spaulding n'avait pas l'intention de lui parler de la pluie et du beau temps.

– Il ne se passe rien à New York sans que je le sache ! J'ai des yeux et des oreilles partout, mon cher ! Un véritable réseau d'espionnage !

David Spaulding se sentit blêmir. Cette plaisanterie ne lui plut pas.

– Je suis sérieux, Leslie... Et je n'ai appelé personne. Pas même Aaron. Comment l'as-tu appris ?

– Si tu veux absolument le savoir, c'est par Cindy Bonner – Cindy Tottle qui a épousé Paul Bonner. Elle est allée échanger, chez Roger Peets, un truc sinistre que l'on avait offert à Paul pour Noël et elle m'a juré qu'elle t'avait vu en train d'essayer un costume. Bon, tu connais Cindy ! Elle est tellement timide...

David ne connaissait pas Cindy. Il ne se rappelait même pas son nom, encore moins son visage. Leslie Jenner poursuivit son monologue tandis qu'il réfléchissait.

– ... Alors elle s'est précipitée vers le premier téléphone et elle m'a appelée. Après tout, mon cher, nous avons eu une aventure.

Si par « avoir une aventure », elle entendait évoquer ces quelques mois d'été, ces quelques week-ends au cours desquels il avait couché avec la fille de la maison, David comprenait ce qu'elle voulait dire. Bien qu'il ne souscrivît pas pleinement à cette définition. Leur liaison avait été éphémère, discrète, juste avant son mariage chic.

— J'espère que tu as gardé cela pour toi...

— Mon Dieu, pauvre agneau ! C'est une Jenner qui te parle, pas, une Hawkwood. Je n'ai même pas gardé le nom. Ah non, alors !

Et voilà, pensa David. Elle avait épousé un Hawkwood. Roger ou Ralph. Quelque chose comme ça. Un joueur de football ou était-ce de tennis ?

— Je suis désolé. Je ne savais pas.

— Richard, et je l'ai largué il y a des siècles. C'était une catastrophe. Ce salaud passait son temps à draguer mes meilleures amies ! Il est à Londres à présent. Dans l'armée de l'air, mais à un poste très secret, je crois. Maintenant ce sont les Anglaises qui se l'envoient... et il ne lésine pas ! Je suis bien placée pour le savoir !

David sentit son sexe réagir. Leslie Jenner ne lui lançait-elle pas une invitation ?

— Eh bien, ils sont alliés, fit-il non sans humour. Mais tu ne m'a toujours pas dit comment tu m'avais trouvé ici ?

— J'ai donné exactement quatre coups de téléphone, mon agneau. Comme d'habitude, j'ai essayé le Commodore, le Biltmore et le Waldorf. Et puis je me suis souvenue que ton papa et ta maman descendaient toujours au Montgomery. Très vieux jeu, mon cher... Avec les réservations, c'était simple comme bonjour. Tu aurais pu y penser.

— Tu ferais un bon détective, Leslie.

— Seulement si l'objet de l'enquête en vaut la peine, mon agneau... Nous nous sommes vraiment bien amusés.

— Oui, dit Spaulding qui pensait à tout autre chose. Et nous ne pouvons pas rester sur le souvenir de nos prouesses. On dîne ensemble ?

— Si tu ne me l'avais pas demandé, j'aurais hurlé.

— Je passe te prendre chez toi ? A quelle adresse ?

Leslie hésita une fraction de seconde.

— Retrouvons-nous au restaurant. Nous risquerions de ne jamais sortir d'ici.

Une invitation en bonne et due forme.

David lui donna le nom d'un petit café de la 51e Rue qui lui était revenu en mémoire.

— A sept heures et demie ? Huit heures ?

— A sept heures et demie, c'est parfait, mais pas là, chéri. C'est fermé depuis des années. Pourquoi pas à la Galerie ? C'est sur la 46e Rue. Je réserverai une table. Ils me connaissent.

– Parfait.

– Pauvre agneau, cela fait si longtemps que tu es parti. Tu n'es plus dans le bain. Je vais t'entraîner dans mon sillage.

– Ça ne me déplairait pas. A sept heures et demie.

– J'ai hâte de te voir. Et je te promets de ne pas pleurer.

Spaulding raccrocha le téléphone. Il était stupéfait à bien des égards. Tout d'abord, une fille n'appelait pas son ex-amant après presque quatre ans d'absence et de guerre sans lui demander où il était, comment il allait. Ni même la durée de son séjour en ville. Ce n'était pas naturel, cette absence totale de curiosité à une époque où tout était fait pour l'éveiller.

Une autre chose l'inquiétait.

Ses parents étaient descendus, pour la dernière fois, au Montgomery en 1934. Il n'y était pas retourné depuis. Or il avait rencontré cette fille en 1936. En octobre 1936 à New Haven, au championnat de base-ball de Yale. Il s'en souvenait très précisément.

Leslie Jenner ne pouvait pas connaître ses liens avec l'hôtel Montgomery. Ni les habitudes de ses parents.

Elle mentait.

16.

29 décembre 1943, New York

La Galerie ressemblait très précisément à ce que David avait imaginé : un luxe de velours rouge vif, une abondance de palmiers de toutes formes et de toutes tailles où se reflétaient les halos de lumière jaune pâle tombant de dizaines d'appliques placées au-dessus des tables de telle sorte que le menu fût illisible. La clientèle était également sans surprise : jeune, riche, délibérément décontractée. Des sourcils froncés, des sourires forcés et des dents éclatantes à profusion. Des voix qui allaient crescendo puis decrescendo, des mots qui s'entrechoquaient, du brio. Leslie Jenner était là quand il arriva. Elle se jeta dans ses bras devant le vestiaire. Elle le serra en silence, pendant quelques minutes. Du moins Spaulding eut-il l'impression que leur étreinte avait duré plusieurs minutes. Trop longtemps, de toute façon. Quand elle redressa la tête, les larmes avaient coulé sur ses joues. C'étaient des larmes sincères, mais il y avait quelque chose – était-ce la crispation de ses lèvres ? Ou bien ses yeux ? –, quelque chose d'artificiel. Ou bien était-ce lui ? Le temps qui s'était écoulé entre lui et les endroits comme cette Galerie, entre lui et les filles comme Leslie Jenner ?

Cela mis à part, elle était fidèle au souvenir qu'il en avait gardé. Peut-être vieillie, sans doute plus sensuelle, la marque indubitable de l'expérience. Ses cheveux blond foncé étaient devenus châtain clair, ses grands yeux noirs et provocateurs avaient quelque chose de plus subtil. Son visage un peu épaissi avait gardé sa beauté aristocratique. Il sentit son corps contre le sien, qui raviva ses souvenirs. Souple, forte, les seins lourds. Un corps d'amante. Modelé par ou conçu pour l'amour.

– Mon Dieu, mon Dieu, David !

Elle pressa ses lèvres contre son oreille.

Ils se dirigèrent vers leur table. Elle lui tint fermement la main, ne la relâcha que pour allumer une cigarette et la reprit. Ils parlaient vite. Il n'était pas certain qu'elle l'écoutât, mais elle hochait continuellement la tête, ne le quittait pas des yeux. Il lui répéta les grandes lignes qui définissaient sa couverture : l'Italie, les blessures légères. On l'avait laissé rentrer pour travailler dans une industrie importante, où il serait plus utile qu'à porter un fusil. Il ne savait pas combien de temps il resterait à New York. Là, il disait la vérité, pensa-t-il. Il n'avait pas la moindre idée de la durée de son séjour. Il aurait aimé le savoir. Il était heureux de la revoir.

Ce dîner n'était que le prélude à de futurs ébats. Ils le savaient tous les deux. Aucun ne se donnait la peine de dissimuler l'excitation qu'il éprouvait à l'idée de faire revivre la plus plaisante des expériences : l'amour que l'on fait quand on est jeune, dans l'obscurité, sans se préoccuper des reproches des aînés. D'autant plus agréable qu'il est interdit, dangereux.

— Dans ton appartement ? demanda-t-il.

— Non, mon agneau. Je vis avec ma tante, la plus jeune sœur de maman. C'est très chic aujourd'hui de partager son appartement, très patriotique.

David ne comprit pas bien son raisonnement.

— Alors chez moi, dit-il d'un ton décidé.

— David ?

Leslie lui pressa la main avant de parler :

— La vieille famille qui dirige le Montgomery connaît beaucoup de gens dans notre milieu. Par exemple, les Alcott y ont une suite, les Dewhurst aussi... J'ai la clef de l'appartement de Peggy Webster au Village. Tu te souviens de Peggy ? Tu es allé à son mariage. Jack Webster ? Tu connais Jack. Il est dans la marine. Elle est partie le voir à San Diego. Allons chez Peggy.

Spaulding observait Leslie avec attention. Il n'avait pas oublié son étrange comportement au téléphone, son mensonge quand elle avait évoqué l'hôtel et ses parents. Son imagination lui jouait peut-être des tours ? Après ces années passées à Lisbonne, on devenait prudent. Il y avait peut-être une explication. Sa mémoire lui faisait défaut. A présent, il était aussi curieux que stimulé.

Il était très curieux. Et très stimulé.

— Chez Peggy, dit-il.

Si elle avait un autre objectif que celui de coucher avec lui, il ne s'en aperçut pas.

Quand ils eurent retiré leur manteau, Leslie s'éclipsa dans la cuisine pour préparer quelque chose à boire, tandis que David plaçait des journaux en boule dans la cheminée en contemplant le petit bois qui prenait feu.

Dans l'embrasure de la porte, Leslie le regarda séparer les bûches, créer un appel d'air. Les verres à la main, elle lui sourit.

– Dans deux jours, c'est la Saint-Sylvestre. Ce soir ce sera la nôtre, avec un peu d'avance. Notre Saint-Sylvestre. La première d'une longue série, j'espère.

– D'une longue série, répondit-il.

Il se redressa et s'avança vers elle. Il prit les deux verres, non celui qu'on lui tendait.

– Je vais les poser là.

Il les porta vers la table basse qui se trouvait devant un petit canapé, en face de la cheminée. Il se tourna aussitôt vers elle, poliment, pour saisir son regard. Elle ne regardait pas les verres. Ni l'endroit où il les avait posés.

Elle s'approcha du feu et ôta son chemisier. Elle le jeta sur le sol et fit un demi-tour. La rondeur de ses seins était accentuée par un soutien-gorge transparent, à la pointe brodée de dentelle.

– Retire ta chemise, David.

Il lui obéit et s'approcha d'elle. Elle grimaça en apercevant son bandage et le caressa doucement du bout des doigts. Elle se pressa contre lui, le bassin collé à ses cuisses, et imprima à tout son corps un mouvement latéral, expert. Il l'entoura de son bras et dégrafa son soutien-gorge. Elle haussa légèrement les épaules quand il le fit glisser sur sa peau. Puis elle se tourna vers lui en bombant le torse contre sa chair. Il prit son sein gauche dans une main. Elle se pencha, s'écarta un peu de lui pour ouvrir son pantalon.

– Les cocktails peuvent attendre. C'est notre Saint-Sylvestre. La nôtre, quoi qu'il advienne.

Il avait gardé son sein dans la main. Il posa ses lèvres sur ses yeux, sur ses oreilles. Elle le sentit contre elle et gémit.

– Là, David, dit-elle. Là, par terre.

Elle tomba à genoux, sa jupe relevée sur ses cuisses dévoilant le haut de ses bas.

Il s'allongea près d'elle et ils s'embrassèrent.

– Je me souviens, murmura-t-il en riant doucement, de la première fois. Le cottage près du hangar à bateaux. Sur le sol. Je m'en souviens.

– Je me demandais si tu t'en souviendrais. Je ne l'ai jamais oublié.

Il n'était qu'une heure quarante-cinq du matin quand il la ramena chez elle. Ils avaient fait l'amour deux fois, bu beaucoup de l'excellent whisky de Jack et Peggy Webster et parlé surtout du « bon vieux temps ». Leslie n'était guère complexée par son divorce. Richard Hawkwood, son ex-mari, n'était pas homme à supporter une relation durable. C'est un obsédé sexuel, tant que le sexe était facile. Sinon il ne se donnait pas grand mal. En affaires, c'était un raté. L'intervention de sa famille limitait ses échecs en la matière. Hawkwood était un homme qui avait besoin, éducation oblige, de cinquante mille dollars par an et n'avait la capacité d'en gagner que, disons, six.

La guerre avait été créée, pensait-elle, pour des hommes comme Richard. Ils y excellaient, tout comme son ex-mari y avait excellé. Il irait « se faire tuer en beauté », effectuant ainsi une sortie brillante au lieu de retourner à ses frustrations d'inadapté social. Spaulding dit qu'elle était dure. Elle n'était que lucide, rétorqua-t-elle. Ils rirent et firent l'amour.

Pendant toute la soirée, David resta sur le qui-vive, à l'affût de ce qu'elle pourrait révéler ou demander d'étrange. Quelque chose qui clarifierait au moins ses mensonges. Il n'y eut rien.

Il lui posa de nouvelles questions en s'étonnant qu'elle se souvienne de ses parents et du Montgomery. Elle s'obstina, lui rappela qu'elle avait une mémoire infaillible, ajouta que « l'amour vous pousse à chercher dans toutes les directions ».

Elle mentait, une fois de plus. Il le savait. Ce qui les unissait, ce n'était pas l'amour.

Elle le quitta dans le taxi, ne voulut pas qu'il monte chez elle. Sa tante était certainement endormie. C'était mieux ainsi.

Ils devaient se revoir le lendemain. Chez les Webster. A dix heures du soir. Elle dînait avec un ami dont elle se débarrasserait de bonne heure. Et puis elle annulerait l'invitation qu'elle avait reçue pour la vraie Saint-Sylvestre. Ils auraient toute la journée pour eux.

Le portier la fit entrer dans l'immeuble, le taxi repartit en direction de la Cinquième Avenue et David se rappela, pour la première fois, que Fairfax l'avait fait nommer chez Meridian Aircraft et qu'il commençait le surlendemain. La veille du nouvel an. Il ne travaillerait qu'une demi-journée, du moins l'espérait-il.

C'était étrange. La Saint-Sylvestre.

Il n'avait même pas pensé à Noël. Il avait envoyé des cadeaux à ses parents à Santiago, il s'en souvenait, mais c'était avant son voyage au nord du pays. Dans les provinces basques et en Navarre.

Noël n'avait plus aucun sens. Les pères Noël qui agitaient leurs clochettes dans les rues de New York, les décorations dans les vitrines des magasins n'avaient plus aucun sens à ses yeux.

Il en fut triste. Il avait toujours aimé les vacances.

David paya le chauffeur, salua le concierge qui attendait à la réception et prit l'ascenseur jusqu'à l'étage de sa chambre. Il sortit et s'avança vers sa porte. Par automatisme, car il avait les yeux fatigués, il donna une chiquenaude dans la pancarte qui indiquait « ne pas déranger », au-dessous de la serrure.

Puis il toucha le bois et baissa les yeux en dirigeant son briquet vers le sol pour y voir plus clair.

Le fil avait disparu.

Il avait posé un fil à la porte de sa chambre d'hôtel. Pure routine, mais aussi les instructions qu'il avait reçues de Fairfax et qui l'incitaient à rester sur le qui-vive. Il avait placé ces fils de soie beige et noir dans une demi-douzaine d'endroits. Leur disparition trahissait la visite d'un intrus.

Il n'avait pas d'arme sur lui et ignorait s'il y avait encore quelqu'un à l'intérieur.

Il retourna dans l'ascenseur et appuya sur le bouton. Il demanda un passe-partout au liftier. Il ne parvenait pas à ouvrir sa porte. Le liftier n'en avait pas. On le conduisit dans le hall.

Le réceptionniste de nuit s'en occupa après avoir ordonné au liftier de rester à l'accueil pendant qu'il venait en aide à M. Spaulding.

Quand les deux hommes s'engagèrent dans le couloir au sortir de l'ascenseur, Spaulding entendit le bruit distinct d'un verrou que l'on actionnait. C'était un bruit faible mais reconnaissable. Il tourna aussitôt la tête dans les deux sens, de chaque côté du couloir, en essayant de localiser l'origine.

Rien que des portes closes.

Le réceptionniste n'eut aucun mal à ouvrir la porte. En revanche, il ne comprit pas la présence du bras de M. Spaulding autour de son épaule, qui l'entraînait avec lui à l'intérieur de la pièce.

David jeta un rapide coup d'œil circulaire. Les portes de la salle de bains et des placards étaient ouvertes, comme il les avait laissées. Il n'y avait pas d'autre endroit où l'on pût se cacher. Il relâcha le réceptionniste et lui donna cinq dollars de pourboire.

– Merci beaucoup. Je suis gêné. Je crains d'avoir un peu trop bu.

– Pas du tout, monsieur. Merci, monsieur.

L'homme quitta la pièce en refermant la porte derrière lui.

David procéda rapidement à la vérification des fils. Dans le placard : sur la pochette de sa veste, au centre du revers.

Pas de fil.

La commode : premier et dernier tiroir, insérés.

Les deux fils étaient déplacés. Le premier à l'intérieur, sur un mouchoir. Le second avait glissé entre deux chemises.

Le lit : placé latéralement, le long du motif du couvre-lit.

Nulle part. Rien.

Il se dirigea vers sa valise posée sur une table basse près de la fenêtre. Il s'agenouilla pour vérifier la serrure de droite. Le fil avait été coincé dans la fermeture de métal, sous le minuscule rabat. Si l'on avait ouvert la valise, il devait être brisé.

Il l'était. Il n'en restait qu'une moitié.

A l'intérieur de la valise, au fond, il y avait un fil, en travers de la lanière élastique, à cinq centimètres de la paroi de gauche.

Celui-ci avait disparu.

David se redressa. Il se dirigea vers la table de chevet et glissa la main sous l'annuaire du téléphone. Inutile de poursuivre ses investigations. Spaulding fut on ne peut plus surpris. Sa chambre avait été fouillée par un professionnel. Il n'aurait pas dû s'en apercevoir.

Il fallait trouver le numéro de Leslie, retourner à son immeuble et chercher une cabine téléphonique près de l'entrée ou, mieux encore, en vue de celle-ci. Puis il l'appellerait pour lui raconter n'importe quelle histoire à dormir debout et lui demander de venir le retrouver. Il ne parlerait ni de la fouille ni de ses soupçons confirmés. Il jetterait le trouble dans son esprit et observerait sa réaction avec la plus grande attention. Si elle acceptait de le voir, tout irait pour le mieux. Si elle refusait, il surveillerait son appartement, toute la nuit s'il le fallait.

Leslie Jenner lui cachait quelque chose, et il avait la ferme intention de le découvrir. L'homme de Lisbonne n'avait pas passé trois ans dans les provinces du Nord sans acquérir une certaine habileté.

Il n'y avait pas de Jenner à l'adresse où il l'avait déposée.

Il y avait six Jenner à Manhattan.

Il donna les numéros un par un à l'opératrice de l'hôtel, et, chaque fois, on lui répondit la même chose, d'une voix plus ou moins ensommeillée, plus ou moins furieuse.

Pas de Leslie Jenner. Personne de ce nom.

Spaulding raccrocha. Il était assis sur son lit. Il se leva et fit les cent pas dans la pièce.

Il allait se rendre dans cet immeuble et questionner le gardien. L'appartement était peut-être au nom de sa tante, mais ce n'était guère plausible. Leslie Jenner aurait mis son nom et son adresse dans l'annuaire, si elle l'avait pu. Pour elle, le téléphone était un instrument vital, non une simple commodité. En se rendant à l'appartement et en posant des questions, il risquait de semer l'inquiétude dans les esprits. Il n'en avait nullement l'intention.

Qui était cette fille qui l'avait aperçu chez Rogers Peet ? Celle qui était venue échanger des cadeaux de Noël. Cynthia ? Cindy ?... Cindy. Cindy Tuttle... Tottle. Non pas Tottle... Bonner. Mariée à Paul Bonner, elle était venue « échanger des trucs sinistres » que l'on avait offerts à Paul.

Il se dirigea vers le lit et prit l'annuaire.

Paul Bonner y figurait : 480, Park Avenue. L'adresse convenait au personnage. Il donna le numéro à l'opératrice.

Une voix féminine lui répondit, très, très endormie.

– Oui ?... Allô ?

– Madame Bonner ?

– Oui. Qu'est-ce que c'est ? Je suis Mme Bonner.

– Je suis David Spaulding. Vous m'avez aperçu cet après-midi chez Rogers Peet. Vous échangiez un cadeau pour votre mari et j'étais en train d'acheter un costume... Excusez-moi de vous déranger ainsi mais c'est important. J'ai dîné avec Leslie... Leslie Jenner. Vous l'avez appelée. Je viens de la déposer à son appartement. Nous devions nous retrouver demain, et il se trouve que ce n'est plus possible. C'est idiot mais j'ai oublié de lui demander son numéro de téléphone et je ne le trouve pas dans le Bottin. Je me demandais...

– Monsieur Spaulding, l'interrompit-elle d'un ton abrupt, qui ne reflétait plus le moindre engourdissement. Si c'est une plaisanterie, je la trouve de mauvais goût. Je me rappelle votre nom, en effet... Je ne vous ai pas vu cet après-midi et je n'ai rien échangé... Je n'étais pas chez Rogers Peet. Mon mari a été tué il y a quatre mois. En Sicile... Je n'ai pas téléphoné à Leslie Jenner... Hawkwood, je crois... depuis plus d'un an. Elle a déménagé en Californie. A Pasadena, il me semble... Nous ne nous sommes pas vues depuis longtemps. Et il est peu probable que nous nous revoyions.

David entendit le déclic sec qui mit fin à la communication.

17.

31 décembre 1943, New York

C'était le matin du 31 décembre.

Son premier jour de « travail » chez Meridian Aircraft, à la division de la conception.

Il avait passé la plus grande partie de la journée précédente dans sa chambre d'hôtel, s'était absenté le temps de déjeuner et acheter des magazines, avait dîné sur place avant de prendre un taxi pour Greenwich Village où il savait que Leslie ne serait pas au rendez-vous.

Il était resté enfermé pour deux raisons. Tout d'abord, il attendait la confirmation du diagnostic du médecin de la base de Mitchell : il était effectivement épuisé. La seconde raison n'était pas la moindre. Fairfax menait son enquête sur Leslie Jenner Hawkwood, Cindy Tottle Bonner et un officier de marine du nom de Jack ou John Webster, dont la femme se trouvait, heureux hasard, en Californie. David avait besoin de tous ces renseignements avant de poursuivre sa tâche, et Ed Pace lui avait promis d'effectuer toutes les recherches possibles dans les quarante-huit heures qui lui étaient imparties.

Spaulding avait été frappé de ce que lui avait dit Cindy Bonner au sujet de Leslie Jenner.

Elle a déménagé en Californie. Pasadena, il me semble...

Un coup de téléphone au gardien de l'immeuble de Greenwich Village lui avait confirmé que les Webster habitaient bien là-bas. Le mari était dans la marine, sa femme était allée le retrouver quelque part en Californie. Le gardien s'occupait du courrier.

Quelque part en Californie.

Elle a déménagé en Californie...

Y avait-il un lien ? Ou s'agissait-il d'une simple coïncidence ?

Spaulding regarda sa montre. Il était huit heures. Le matin du 31 décembre. Demain, on serait en 1944.

Ce matin-là, il devait prendre contact avec un certain Walter Kendall et un certain Eugène Lyons dans les bureaux provisoires de Meridian Aircraft, dans la 38e Rue.

Pourquoi l'une des plus importantes sociétés d'aéronautique des États-Unis avait-elle des bureaux « provisoires » ?

Le téléphone sonna. David décrocha.

– Spaulding ?

– Bonjour, Ed.

– J'ai fait ce que j'ai pu. Ça n'a pas beaucoup de sens. Pour commencer, il n'y a aucune trace de divorce entre les Hawkwood. Il est bien en Angleterre. Huitième régiment de l'armée de l'Air, mais son poste n'a rien de confidentiel. Il est pilote au Dixième commandement de bombardiers, dans le Surrey.

– Est-ce qu'ils habitent la Californie ?

– Il y a dix-huit mois, elle a quitté New York et s'est installée chez une tante à Pasadena. Une tante très riche, qui a épousé un certain Goldsmith. C'est un banquier qui fait partie de la haute, inscrit à un club de polo. D'après mes renseignements, qui ne sont que fragmentaires, elle se plaît en Californie.

– D'accord. Et ce Webster ?

– Vérifié. Il est officier d'artillerie sur le *Saratoga*. Le navire est rentré au port, à San Diego, pour effectuer des réparations après les combats. Il doit reprendre la mer dans deux semaines. Il n'y a pas de retard prévu. On leur a donné des congés de deux ou trois jours. Pas de permission prolongée. Sa femme, Margaret, a rejoint le lieutenant il y a quelques jours. Elle est descendue à l'hôtel Greenbrier.

– Quelque chose sur les Bonner ?

– Rien que vous ne sachiez déjà, à une exception près : c'est un véritable héros. La croix d'argent à titre posthume, dans l'infanterie. Tué au cours d'une patrouille d'éclaireurs, qui couvrait l'évacuation après une embuscade. Pendant le débarquement en Sicile.

– Et c'est tout ?

– C'est tout. Il est évident qu'ils se connaissent tous, mais je ne vois aucun lien avec votre affectation au ministère de la Guerre.

– Ce n'est pas vous qui me contrôlez, Ed. Vous m'avez dit que vous ne saviez rien de ce poste.

– Exact. Mais, d'après les données dont je dispose, je ne trouve rien.

– On a fouillé ma chambre. Il n'y a aucun doute possible.

– C'était peut-être un cambrioleur. Un soldat riche dans un hôtel cher, de retour après un long voyage. On a pu se figurer que vous aviez sur vous vos rappels de solde.

– J'en doute. C'était du travail de pro.

– Il y a beaucoup de pros qui travaillent dans ce genre d'hôtel. Ils attendent que les types soient partis se saouler...

– Il y a une chose que j'aimerais approfondir.

– Laquelle ?

– Cindy Bonner a déclaré qu'il y avait peu de chances qu'elle revoie Leslie Jenner. Et elle ne plaisantait pas. C'est étrange de dire ça, non ? J'aimerais savoir pourquoi elle l'a dit.

– Allez-y. C'est votre chambre qu'on a fouillée, pas la mienne... Vous savez ce que je pense ? Et j'y ai beaucoup réfléchi. Il le fallait bien.

– Quoi ?

– A New York, on couchotte à droite et à gauche, une vaste partie de « lits musicaux [1] », en quelque sorte. Vous ne m'avez pas donné de détails, mais cette fille a très bien pu se trouver à New York pour quelques jours, vous apercevoir ou connaître quelqu'un qui vous ait vu et voilà, c'est logique, non ? Qu'est-ce que ça peut faire ? Elle est retournée en Californie et ne vous verra probablement jamais plus...

– Non, ce n'est pas logique. Elle était trop compliquée. Ce n'était pourtant pas nécessaire. Elle voulait m'éloigner de l'hôtel.

– Mais vous y étiez...

– Bien sûr. Vous savez, c'est drôle. D'après votre commandant de la base de Mitchell, vous pensez que l'attentat des Açores était dirigé contre moi...

– J'ai dit que c'était possible, corrigea Pace.

– Je suis persuadé que non. En revanche, dans l'affaire de l'autre nuit, je suis certain que j'étais visé et vous n'y croyez pas. Nous sommes peut-être tous les deux fatigués.

– Peut-être. Votre supérieur direct m'inquiète lui aussi. Ce Swanson est très nerveux. Ce genre d'opération, ce n'est pas son domaine. Il ne supportera pas d'autres complications.

– Alors, ne lui en parlons pas. Pas maintenant. Je saurai quand ce sera nécessaire.

Spaulding observait l'individu échevelé qui lui décrivait les grandes lignes de l'opération de Buenos Aires. Il n'avait jamais rencontré quelqu'un comme Walter Kendall. Cet homme était franchement sale. Il sentait la transpiration malgré les doses abondantes de déodorant dont il s'aspergeait. Un col crasseux, un costume fripé. Ce type soufflait simultanément par les narines et par la bouche, et le fascinait littéralement. L'agent de Terceira lui avait dit qu'Eugène Lyons était « bizarre ». Si ce Kendall était « normal », il était impatient de faire la connaissance du savant.

---

1. Allusion au jeu « musical chairs ».

L'opération de Buenos Aires semblait relativement simple, beaucoup moins complexe que la plupart des tâches accomplies à Lisbonne. Si simple en fait qu'il se demandait avec colère pourquoi on l'avait fait revenir de Lisbonne. Si l'on s'était donné la peine de le remplacer quelques semaines, il aurait épargné à Washington des tracas d'organisation et sans doute un peu d'argent. Il traitait avec la résistance allemande depuis que l'organisation, qui avait fusionné ses différentes factions, était devenue une force efficace. Si cet Erich Rhinemann pouvait acheter les plans et les faire sortir de Peenemünde, lui, l'homme de Lisbonne, aurait pu leur faire passer la frontière. La sécurité aurait probablement été mieux assurée qu'en passant par la mer du Nord et les ports de la Manche. Ces ports étaient surveillés de très près par des patrouilles omniprésentes. Si cela n'avait pas été ainsi, son propre travail aurait été inutile. Que Rhinemann fût à même d'acquérir ces plans ou quoi que ce fût à Peenemünde était le seul aspect original de l'opération. C'était réellement extraordinaire. Peenemünde était une immense chambre forte de béton et d'acier, enfouie à six pieds sous terre. Avec le système de protection et de défense le plus complexe qui eût jamais été conçu. Il aurait été plus aisé d'en faire sortir un homme, pour toutes sortes de raisons, que d'en retirer une feuille de papier pelure.

De plus, à Peenemünde, les laboratoires étaient isolés. Les différents échelons étaient coordonnés par une poignée de scientifiques hautement qualifiés, sous le contrôle de la Gestapo. Dans l'affaire de Buenos Aires, Erich Rhinemann était donc capable 1/ d'entrer en contact avec un certain nombre de directeurs de laboratoire en suivant un ordre méthodique et de les acheter, 2/ de circonvenir ou d'acheter (impossible) la Gestapo, 3/ d'obtenir la coopération de cette poignée de scientifiques qui traversaient les lignes de démarcation entre les différents laboratoires.

Son expérience en la matière conduisit David à éliminer les deux dernières éventualités, qui laissaient trop de place à la trahison. Rhinemann avait dû s'adresser aux directeurs de laboratoire. C'était relativement dangereux mais faisable.

Tandis que Kendall poursuivait son exposé, David décida de garder ses conclusions pour lui. Il poserait quelques questions. Il y en avait une ou deux pour lesquelles il souhaitait obtenir la réponse. Pour l'instant, il ne ferait pas de Kendall un partenaire. Ce n'était pas une décision difficile à prendre. Kendall était l'un des hommes les moins agréables qu'il eût rencontrés.

— Les plans seront livrés par étapes. Y a-t-il une raison précise pour cela ? demanda Spaulding.

— Ils ne le seront peut-être pas. Mais Rhinemann les fera sortir petit à petit. Chacun devra respecter un programme. Il dit qu'ainsi la sécurité sera mieux assurée. D'après ses prévisions, nous pensons que cela s'échelonnera sur une semaine.

– D'accord, c'est cohérent... Et ce Lyons les authentifiera ?

– C'est le meilleur. J'ai rendez-vous avec lui dans quelques minutes. Il y a deux ou trois choses que vous devez savoir. Une fois en Argentine, il est à vous.

– Ça ressemble à une menace.

– Vous vous débrouillerez avec lui. Vous aurez de l'aide. Dès qu'il aura donné son accord pour les plans, à vous d'envoyer les codes pour que Rhinemann soit payé. Pas avant.

– Je ne comprends pas. Pourquoi est-ce si compliqué ? Quand tout sera vérifié, pourquoi ne pas le payer à Buenos Aires ?

– Il ne veut pas que l'on dépose de l'argent dans une banque argentine.

– Ça doit faire un paquet.

– En effet.

– D'après le peu que je sais de Rhinemann, il me semble étrange de le voir travailler en cheville avec la résistance allemande.

– Il est juif.

– Ne dites pas ça aux pensionnaires d'Auschwitz. Ils ne vous croiront pas.

– La guerre rend certaines relations nécessaires. Regardez-nous. Nous travaillons bien avec les rouges. C'est la même chose : des objectifs communs. On oublie les divergences.

– Dans ce cas, c'est un peu cynique.

– C'est leur problème, pas le nôtre.

– Je n'insisterai pas... Une question évidente. Puisque je dois partir pour l'ambassade de Buenos Aires, pourquoi cette escale à New York ? N'aurait-il pas été plus simple de m'envoyer directement de Lisbonne en Argentine ?

– Une décision de dernière minute, sans doute. Bizarre, non ?

– Pas très clair. Suis-je sur une liste de transfert ?

– Une quoi ?

– La feuille des transferts du service étranger. Département d'État. Attaché militaire.

– Je n'en sais rien. Pourquoi ?

– Je voudrais savoir si tout le monde est informé de mon départ de Lisbonne. Ou pourrait l'apprendre. Je pensais qu'il n'en était rien.

– Alors, il n'en est rien. Pourquoi ?

– Pour savoir quelle attitude adopter, c'est tout.

– Nous avons pensé qu'il valait mieux que vous preniez quelques jours pour vous familiariser avec tout ça. Rencontrer Lyons, me rencontrer. Prendre connaissance du programme. Du but de l'opération, etc.

– Très gentil de votre part.

David remarqua le regard interrogateur de Kendall.

– Je suis sincère. On nous envoie si souvent régler des problèmes sur le terrain, dont nous connaissons trop peu les tenants et les aboutissants. Je l'ai imposé plus d'une fois... Et puis cette démobilisation, cette histoire de front en Italie, c'est la couverture de mes activités de Lisbonne ? Pour New York uniquement.

– Oui, je suppose que vous avez raison.

Kendall, qui était assis sur le rebord de son bureau, se leva et en fit le tour pour rejoindre son fauteuil.

– Combien de temps vais-je la conserver ?

– Conserver quoi ?

Kendall évitait le regard de David qui était assis sur un canapé de bureau, le buste incliné.

– Cette couverture. Mes papiers font mention de la Ve armée, celle de Clarke. Trente-quatrième division. Bataillon 112 et cetera. Faut-il que je potasse pour me mettre au courant ? Je ne connais pas grand-chose des combats sur le front italien. Apparemment, j'ai été blessé après Salerne. Dans quelles circonstances ?

– Ça, c'est l'affaire de l'armée. En ce qui me concerne, vous êtes ici cinq, six jours, puis vous rencontrerez Swanson qui vous enverra à Buenos Aires.

– D'accord. J'attendrai le général Swanson.

David se rendit compte qu'il était vain de respecter les rituels du G-2 avec Kendall... Mi-professionnel, mi-amateur. La valse-hésitation.

– Jusqu'à votre départ, vous pouvez passer tout le temps que vous jugerez nécessaire en compagnie de Lyons. Dans son bureau.

– Parfait. Je serai ravi de faire sa connaissance.

David se leva.

– Asseyez-vous. Il n'est pas là aujourd'hui. Aujourd'hui, il n'y a que le réceptionniste. Jusqu'à une heure. Nous sommes le 31 décembre.

Kendall s'effondra dans son fauteuil et sortit une cigarette qu'il écrasa entre ses doigts.

– Il faut que je vous parle de Lyons.

– Bon, dit David qui retourna s'asseoir sur le canapé.

– C'est un poivrot. Il a passé quatre ans en prison, dans un pénitencier. Il parle avec difficulté parce qu'il a eu la gorge brûlée à l'alcool pur... C'est aussi le salopard le plus malin de la physique aéronautique.

Un long moment, Spaulding fixa Kendall du regard, sans réagir.

– C'est quelque peu contradictoire, dit-il enfin, sans chercher à dissimuler le choc que son interlocuteur venait de lui causer.

– J'ai dit qu'il était malin.

– Comme la moitié des fous qui croupissent à Bellevue. Est-il opérationnel ? Puisqu'il est « à moi », comme vous le dites si bien, j'aimerais savoir ce que vous m'avez refilé. Et pourquoi, ce qui n'est pas négligeable.

– C'est le meilleur.

– Ça ne répond pas à ma question. A mes questions.

– Vous êtes un soldat. Vous obéissez aux ordres.

– J'en donne aussi. Ne commencez pas à m'opposer ce genre d'argument.

– D'accord... O.K. Vous avez le droit de savoir, j'imagine.

– Je crois.

– Eugène Lyons a écrit un livre qui a fait date en physique aérodynamique. Il était alors le plus jeune professeur du Massachusetts Institute of Technology. Peut-être était-il trop jeune. En tout cas, il a vite dégringolé la pente. Mariage minable, alcoolisme, dettes à foison. Ce sont celles-ci qui l'ont entraîné, comme toujours. Ça et une pléthore de cerveaux que personne ne veut payer.

– Entraîné à quoi ?

– Il a perdu la tête et s'est saoulé pendant une semaine. Quand il s'est réveillé dans une chambre d'hôtel du quartier sud de Boston, la fille qui était à ses côtés était morte. Il l'avait battue à mort... C'était une pute dont tout le monde se fichait. Mais enfin, il était coupable. On a appelé ça un meurtre sans préméditation et le M.I.T. lui a trouvé un bon avocat. Il a fait quatre ans de prison et, quand il est sorti, personne n'a voulu l'embaucher ni même avoir le moindre rapport avec lui... C'était en 1936. Il a abandonné la partie, est devenu clochard. Un vrai clochard.

Kendall se tut et sourit.

David fut gêné par ce sourire. Cette histoire n'avait rien de drôle.

– De toute évidence, il n'y est pas resté.

Ce fut tout ce qu'il fut capable de dire.

– Presque trois ans quand même. Il a eu la gorge brûlée dans Houston Street.

– C'est très triste.

– C'est la meilleure chose qui lui soit arrivée. A l'hôpital, il a raconté son histoire. Un médecin s'est intéressé à son cas. On l'a envoyé au C.C.C., où il s'est relativement réhabilité et, depuis la guerre, il bosse pour la Défense.

– Alors, il va bien maintenant, déclara Spaulding d'un ton affirmatif.

De nouveau, ce fut tout ce qu'il fut capable de dire.

– On ne remet pas un homme dans le droit chemin du jour au lendemain. Ni même en deux ou trois ans... Il y a des rechutes, il caresse la bouteille de temps à autre. Depuis qu'il travaille sur des trucs ultra-secrets, il est cloîtré avec ses gardiens. A New York, par exemple, il a une chambre à l'hôpital St. Luke. Il y séjourne comme les alcooliques mondains que vous connaissez... En Californie, Lockheed l'enferme avec des infirmiers dès qu'il n'est plus dans l'usine. En fait, il se la coule douce.

— Il doit être valable. Cela fait beaucoup d'embarras...

— Je vous l'ai dit, l'interrompit Kendall, c'est le meilleur. Il suffit de le surveiller.

— Que se passe-t-il quand il est livré à lui-même ? Je veux dire, j'ai connu des alcooliques. Ils parviennent à déjouer toute surveillance, souvent avec ingéniosité.

— Là n'est pas la question. Il obtient de l'alcool... quand il le souhaite. Il sait se montrer très ingénieux. Mais il ne sort pas tout seul. Il ne recherchera pas la compagnie des autres, si vous voyez ce que je veux dire.

— Je n'en suis pas certain.

— Il ne parle pas. Tout ce qu'il est capable de produire, c'est un murmure rauque. Souvenez-vous, il a eu la gorge à vif... Il fuit les autres... Ce qui est parfait. Quand il ne boit pas, c'est-à-dire la plupart du temps, il lit et il travaille. Il peut passer des journées entières dans son laboratoire sans boire et sans sortir. C'est absolument parfait.

— Comment communique-t-il ? Au laboratoire ? En réunion ?

— Bloc-notes et crayon, quelques chuchotements, ses mains. Mais surtout le bloc-notes et le crayon. Ce sont principalement des chiffres, des équations, des diagrammes. C'est son langage.

— Son seul langage ?

— C'est exact... Si vous avez l'intention de bavarder avec lui, renoncez-y. Il n'a pas soutenu de conversation depuis dix ans.

18.

Spaulding descendit Madison Avenue, d'un pas pressé, jusqu'à l'angle nord-est du magasin B. Altman. Il neigeait un peu. Les taxis passaient à toute allure devant les piétons qui leur faisaient signe, sur le trottoir, au milieu du pâté de maisons. Mieux valait attendre, à l'entrée du magasin, les clients chargés de leurs derniers achats pour le nouvel an. Ceux qui, l'après-midi du 31 décembre, faisaient leurs courses chez Altman étaient des clients de choix. Pourquoi gaspiller son essence pour d'autres ?

David se surprit à marcher plus vite que de raison. Il n'allait nulle part, ne se dirigeait vers aucun endroit précis où l'on exigeât sa présence à une heure non moins précise. Il s'éloignait simplement de Walter Kendall le plus vite possible.

A la fin du briefing sur Eugène Lyons, Kendall lui avait appris que « deux malabars » accompagneraient le savant jusqu'à Buenos Aires. Le muet à la gorge brûlée n'aurait pas droit à l'alcool. Les deux infirmiers avaient toujours sur eux quelques « remèdes de cheval ». Sans alcool à sa disposition, Eugène Lyons passerait des heures à résoudre ses problèmes professionnels. Pourquoi pas ? Il ne pouvait rien faire d'*autre*. « Aucune possibilité de conversation », songea David.

Il avait repoussé l'invitation à déjeuner de Kendall sous prétexte qu'il devait rendre visite à des amis de sa famille. Après tout, cela faisait plus de trois ans... Il prendrait ses fonctions le 2 janvier.

La vérité, c'était que Spaulding voulait échapper à cet homme. Et puis il y avait une autre raison : Leslie Jenner Hawkwood.

Il ne savait par où commencer, mais il fallait s'attaquer à la question de toute urgence. Il avait à peine une semaine pour découvrir ce qui se cachait derrière les événements de l'incroyable soirée qu'il

177

avait passée deux jours auparavant. Il s'occuperait d'abord d'une veuve du nom de Bonner. Cela au moins, il en était sûr.

Aaron Mandel pourrait peut-être l'aider.

Il sortit un billet de un dollar de sa poche et s'avança vers le portier qui se tenait devant Altman. On lui trouva un taxi en moins d'une minute.

Le bavardage incessant du chauffeur, qui semblait avoir une opinion sur tout, l'accompagna jusqu'aux beaux quartiers. David fut agacé. Il désirait réfléchir, et ce n'était pas facile. Soudain, il changea d'attitude.

– J'allais chercher tous ces gens qui se bousculent à la porte du Plaza à la veille du nouvel an, vous voyez ce que je veux dire ? Il y a de gros pourboires à gagner avec ceux qui reviennent de la guerre pour un temps. Mais ma bonne femme a dit non. Elle voulait que je rentre à la maison, que je boive un peu de vin et que je prie Dieu que notre garçon passe l'année. Alors, il a bien fallu que je le fasse. S'il était arrivé quoi que ce soit, je me serais imaginé que c'étaient les pourboires du jour de l'an. Superstitions ! Et puis merde, le gosse est dactylo à Fort Dix.

David avait oublié l'élément le plus évident. Non, pas oublié. Il n'y avait simplement pas pensé parce qu'il ne voyait pas ce qu'il avait à voir avec ça. Ou ça avec lui. Il était à New York. Le 31 décembre. Partout, on donnait des cocktails, des soirées dansantes, des bals de bienfaisance et une infinie variété de ces fêtes engendrées par la guerre et qui envahissaient une dizaine de salles de bal et une myriade d'hôtels particuliers.

Mme Paul Bonner se rendrait certainement dans l'un de ces endroits, à l'une de ces soirées. Cela faisait quatre mois que son mari avait été tué. Elle l'avait suffisamment pleuré, étant donné les circonstances et l'époque. Des amies, d'autres femmes comme Leslie Jenner, mais bien sûr pas Leslie Jenner, le lui auraient fait comprendre. C'était ainsi que l'on se comportait dans la bonne société de Manhattan. Ce qui n'était pas déraisonnable, tout bien considéré.

Il ne devait pas être trop difficile de découvrir où elle allait. Et s'il la trouvait, elle, il en trouverait d'autres... il pouvait commencer par là.

Il donna un pourboire au chauffeur et entra vite dans le hall du Montgomery.

– Oh, monsieur Spaulding !

La voix du vieux réceptionniste résonna dans la pièce de marbre.

– Il y a un message pour vous.

Il se dirigea vers le bureau.

– Merci.

Il déplia le papier : *M. Fairfax a téléphoné. Pouvez-vous le rappeler le plus vite possible ?*

Ed Pace cherchait à le joindre.

Sous la serrure de la porte, le fil était intact. Il entra dans sa chambre et se dirigea aussitôt vers le téléphone.

— Nous avons quelque chose sur cette mademoiselle Hawkwood, dit Pace. J'ai pensé que vous aimeriez être tenu au courant.

— Qu'est-ce que c'est ?

Pourquoi, pourquoi diable Pace abordait-il ainsi toute conversation ? Qu'imaginait-il ? Qu'il allait lui dire : Non, je ne veux rien savoir, et raccrocher ?

— Ça cadre, je le crains, avec mon impression de l'autre soir. Vous étiez trop surmené.

— Pour l'amour du ciel, Ed, je vous décernerai une médaille quand vous voudrez. De quoi s'agit-il ?

— Elle s'envoie en l'air. Elle a une vie sexuelle très active dans la région de Los Angeles. Discrète mais active. Une poule de luxe, sans vous offenser.

— Vous ne m'offensez pas. Quelle est votre source d'information ?

— Quelques confrères, des officiers de marine et de l'armée de l'Air. Et puis des gens de cinéma, des acteurs et des dirigeants de studio. Le milieu socio-industriel aussi : Lockheed, Sperry Rand. Elle est plutôt indésirable au Yacht Club de Santa Monica.

— A-t-elle un lien avec le G-2 ?

— C'est la première chose que nous avons vérifiée. Personne de haut placé dans son lit. Du tout-venant : civil et militaire. Et elle *est* à New York. Une enquête minutieuse nous a appris qu'elle était retournée chez ses parents pour Noël.

— Il n'y a pourtant pas un Jenner inscrit sur le Bottin qui ait entendu parler d'elle.

— A Bernardsville, dans le New Jersey.

— Non, fit David d'un ton las, Manhattan. Vous avez dit New York.

— Essayez à Bernardsville. Si vous voulez la trouver. Mais ne nous présentez plus de note de frais. Vous n'êtes plus en opération dans le nord de l'Espagne.

— Non, Bernardsville est un terrain de chasse.

— Pardon ?

— Un territoire très mondain. Écuries et coup de l'étrier... Merci, Ed. Vous venez de me faire gagner un temps précieux.

— De rien. Le bureau central des services secrets alliés se charge de résoudre vos problèmes sexuels. Nous faisons tout pour satisfaire nos employés.

— Je vous promets de me rengager quand ce sera terminé. Merci encore.

– Dave ?

– Oui ?

– Je ne suis pas au courant pour le boulot que vous a confié Swanson, alors ne me donnez pas de détails, mais qu'en pensez-vous ?

– Je me demande bien pourquoi on ne vous a rien dit. Il s'agit d'une simple acquisition que doivent mener à bien quelques énergumènes que je connais, du moins un... non, deux. Celui que j'ai rencontré est un gagnant. J'ai l'impression qu'ils ont compliqué l'affaire à souhait, mais ce sont des novices... Nous aurions fait beaucoup mieux.

– Avez-vous fait la connaissance de Swanson ?

– Pas encore. Après les vacances, m'a-t-on dit. Il ne fallait surtout pas interrompre les vacances de Noël du général, merde, quoi ! L'école ne reprend que la première semaine de janvier.

Pace rit à l'autre bout de la ligne.

– Bonne année, Dave.

– Vous aussi, Ed. Et merci.

Spaulding raccrocha l'appareil. Il regarda sa montre. Il était une heure et quart. Il pouvait réquisitionner un véhicule militaire, du moins le supposait-il, ou emprunter une voiture à Aaron Mandel. Il y avait environ une heure de route entre New York et Bernardsville, à l'ouest des Oranges, si sa mémoire ne le trompait pas. Mieux valait prendre Leslie Jenner par surprise, ne pas lui laisser le temps de fuir. Mais, s'il s'en tenait aux réflexions qui avaient précédé l'appel d'Ed, Leslie serait probablement à New York en train de se préparer pour cette soirée de la Saint-Sylvestre qu'elle lui avait réservée. Quelque part, ici ou là. Dans un appartement, un petit immeuble ou une chambre d'hôtel comme la sienne.

Spaulding se demanda un instant si Pace avait vu juste. Essayait-il de retrouver Leslie pour des raisons qui n'avaient rien à voir avec ses soupçons ? Les mensonges, la fouille... C'était possible. Pourquoi pas ? Mais deux ou trois heures de route ne lui apprendraient pas grand-chose d'objectif, de secret ou de freudien. Si elle n'était pas là.

Il demanda au standard du Montgomery de lui trouver le numéro de la résidence des Jenner à Bernardsville, dans le New Jersey. Pas de le lui passer, juste obtenir le numéro de téléphone. Et l'adresse. Puis il appela Aaron Mandel.

Il avait retardé ce moment le plus longtemps possible. Les yeux pleins de larmes, l'air interrogateur, Aaron lui proposerait tout ce que l'on pouvait trouver à Manhattan, de jour comme de nuit. Ed Pace avait eu un entretien avec le vieil imprésario quatre ans plus tôt avant de contacter David pour Lisbonne. Il pourrait donc couper à ces discussions à n'en plus finir que suscitaient parfois ses activités professionnelles.

Aaron lui viendrait sans doute en aide. Encore fallait-il qu'il eût besoin de l'aide très particulière que celui-ci était susceptible de lui apporter. A New York, Mandel avait des relations partout. David en saurait davantage après s'être rendu à Bernardsville. Mieux valait cependant donner un coup de fil de courtoisie avant de demander un service. Cela semblerait moins étrange.

Spaulding crut d'abord qu'à l'autre bout de la ligne le vieil homme allait avoir une attaque. Sa voix s'étouffa, reflétant le choc qu'il venait de recevoir, son inquiétude... et son amour. Les questions s'enchaînèrent à un rythme tel que David ne pouvait pas répondre : comment allaient sa mère, son père et lui-même ?

Mandel ne lui parla pas de son travail, mais, quand David lui dit qu'il se portait à merveille, il ne le crut pas sur parole. Aaron insista pour le voir. Si ce n'était pas ce soir, alors certainement demain.

David acquiesça. Le matin, en fin de matinée. Ils prendraient un pot ensemble, peut-être déjeuneraient-ils sur le pouce. Pour fêter la nouvelle année.

– Dieu soit loué ! Tu vas bien. Tu passeras demain ?

– Je te le promets, dit David.

– Et tu ne m'as jamais manqué de parole.

– C'est juré. Demain. Et Aaron...

– Oui ?

– J'aurai sans doute besoin de trouver quelqu'un ce soir. Je ne sais pas très bien où chercher, mais probablement dans le Bottin mondain. Où en sont tes relations de Park Avenue ?

Le vieil homme eut le petit rire tranquille, bon enfant, légèrement supérieur, que David connaissait bien.

– Je suis le seul juif avec une Torah à la main à St. John the Divine. On s'arrache les artistes... pour rien, bien entendu. Croix rouge, Croix verte, débutantes pour les bandages des blessés de guerre, soirées dansantes en l'honneur de Français médaillés portant des noms à coucher dehors. Tu l'as dit, Mandel est de toutes les fêtes. J'ai trois sopranos, deux pianistes et cinq barytons de Broadway qui se produisent ce soir, en l'honneur de « nos soldats ». Tous dans les beaux quartiers.

– Je t'appellerai peut-être bientôt. Seras-tu encore à ton bureau ?

– Où veux-tu que je sois ? Quand les soldats et les imprésarios prennent-ils des vacances ?

– Tu n'as pas changé.

– Le principal, c'est que tu sois en bonne santé...

A peine David eut-il raccroché que le téléphone sonna.

– J'ai le numéro et l'adresse de votre réception à Bernardsville, monsieur Spaulding.

– Pouvez-vous me les donner, s'il vous plaît ?

L'opératrice lui transmit les renseignements, qu'il nota sur le bloc-notes près de l'appareil.

– Désirez-vous que je vous le passe, monsieur ?

David hésita.

– Oui, s'il vous plaît, dit-il. Je reste en ligne. Demandez Mme Hawkwood, s'il vous plaît.

– Mme Hawkwood. Très bien, monsieur. Mais je peux vous rappeler dès que je l'aurai.

– Je préfère ne pas quitter...

David se rattrapa, mais pas à temps. Ce n'était qu'une petite gaffe, mais l'opératrice la releva.

– Bien sûr, monsieur Spaulding, répondit-elle d'un ton entendu. Si quelqu'un d'autre prend la communication, vous souhaitez l'interrompre, je suppose.

– Je vous le dirai.

L'opératrice, qui se sentait complice de quelque intrigue sentimentale, joua son rôle avec efficacité et fermeté. Elle composa le numéro de l'extérieur et, quelques instants plus tard, on entendit sonner à Bernardsville. Une femme répondit. Ce n'était pas Leslie.

– Mme Hawkwood, s'il vous plaît.

– Mme...

A l'autre bout de la ligne, la voix parut hésitante.

– Mme Hawkwood, s'il vous plaît. Interurbain, dit l'opératrice du Montgomery, comme si elle appartenait à la compagnie du téléphone et qu'elle procédait à un appel avec préavis.

– Mme Hawkwood n'est pas là, mademoiselle.

– Pouvez-vous me dire à quelle heure elle doit rentrer s'il vous plaît ?

– A quelle heure ? Mon Dieu, mais elle ne rentre pas. Du moins, je ne le pense pas...

Sans se démonter, l'employée du Montgomery enchaîna :

– Y a-t-il un numéro où l'on puisse joindre Mme Hawkwood ? demanda-t-elle en l'interrompant poliment.

– Eh bien...

A Bernardsville, on ne cachait plus son étonnement.

– En Californie, je suppose..., fit la voix.

David comprit que le moment était venu d'intervenir.

– Je prends la communication, mademoiselle.

– Très bien, monsieur.

Il y eut un bruit indiquant que le standard se retirait de la ligne.

– Madame Jenner ?

– Oui, c'est Mme Jenner, répondit-on à Bernardsville, visiblement soulagé d'entendre un nom plus familier.

– Je m'appelle David Spaulding. Je suis un ami de Leslie et...

Mon Dieu ! Il avait oublié le prénom de son mari.

– ... Et du capitaine Hawkwood. On m'a donné ce numéro...

– Ça alors, David Spaulding ! Comment allez-vous, mon cher ? Je suis Madge Jenner, petit imbécile ! Mon Dieu, cela fait bien huit ans, dix ans. Comment vont votre père et votre mère ? J'ai entendu dire qu'ils habitaient Londres. C'est si courageux !

« Ce n'est pas possible ! » songea David. Il ne lui était pas venu à l'esprit que la mère de Leslie se rappellerait les deux mois passés à East Hampton dix ans auparavant.

– Oh, madame Jenner... Ils vont bien. Je suis navré de vous déranger...

– Jamais vous ne nous dérangerez, mon cher enfant. Ici, nous ne sommes que deux ou trois palefreniers. James a doublé notre écurie. Et personne ne veut plus s'occuper des chevaux... Vous pensiez que Leslie était là ?

– Oui, c'est ce que l'on m'a dit.

– Je suis désolée, mais c'était une erreur. Pour être franche, nous avons rarement de ses nouvelles. Elle a déménagé en Californie, vous savez.

– Oui, avec sa tante.

– Ce n'est qu'une demi-tante, mon cher. Ma demi-sœur. Nous ne nous entendions pas très bien, je le crains. Elle a épousé un juif. Il se fait appeler Goldsmith, sûrement une déformation de Goldberg ou de Goldstein, non ? Nous sommes convaincus qu'il fait du marché noir, des trafics illicites, si vous voyez ce que je veux dire.

– Oh ? Oui, je vois... Alors, Leslie n'est pas venue sur la côte est pour Noël ?

– Bien sûr que non ! Elle nous a à peine envoyé une carte de vœux...

Il eut envie d'appeler Ed Pace à Fairfax, d'informer le chef des services secrets que le G-2 de Californie s'était fait blouser. Mais cela ne servait à rien. Leslie Jenner Hawkwood était à New York.

Il devait découvrir pourquoi.

Il rappela Mandel et lui donna deux noms : celui de Leslie et celui de Cindy Tottle Bonner, la veuve de Paul Bonner, le héros. Sans le dire clairement, David laissa entendre que sa curiosité était aussi professionnelle. Mandel ne posa aucune question. Il se mit au travail.

Spaulding se rendit compte qu'il lui était facile de téléphoner à Cindy Bonner, de lui présenter des excuses et de lui demander un rendez-vous. Mais il ne pouvait prendre le risque d'essuyer un refus. C'était probablement ce qui se produirait après son coup de téléphone nocturne. Ce n'était donc pas le moment. Il faudrait qu'il la voie, qu'il établisse un contact personnel.

Peut-être ne lui révélerait-elle rien d'intéressant. Il avait pourtant appris à développer certains instincts qui ne trompaient pas... Invertis, complexes, irrationnels... ataviques.

Vingt minutes passèrent. Il était trois heures moins le quart. Le téléphone sonna.

– David ? Aaron. Cette madame Hawkwood, il n'y a absolument rien. Tout le monde dit qu'elle est partie en Californie et personne n'a de ses nouvelles... Mme Paul Bonner : on donne une réception privée, ce soir, 62ᵉ Rue, chez les Warfield. Numéro 212.

– Merci. J'attendrai dehors et je m'y rendrai sans y avoir été convié, avec tout mon savoir-vivre.

– Ce n'est pas la peine. Tu as une invitation. De la maîtresse de maison en personne. Elle s'appelle Andrea et elle est enchantée d'inviter un militaire, fils du célèbre tu-sais-qui. Elle aura également besoin d'une soprano en février, mais ça, c'est mon problème.

19.

31 décembre 1943, New York

La clientèle des dîners à la *Galerie* semblait s'être transplantée telle quelle dans l'hôtel particulier des Warfield, 62ᵉ Rue. David s'y fondit facilement dans la foule. Le petit insigne doré qu'il portait au revers de sa veste lui facilita la tâche : on ne l'en acceptait que mieux, mais il était aussi plus disponible. Le buffet était superbe et l'alcool coulait à flots. Il y avait un excellent petit orchestre de jazz noir.

Il trouva Cindy Bonner dans un coin. Elle attendait que son chevalier servant, un lieutenant, revînt du bar. Petite, les cheveux roux et le teint pâle, presque blême, elle avait adopté une posture comme on en voit dans *Vogue*, le corps élancé, une tenue luxueuse, très stricte. Elle avait un air pensif, pas triste cependant. Elle n'avait rien de la veuve du héros, rien d'héroïque. Une petite fille riche.

– Je vous présente mes excuses les plus sincères, lui dit-il. J'espère que vous les accepterez.

– Je ne vois vraiment pas pourquoi. Je ne crois pas que nous ayons été présentés.

Elle lui sourit, un sourire hésitant, comme si sa présence évoquait un vague souvenir. Spaulding s'en rendit compte et comprit. C'était sa voix. Cette voix qui, autrefois, lui avait rapporté tant d'argent.

– Je m'appelle Spaulding. David...

– Vous avez téléphoné l'autre nuit, l'interrompit-elle, les yeux furibonds. Les cadeaux de Noël de Paul. Leslie...

– C'est pour cela que je vous présente des excuses. C'était un terrible malentendu. Je vous demande de me pardonner. Ce n'est pas le genre de plaisanterie auquel je me livre. J'étais aussi furieux contre moi que vous.

Il parlait avec calme, en soutenant son regard. Cela suffit. Elle battit des paupières, essaya de comprendre. Sa colère s'estompait. Elle jeta un rapide coup d'œil au minuscule aigle de bronze sur son revers, un insigne qui pouvait signifier pratiquement n'importe quoi.

– Je vous crois.

– Vous avez raison. La situation était folle, mais je ne suis pas fou.

Le lieutenant revint, deux verres à la main. Il était ivre et hostile. Cindy fit rapidement les présentations. Le lieutenant salua à peine ce civil qui se tenait devant lui. Il voulait danser. Pas Cindy. Le climat qui s'était installé était sur le point de se détériorer.

– Je me suis battu aux côtés du mari de Mme Bonner. J'aimerais lui parler quelques minutes. Je dois partir bientôt, ma femme m'attend en ville.

Ce faisceau d'indices, plutôt rassurants, rendit perplexe le lieutenant ivre, qui se radoucit. On faisait appel à sa galanterie. Il s'inclina maladroitement et retourna vers le bar.

– Joliment fait, dit Cindy. Cela me surprendrait qu'il y ait une Mme Spaulding en ville. Vous m'avez dit que vous sortiez avec Leslie. Ça ne m'étonne pas d'elle.

David regarda la fille. « Fais confiance à ton instinct, » pensa-t-il.

– Il n'y a pas de Mme Spaulding. Mais il y avait une Mme Hawkwood l'autre soir. J'ai l'impression que vous ne l'aimez pas beaucoup.

– Mon mari et elle ont eu ce que l'on appelle poliment une « liaison ». Une longue liaison. Certains prétendent que je l'ai forcée à déménager en Californie.

– Alors, je vais vous poser une question qui me semble s'imposer. Étant donné les circonstances, pourquoi a-t-elle prononcé votre nom, avant de disparaître? Elle savait que j'essaierais de vous contacter.

– Je crois que vous avez utilisé le terme « fou ». Elle est folle.

– Ou bien elle essayait de me dire quelque chose.

David quitta les Warfield peu après les premiers instants de l'année nouvelle. A l'angle de Lexington Avenue, il prit la direction du sud. Il ne lui restait plus qu'à marcher, réfléchir, trouver le lien entre les divers renseignements qu'il avait glanés, imaginer un schéma cohérent.

Il n'y parvenait pas. Cindy Bonner était une veuve pleine d'amertume. La mort de son mari au champ d'honneur lui avait volé sa vengeance. Si on l'en croyait, tout ce qu'elle désirait, c'était oublier. Mais elle avait été profondément blessée. Leslie et Paul Bonner avaient eu plus qu'une « liaison ». A entendre Cindy, les Bonner en étaient arrivés, chacun de leur côté, à demander le divorce. La confrontation entre les deux femmes n'apportait cependant nulle confirmation à l'histoire de Paul Bonner. Leslie Jenner Hawkwood n'avait aucunement l'intention de divorcer.

Ce n'était qu'une sale affaire, embrouillée, dans les milieux les plus mondains. Les « lits musicaux » auxquels Ed Pace avait fait allusion.

Alors, pourquoi Leslie avait-elle cité le nom de Cindy ? Ce n'était pas seulement provocant, de mauvais goût, cela n'avait aucun sens.

Il était plus de minuit quand il traversa la 52e Rue. Les klaxons stridents des quelques automobiles qui passaient là retentirent. Au loin, en entendit des cloches et des sirènes. De l'intérieur des bars lui parvinrent les voix bêlantes et suraiguës des fêtards, la cacophonie de leurs cris. Trois marins à l'uniforme crasseux chantaient fort et faux au grand amusement des badauds.

Il poursuivit son chemin vers l'ouest, en direction des cafés alignés entre Madison Avenue et la Cinquième Avenue. Il pensa s'arrêter au Shor's ou au 21... dans quelque dix minutes. Le temps que le vacarme de la fête s'apaisât.

— Bonne année, colonel Spaulding.

La voix aiguë venait d'un porche sombre.

— Pardon ?

David s'arrêta net et scruta l'obscurité. Un homme grand en pardessus gris, léger, le visage dissimulé par le bord de son chapeau, se tenait là, immobile.

— Qu'avez-vous dit ?

— Je vous ai souhaité une bonne année, fit l'homme. Inutile de vous dire que je vous ai suivi. Je vous ai rattrapé il y a quelques minutes.

Il avait un léger accent, que David ne parvenait pas à définir. Une prononciation à l'anglaise doublée d'un accent d'Europe centrale. Peut-être des Balkans.

— Je trouve cela très étrange et... inutile de vous dire... assez désagréable.

Spaulding ne bougea pas. Il n'avait pas d'arme et se demandait si l'individu caché sous le porche était armé, lui. Il n'en savait rien.

— Que voulez-vous ?

— Tout d'abord, vous souhaiter la bienvenue au pays. Vous avez été absent si longtemps !

— Merci... Maintenant, si cela ne vous ennuie pas...

— Si, cela m'ennuie ! Ne bougez pas, mon colonel ! Restez où vous êtes comme si vous bavardiez avec un vieil ami. Ne reculez pas. J'ai un 45 millimètres pointé sur votre poitrine.

Sur le trottoir, quelques passants contournèrent David. Un couple sortit du hall d'un immeuble, à une dizaine de mètres à droite du porche obscur. Ils semblaient pressés et se faufilèrent entre Spaulding et l'arme invisible. David eut la tentation de se servir d'eux, mais deux considérations l'en empêchèrent. Tout d'abord, il aurait mis gravement le couple en danger. Et puis l'homme au pistolet avait quelque chose à dire. S'il avait voulu le tuer, il l'aurait déjà fait.

– Je ne bougerai pas... De quoi s'agit-il?

– Avancez de deux pas. Juste deux. Pas plus.

David obtempéra. Il distinguait mieux le visage de son interlocuteur, sans que celui-ci fût encore nettement dessiné. C'était un visage fin, émacié et ridé. Aux yeux enfoncés dans les orbites et cernés. Des yeux fatigués. Ce que David distinguait le mieux, c'était le canon lisse du pistolet. L'homme dirigeait sans cesse son regard vers la gauche, derrière Spaulding. Il cherchait quelqu'un. Il attendait.

– D'accord. Deux pas. Personne ne peut se mettre entre nous... Vous attendez quelqu'un?

– On m'a dit que l'agent principal de Lisbonne avait beaucoup de sang-froid. Vous venez de me le confirmer. Oui, j'attends. On vient bientôt me chercher.

– Devrai-je vous suivre?

– Ce ne sera pas nécessaire. Je suis là pour vous transmettre un message, c'est tout... L'incident de Lajes. C'est regrettable, l'œuvre de fanatiques. Néanmoins, considérez cela comme un avertissement. Il est difficile de contrôler la fureur des gens. Vous en êtes certainement conscient. Fairfax devrait en être conscient. Ils le seront avant la fin du premier jour de cette année. Peut-être savent-ils déjà... Voici ma voiture. Placez-vous à ma droite, à votre gauche.

David lui obéit, tandis que l'homme avançait vers le bord du trottoir en dissimulant le pistolet sous son manteau.

– Prenez garde, mon colonel. Il n'y aura pas de négociations avec Franz Altmüller. Cette affaire est terminée.

– Attendez une minute! Je ne sais pas de quoi vous voulez parler. Je ne connais pas d'Altmüller.

– Terminée! Retenez la leçon de Fairfax!

Une berline marron foncé s'approcha, tous phares allumés. Elle s'arrêta, la portière arrière s'ouvrit brutalement et l'inconnu à la grande taille courut entre les piétons avant de s'engouffrer à l'intérieur. La voiture démarra aussitôt.

David se précipita au bord du trottoir pour relever le numéro de la plaque du véhicule. C'était le moins qu'il pût faire.

Il n'y en avait pas. Il n'y avait pas de plaque minéralogique à l'arrière.

Au-dessus du coffre, derrière la vitre oblongue, un visage s'était retourné pour le regarder. Sous le choc, sa respiration se bloqua. Pendant un quart de seconde, il se demanda si ses yeux, ses sens ne le trahissaient pas, si son imagination ne le ramenait pas vers Lisbonne.

Il poursuivit la voiture, courut sur la chaussée en évitant les automobiles et ces maudits noceurs qui fêtaient le nouvel an.

La berline tourna dans Madison Avenue, en direction du nord, et fila. Il resta dans la rue, à bout de souffle.

A l'arrière de cette voiture, il avait aperçu le visage d'un homme qui avait participé aux opérations les plus confidentielles, partant du Portugal et d'Espagne.

Marshall. Le patron du chiffre à Lisbonne.

David demanda à un chauffeur de taxi de le ramener au Montgomery en cinq minutes au plus. Le chauffeur releva le défi. Il lui en fallut sept, mais la circulation était dense sur la Cinquième Avenue et Spaulding lui donna cinq dollars avant d'entrer dans le hall au pas de course.

Il n'y avait pas de messages.

Il n'avait pas pris la peine de poser de fil à la serrure de sa porte. Un oubli délibéré, songea-t-il. Il fallait laisser le champ libre au service des chambres et, si cela avait pu inciter ceux qui avaient fouillé sa chambre deux jours plus tôt à revenir, il n'aurait pas hésité. Une seconde tentative pouvait entraîner quelque négligence, laisser des indices permettant d'identifier les intrus.

Il retira son manteau à la hâte et se dirigea vers la coiffeuse où il avait posé une bouteille de whisky. Il y avait deux verres propres sur un plateau d'argent, à côté du whisky. David prit le temps de se servir un verre avant d'appeler Fairfax.

— Bonne année, dit-il lentement en portant son verre à ses lèvres.

Il s'approcha du lit, saisit le téléphone et donna le numéro de Virginie au standard. Les lignes du district de Washington étaient encombrées. Il y avait plusieurs minutes d'attente.

Qu'avait bien pu vouloir dire cet homme ? *Retenez la leçon de Fairfax.* A quoi faisait-il allusion ? Qui était Altmüller... Quel était son prénom ?... Franz. Franz Altmüller.

Qui était-il ?

L'« incident » du terrain d'aviation de Lajes était donc bien dirigé contre lui. Mais pourquoi, bon sang ?

Et Marshall. C'était bien Marshall qu'il avait aperçu derrière cette vitre ! Il ne s'était pas trompé.

— Quartier général de la division des manœuvres, s'entendit-il répondre d'un ton monocorde, de l'État de Virginie, comté de Fairfax.

— Le colonel Edmund Pace, s'il vous plaît.

Il y eut un bref silence à l'autre bout de la ligne. David perçut ce léger bruit de souffle qu'il connaissait bien.

Celui d'un intercepteur, généralement relié à un magnétophone.

– Qui demande le colonel Pace ?

Cette fois, ce fut David qui hésita. Il se dit qu'il n'avait peut-être pas remarqué ce bruit lors de ses précédents appels. C'était tout à fait possible et Fairfax était, après tout... eh bien, Fairfax.

– Spaulding. Lieutenant-colonel David Spaulding.

– Puis-je lui transmettre un message, mon colonel ? Il est en conférence.

– Non, vous ne pouvez pas. Vous *devez* me passer le colonel.

– Je suis désolé, mon colonel.

L'hésitation dont on faisait preuve à Fairfax lui parut de plus en plus étrange.

– Laissez-moi un numéro de téléphone...

– Écoutez, mon vieux, je m'appelle Spaulding. Mon numéro de code est quatre-zéro et cet appel est prioritaire. Si ces chiffres ne signifient rien pour vous, demandez au petit salaud qui écoute cette conversation. Il faut que je le joigne d'urgence. Passez-moi le colonel Pace !

Il entendit un double déclic sur la ligne. Une voix dure, basse, prit la communication.

– Je suis le colonel Barden, colonel Spaulding. J'ai également quatre-zéro pour numéro de code et tous ceux qui correspondent à ces chiffres sont filtrés par le petit salaud que je suis. Bon, je ne suis pas d'humeur à accepter n'importe quelle connerie. Qu'est-ce que vous voulez ?

– J'apprécie votre franchise, mon colonel, dit David qui souriait malgré l'urgence de la situation. Passez-moi Ed. C'est vraiment urgent. C'est au sujet de Fairfax.

– Je ne peux pas vous le passer, colonel. Nous n'avons plus de lignes, je ne plaisante pas. Ed Pace est mort. Il a reçu une balle dans la tête, il y a une heure. Un salopard est venu le tuer ici même, à l'intérieur de l'enceinte.

20.

1er janvier 1944, Fairfax, Virginie

Il était quatre heures et demie du matin quand le véhicule militaire qui transportait Spaulding atteignit le portail de Fairfax.

On avait alerté les gardes. Spaulding, en civil, n'était porteur d'aucune autorisation spéciale. On vérifia la photographie de son dossier avant de le laisser passer. David eut envie de voir cette photo. Une photo vieille de quatre ans, à sa connaissance. Une fois à l'intérieur, l'automobile tourna brusquement à gauche et se dirigea vers la partie sud de l'immense enceinte. Après avoir parcouru environ sept cents mètres sur la route de gravillons, dépassé les rangées de baraques préfabriquées métalliques, la voiture s'arrêta devant une sorte de baraquement. C'était le bâtiment de l'administration du camp.

Il y avait deux caporaux, un de chaque côté de la porte. Le chauffeur, un sergent, sortit du véhicule et fit signe aux sous-officiers de laisser passer Spaulding. Il était déjà devant eux.

On conduisit David à un bureau, au deuxième étage. Il y avait deux hommes à l'intérieur : le colonel Ira Barden et un médecin du nom de McCleod, un capitaine. Barden était un homme petit et râblé avec une allure de gardien de terrain de football et des cheveux bruns coupés ras. McCleod était voûté, mince, pourvu de lunettes, l'image même de l'universitaire pensif.

Barden perdit le minimum de temps en présentations. Celles-ci terminées, il alla droit au fait.

– Nous avons doublé les patrouilles partout, placé des hommes armés de K-9 le long des clôtures. J'imagine que personne ne peut s'échapper. Ce qui nous inquiète, c'est que quelqu'un puisse être sorti avant.

– Comment est-ce arrivé ?

– Pace recevait quelques amis pour le nouvel an. Douze, pour être exact. Il y en avait quatre de son propre bâtiment, trois des archives, le reste venait de l'administration. Triés sur le volet... nous sommes à Fairfax, quoi ! Autant que nous puissions en juger, il est passé par la porte de derrière vers minuit vingt. Pour sortir les poubelles, pensons-nous. Peut-être voulait-il simplement prendre l'air. Il n'est pas revenu... Un garde qui se trouvait un peu plus bas sur la route est monté. Il avait entendu un coup de feu. Personne d'autre n'avait entendu quoi que ce soit. Du moins, pas à l'intérieur.

– C'est bizarre. Ces bâtiments sont à peine insonorisés.

– On avait mis le phonographe.

– Je croyais que c'était une soirée des plus strictes.

Barden jeta un regard sévère à Spaulding. Ce n'était pas de la colère, mais sa manière de lui exprimer sa profonde inquiétude.

– Ce tourne-disque n'a marché qu'une trentaine de secondes. L'arme utilisée, la balistique l'a confirmé, était une arme d'entraînement, un calibre 22.

– Une détonation aiguë, rien de plus, dit David.

– Exactement, le phonographe donnait le signal.

– A l'intérieur. Au beau milieu de la soirée, ajouta Spaulding.

– Oui... McCleod est le psychiatre de la base. Nous avons passé en revue tous les participants...

– Psychiatre ? fit David, perplexe.

C'était un problème de sécurité, pas de médecine.

– Ed ne faisait pas de sentiment, vous le savez aussi bien que moi. Il vous a formé... Je vous ai convoqué, Lisbonne, pour avoir un point de vue. Nous nous occupons des autres.

– Écoutez, interrompit le médecin, il faut que vous parliez tous les deux et moi, j'ai des dossiers à consulter. Je vous appellerai dans la matinée. Plus tard dans la matinée, Ira. Enchanté d'avoir fait votre connaissance, Spaulding. J'aurais préféré des circonstances différentes.

– Moi aussi, dit Spaulding en serrant la main qu'on lui tendait.

Le psychiatre empila les dossiers qui se trouvaient sur le bureau du colonel et quitta la pièce.

La porte se referma. Barden désigna un fauteuil à Spaulding. David s'assit en se frottant les yeux.

– Fichu nouvel an, n'est-ce pas ? dit Barden.

– J'en ai connu de meilleurs, répliqua Spaulding.

– Souhaitez-vous que nous parlions de ce qui vous est arrivé ?

– Je ne crois pas que ce soit important. On m'a arrêté dans la rue. Je vous ai dit ce que l'on m'avait dit. La « leçon de Fairfax », c'était Ed Pace, de toute évidence. Cela doit avoir un rapport avec un général de brigade du ministère de la Guerre nommé Swanson.

– Je crains que non.

– Certainement si.

– Négatif. Pace n'était pas impliqué dans l'opération menée par le ministère de la Guerre. Il s'est contenté de vous recruter : un simple transfert.

David se souvint des paroles d'Ed Pace : *Je ne suis pas au courant... Qu'en pensez-vous ? Avez-vous rencontré Swanson ?* Il regarda Barden.

– Alors quelqu'un est persuadé qu'il l'était. Même motif. Lié au sabotage de Lajes. Aux Açores.

– Comment ?

– Ce salopard me l'a dit dans la 52e Rue ! Il y a cinq *heures* de cela... Écoutez, Pace est mort. Cela vous laisse une certaine latitude, était donné les circontances. Je veux vérifier les dossiers quatre-zéro d'Ed. Tout ce qui présente un lien avec mon transfert.

– Je l'ai déjà fait. Après votre appel, ce n'était pas la peine d'attendre un inspecteur général. Ed était parmi mes amis les plus intimes...

– Et alors ?

– Il n'y a pas de dossiers. Rien.

– Il doit y en avoir un ! Il doit y avoir un dossier sur Lisbonne. Pour moi.

– Il y en a un. Il signale un simple transfert au ministère de la Guerre. Pas de noms. Juste un mot. Un seul : Tortugas.

– Et les papiers que vous avez préparés ? La démobilisation, le dossier médical. 5e armée, 112e bataillon ? L'Italie ?... On n'a pas pu les faire sans qu'il existe un dossier à Fairfax !

– C'est la première fois que j'en entends parler. Il n'y a rien de tout cela dans les coffres d'Ed.

– Un commandant, je crois qu'il s'appelait Winston, est venu me chercher sur le terrain de Mitchell. J'ai pris l'avion pour Terre-Neuve avec une patrouille côtière. Il m'a apporté les papiers.

– Il vous a apporté une enveloppe cachetée et donné des instructions orales. C'est du moins ce qu'il dit.

– Mon Dieu ! Qu'est-il advenu de la prétendue efficacité de Fairfax ?

– Vous allez me le dire. Et pendant que vous y êtes, qui a assassiné Ed Pace ?

David fixa Barden du regard. Le mot assassinat ne lui était pas venu à l'esprit. On n'assassinait pas. On tuait, cela faisait partie du métier. Mais un assassinat ? C'était pourtant un assassinat.

– Je ne peux pas vous le dire. Mais je peux vous indiquer par où vous devez commencer votre enquête.

– Je vous en prie.

– Contactez Lisbonne. Essayez de savoir ce qui est arrivé à un cryptographe du nom de Marshall.

1er janvier 1944, Washington, D.C.

Alan Swanson eut vent de l'assassinat de Pace de manière indirecte. La nouvelle le glaça.

Il s'était rendu à Arlington, à un réveillon intime donné par son supérieur hiérarchique, un général de l'Intendance, quand le téléphone sonna. C'était une communication urgente pour un autre invité, un général de l'état-major. Swanson se trouvait près de la porte de la bibliothèque quand l'homme en sortit. Il était blême, comme frappé de stupeur.

– Mon Dieu ! avait-il dit sans s'adresser à quelqu'un de particulier. On a descendu Pace à Fairfax. Il est mort !

Les quelques personnes réunies à Arlington faisaient partie des plus hauts gradés de l'institution militaire. Il était inutile de leur dissimuler la nouvelle. Ils l'apprendraient tôt ou tard.

Swanson fut pris de panique en pensant à l'opération de Buenos Aires. Y avait-il un quelconque rapport ?

Il écouta les généraux à deux ou trois étoiles se lancer dans des spéculations effrénées en conservant un certain sang-froid. Il entendit les mots... *infiltrés, tueurs à gages, agents doubles*. On avançait des théories folles, ahurissantes... en toute rationalité... L'un des agents clandestins de Pace serait derrière cet assassinat. On avait payé un transfuge pour retourner à Fairfax. Il y avait, quelque part, un maillon faible dans la chaîne des services secrets, un maillon que l'on avait acheté.

Pace n'était pas seulement un homme de renseignements hors du commun, c'était aussi l'un des meilleurs éléments du bureau central des Alliés. Au point de demander deux fois que sa nomination de général de brigade fût enregistrée mais non publiée afin de lui conserver un profil bas.

Son profil n'avait pas été assez bas. On devait attacher un prix extraordinaire à cet homme extraordinaire qu'était Pace. De Shanghai à Berne. Les règles de sécurité de Fairfax étant on ne peut plus strictes, on avait dû préparer l'attentat depuis des mois. Le concevoir comme un projet à long terme, à exécuter de l'intérieur. Il n'y avait aucun autre moyen de parvenir à cette fin. Plus de cinq cents personnes se trouvaient dans l'enceinte de la base, y compris les unités d'espionnage qui venaient s'y entraîner par roulement et qui comprenaient des ressortissants de nombreux pays étrangers. Il était impossible de concevoir un système de sécurité infaillible dans de telles conditions. Il suffisait qu'un homme se glisse entre les mailles du filet.

Préparé depuis des mois... Un transfuge qui était retourné à Fairfax... Un agent double... Un maillon faible des services secrets que l'on avait payé une fortune. De Berne à Shanghai.

Un projet à long terme !

Tels étaient les expressions et les jugements qu'avait entendus Swanson avec une grande clarté, parce qu'il voulait les entendre.

Ils éliminaient l'hypothèse de Buenos Aires. La mort de Pace n'avait rien à voir avec Buenos Aires parce que les dates ne concordaient pas.

L'échange Rhinemann n'avait été élaboré que trois semaines plus tôt. Il était donc inconcevable que le meurtre de Pace ait un lien avec cette affaire. Si c'était le cas, cela signifiait que lui, en personne, avait rompu le silence.

Personne d'autre ne connaissait le rôle qu'avait joué Pace. Et même Pace ne savait pas grand-chose.

Rien que des fragments.

Une idée traversa l'esprit d'Alan Swanson, et il s'émerveilla de son raisonnement froid et calculateur. L'idée avait germé du tréfonds de son cerveau. Cela lui fit froid dans le dos. Pace mort, Fairfax ne pourrait plus relier entre eux les divers événements qui menaient à l'opération de Buenos Aires. La responsabilité du gouvernement des États-Unis était repoussée d'un cran.

Comme s'il cherchait un appui immatériel, il avoua au petit groupe de collègues qui l'entouraient qu'il avait récemment été en communication avec Fairfax, avec Pace en fait, pour une question mineure, une simple autorisation. Cela n'avait pas la moindre importance, mais il espérait que...

L'appui recherché vint instantanément. Le général d'état-major, deux généraux de brigade et un général trois étoiles vinrent à la rescousse. Ils avaient eux aussi eu recours à Pace.

Fréquemment. De toute évidence plus que lui.

— On gagnait beaucoup de temps en traitant directement avec Ed, dit l'officier d'état-major. Il consultait ses bandes et vous envoyait quelqu'un de compétent sur-le-champ.

Repoussée d'un cran.

De retour dans son appartement de Washington, Swanson connut de nouveau le doute. Des doutes, mais aussi des arguments positifs. L'assassinat de Pace risquait de poser un problème, de provoquer des ondes de choc. On procéderait à une enquête approfondie, on chercherait dans toutes les directions. Mais on allait surtout s'intéresser à Fairfax. Ce qui perturberait le bureau central des services secrets alliés. Un certain temps, du moins. Il fallait donc agir maintenant. Walter Kendall devait se rendre à Buenos Aires et conclure un accord avec Rhinemann.

Les plans du système de navigation de Peenemünde. Seuls comptaient les plans.

Pour commencer, ce soir, ce matin : David Spaulding. Il était temps d'informer l'ancien agent de Lisbonne de sa nouvelle affectation.

Swanson décrocha le téléphone. Sa main tremblait.

La culpabilité devenait insoutenable.

1ᵉʳ janvier 1944, Fairfax, Virginie

— Marshall a été tué à quelques kilomètres d'un endroit appelé Valdero. Au Pays Basque. Il s'est fait prendre dans une embuscade.

— Ce sont des âneries ! Marsh n'est jamais allé au nord ! Il n'était pas entraîné pour cela, il n'aurait pas su quoi faire !

David avait bondi hors de son fauteuil et tenait tête à Barden.

— Les règles changent. Vous n'êtes plus l'homme de Lisbonne... Il y est allé et il a été tué.

— Quelle est votre source ?

— L'ambassadeur en personne.

— Et sa source ?

— Les filières habituelles, je suppose. Il a dit que l'information avait été confirmée. Qu'il avait été identifié.

— Ça n'a pas de sens.

— Qu'est-ce que vous voulez ? Un cadavre ?

— Cela va sans doute vous surprendre, Barden, mais je ne cracherais pas sur une main ou un doigt. Ça permet une véritable identification... Vous avez des photos ? Des gros plans de ses blessures, de ses yeux ? Même ça, on peut le maquiller.

— On ne m'a rien signalé de tel. Mais qu'est-ce qui vous prend, bon sang ? Puisque c'est confirmé.

— Vraiment ?

David fixa Barden du regard.

— Pour l'amour du ciel, Spaulding ! Qu'est-ce que c'est que... ce « Tortugas » ? Si c'est cela qui a tué Ed Pace, je veux le savoir. Et je finirai bien par le découvrir ! Je me fous des cryptos de Lisbonne !

Le téléphone sonna sur le bureau de Barden. Le colonel y jeta un rapide coup d'œil avant de tourner de nouveau son attention vers Spaulding.

— Répondez, dit David. L'un de ces coups de fil concernera la victime. Pace a une famille... Avait.

— Ne me compliquez pas la vie davantage.

Barden s'avança vers son bureau.

– Ed devait prendre un congé sous escorte ce vendredi. J'appellerai plus tard, dans la matinée... Oui ?

Le colonel écouta son interlocuteur pendant quelques secondes, puis il leva les yeux vers Spaulding.

– C'est l'opérateur de la ligne de New York. Celui qui vous couvre. Le général Swanson essaie de vous joindre. Il l'a au bout du fil. Voulez-vous qu'il vous le passe ?

David se souvint de ce que lui avait dit Pace de ce général de brigade un peu nerveux.

– Êtes-vous obligé de lui dire que je suis là ?

– Bien sûr que non.

– Alors, passez-le-moi.

Barden se glissa derrière son bureau tandis que Spaulding, qui avait pris l'appareil, répétait un certain nombre de fois : Oui, mon général. Après quoi il reposa le téléphone.

– Swanson m'a demandé de passer à son bureau ce matin.

– Je veux savoir pourquoi ils vous ont extirpé de Lisbonne, déclara Barden.

David s'assit dans le fauteuil sans lui répondre tout de suite.

– Je ne suis pas certain que cela ait un rapport..., fit-il d'un ton qui ne se voulait ni trop militaire ni trop officieux... Quelque chose. Je ne veux pas me défiler. Même si j'en ai presque le devoir. Je tiens à laisser un certain nombre de portes ouvertes. Appelez ça de l'instinct, je ne sais pas... Il y a un homme du nom d'Altmüller... Qui est-il ? où est-il ? je n'en ai pas la moindre idée. Allemand, suisse ? je l'ignore... Trouvez ce que vous pourrez dans les archives quatre-zéro. Appelez-moi à l'hôtel Montgomery à New York. J'y serai au moins jusqu'à la fin de la semaine. Ensuite, je me rendrai à Buenos Aires.

– Je le ferai si vous me donnez quelques éléments... Bon sang, dites-moi ce qui se passe.

– Ça ne vous plairait pas. Si je le faisais et s'il y avait un lien avec notre affaire, cela signifierait que Fairfax est relié à Berlin par une ligne codée.

1er janvier 1944, New York

L'avion d'affaires amorça sa descente vers l'aéroport de La Guardia. David regarda sa montre. Il était un peu plus de midi. Tout s'était passé en l'espace d'une demi-journée : Cindy Bonner, l'étranger de la 52e Rue, Marshall, l'assassinat de Pace, Barden, la nouvelle de Valdero... et enfin l'étrange entrevue avec un supérieur amateur, le général de brigade Alan Swanson, au ministère de la Guerre.

Une demi-journée.

Cela faisait presque quarante-huit heures qu'il n'avait pas dormi. Il avait besoin de sommeil pour voir plus clair, pour rassembler les pièces d'un puzzle insaisissable. Une chose était claire.

Il fallait tuer Erich Rhinemann.

Il fallait l'éliminer, de toute évidence. La seule chose qui surprît David fut la manière peu professionnelle dont l'ordre lui en avait été donné. Cela ne nécessitait ni long développement ni excuses. Enfin son transfert de Lisbonne lui avait été expliqué. La grande question : pourquoi ? avait trouvé une réponse. Il n'était pas expert en gyroscopes : le choix de sa personne était donc incompréhensible. A présent, il ne l'était plus. Il était l'homme de la situation : Pace avait choisi en professionnel. C'était un travail qui lui convenait, en plus de ses fonctions d'agent de liaison bilingue entre l'expert en gyroscopes muet, Eugène Lyons, et l'homme de Rhinemann qui devait apporter les plans.

Cet aspect-là était clair. Il fut soulagé de constater que tout devenait cohérent.

Ce qui le préoccupait encore, c'était la face cachée de l'opération.

Le Marshall de l'ambassade, le crypto qui, cinq jours auparavant, était venu le chercher, sous des trombes d'eau, à l'aéroport de Lisbonne. L'homme qu'il avait *reconnu* et qui l'observait derrière la vitre arrière d'une automobile qui filait sur la 52ᵉ Rue. L'homme qui avait été tué, prétendait-on, dans une embuscade dans les régions du Nord, là où il ne s'aventurait jamais. Et ne s'aventurerait jamais.

Leslie Jenner Hawkwood. L'ingénieuse ex-maîtresse qui lui avait menti pour l'éloigner de sa chambre d'hôtel, qui avait commis l'erreur stupide d'utiliser le nom de Cindy Bonner, d'inventer cette histoire d'échange de cadeaux pour un mari mort et sur lequel elle avait jeté son dévolu. Leslie n'était pas une idiote. Elle essayait certainement de lui dire quelque chose.

Mais quoi ?

Et Pace. Pauvre Pace si dénué d'humour, abattu dans la base américaine la plus obsédée par la sécurité.

La *leçon de Fairfax,* prédite avec une incroyable précision, presque au moment même, par un inconnu grand, aux yeux tristes, dans l'obscurité de la 52ᵉ Rue.

C'était... Tels étaient les protagonistes de la face cachée des choses.

David s'était montré rude envers le général de brigade. Il avait exigé, de manière professionnelle bien entendu, de connaître la date exacte où l'on avait pris la décision d'éliminer Erich Rhinemann. Qui l'avait prise ? Comment l'ordre avait-il été transmis ? Le général connaissait-il un cryptographe nommé Marshall ? Pace lui en avait-il jamais parlé ? Quelqu'un lui en avait-il parlé ? Et un homme appelé Altmüller. Ce nom lui disait-il quelque chose ?

Les réponses qu'il obtint ne lui furent d'aucun secours. Et Dieu sait que Swanson ne mentait pas ! Il n'était pas assez professionnel pour s'en tirer comme ça.

Il ne connaissait ni Marshall ni Altmüller. La décision d'exécuter Rhinemann avait été prise en quelques heures. Ed Pace ne pouvait absolument pas être au courant. On ne l'avait pas consulté, ni lui ni personne appartenant à Fairfax. Cette décision émanait du sous-sol de la Maison-Blanche. Personne, ni à Fairfax ni à Lisbonne, n'y avait participé. Aux yeux de David, cette non-participation constituait un facteur important. Cela signifiait simplement que l'aspect caché de l'opération n'avait rien à voir avec Erich Rhinemann. Autant que l'on puisse en juger, cela n'avait donc non plus rien à voir avec Buenos Aires. David décida dans l'instant de ne rien confier de ses déductions à ce général trop nerveux. Pace avait raison. Cet homme était incapable de faire face à d'autres complications. Il aurait recours à Fairfax, que son supérieur le veuille ou non.

L'avion se posa. Spaulding s'engagea dans le terminal des passagers et chercha la pancarte indiquant la station de taxis. Il franchit la porte à deux battants qui menait à la plate-forme et entendit les porteurs hurler diverses destinations aux voitures encore vides. C'était curieux, on se partageait les taxis, seul indice, à l'aéroport de La Guardia, de cette guerre qui se déroulait quelque part.

Cette pensée lui parut vite stupide. Et prétentieuse.

On aidait un soldat qui avait perdu ses deux jambes à monter dans un véhicule. Porteurs et civils faisaient preuve de compassion, de serviabilité.

Le soldat était ivre, et ce qui restait de lui était instable.

Spaulding monta dans le véhicule avec trois autres passagers. Ils parlèrent peu, juste les dernières nouvelles d'Italie. David ne fit aucune allusion à sa couverture pour ne pas provoquer d'inévitables questions. Il n'avait nulle envie de raconter quelque combat mythique à Salerne. Mais on ne posa pas de questions. Soudain, il comprit pourquoi.

Son voisin était aveugle. Il bougea et le soleil de l'après-midi se refléta sur son revers. Il portait un minuscule ruban de métal : Pacifique Sud.

David se dit qu'il était affreusement fatigué. Il était sans doute l'agent le moins perspicace à qui l'on eût jamais confié une opération.

Il sortit du taxi sur la Cinquième Avenue, à trois rues au nord du Montgomery. Il avait payé plus que son écot. Il espérait que les deux autres passagers feraient de même pour cet ancien combattant aveugle dont les vêtements ne sortaient certainement pas du magasin Rogers Peet cher à Leslie Jenner.

Leslie Jenner... Hawkwood.

Un cryptographe du nom de Marshall.

La face cachée des choses.

Il devait chasser tout cela de son esprit. Il fallait dormir, oublier. Laisser reposer avant de réfléchir à nouveau. Demain matin, il ferait la connaissance d'Eugène Lyons et tout... recommencerait. Il devait se tenir prêt à rencontrer l'homme qui s'était brûlé la gorge à l'alcool pur et n'avait pas tenu de conversation depuis dix ans.

L'ascenseur s'arrêta au sixième étage. Sa chambre était au septième. Il allait le signaler au liftier quand il remarqua que les portes ne s'ouvraient pas.

Le liftier fit volte-face. Sa main tenait un revolver Smith et Wesson, au canon court. Il tendit le bras derrière lui, vers le levier de contrôle qu'il poussa sur la gauche. La cabine fit un soubresaut avant de se bloquer entre deux étages.

– Les lumières du couloir s'éteignent comme ça, colonel Spaulding. Nous entendrons peut-être quelques sonneries, mais il existe un second ascenseur que l'on utilise en cas d'urgence. Nous ne serons pas dérangés.

C'était le même accent, pensa David. Une intonation anglaise doublée d'un accent d'Europe centrale.

– J'en suis ravi. Je veux dire, mon Dieu, cela fait si longtemps !

– Je ne vous trouve pas drôle.

– Moi non plus. Vous... évidemment.

– Vous vous êtes rendu à Fairfax, en Virginie. Avez-vous fait bon voyage ?

– Vous avez un réseau extraordinaire.

Spaulding n'essayait pas seulement de gagner du temps. Ira Barden et lui avaient pris les précautions d'usage. Même si le standard du Montgomery rapportait toutes ses conversations, il n'y avait aucune trace de sa visite en Virginie. On s'était arrangé par téléphone, à partir de cabines publiques. Seul un nom d'emprunt apparaissait sur la liste des passagers du vol de Mitchell à Andrews. Le numéro de Manhattan, qu'il avait laissé sur le bureau du Montgomery, correspondait à une adresse sous constante surveillance. Et dans l'enceinte de la base de Fairfax, seuls les gardes chargés de la sécurité au portail connaissaient son nom. Il n'avait été aperçu que par quatre, cinq hommes peut-être.

– Nous avons des sources d'information très fiables... Maintenant vous avez pu constater vous-même ce qu'était la leçon de Fairfax, n'est-ce pas ?

– J'ai constaté qu'un homme bien avait été assassiné. J'imagine que sa femme et ses enfants sont au courant à présent.

– Il n'y a pas d'assassinat en temps de guerre, mon colonel. Ce terme est impropre. Et ne nous parlez pas...

Un bruit de sonnerie interrompit son interlocuteur. C'était une sonnerie brève, polie.

– Qui est « nous »...? demanda David.

– Vous le saurez le moment venu, si vous coopérez. Si vous ne coopérez pas, cela n'aura aucune importance. Vous serez tué... Et nous ne proférons pas de menaces en l'air. Voyez Fairfax.

La sonnerie retentit de nouveau. Prolongée cette fois, un peu moins polie.

– Comment suis-je censé coopérer ? Dans quel domaine ?

– Il nous faut l'emplacement précis de Tortugas.

Spaulding se souvint brusquement de ce qui s'était dit le matin même, à cinq heures. A Fairfax. Ira Barden lui avait appris que « Tortugas » était le seul mot attaché à son transfert. Aucun autre renseignement, seul le mot « Tortugas ». Et il était enterré au fin fond des « armoires » de Pace. Des fichiers conservés derrière des portes d'acier, auxquels pouvaient seuls accéder les plus hauts responsables des services secrets.

– La Tortue, Tortugas, appartient à un archipel au large des côtes de Floride. On l'appelle souvent l'île sèche. C'est sur toutes les cartes.

De nouveau la sonnerie. De manière répétée, cette fois. Des petits coups brefs, furibonds.

– Ne soyez pas stupide, colonel.

– Je ne suis rien du tout. Je ne sais pas de quoi vous voulez parler.

L'homme fixa Spaulding du regard. David vit qu'il hésitait, qu'il refrénait sa colère. La sonnerie de l'ascenseur résonnait sans cesse. On entendait des voix au-dessus et en dessous.

– J'aimerais mieux ne pas avoir à vous tuer, mais je le ferai. Où l'opération Tortugas doit-elle avoir lieu ?

– Il est là-haut ! Il est bloqué ! hurla une forte voix masculine, à quelque trois mètres de la cage de l'ascenseur, au sixième étage. Ça va au-dessus ?

L'homme cligna des yeux. Tous ces cris lui avaient fait perdre contenance. C'était l'instant que David attendait. Il lança sa main droite en diagonale et lui empoigna l'avant-bras, qu'il cogna contre la porte de métal. Il se jeta de tout son poids contre la poitrine de l'adversaire, le genou levé vers le bas-ventre. L'homme hurla de douleur. Spaulding lui saisit la gorge de la main gauche et appuya sur les artères autour du larynx. Il le frappa deux fois encore au bas-ventre jusqu'à ce que la douleur soit trop forte pour lui arracher des cris. Ce ne fut plus qu'un long gémissement, faible et angoissé. Le corps se fit mou, le revolver tomba à terre et l'homme glissa contre la paroi.

Spaulding éloigna l'arme du pied et saisit son cou entre ses deux mains. Il le secoua d'avant en arrière pour qu'il ne perde pas connaissance.

– Maintenant vous allez me dire, espèce de salopard ! Qu'est-ce que c'est que cette opération « Tortugas » ?

A l'extérieur de l'ascenseur, les hurlements étaient devenus assourdissants. Les cris du liftier déclenchèrent une cacophonie proche de l'hystérie générale. On appelait la direction de l'hôtel. On appelait la police.

L'homme leva les yeux vers David. Des larmes de douleur ruisselaient sur sa joue.

– Pourquoi ne pas me tuer, salaud ? dit-il entre deux respirations difficiles... Vous avez déjà essayé.

David était stupéfait. Il n'avait jamais *vu* cet homme. Les régions du Nord ? Le Pays Basque ? La Navarre ?

Il n'avait pas le temps de réfléchir.

– Qu'est-ce que « Tortugas » ?

– Altmüller, espèce de salaud. Ce salaud d'Altmüller...

L'homme perdit alors connaissance.

C'était encore ce nom.

Altmüller.

Spaulding se redressa, laissant le corps inconscient à ses pieds, et saisit le levier de contrôle de l'ascenseur. Il le poussa vers la gauche, à fond, en augmentant la vitesse au maximum. Le Montgomery avait dix étages. Sur le tableau, les boutons du premier, du troisième et du sixième étage étaient allumés. S'il parvenait à atteindre le dixième étage avant que les voix hystériques qui l'entouraient l'aient rattrapé par l'escalier, il pourrait quitter l'ascenseur, foncer à l'angle du couloir et se fondre dans la foule qui allait certainement s'agglutiner autour des portes ouvertes.

Autour de l'homme inconscient qui gisait à terre.

Cela devait être possible ! Ce n'était pas le moment de se faire harponner par la police de New York.

On emporta l'inconnu sur un brancard. On ne posa à David que de brèves questions.

Non, il ne connaissait pas le liftier. L'homme l'avait déposé à son étage, dix ou douze minutes plus tôt. Il était dans sa chambre et en était sorti en entendant les cris.

Comme tout le monde.

Que se passait-il à New York ?

David regagna sa chambre au septième étage, ferma la porte et contempla son lit. Dieu qu'il était fatigué ! Mais son cerveau refusait de faire une pause.

Il ne s'occuperait plus de rien avant d'avoir pris du repos, à deux exceptions près. Il fallait y penser dès maintenant. Cela ne pouvait pas attendre, car le téléphone risquait de sonner, quelqu'un risquait de venir jusqu'à sa chambre. Sa décision devait être prise. Préparée.

Premier point, il ne pouvait plus avoir recours à Fairfax. La base était grillée, infiltrée. Il était contraint de fonctionner sans Fairfax, ce qui, d'une certaine manière, revenait à demander à un infirme de marcher sans béquilles.

Mais il n'avait rien d'un infirme.

Le deuxième point à considérer était Altmüller. Il devait trouver ce Franz Altmüller, découvrir qui il était, quel rôle il jouait en coulisse.

David s'allongea sur le lit. Il n'avait plus la force de se déshabiller ni même de retirer ses chaussures. Il leva le bras pour se protéger les yeux du soleil couchant, qui filtrait à travers les fenêtres de l'hôtel. Le soleil de l'après-midi du premier jour de l'année 1944.

Il ouvrit soudain les yeux contre l'écran noir du tweed de sa manche. Il y avait un troisième point à considérer. Inextricablement lié à cet Altmüller.

Que signifiait « Tortugas » ?

21.

2 janvier 1944, New York

Dans son bureau austère, Eugène Lyons était assis devant une planche à dessiner. Il était en manches de chemise. Des plans étaient éparpillés sur les tables. Les rayons froids d'un soleil matinal se cognaient aux murs blancs, donnant à la pièce l'aspect antiseptique d'un grand box d'hôpital.

Le corps et le visage d'Eugène Lyons venaient confirmer ce jugement.

David avait suivi Walter Kendall à l'intérieur, appréhendant cette rencontre. Il aurait préféré ne rien savoir de Lyons.

Le savant pivota sur son tabouret. C'était l'un des hommes les plus minces qu'ait jamais vus Spaulding. La chair enveloppait les os sans les protéger. On apercevait des veines bleuâtres sur ses mains, ses bras, son cou et ses tempes. La peau n'était pas vieille, elle était usée. Les yeux, enfoncés dans leurs orbites, n'étaient ni ternes ni inexpressifs. Ils étaient vifs et pénétrants à leur manière. Les cheveux gris et raides s'étaient éclaircis avant l'heure. Il aurait pu avoir n'importe quel âge, à vingt ans près.

Cet homme présentait cependant une caractéristique particulière : l'indifférence. Il les avait vus entrer, savait de toute évidence qui était David mais ne fit pas un geste qui pût perturber sa concentration.

Ce fut Kendall qui rompit le silence.

– Eugène, voici Spaulding. Montrez-lui où il doit commencer.

Après avoir prononcé ces quelques mots, Kendall tourna les talons et quitta les lieux en fermant la porte derrière lui.

David se tenait à l'autre bout de la pièce. Il fit quelques pas pour se rapprocher de Lyons et tendit la main. Il savait exactement ce qu'il allait dire.

– Je suis très honoré de faire votre connaissance, docteur Lyons. Je ne suis pas un expert dans votre branche, mais j'ai entendu parler de vos travaux au M.I.T. J'ai beaucoup de chance de pouvoir profiter de votre enseignement, même si ce n'est que pour quelque temps.

Il y eut comme une lueur d'intérêt, faible, fugace, dans le regard du chercheur. David avait opté pour une présentation simple qui devait révéler plusieurs choses à cet être émacié, notamment qu'il était au courant de la tragédie de Boston et donc, inévitablement, du reste de son histoire et que cela ne le gênait nullement.

Lyons lui serra mollement la main. L'indifférence revint aussitôt. L'indifférence, pas nécessairement la grossièreté. A la limite.

– Je sais que nous n'avons pas beaucoup de temps et je suis un néophyte en matière de gyroscopes, déclara Spaulding en retirant sa main, tandis qu'il reculait vers le bord de la planche à dessin. Mais on m'a dit qu'il me suffisait d'acquérir quelques notions de base pour être capable de traduire en allemand les comptes rendus et les formules que vous me rédigerez.

David avait mis l'accent, en élevant légèrement la voix, sur les mots *traduire... que vous me rédigerez*. Il attendit la réaction du savant. Il venait de lui montrer clairement qu'il était conscient de ses difficultés d'expression. Il lui sembla noter un faible signe de soulagement.

Lyons leva les yeux vers lui. Ses lèvres minces vinrent s'aplatir contre ses dents, s'étirant légèrement à la commissure, et le chercheur acquiesça. Il y eut même, dans ses yeux enfoncés, comme une infinitésimale lueur de reconnaissance. Il se leva de son tabouret et se dirigea vers la table la plus proche, où se trouvaient quelques livres posés sur des plans. Il saisit le premier volume et le tendit à Spaulding. Le titre de la couverture indiquait *Diagrammatique: Inertie et précession*.

David sut que tout allait bien se passer.

Il était plus de six heures.

Kendall était parti. Le réceptionniste avait fermé les portes sur le coup de cinq heures en demandant à David de tout boucler s'il était le dernier à quitter les lieux. Dans le cas contraire, qu'il demande aux autres de le faire.

Spaulding rencontra les deux infirmiers dans le hall d'accueil. Ils s'appelaient Hal et Johnny. C'étaient deux hommes corpulents. Le bavard était Hal, le chef Johnny, un ex-marine.

– Le vieux est sage comme une image, dit Hal. Pas besoin de s'inquiéter.

– C'est l'heure de le ramener à St. Luke, fit Johnny. Ils se foutent en rogne quand il rentre trop tard pour le dîner.

Les deux hommes se dirigèrent vers le bureau de Lyons et l'en sortirent. Ils se montrèrent polis avec le physicien, mais fermes. Eugène Lyons jeta un regard indifférent à Spaulding, haussa les épaules et s'avança en silence vers la porte, flanqué de ses gardiens.

David attendit jusqu'à ce qu'il entende le bruit de l'ascenseur dans le couloir. Puis il posa le volume de *diagrammatique* sur la table du réceptionniste et se dirigea vers le bureau de Walter Kendall.

La porte était verrouillée, ce qui lui parut étrange. Kendall était parti pour Buenos Aires. Il ne serait sans doute pas de retour avant plusieurs semaines. Spaulding sortit un petit objet de sa poche et s'agenouilla. Au premier coup d'œil, l'instrument ressemblait à un canif en argent, de ceux que l'on apercevait souvent au bout d'une coûteuse chaîne, dans les clubs masculins les plus fermés. Ce n'était pas cela. C'était une pointe de serrurier conçue de manière à donner cette impression. Elle venait d'une fabrique de coffres-forts de Londres. C'était un cadeau de son homologue du MI5 à Lisbonne.

David fit pivoter un minuscule cylindre, plat à l'extrémité, qu'il inséra dans la serrure. En moins de trente secondes, il perçut le déclic qu'il attendait et ouvrit la porte. Il pénétra dans la pièce en la laissant entrebâillée.

Le bureau de Kendall ne contenait ni fichiers, ni placards, ni bibliothèque. Aucun recoin, rien d'autre que les tiroirs du bureau. David alluma la lampe fluorescente à côté du sous-main et ouvrit le premier tiroir.

Il réprima un violent éclat de rire. Au milieu d'un curieux assortiment de trombones, de cure-dents, de rouleaux de bonbons acidulés et de papier brouillon, il découvrit deux magazines pornographiques. Bien qu'ils portent déjà l'empreinte de doigts sales, ils étaient relativement neufs.

« Joyeux Noël, Walter Kendall », pensa David non sans tristesse.

Les tiroirs latéraux étaient vides ou du moins ne contenaient rien d'intéressant. Dans le dernier tiroir, celui du bas, il trouva des feuilles jaunes et froissées, de petits griffonnages sans signification, qui, tracés avec une mine dure, avaient transpercé le papier.

Il allait se lever et partir quand il revint jeter un coup d'œil à ces schémas incohérents, dessinés sur les feuilles froissées. Il n'y avait rien d'autre. Kendall avait verrouillé la porte de son bureau par réflexe, pas par nécessité. Et encore par réflexe, sans doute, il n'avait pas jeté les pages jaunes dans la corbeille à papier où il n'y avait guère que le contenu des cendriers, mais il les avait rangées dans son tiroir. Loin des regards.

David se dit qu'il approchait du but. Il n'avait pas le choix. Il ne savait pas très bien ce qu'il recherchait ni même s'il y avait quoi que ce fût à découvrir.

Il posa les deux pages sur le sous-main, en aplatit la surface.

Rien.

Enfin si. Une esquisse de seins et de sexe de femme. Des cercles, des flèches, un diagramme : un paradis pour psychanalyste.

Il sortit une autre feuille qu'il aplatit. Encore des cercles, des flèches, des seins. Puis, sur une face, une ébauche de nuage, comme dessinée par une main d'enfant, à gros traits, floue. Des traits en diagonale qui pouvaient représenter la pluie ou une multitude de petits éclairs.

Rien.

Une autre page.

Elle attira l'attention de David. Au bas de la feuille jaune, à peine visible entre les crayonnages entrecroisés, il distingua la forme d'un grand svastika. Il la regarda de plus près. Il y avait des cercles à la droite du symbole, des cercles qui se terminaient en spirale, comme si l'artiste avait voulu reproduire les formes ovales des exercices d'écriture de Palmer. Et au milieu de tous ces ovales on distinguait nettement les initiales *J.D.* Puis *Jon D., J. Diet...* Les lettres apparaissaient à l'extrémité de chaque ligne ovale. Dans chaque zone, ces lettres étaient presque calligraphiées. ???

???

David replia le papier avec soin et le mit dans la poche de sa veste.

Il restait deux pages, qu'il sortit simultanément. Celle de gauche ne contenait qu'un grand griffonnage illisible, toujours circulaire, tracé avec fureur et sans la moindre signification. Mais sur la deuxième feuille, en bas, il y avait une série de volutes où l'on pouvait déchiffrer Js et Ds, de la même écriture que les lettres placées aux extrémités des branches du svastika. En face du dernier D était dessiné un étrange obélisque, avec une pointe sur la droite. Il y avait des lignes sur le côté, comme des arêtes... Une balle peut-être, avec les marques du tir. En dessous, sur la ligne suivante, sur la gauche, il aperçut les mêmes lignes ovales qui lui rappelaient les exercices de Palmer. Le trait, plus ferme, avait davantage marqué le papier jaune.

David comprit soudain ce qu'il avait sous les yeux.

Walter Kendall avait inconsciemment dessiné la caricature obscène d'un pénis en érection et de deux testicules.

« Bonne année, monsieur Kendall », songea Spaulding.

Il mit soigneusement la feuille dans sa poche avec la précédente, rangea les autres et ferma le tiroir. Il éteignit la lampe, se dirigea vers la porte entrouverte, se retourna pour voir s'il avait tout remis en place et pénétra dans l'antichambre. Il referma la porte de Kendall et se demanda un bref instant s'il devait replacer la gorge de la serrure.

Cela ne valait pas la peine de perdre du temps. C'était une vieille serrure, simple. N'importe quel gardien de n'importe quel immeuble new-yorkais aurait une clef qui conviendrait et il était plus difficile de remettre la serrure en place que de la crocheter. Tant pis.

Une demi-heure plus tard, il se rendit compte, en y réfléchissant, que cette décision lui avait probablement sauvé la vie. Les soixante, quatre-vingt-dix ou quelque cent secondes dont il avait avancé son départ avaient suffi pour transformer la cible qu'il était en observateur.

Il enfila le manteau acheté chez Rogers Peet, éteignit les lumières et prit le couloir en direction du palier des ascenseurs. Il était près de sept heures, le lendemain du jour de l'an, et le bâtiment était quasi désert. Un seul ascenseur fonctionnait. Il était passé devant lui pour monter au dernier étage, où il semblait s'être immobilisé. Spaulding allait prendre l'escalier – les bureaux se trouvant au troisième étage, ce serait sans doute plus rapide –, quand il entendit des pas. Quelqu'un grimpait l'escalier. C'était un bruit incongru. Il y avait à peine quelques minutes, l'ascenseur était dans le hall. Pourquoi deux personnes – plus de deux ? – seraient-elles en train de monter ces marches quatre à quatre à sept heures du soir ? Il pouvait y avoir une dizaine d'explications raisonnables, mais son instinct l'incita à n'envisager que celles qui ne l'étaient pas.

En silence, il courut à l'autre extrémité du palier, d'où partait un couloir qui menait aux bureaux situés dans l'aile sud du bâtiment. Il tourna à l'angle et se plaqua contre le mur. Depuis qu'il avait été attaqué dans l'ascenseur du Montgomery, il portait une arme sous ses vêtements, un petit Beretta attaché à son torse par une lanière. Il ouvrit son pardessus, déboutonna sa veste et sa chemise. Pour être efficace, accéder rapidement au pistolet, le cas échéant.

Il n'en aurait probablement pas l'occasion, pensa-t-il en entendant s'éloigner les pas.

Puis il comprit que le bruit n'avait pas disparu, qu'il s'était atténué. On marchait à présent d'un pas tranquille, prudent. Il entendit des voix indistinctes, des chuchotements. Ils parvenaient de l'angle du mur, tout près du bureau de Meridian, à une dizaine de mètres.

Le visage aplati contre le béton brut, il avança vers l'angle tout en glissant sa main droite sous sa chemise pour saisir la crosse du Beretta.

Deux hommes lui tournaient le dos, qui faisaient face à la vitre opaque de la porte du bureau anonyme. Le plus petit des deux s'approcha de la vitre, les deux mains plaquées contre les tempes pour se couper de la lumière du couloir. Il recula et regarda son partenaire en hochant la tête de droite à gauche.

Le plus grand se tourna légèrement, assez pour que Spaulding puisse le reconnaître.

C'était l'étranger du porche obscur de la 52e Rue. L'homme à la grande taille, aux yeux tristes, qui parlait d'une voix douce, dans un anglais abâtardi par son accent balkanique, et qui l'avait tenu en respect, l'épais canon de son arme puissante pointé sur lui.

Il plongea la main dans la poche gauche de son pardessus et tendit une clef à son compagnon. De la main droite, il tira un pistolet de sa ceinture. C'était un 45 millimètres, une arme militaire. De près, ce genre d'instrument pouvait faire voler un adversaire en éclats, le faire décoller du sol. David le savait. L'homme hocha la tête et parla d'une voix douce mais distincte.

– Il doit y être. Il n'est pas sorti. Je veux l'avoir.

Le plus petit des deux inséra la clef dans la serrure et poussa la porte. Elle s'ouvrit lentement. Les deux hommes entrèrent ensemble.

A ce moment précis, on entendit s'ouvrir la grille de l'ascenseur. La structure métallique résonna dans tout le corridor. Dans l'antichambre obscure, ils s'immobilisèrent, se tournèrent vers la porte ouverte qu'ils refermèrent aussitôt.

– Bon Dieu de bon Dieu ! hurla le liftier, visiblement furieux, tandis que la grille se refermait dans un grand fracas.

David comprit que le moment était venu de bouger. Dans quelques secondes, l'un des deux hommes qui se trouvaient dans les burcaux déserts de Meridian ou les deux à la fois se rendraient compte que l'ascenseur s'était arrêté au troisième étage parce que quelqu'un avait appuyé sur le bouton. Quelqu'un d'invisible, quelqu'un qu'ils n'avaient pas croisé dans l'escalier. Quelqu'un qui était encore à l'étage.

Il tourna à l'angle du mur et courut vers l'escalier. Il ne regarda pas en arrière, ne se donna pas la peine d'atténuer le bruit de ses pas. Sa course en eût été ralentie. Il devait à tout prix descendre ces marches et sortir de l'immeuble. C'était son seul souci. Il se jeta dans l'escalier à angle droit, jusqu'au palier intermédiaire, et franchit le virage à toute allure.

Puis il s'arrêta net.

En dessous de lui, appuyé à la rampe, il aperçut le troisième homme. Il savait qu'il avait entendu d'autres pas, qu'il y avait plus de deux hommes qui couraient dans l'escalier, quelques minutes plus tôt. L'autre tressaillit, ses yeux s'écarquillèrent en le reconnaissant et il plongea brusquement la main droite dans la poche de son manteau. Spaulding ne se demanda pas ce qu'il y cherchait.

Il sauta du palier, se jeta sur lui et le percuta. Il empoigna son adversaire à la gorge et au bras droit, lui saisit la peau du cou, juste sous l'oreille gauche, et imprima à la chair un mouvement de torsion, tandis qu'il lui cognait le crâne contre le mur de béton. Le corps plus lourd de David heurta de plein fouet celui de l'homme qui devait jouer le rôle de sentinelle. Il lui tordit le bras droit, qui se déboîta de l'articulation.

L'homme hurla et s'évanouit. Il avait le cuir chevelu lacéré, le sang coulait là où son crâne avait heurté le mur.

David entendit une porte s'ouvrir brutalement, des hommes arriver au pas de course. Au-dessus de sa tête, bien entendu. Un étage plus haut.

Il dégagea ses jambes de celles du corps inconscient, descendit les dernières marches en courant, se précipita dans le hall. Quelques instants auparavant, l'ascenseur s'était vidé de ses passagers. Les derniers franchissaient l'entrée de l'immeuble. S'ils avaient entendu le long cri de la sentinelle quelque dix-huit mètres plus haut, aucun n'en laissait rien paraître.

David se hâta de rejoindre les traînards, passa la porte à deux battants en jouant des coudes et se retrouva sur le trottoir. Il s'enfuit à toutes jambes, vers l'est.

Il avait déjà traversé une quarantaine de rues, l'équivalent de trois kilomètres au Pays Basque, un parcours infiniment moins agréable.

Il avait pris plusieurs décisions. Il ne lui restait plus qu'à les mettre en œuvre.

Il ne pouvait pas rester à New York sans prendre de gros risques, ce qui était évidemment impossible. Il devait se rendre immédiatement à Buenos Aires, avant que ceux qui étaient à ses trousses n'apprennent qu'il était parti.

On le pourchassait. C'était clair.

Il serait suicidaire de retourner au Montgomery. Et même de remettre les pieds dans les bureaux anonymes de Meridian, le lendemain matin. Il réglerait cette question en donnant deux ou trois coups de fil. Il préviendrait l'hôtel qu'il venait d'être brusquement transféré en Pennsylvanie. La direction du Montgomery pouvait-elle se charger de lui faire parvenir ses bagages ? Il appellerait plus tard pour avoir le montant de sa note...

Kendall était parti pour l'Argentine. Peu importait ce qu'il allait raconter à Meridian.

Soudain, il pensa à Eugène Lyons.

Il était un peu triste, à cause de l'homme, non pas de son handicap. Il n'aurait vraisemblablement plus le loisir d'établir avec lui la moindre relation avant Buenos Aires. Lyons allait sans doute considérer sa soudaine disparition comme un rejet de plus. Le chercheur aurait pourtant besoin de lui à Buenos Aires, du moins pour la traduction allemande. Il lui fallait les livres que Lyons lui destinait. Il devait s'initier le plus vite possible à son langage.

Alors, David comprit où le menaient ses réflexions.

Pendant les quelques heures qui allaient suivre, les endroits les plus sûrs de New York seraient les bureaux de Meridian et l'hôpital St. Luke.

De là, il irait à l'aérodrome de Mitchell pour téléphoner au général Swanson.

La solution de l'incroyable énigme de ces sept derniers jours – des Açores à l'escalier de la 38e Rue, sans compter ce qui s'était passé entre les deux incidents – se trouvait à Buenos Aires.

Swanson n'en savait rien et ne pouvait pas l'aider. Fairfax était infiltré. On ne pouvait donc prévenir personne. Il comprit la situation.

Il était seul. Un homme dans sa position se trouvait face à un dilemme : se mettre hors circuit ou chercher les coupables et faire voler en éclats leurs couvertures.

Il n'avait pas le droit d'opter pour la première solution. Swanson devenait paranoïaque dès qu'il s'agissait des plans du gyroscope. Il ne pouvait donc pas se mettre hors stratégie.

Ne restait plus que la seconde hypothèse : l'identité de ceux qui se cachaient derrière l'énigme.

Un sentiment l'envahit qu'il n'avait pas éprouvé depuis des années : la crainte de n'être pas à la hauteur de sa tâche. Il était confronté à un problème gigantesque, dont il ne trouverait pas la solution, qu'elle fût simple ou complexe, dans les régions du Nord. Il ne parviendrait pas à dénouer les fils de l'intrigue par les manœuvres et les contre-manœuvres qu'il maîtrisait si bien au Pays Basque et en Navarre.

Il se retrouvait brusquement dans une autre guerre. Une guerre qu'il ne connaissait pas. Qui le faisait douter de lui.

Il aperçut un taxi vide, faiblement éclairé, comme s'il avait honte de ne pas transporter de client. Il leva les yeux vers la plaque de la rue. Il était à Sheridan Square. Ce qui expliquait les accents assourdis de la musique de jazz, qui montait des caves et se répandait dans les rues parallèles, grouillantes de monde. Le Village se préparait pour la soirée.

Il leva la main pour héler le taxi. Le chauffeur ne le vit pas. Il se mit à courir tandis que la voiture remontait la rue vers le feu. Il comprit soudain qu'à l'autre bout de la place quelqu'un se précipitait vers le taxi vide. L'homme, qui en était moins éloigné que Spaulding, agitait la main droite.

David devait arriver le premier. C'était très important. Il pressa le pas, se mit à courir en écartant les piétons momentanément arrêtés par deux automobiles pare-chocs contre pare-chocs. Il posa une main sur un capot, l'autre sur un coffre, à l'arrière, et sauta au-dessus pour retomber au beau milieu de la rue et poursuivre sa course vers l'objectif qu'il s'était fixé.

L'objectif.

Il atteignit le taxi une demi-seconde à peine après l'autre homme.

La barbe ! Si seulement ces deux voitures ne lui avaient pas fait obstruction.

Obstruction.

Il balança sa main contre la portière, empêchant l'homme de l'ouvrir. Celui-ci leva les yeux vers Spaulding, croisa son regard.

– Eh bien, mon vieux ! J'en attendrai un autre, fit-il aussitôt.

David était embarrassé. Qu'était-il donc en train de faire ?

Le doute ? Ce fichu doute !

– Non, ce n'est pas la peine, je suis vraiment désolé, bredouilla-t-il en souriant pour s'excuser. Prenez-le. Je ne suis pas pressé... Désolé, vraiment.

Il fit volte-face et traversa la rue à grands pas en fendant la foule de Sheridan Square.

Il aurait pu prendre ce taxi. C'était cela qui importait.

Mon Dieu ! Le tapis roulant ne s'arrêtait donc jamais.

Deuxième partie

22.

1944, Buenos Aires, Argentine

Le clipper de la Pan Am quitta Tampa à huit heures du matin. Des escales étaient prévues le long de la côte, Caracas, São Luis, Salvador et Rio de Janeiro, avant de parcourir les derniers mille huit cents kilomètres qui les sépareraient de Buenos Aires. David était inscrit sur la liste des passagers sous le nom de M. Donald Scanlan, en provenance de Cincinnati, dans l'Ohio. Profession : contremaître dans l'industrie minière. C'était une couverture temporaire qui ne durerait que le temps du trajet. « Donald Scanlan » disparaîtrait dès que le clipper aurait atterri sur l'Aeroparque de Buenos Aires. Il avait gardé les mêmes initiales pour une raison très simple : il n'était que trop facile d'oublier un cadeau gravé ou la première lettre d'une signature griffonnée à la hâte. Surtout si l'on était inquiet ou fatigué... ou si l'on avait peur.

Swanson était au bord de la panique quand David l'appela à New York de la salle des opérations de Mitchell. Comme supérieur hiérarchique, Swanson avait à peu près l'esprit de décision d'un chien de chasse ahuri. Toute entorse au programme de Kendall, aux instructions de Kendall, pour être plus précis, lui déplaisait vivement. Et Kendall ne partait pour Buenos Aires que le lendemain matin !

David ne s'était pas lancé dans de grandes explications. En ce qui le concernait, on avait déjà attenté trois fois à sa vie, du moins pouvait-on interpréter ainsi les événements, et si le général souhaitait avoir recours à « ses services » à Buenos Aires, mieux valait qu'il s'y rendît tant qu'il était encore entier et en état de marche.

Ces attentats, ces agressions, avaient-ils un lien avec l'opération de Buenos Aires ? Quand Swanson lui avait posé la question, il semblait avoir peur de prononcer le nom de la ville.

David fit preuve d'honnêteté : il n'y avait aucun moyen de le savoir. On ne connaîtrait la réponse qu'à Buenos Aires. Il était donc raisonnable d'envisager cette hypothèse sans lui accorder la valeur d'une certitude.

– C'est ce qu'a dit Pace, avait répondu Swanson. Envisager mais ne pas considérer comme acquis.

– Ed se trompait rarement pour ce genre de chose.

– Quand vous opériez à Lisbonne, il m'a dit que, sur le terrain, vous étiez souvent confronté à des situations embrouillées.

– Exact. Cela dit, je doute qu'Ed en ait connu les détails. Mais il a eu raison de vous présenter les choses ainsi. Au Portugal et en Espagne, pas mal de gens préféreraient me voir mort. Ou du moins le pensent. On ne peut jamais être certain. La procédure habituelle, mon général.

Il y avait eu un long silence à l'autre bout de la ligne, à Washington.

– Vous vous rendez compte, Spaulding, avait dit Swanson, que nous serons peut-être obligés de vous remplacer.

– Bien sûr. Vous pouvez le faire maintenant si vous voulez.

David était sincère. Il aurait aimé retourner à Lisbonne. Repartir pour les régions du Nord. Pour Valdero. Pour enquêter sur un crypto nommé Marshall.

– Non... Non, l'opération est trop avancée. Les plans. C'est ça qui importe. Rien d'autre ne compte.

Ils ne parlèrent plus, dans la suite de la conversation, que des modalités de transport, des monnaies argentine et américaine, de l'acquisition d'une garde-robe élémentaire et des bagages. Toute une logistique étrangère aux préoccupations du général et dont David se chargea. Ce fut Spaulding, non le général, qui donna l'ordre ultime, qui fit la dernière requête.

Fairfax ne devait pas être informé de ses faits et gestes. Ni quiconque à l'exception de l'ambassade de Buenos Aires. Il fallait laisser Fairfax dans l'ignorance la plus totale.

Pourquoi ? Spaulding pensait-il... ?

– Il y a des fuites à Fairfax, mon général. Vous pouvez transmettre cette information aux caves de la Maison-Blanche.

– C'est impossible !

– Allez dire ça à la veuve d'Ed Pace.

David regarda par le hublot du clipper. Quelques instants plus tôt, le pilote avait informé les passagers que l'appareil survolait l'immence lac côtier de Mirim en Uruguay. On arriverait bientôt à Montevideo. Il n'était plus qu'à quarante minutes de Buenos Aires.

Buenos Aires. La face cachée des choses, les silhouettes floues de Leslie Jenner Hawkwood, du cryptographe Marshall, d'un homme nommé Franz Altmüller, des individus bizarres qu'il avait croisés dans la 52e et la 38e Rue, sous un porche obscur, dans un bâtiment après les heures de service, dans un escalier. Un homme dans un ascenseur, qui n'avait pas peur de mourir. Un ennemi qui faisait preuve d'un immense courage... ou d'un fanatisme extrême. Un dément.

La solution de l'énigme se trouvait à Buenos Aires, à une heure de là. Il ne lui faudrait qu'une heure pour rejoindre la ville, beaucoup plus longtemps pour découvrir la solution. Mais pas plus de trois semaines si son instinct ne le trompait pas. Jusqu'à la livraison des plans du gyroscope.

Il commencerait en douceur, comme toujours quand il abordait un nouveau terrain d'opérations. Il essaierait d'abord de se fondre dans l'environnement, de digérer sa couverture. D'être à l'aise, d'établir de bonnes relations. Ce ne devrait pas être difficile. Sa couverture n'était guère que le prolongement de celle de Lisbonne. L'attaché d'ambassade riche et trilingue, volontiers reçu à la table de l'ambassadeur car, par son éducation, son passé, ses parents et ses relations d'avant-guerre dans les milieux à la mode des villes européennes, il savait se comporter avec aisance. David apportait son charme à l'univers délicat d'une capitale neutre. Et si d'aucuns pensaient que quelqu'un, quelque part, avait joué de son influence ou de sa fortune pour lui assurer une planque loin des combats, peu importait. On niait avec énergie mais sans véhémence. Tout était dans la nuance.

Sa « couverture » de Buenos Aires était simple et lui assurait la plus grande discrétion. Il jouait le rôle d'agent de liaison entre les milieux bancaires de New York et de Londres et Erich Rhinemann, l'exilé allemand. Washington était d'accord, bien entendu. Le financement de la reconstruction et de la remise sur pied de l'industrie, après la guerre, constituerait un problème de dimension internationale. On ne pouvait pas se permettre de négliger Rhinemann, en tout cas pas dans les halls de marbre des établissements civilisés de Berne et de Genève.

David reporta son attention sur le livre posé sur ses genoux. C'était le deuxième des six volumes qu'Eugène Lyons lui avait choisis.

« Donald Scanlan » passa la douane de l'Aeroparque sans difficulté. Même l'agent de liaison de l'ambassade qui vérifiait tous les passeports américains se préoccupa fort peu de son identité.

Son unique valise à la main, David se dirigea vers la station de taxis et, de la plate-forme de ciment, observa les chauffeurs qui attendaient debout derrière leur véhicule. Il ne voulait ni reprendre tout de suite le nom de Spaulding ni rejoindre directement l'ambassade. Il préférait s'assurer que « Donald Scanlan » avait été accepté comme tel, un contremaître de l'industrie minière, rien de plus. Qu'on ne portait pas un intérêt inconsidéré à cet individu ordinaire. Dans le cas contraire, cela signifierait que David Spaulding était déjà étiqueté comme agent secret militaire, l'élève de Fairfax, l'homme de Lisbonne.

Il opta pour un chauffeur obèse, d'apparence agréable, le quatrième véhicule de la file. Les trois précédents protestèrent, mais David fit celui qui ne comprenait pas. « Donald Scanlan » possédait peut-être quelques rudiments d'espagnol, il n'était pas en mesure d'apprécier les épithètes que lui envoyaient les chauffeurs qui, se sentant floués, ne dissimulaient guère leur hargne.

Une fois à l'intérieur, il se cala sur le dossier de la banquette et donna des instructions à un chauffeur plein d'onctuosité. Il prétendit avoir une heure à perdre avant un rendez-vous, n'indiqua pas le lieu dudit rendez-vous et demanda de faire rapidement un tour de la ville. Cette visite avait deux objectifs : se placer de manière à vérifier en permanence s'il n'était pas surveillé et repérer les points stratégiques.

Le chauffeur, impressionné par l'espagnol châtié et grammaticalement parfait de David, joua son rôle de cicérone et s'engagea dans les voies sinueuses de l'aéroport, vers la sortie de l'immense Parque 3 de Febrero.

Une demi-heure plus tard, David avait couvert de notes une bonne dizaine de pages. La ville ressemblait à une enclave européenne au beau milieu du continent américain. C'était un curieux mélange de Paris, de Rome et du centre de l'Espagne. Les rues n'étaient pas de petites artères. C'étaient des boulevards, larges, bordés de lignes de couleur. Des fontaines et des statues partout. L'avenida 9 de Julio ressemblait à la Via Veneto ou au boulevard Saint-Germain, en plus grand. En cet après-midi d'été, on s'affairait à la terrasse des cafés. Sous leurs stores de couleur vive verdoyaient des centaines de bacs à fleurs. C'était l'été en Argentine. David ne put que le constater : son cou et le devant de sa chemise étaient trempés de sueur. Le chauffeur voulut bien admettre que la chaleur était exceptionnelle, ce jour-là, dans les quarante degrés.

David lui demanda de le conduire, entre autres, dans un endroit appelé San Telmo. Le propriétaire du taxi acquiesça d'un air satisfait, comme s'il appréciait le riche Américain à sa juste valeur. Spaulding comprit aussitôt. San Telmo était exactement comme le lui avait décrit Kendall : de vieilles demeures bien entretenues, élégantes, retirées, des immeubles avec des balustrades en fer forgé et des rues impeccables, bordées de fleurs superbes.

Lyons ne manquerait pas de confort.

De San Telmo, le chauffeur revint vers le centre et lui fit longer les quais du Rio de la Plata.

La plaza de Mayo, le Cabildo, la casa Rosada, la calle Rivadavia. Des noms qui emplirent le carnet de David : il devait retenir rapidement les noms des rues, des places, des lieux divers.

La Boca. Le front de mer, au sud de la ville. Ce n'était pas un endroit pour touristes, déclara le chauffeur.

La calle Florida. C'était le plus beau quartier commerçant d'Amérique latine. Son guide pouvait lui faire rencontrer des gens qu'il connaissait personnellement. Il ferait des affaires en or.

Désolé, il n'avait pas le temps. Mais David nota dans son carnet qu'il était interdit de circuler en voiture aux abords de la calle Florida.

Le chauffeur fonça dans l'avenida Santa Fe en direction de Palermo. Palermo, c'était ce qu'il y avait de plus beau à Buenos Aires.

Plus que la beauté des lieux, ce furent l'immense parc, une suite de petits parcs indépendants, et le grand lac artificiel qui impressionnèrent David. Des hectares de jardin botanique, un centre zoologique gigantesque avec des rangées de cages et de bâtiments divers.

La beauté, oui. Mais surtout un endroit idéal pour nouer des contacts discrets. Palermo présenterait sans doute bien des avantages.

Une heure avait passé. Aucune automobile ne suivait le taxi. « Donald Scanlan » n'était pas surveillé. David Spaulding pouvait sortir de l'ombre.

Tranquillement.

Il demanda au chauffeur de le déposer à la station de taxis devant l'entrée du zoo de Palermo. C'était là qu'il avait rendez-vous. Le chauffeur parut désappointé. N'avait-il pas d'hôtel ? Aucun lieu de résidence ?

Spaulding ne répondit pas. Il se contenta de demander le prix de la course et de payer rapidement. Il ne répondrait plus à aucune question.

David passa un quart d'heure dans le zoo. Il acheta une glace à un marchand qui passait devant les cages des ouistitis et des orangs-outangs. Il trouva à ceux-ci une ressemblance avec certains de ses amis ou ennemis et, quand il se sentit à l'aise (comme seul un homme de terrain peut se sentir à l'aise), il sortit du zoo et se dirigea vers la station de taxis.

Il attendit cinq minutes que mères, gouvernantes et enfants fussent montés dans les véhicules. Puis ce fut son tour.

— A l'ambassade américaine, *por favor.*

L'ambassadeur, Henderson Granville, consacra une demi-heure au nouvel attaché. Un autre jour, ils prendraient le temps de s'asseoir et de bavarder à loisir, mais le dimanche était une journée surchargée. A Buenos Aires, le reste de la population était à l'église ou s'amusait. Le corps diplomatique était au travail. Il devait se rendre à deux garden-parties. Il fallait donner quelques coups de fil pour vérifier les départs et les arrivées des hôtes allemands et japonais. On noterait de la même manière *ses* heures de départ et d'arrivée. Après quoi, il y avait un dîner à l'ambassade du Brésil. On ne risquait pas d'y rencontrer des Allemands ou des Japonais. Le Brésil était au bord de la rupture des relations diplomatiques.

– Les Italiens, vous l'imaginez bien, déclara l'ambassadeur en souriant, ne comptent plus. Ils n'ont jamais vraiment compté. Pas ici en tout cas. Ils passent la majeure partie de leur temps à essayer de nous coincer dans les restaurants, à nous téléphoner des cabines publiques et à nous expliquer que Mussolini a ruiné leur pays.

– Un peu comme à Lisbonne.

– Je crains que ce ne soit la seule similitude agréable... Je ne vous ferai pas un compte rendu ennuyeux des bouleversements que nous avons connus ici, un bref discours suffira pour vous aider à vous adapter. Vous avez étudié la question, je suppose.

– Je n'en ai pas eu le temps. Il y a seulement une semaine que j'ai quitté Lisbonne. Je sais que le gouvernement de Castillo a été renversé.

– En juin dernier. Inévitable... Ramón Castillo était le président le plus stupide qu'ait jamais connu l'Argentine et elle a pourtant vu défiler pas mal de bouffons. L'économie était dans un état désastreux : l'agriculture et l'industrie en étaient pratiquement au point mort. Le gouvernement n'a jamais pris les mesures nécessaires pour combler le déficit qu'avait créé, sur le marché du bœuf, l'entrée en guerre des Britanniques, même s'ils considéraient, pour la plupart, que John Bull était fini. Il méritait d'être destitué... Malheureusement, ceux que nous avons vus arriver, défiler en phalanges sur la Rivadavia pour être plus exact, ne nous facilitent pas la tâche.

– C'est un conseil militaire, n'est-ce pas ? Une junte ?

Granville agita ses mains délicates. Les traits ciselés de son visage vieillissant, aristocratique, esquissèrent une grimace sardonique.

– Le Grupo de Oficiales Unidos ! Une déplaisante bande d'opportunistes qui marchent au pas de l'oie, vous les verrez... on peut le dire, partout. Vous savez, bien évidemment, que ce sont des officiers de la Wehrmacht qui ont formé toute l'armée argentine. Ajoutez à cette réjouissante caractéristique le tempérament latin, le chaos économique, une neutralité imposée mais à laquelle on ne croit pas, qu'est-ce que ça donne ? Une paralysie temporaire de l'appareil politique. Il n'y a plus ni poids ni contrepoids. Un État policier rongé par la corruption.

— Qu'est-ce qui maintient la neutralité ?

— Les luttes internes, principalement. Le G.O.U., c'est ainsi que nous les appelons, comprend plus de factions que le Reichstag en 29. Ils manœuvrent tous pour obtenir leur parcelle de pouvoir. Et puis naturellement ils ont une peur bleue de la flotte et de l'armée de l'air américaines qui sont, pour ainsi dire, à leur porte... Le G.O.U. a reconsidéré ses positions depuis cinq mois. Les colonels commencent à se poser des questions sur la croisade millénaire de leurs mentors. Ils sont très impressionnés par notre système d'approvisionnement et nos chaînes de production.

— On le serait à moins. Nous avons...

— Et puis il y a autre chose, l'interrompit Granville d'un air pensif. Il existe une petite communauté de juifs très riches ici. Votre Erich Rhinemann, par exemple. Le G.O.U. ne défend pas ouvertement les thèses de Julius Streicher... Il a déjà mis à contribution l'argent juif pour soutenir les lignes de crédit fortement entamées par Castillo. Les colonels redoutent les manipulations financières, comme la plupart des militaires. Mais on peut gagner beaucoup d'argent dans cette guerre. Et les colonels en ont bien l'intention... Le tableau que je viens de vous brosser est-il assez clair ?

— Très compliqué.

— Effectivement... Nous utilisons souvent une maxime tout à fait appropriée à la situation : l'ami d'aujourd'hui sera demain l'agent de l'Axe. A l'inverse, le courrier de Berlin d'hier sera peut-être à vendre la semaine prochaine. Laissez toutes les portes ouvertes et gardez vos opinions pour vous. Et en public... faites preuve d'un peu plus de souplesse que dans n'importe quel autre poste. C'est toléré.

— Et souhaité ? demanda David.

— Les deux.

David alluma une cigarette. Il désirait changer de sujet. Le vieux Granville était l'un de ces ambassadeurs qui, pédagogues de nature, pouvaient, face à un auditeur complaisant, analyser les subtilités de leur charge à longueur de journée. Les hommes comme lui faisaient les meilleurs diplomates, mais pas les relations les plus utiles lorsque le pragmatisme le plus total était à l'ordre du jour. Cela dit, Henderson Granville était un brave type. Ses yeux reflétaient ses préoccupations, des préoccupations justifiées.

— J'imagine que Washington vous a indiqué la nature de mes fonctions.

— Oui. J'aimerais pouvoir approuver. Pas vous. Vous avez des instructions. Et je suppose que la finance internationale continuera après que Herr Hitler aura poussé son dernier soupir... Je ne vaux peut-être pas plus cher que le G.O.U. Les affaires d'argent sont souvent répugnantes.

– Celles-ci en particulier, j'imagine.

– Hélas, oui. Erich Rhinemann est une girouette qui tourne avec le vent. Une girouette puissante, ne vous y trompez pas, mais sans l'ombre d'une conscience. La moralité d'un ouragan. C'est sans aucun doute l'homme le moins respectable que j'aie jamais rencontré. Il est criminel, mais sa fortune le rend acceptable aux yeux de Londres et de New York.

– « Nécessaire » serait peut-être un terme plus approprié qu'« acceptable ».

– Voilà certainement l'explication de tout ça.

– C'est la mienne.

– Bien sûr. Pardonnez à un vieil homme sa moralité dépassée. Mais il n'y a aucun désaccord entre nous. Vous avez une tâche à remplir. Que puis-je faire pour vous ? Si j'ai bien compris, très peu de chose.

– Très peu, en effet, monsieur. Inscrivez-moi sur les listes de l'ambassade. N'importe quel bureau me conviendra à condition qu'il possède une porte et un téléphone. Et j'aimerais faire la connaissance de votre crypto. J'ai des messages codés à envoyer.

– Ma parole, vous n'êtes pas rassurant, dit Granville en souriant sans le moindre humour.

– La routine, monsieur. Transmission à Washington. Des oui et des non, c'est tout.

– Très bien. Notre principal cryptographe s'appelle Ballard. Un type sympathique. Il parle sept ou huit langues, et c'est un champion des jeux de société. Vous irez directement le voir. Autre chose ?

– J'aimerais disposer d'un appartement...

– Oui, nous sommes au courant, l'interrompit doucement Granville en jetant un bref coup d'œil à la pendule du mur. Mme Cameron vous en a déniché un. Elle pense qu'il vous plaira... Washington ne nous a, bien entendu, donné aucune indication quant à la durée de votre séjour. Mme Cameron l'a donc loué pour trois mois.

– C'est beaucoup trop. Je m'en occuperai... Je pense que c'est tout, monsieur l'Ambassadeur. Je sais que vous êtes pressé.

David se leva de son fauteuil, imité par Granville.

– Oh, une chose encore, monsieur. Ce Ballard possède-t-il une liste du personnel de l'ambassade ? J'aimerais connaître les noms de ceux qui travaillent ici.

– Ils ne sont pas si nombreux, répondit Granville en levant les yeux vers David, avec dans la voix une pointe de désapprobation. En principe, vous ne serez en contact qu'avec huit ou dix personnes. Et je puis vous assurer que nous avons pris nos propres mesures de sécurité.

David accepta le reproche.

– Telle n'était pas mon intention, monsieur. J'aime me familiariser avec les noms de mes futurs collaborateurs.

– Oui, bien sûr.

Granville fit le tour du bureau et reconduisit Spaulding à la porte.

– Bavardez quelques minutes avec ma secrétaire. Je vais chercher Ballard. Il vous fera visiter la maison.

– Merci, monsieur.

Spaulding lui tendit la main et remarqua, pour la première fois, la grande taille de l'ambassadeur.

– Vous savez, lui dit ce dernier, il y a une question que je voulais vous poser, mais vous me répondrez plus tard. Je suis déjà en retard.

– De quoi s'agit-il ?

– Je me demande pourquoi les types de Wall Street et du Strand vous ont envoyé, vous. Je n'arrive pas à imaginer qu'il y ait pénurie de banquiers expérimentés à New York ou à Londres, et vous ?

– Ce n'est probablement pas le cas. Je ne suis qu'un agent de liaison qui porte des messages. Des informations qui doivent rester confidentielles, je suppose. J'ai une certaine expérience dans cette branche... et en pays neutre.

Granville sourit une fois de plus et, une fois de plus, il n'y avait aucun humour dans ce sourire.

– Oui, bien sûr. Je suis certain qu'il y a une raison.

23.

Ballard possédait deux traits communs à la plupart des crypto-graphes, pensa David. C'était un cynique qui s'ignorait et une mine d'informations. Deux qualités, songea Spaulding, que développaient les années passées à déchiffrer les secrets des autres pour les trouver, dans la majorité des cas, dérisoires. Il était aussi affublé du prénom de Robert. Ce prénom, acceptable en soi, se changeait invariable-ment en Bobby lorsqu'il était suivi de Ballard. Bobby Ballard. Un nom qui évoquait un gigolo des années vingt ou une marque de corn flakes.

Ce n'était ni l'un ni l'autre. C'était un linguiste au cerveau de mathématicien, de taille moyenne, au corps musclé, surmonté d'une toison de cheveux roux et flamboyants. Un homme sympathique.

— Voici notre maison, dit Ballard. Vous avez vu les espaces de tra-vail, grands, sans ordre bien défini, baroques et épouvantablement chauds à cette époque de l'année. J'espère que vous aurez eu l'intel-ligence de demander un appartement.

— Pas vous ? Vous habitez ici ?

— C'est plus commode. Mes correspondants sont très sans-gêne. Ils sonnent à toute heure. Je préfère ne pas avoir à courir depuis Chacarita ou Telmo. Et puis ce n'est pas si mal. On ne se cogne pas trop les uns contre les autres.

— Oh ? Vous êtes nombreux ici ?

— Non. Nous alternons. Six, en général. Dans les deux ailes, est et sud. Granville a les appartements qui sont au nord. A part lui, Joan Cameron et moi sommes les seuls permanents. Vous ferez la connaissance de Joan demain, à moins que vous ne la croisiez quand elle sortira avec le vieux. Elle l'accompagne souvent aux divers « diplopensums ».

— Aux quoi ?

– Diplopensums. C'est l'expression du vieux... un raccourci. Je suis surpris qu'il ne l'ait pas utilisé devant vous. Il en est très fier. Le diplopensum est un raout à l'ambassade auquel on est obligé de se montrer.

Ils se trouvaient dans une vaste antichambre. Ballard ouvrit une porte-fenêtre qui donnait sur un petit balcon. Au loin on apercevait les eaux du Rio de la Plata et le bassin de Puerto Nuevo sur l'estuaire, le principal port de Buenos Aires.

– Jolie vue, non ?

David le rejoignit sur le balcon. Est-ce que cette Joan Cameron et l'ambassadeur... Je veux dire, est-ce qu'ils... ?

– Joan et le vieux ?

Ballard éclata de rire, un rire naturel.

– Mon Dieu, non !... En réfléchissant bien, je ne vois pas pourquoi cela me semble si drôle. J'imagine que beaucoup le pensent. Et pourtant c'est drôle.

– Pourquoi ?

– Drôle et triste à la fois, devrais-je dire, poursuivit Ballard. Le vieux et la famille Cameron sont originaires de ces anciennes familles riches du Maryland. Yacht-clubs de la côte est, blazers, tennis le matin, vous voyez le genre : le territoire des diplomates. La famille de Joan appartient aussi à ce milieu. Elle a épousé ce Cameron qu'elle connaissait depuis l'âge où l'on joue au docteur sous une tente scoute. Une idylle de riches, un amour de jeunesse. Ils se sont mariés, la guerre a éclaté. Il a troqué ses manuels de droit contre un brevet de pilote dans l'armée de l'air. Il a été tué dans le golfe de Leyte. C'était l'année dernière. Elle a un peu perdu la raison, sans doute plus qu'un peu.

– Alors le... Granville l'a fait venir ici ?

– C'est ça.

– Une thérapie agréable, quand on peut se la payer.

– Elle serait probablement de votre avis.

Ballard retourna dans l'antichambre. Spaulding le suivit.

– Mais la plupart des gens vous diront qu'elle ne vole pas son salaire. Elle travaille énormément et elle est compétente. Elle a des horaires impossibles. Sans parler des diplopensums.

– Où est Mme Granville ?

– Aucune idée. Elle a divorcé du vieux il y a dix, quinze ans.

– Je continue à penser que ce n'est pas un boulot désagréable quand on peut l'obtenir.

David songea brusquement aux centaines de milliers de femmes qui avaient perdu leur mari et qui vivaient chaque jour dans son souvenir. Il repoussa cette pensée. Cela ne le concernait pas.

– Eh bien, elle a les qualités requises.

— Quoi ?

David contemplait un pilier d'angle rococo. Il n'écoutait pas vraiment.

— Joan a passé quatre ans ici, par intermittence, dans son enfance. Son père était affecté à l'étranger. Il aurait fini sa carrière comme ambassadeur. Venez, je vais vous montrer le bureau que Granville vous a attribué. Le service du matériel devrait y avoir mis de l'ordre à présent, fit Ballard en souriant.

— Vous avez fait diversion, répondit David en riant, puis il suivit le crypto dans un autre couloir.

— Il le fallait bien. Vous avez une pièce dans le fond. Jusque-là, on s'en servait pour le stockage, je crois.

— Apparemment j'ai marqué des points avec Granville.

— C'est sûr. Il n'arrive pas à vous cerner... Moi ? je n'essaie même pas.

Ballard prit un couloir sur la gauche, qui croisait le précédent.

— Nous sommes dans l'aile sud. Bureaux au premier et au deuxième étage. Pas beaucoup, trois de chaque côté. Des appartements au troisième et au quatrième. On peut prendre des bains de soleil sur le toit, si vous aimez ce genre de distraction.

— Ça dépend avec qui.

Les deux hommes arrivèrent à un grand escalier et allaient tourner à gauche quand une voix féminine les appela du palier du deuxième étage.

— Bobby, c'est vous ?

— C'est Joan, dit Ballard. Oui, cria-t-il. Je suis avec Spaulding. Venez faire la connaissance de cette nouvelle recrue, qui est assez puissante pour obtenir tout de suite un appartement.

— Attendez qu'il voie l'appartement !

Joan Cameron apparut au coin du palier, assez grande, mince et vêtue d'une robe de cocktail qui lui descendait aux chevilles, une robe simple aux couleurs chatoyantes. Ses cheveux châtain clair lui tombaient sur les épaules avec naturel. Son visage dégageait une certaine douceur malgré quelques traits plus affirmés. Elle avait de grands yeux brillants, un nez fin, des lèvres pleines sans être épaisses, qui esquissaient un demi-sourire. Sa peau très claire était bronzée par le soleil argentin.

David s'aperçut que Ballard l'observait, attendant sa réaction devant la beauté de la jeune femme. Ballard arborait une expression malicieusement sardonique et Spaulding comprit le message : Ballard était allé à la fontaine et n'y avait pas trouvé assez d'eau, lui qui avait trop soif pour se contenter de quelques gouttes. A présent, Ballard était un ami de la jeune femme. Il savait qu'il ne fallait pas chercher autre chose.

Joan Cameron parut embarrassée de cette présentation dans l'escalier. Elle descendit rapidement, et sur ses lèvres se dessina le sourire le plus vrai que David ait vu depuis des années. Vrai et totalement dénué de sous-entendus.

– Bienvenue, dit-elle en lui tendant la main. Grâce au ciel, j'aurai pu vous présenter des excuses avant que vous ne pénétriez dans cet endroit. Vous allez peut-être changer d'avis et retourner tout droit ici.

– C'est affreux à ce point-là ?

David constata que, de près, Joan n'était pas aussi jeune qu'elle semblait l'être dans l'escalier. Elle avait plus de trente ans, nettement plus. Elle avait conscience qu'il l'examinait, mais se moquait de son jugement.

– Oh ! ça ira très bien pour un séjour de courte durée. Étant américain, vous ne trouverez pas mieux dans le genre. Mais c'est petit.

Elle lui serra la main d'une manière ferme, presque masculine, pensa Spaulding.

– Je vous remercie de vous être donné tant de peine. Et je suis désolé d'en être la cause.

– Toute autre personne ne vous aurait obtenu qu'une chambre d'hôtel, dit Ballard en effleurant l'épaule de la jeune femme.

Essayait-il de se montrer protecteur ? se demanda David.

– Les *porteños* font confiance à maman Cameron, pas à nous autres.

– Les *porteños,* dit Joan pour répondre à l'interrogation muette de Spaulding, sont les gens qui vivent à BA...

– Et BA, ne me dites rien, c'est Montevideo, répliqua David.

– Oh, ils nous ont envoyé un petit futé !

– Vous vous y habituerez, poursuivit Joan. Dans les colonies anglaise et américaine, tout le monde dit BA. Pour Montevideo, bien entendu, ajouta-t-elle avec un sourire. Nous le voyons tellement souvent sur les rapports que c'est devenu un réflexe.

– Faux, intervint Ballard. C'est parce que nous avons du mal à prononcer les voyelles juxtaposées dans « Buenos Aires ».

– Il y a autre chose que vous apprendrez pendant votre séjour, monsieur Spaulding, dit Joan Cameron. Ne vous laissez pas aller à donner votre avis en présence de Bobby. Il a l'esprit de contradiction.

– Absolument pas, rétorqua le crypto. J'ai suffisamment le souci de mes compagnons de misère pour me donner la peine d'éclairer leur lanterne et les habituer au monde extérieur le jour où on les lâchera dans la nature.

– Bon, pour le moment, je n'ai qu'un laissez-passer provisoire et, si je ne vais pas tout de suite dans le bureau de l'ambassadeur, il va se plonger dans ce fichu système d'adresses... Soyez le bienvenu, monsieur Spaulding.

– Je vous en prie, appelez-moi David.

– Et moi Joan. Au revoir, dit la jeune femme en s'engageant dans le couloir d'un pas pressé. Bobby, fit-elle en se tournant vers Ballard, avez-vous l'adresse et la clef? Pour... l'appartement de David?

– Oui. Allez vous enivrer, irresponsable que vous êtes. Je m'occupe de tout.

Joan Cameron disparut derrière une porte qui se trouvait sur le mur de droite.

– Elle est très séduisante, dit Spaulding, et vous êtes bons amis, tous les deux. Je dois vous présenter des excuses...

– Absolument pas, l'interrompit Ballard. Vous n'avez aucune raison de me présenter des excuses. Vous avez jugé un peu rapidement en vous fondant sur des faits isolés. J'ai fait la même chose, pensé la même chose. Non que vous ayez changé d'avis. Cela ne se justifie pas vraiment.

– Elle a raison. Vous dites que vous n'êtes pas d'accord... avant même de savoir de quoi il s'agit. Et puis vous analysez en long, en large et en travers les raisons de votre désaccord. Et si vous continuez, vous allez probablement mettre votre dernier avis en question.

– Vous savez quoi? Ça ne me semble pas impossible. N'est-ce pas effrayant?

– Les types comme vous appartiennent vraiment à une race à part, fit David en riant.

Il suivit Ballard dans un couloir plus étroit qui débouchait au-delà de l'escalier.

– Si nous jetions un coup d'œil à votre geôle sibérienne et à votre autre cellule. Celle-ci se trouve avenue Cordoba et nous sommes ici avenue Corrientes. C'est à dix minutes environ.

David remercia une fois de plus Bobby Ballard avant de refermer la porte de l'appartement. Il avait invoqué la fatigue d'un voyage précédé de trop nombreuses festivités lors de son retour à New York. Et Dieu sait que c'était la vérité. Ballard accepterait-il de dîner avec lui un peu plus tard?

Quand il fut seul, il inspecta l'appartement. Celui-ci n'avait rien d'épouvantable. Il était petit: une chambre, une salle à manger-cuisine et une salle de bains. Mais il présentait un avantage dont Joan Cameron ne lui avait pas parlé. Le deux-pièces était situé au premier étage et au fond se trouvait un petit patio en brique, entouré d'un haut mur de béton couvert de vignes grimpantes et de cascades de fleurs tombant d'immenses pots placés sur une corniche. Au centre de cet espace clos, il y avait un arbre fruitier noueux dont il ignorait le nom. Autour du tronc étaient installés trois fauteuils de corde tressée, qui avaient connu des jours meilleurs mais semblaient encore confortables. C'était ce dernier élément qui, à ses yeux, donnait toute sa valeur à l'appartement.

Ballard lui avait fait remarquer que cette partie de l'avenida Córdoba se trouvait à la limite du quartier commerçant, le « centre » de Buenos Aires. Quasi résidentiel tout en étant assez près des magasins et des restaurants pour convenir à un nouveau venu.

David décrocha le téléphone : il dut attendre la tonalité, qui finit par se faire entendre. Il raccrocha et se dirigea vers le réfrigérateur à l'autre bout de la pièce, un appareil américain, un Sears Roebuck. Il l'ouvrit et sourit. Mme Cameron lui avait apporté – ou fait apporter – quelques articles courants : lait, beurre, pain, œufs, café. Il constata avec joie qu'il y avait aussi deux bouteilles de vin : un Orfila *tinto* et un Colon *blanco*. Il referma le réfrigérateur et retourna dans la chambre.

Il ouvrit son unique valise, débarrassa une bouteille de whisky de son emballage et se souvint qu'il lui faudrait acheter des vêtements dans la matinée. Ballard lui avait proposé de l'accompagner dans une boutique de prêt-à-porter masculin de la calle Florida, à condition que ses lignes cessent de « bourdonner ». Il posa les livres qu'Eugène Lyons lui avait donnés sur la table de chevet. Il en avait déjà parcouru deux et commençait à parler le langage des physiciens en aéronautique avec plus d'assurance. Pour être tout à fait tranquille, il lui faudrait acquérir les mêmes notions en allemand. Le lendemain, il ferait le tour des librairies de la colonie allemande. Il ne cherchait pas de textes définitifs mais quelque chose qui lui permette de comprendre les termes techniques. Ce n'était qu'une infime partie de ses fonctions, il l'avait compris.

Soudain, David se souvint de Walter Kendall. Kendall devait être à Buenos Aires à présent ou, s'il n'y était pas, devait arriver dans quelques heures. Il avait quitté les États-Unis à peu près en même temps que lui, sur un vol plus direct, aux escales moins nombreuses.

Il se demanda s'il était raisonnable de se rendre à l'aéroport pour repérer Kendall. S'il n'était pas arrivé, il l'attendrait. S'il l'était, il lui suffirait de passer en revue les hôtels. D'après Ballard, il n'y en avait que trois ou quatre de bons.

Mais cela ne lui souriait guère de consacrer un temps précieux à ce manipulateur. Kendall n'apprécierait pas de le trouver à Buenos Aires avant qu'il en eût donné l'ordre à Swanson. Il demanderait sans aucun doute plus d'explications que ne voudrait lui en donner David. Il allait vraisemblablement envoyer au général, déjà stressé, des câbles où il laisserait éclater son mécontentement.

Il n'avait donc pas intérêt à poursuivre Walter Kendall avant que ce dernier ne se mette en quête de lui. Cela ne lui attirerait que des ennuis.

Il avait autre chose à examiner : la face cachée des choses. Mieux valait commencer cette enquête-là seul.

David retourna dans la salle à manger-cuisine, le whisky à la main, et sortit un bac à glaçons du réfrigérateur. Il se versa un verre et leva les yeux vers la double porte qui menait au patio miniature. Il allait passer un moment tranquille dans le crépuscule et la brise estivale de ce mois de janvier.

Le soleil disparaissait à l'horizon de la ville. Ses derniers rayons orange filtraient à travers l'épais feuillage de l'arbre non identifié. Sous l'arbre, David étendit ses jambes, bien calé dans son fauteuil de corde. S'il fermait les yeux, il ne les rouvrirait pas avant plusieurs heures. Il devait prendre garde. Une longue expérience du terrain lui avait appris à manger avant de s'endormir.

Cela faisait longtemps qu'il ne prenait plus plaisir à se nourrir. C'était devenu une nécessité liée à ses besoins énergétiques. Il se demanda s'il retrouverait ce plaisir. S'il retrouverait tout ce qu'il avait momentanément oublié. De toutes les grandes villes d'Europe et d'Amérique, à l'exception de New York, c'était à Lisbonne qu'on mangeait le mieux et qu'on trouvait les logements les plus confortables. Il était à présent au sud du continent américain, dans une ville qui se flattait d'offrir un luxe inégalé.

Pour lui, c'était le terrain, tout comme les régions du nord de l'Espagne. Comme le Pays Basque et la Navarre, les nuits glacées dans les collines de Galice, les silences au fond des ravins, où, le corps trempé de sueur, on attendait les patrouilles, on attendait de tuer.

Si dur. Si loin de lui.

Il but une longue gorgée et renversa la tête en arrière contre le dossier du fauteuil. Dans la partie médiane de l'arbre, un petit oiseau perturbé par son intrusion cessa de gazouiller. David se souvint qu'il écoutait ces oiseaux dans les régions du Nord. Ils lui indiquaient l'approche d'hommes invisibles, adoptaient des rythmes différents qu'il commençait à identifier, qu'il pensait identifier, selon l'importance de la patrouille silencieuse qui s'avançait.

David comprit alors que le gazouillis de l'oiseau n'avait rien à voir avec sa présence. Il sauta plus haut en poussant de petits cris suraigus, plus rapides, plus stridents.

Il y avait quelqu'un d'autre.

Entre ses paupières mi-closes, il regarda au-dessus de lui, à travers le feuillage. Il ne bougea pas d'un pouce, ni la tête ni aucune partie de son corps, comme quelqu'un d'engourdi qui sent venir les derniers instants avant le sommeil.

L'immeuble avait quatre étages et un toit en pente douce, couvert de tuiles de terre cuite brun rose. Au-dessus de lui, la plupart des fenêtres étaient ouvertes aux brises venues de Rio de la Plata. Il entendit des bribes de conversation affaiblies, rien de menaçant, pas de vibrations fortes. C'était l'heure de la sieste à Buenos Aires, si l'on en croyait Ballard. Très différent de l'après-midi à Rome ou du déjeuner parisien. A BA, on dînait très tard par rapport au reste du monde. Dix heures, dix heures et demie, parfois minuit.

Les habitants de l'immeuble de l'avenue Córdoba ne troublaient guère les vocalises de l'oiseau. Il continuait de pousser des cris stridents.

Et David vit pourquoi.

Sur le toit, masqués par les branches de l'arbre sans être complètement dissimulés, se détachaient les silhouettes de deux hommes.

Ils étaient accroupis et regardaient en bas ; ils le regardaient, il en fut certain.

Spaulding évalua la position de la branche principale et fit doucement rouler sa tête, comme s'il se laissait gagner par le sommeil, le cou penché sur l'épaule droite, le verre à peine tenu par la main relâchée, à quelques millimètres du pavage de briques.

C'était mieux. Il voyait mieux. Assez pour distinguer la longue forme rectiligne d'un canon de fusil. Sur l'acier noir venait se refléter le soleil orange. L'arme était immobile, en position d'arrêt sous le bras de l'homme de droite. Ce dernier ne fit aucun mouvement pour le soulever, pour viser. Le fusil demeurait immobile, couché.

Il avait pourtant quelque chose de menaçant, pensa Spaulding. Comme si le fusil se trouvait dans les bras d'un tueur, un gardien certain que son prisonnier ne pourrait pas faire le mur. Il avait tout le temps d'épauler et de tirer.

David poursuivit sa mise en scène. Il leva légèrement la main et laissa tomber son verre. Le bruit le « réveilla ». Il secoua la tête comme pour chasser le sommeil et se frotta les yeux du bout des doigts. Ce faisant, il leva les yeux avec le plus grand naturel. Sur le toit, les silhouettes avaient reculé. On ne tirerait pas. Pas sur lui.

Il ramassa quelques éclats de verre, se leva de son fauteuil et rentra dans l'appartement, tel un homme fatigué agacé de sa propre maladresse. Lentement, avec une irritation en apparence mal contrôlée.

Une fois franchi le seuil, sous l'angle du toit, il jeta le verre brisé dans une corbeille à papier et se dirigea aussitôt vers la chambre. Il ouvrit le premier tiroir du bureau, écarta deux ou trois mouchoirs et prit son revolver.

Il le cala dans sa ceinture et attrapa sa veste sur le fauteuil où il l'avait jetée un peu plus tôt. Il l'enfila et constata avec satisfaction que l'arme était dissimulée.

Il traversa la salle à manger en direction de la porte, qu'il ouvrit en silence.

L'escalier était adossé au mur de gauche, et David jura en maudissant l'architecte de l'immeuble de l'avenue Córdoba ou l'abondance du bois en Argentine. L'escalier était en bois, superbement poli à la cire, mais de toute évidence ancien. Il devait craquer à faire peur.

Il ferma la porte de l'appartement et posa le pied sur la première marche.

Ce qui produisit un craquement retentissant, comme on en entend chez les antiquaires.

Il lui restait quatre étages à gravir. Les trois premiers n'étaient pas très hauts. Il monta les marches deux par deux et s'aperçut qu'il pouvait atténuer le bruit de ses pas en s'appuyant contre le mur.

Soixante secondes plus tard, il se trouva face à une porte où était accrochée une pancarte. On y lisait en caractères castillans, ces maudits caractères ornés de fioritures :

El techo.

Le toit.

La porte, comme l'escalier, était vieille. Des décennies de chaleur et d'humidité, au fil des saisons, avaient fait gonfler le bois autour des charnières. On devait forcer pour faire entrer les bords dans l'encadrement.

Ouvrir cette porte lentement, c'était annoncer son arrivée à grand fracas.

Il n'y avait pas d'autre moyen : il tira son arme de sa ceinture et fit un pas en arrière sur la minuscule plate-forme. Il observa l'encadrement, le mur de béton qui entouraient la porte de bois et, après avoir inspiré suffisamment, il tira la poignée, ouvrit d'un coup sec et se rua sur le mur de droite en plaquant son dos contre le béton.

Sous l'effet de la surprise, les deux hommes firent volte-face. Ils étaient à une dizaine de mètres de David au bord du toit pentu. L'homme au fusil hésita, puis leva son arme au niveau de la taille, en position de tir. Avec son revolver, Spaulding visa sa poitrine. L'homme au fusil ne semblait pourtant pas avoir l'intention de tirer. Il hésitait sincèrement, ni par panique ni par indécision.

Son compagnon cria en espagnol. David reconnut l'accent du sud de l'Espagne, pas l'accent argentin.

– *Por favor, señor !*

Spaulding répondit en anglais pour voir s'ils comprenaient.

– Baissez cette arme. Tout de suite !

L'interpellé obtempéra en tenant le fusil par la crosse.

– Vous vous trompez, dit-il dans un anglais hésitant. Il y a eu... comment dites-vous? *ladrones*... des voleurs dans le voisinage.

David passa de la traverse métallique au toit en pointant son revolver sur les deux hommes.

– Vous n'êtes pas très convaincant. *Se dan corte, amigos.* Vous n'êtes pas de Buenos Aires.

– Il y a beaucoup de gens comme nous dans le quartier : déplacés, *señor.* Nous formons une communauté de... gens nés ici, ajouta le deuxième homme.

– Vous n'étiez donc pas là pour moi ? Vous n'étiez pas en train de me surveiller ?

– C'était une pure coïncidence, je vous assure, dit l'homme au fusil.

– *Es la verdad,* renchérit l'autre. On a cambriolé deux *habitaciones* la semaine dernière. La police ne fait rien. Nous sommes... *extranjeros,* des étrangers pour eux. Nous nous protégeons nous-mêmes.

Spaulding les observa avec attention. Rien ne trahissait la moindre hésitation dans l'expression des deux hommes, rien ne pouvait laisser soupçonner qu'ils mentaient. Ils ne manifestaient aucune peur.

– J'appartiens à l'ambassade américaine, fit David d'un ton abrupt.

Les deux extranjeros ne réagirent pas.

– Je dois vous demander quelle est votre identité.

– *Qué cosa ?* demanda l'homme au fusil.

– Vos papiers. Vos noms... *Certificados.*

– *Por cierto, en seguida.*

Le deuxième homme tendit la main en arrière vers la poche de son pantalon. Spaulding leva légèrement son arme en guise d'avertissement.

L'homme hésita, qui ne dissimulait plus sa peur.

– Seulement un *registro, señor.* Nous devons les avoir sur nous... Je vous en prie. Dans ma *cartera.*

David tendit la main gauche où l'Espagnol déposa un portefeuille de cuir bon marché. Il l'ouvrit d'un coup sec avec un léger remords. Les deux extranjeros paraissaient désemparés. Des milliers de fois, il avait vu un regard comme le leur. Les phalangistes de Franco étaient passés maîtres dans l'art de le provoquer.

Il baissa aussitôt les yeux vers le plastique transparent du portefeuille. Celui-ci avait été craquelé par le temps.

Soudain le canon du fusil vint heurter violemment son poignet droit. Il éprouva une douleur insupportable. Puis on lui tordit la main avec art, par une rotation interne et plongeante. Il fut contraint de lâcher son arme, qu'il essaya de faire glisser d'un coup de pied sur la pente du toit. S'il avait tenté de la garder, il aurait eu le poignet cassé.

Pendant ce temps, on lui avait bloqué le bras gauche au-dessus du cou. Il donna un puissant coup de pied à l'extranjero qui n'était pas armé et qui lui tenait la main. Il le toucha au ventre et, tandis que l'homme se pliait en deux, David déplaça son poids en diagonale et frappa de nouveau. Il l'envoya rouler sur le toit de tuiles.

David tomba à la renverse, dans le sens du blocage. Tandis que le premier homme le redressait, Spaulding leva le coude gauche en arrière et lui donna un coup dans le bas-ventre. L'extranjero lui lâcha le bras en essayant de retrouver l'équilibre.

Il ne fut pas assez rapide. Spaulding se tourna brutalement vers la gauche et leva le genou à hauteur de la gorge de son adversaire. Le fusil tomba avec fracas sur les tuiles et roula sur la pente. L'homme s'effondra. Du sang coulait de sa bouche, là où les dents avaient entamé la chair.

Spaulding entendit un bruit derrière lui et fit volte-face.

Il était trop tard. L'autre extranjero était sur lui, et David perçut, au-dessus de sa tête, le sifflement de son propre revolver qui s'abattait sur son crâne.

Tout devint noir. Vide.

— Ils correspondent bien à leur image de marque mais pas au quartier de la ville, dit Ballard, qui était assis en face de David, à l'autre bout de la pièce.

Celui-ci maintenait une compresse glacée sur sa tête.

— Les extranjeros sont concentrés dans le quartier ouest du district de La Boca. Il y a un taux de criminalité extravagant là-bas. La *policia* préfère arpenter les parcs que ces rues-là. Et le Grupo, le G.O.U. n'aime pas beaucoup les extranjeros.

— Vous ne m'êtes pas d'un grand secours, dit Spaulding en se massant la face postérieure de la boîte crânienne avec la compresse.

— Ils n'avaient pas l'intention de vous tuer. Ils auraient pu vous balancer en bas ou simplement vous laisser au bord. Vous aviez quatre chances sur cinq de dégringoler les quatre étages.

— Je savais qu'ils n'avaient pas l'intention de me tuer...

— Comment ?

— Ils auraient pu le faire avant très facilement. Je crois qu'ils attendaient que je m'en aille. J'avais défait mes bagages. Ils auraient été tranquilles dans l'appartement.

— Pour quoi faire ?

— Pour fouiller mes affaires. Ils l'ont déjà fait.

— Qui ?

— Je n'en sais fichtrement rien.

— Là, c'est vous qui ne m'apprenez pas grand-chose.

— Désolé... Dites-moi, Bobby, qui était au courant de mon arrivée ici ? Comment a-t-on organisé ça ?

— Première question : trois personnes. Moi, bien sûr. C'est moi qui prends les messages. Granville, évidemment. Et Joan Cameron.

Le vieux lui a demandé de vous dénicher un appartement... mais vous le savez déjà. Deuxième question : de manière très confidentielle. Souvenez-vous. Nous avons reçu les ordres durant la nuit. De Washington. Joan jouait aux échecs avec Granville dans ses appartements quand je lui ai apporté les œufs...

– Les quoi ? l'interrompit David.

– Le brouilleur. Washington nous a envoyé un message radio avec un code brouillé. Ce qui signifie que seuls mon supérieur et moi sommes habilités à le saisir pour le transmettre à l'ambassadeur.

– Bon. Et alors ?

– Rien. Je veux dire rien que vous ne sachiez.

– Dites-le-moi quand même.

Ballard poussa un long soupir condescendant.

– Eh bien, nous étions seuls tous les trois. Et puis quoi, j'ai décrypté le message. Nous avions des instructions claires quant à votre appartement. Granville a donc pensé que Joan était toute désignée pour vous en dégoter un. Il lui a dit que vous arriviez, de faire tout ce qui était en son pouvoir dans les plus brefs délais.

Ballard jeta un regard circulaire dans la pièce et sur les portes du patio.

– Elle ne s'est pas si mal débrouillée que ça.

– Alors voilà. Ils ont déployé leur réseau dans toute la ville. Rien d'extraordinaire. Ils mettent les endroits inoccupés sur écoute : appartements, pensions de famille. Les hôtels, c'est encore plus facile.

– Je ne vous suis pas, dit Ballard, qui se donnait pourtant du mal pour comprendre.

– Nous aurons beau être vifs et intelligents, il y a un certain nombre de données que nous ne pouvons modifier : il nous faut un endroit pour dormir et pour prendre un bain.

– Oh, ça, je comprends, mais cette hypothèse ne tient pas. A partir de demain, votre présence ne sera plus un secret. Jusque-là, si. Washington nous a prévenus que vous viendriez par vos propres moyens. Nous ne savions ni quand ni comment... Joan n'a pas pris cet appartement pour vous. Pas à *votre nom*.

– Ah ?

David était plus inquiet que son expression ne le laissait paraître. Les deux extranjeros étaient donc sur le toit avant son arrivée. Ou du moins quelques petites minutes après.

– Qu'a-t-elle fait pour le bail ! Quel nom a-t-elle donné ? Je ne voulais pas de couverture. Nous n'en avions pas demandé.

– Mon Dieu, je crois que j'ai parlé trop vite. Dimanche, c'est dimanche. Lundi, c'est lundi. Le dimanche, nous ne vous connaissons pas. Le lundi, si. C'est ce qu'a exigé Washington. Ils ne voulaient pas qu'on annonce votre arrivée, et si, *par ailleurs, vous* décidiez de ne pas vous montrer, nous devions respecter votre souhait. Je suis certain que Granville va vous demander ce que vous désirez faire ce matin... A quel nom Joan a signé le bail ? La connaissant, elle a probablement laissé entendre que l'ambassadeur avait une petite amie ou quelque chose de ce genre. Les porteños se montrent très *simpáticos* pour ces affaires-là. Le Paris de l'Amérique du Sud, etc. Il y a une chose dont je suis *sûr,* c'est qu'elle n'aurait pas donné votre nom. Ni aucune couverture. Elle aurait préféré donner le sien.

— Mon Dieu, fit Spaulding d'un ton las.

Il retira la compresse glacée et se tâta l'arrière du crâne. Il regarda ses doigts. Il y avait encore des traces de sang.

— J'espère qu'avec cette entaille vous n'allez pas jouer les héros. Vous devriez consulter un médecin.

— Pas de héros, sourit David. De toute façon, il faut que je me fasse enlever les fils d'une suture. Autant le faire ce soir, si vous pouvez m'arranger ça.

— Je peux vous arranger ça. Quand vous a-t-on fait ces points de suture ?

— J'ai eu un accident aux Açores.

— Mais vous voyagez énormément !

— Oui, mais il y a toujours quelqu'un qui me précède.

24.

– Mme Cameron est venue à ma demande, Spaulding. Entrez. J'ai eu une conversation avec Ballard et le médecin. On vous a retiré les fils de vos points de suture et on vous en a refait. Vous devez avoir l'impression qu'on vous prend pour un porte-épingles.

Granville était installé derrière son bureau baroque, confortablement adossé au haut dossier de son fauteuil. Joan Cameron était assise sur le canapé placé contre le mur de gauche. Devant le bureau, on avait, de toute évidence, laissé un fauteuil pour David. Il attendit que Granville lui fît signe de s'asseoir. Il resta debout. Il n'était pas certain de ses sentiments à l'égard de l'ambassadeur. Le bureau qu'on lui avait affecté était une ancienne réserve, éloignée de tout.

– Rien de grave, monsieur. S'il y avait quoi que ce soit d'inquiétant, je vous le dirais.

Spaulding salua Joan en inclinant la tête et remarqua son air soucieux. Ce fut du moins ce qu'il pensa en croisant son regard.

– Vous seriez idiot de ne rien dire. Vous avez fort heureusement reçu un coup qui n'aura pas de conséquences graves, nous a dit le médecin. Sinon, vous seriez en piteux état.

– C'est un homme expérimenté qui m'a frappé.

– Oui, je vois... D'après notre médecin, vos premiers points de suture n'ont pas été bien réalisés.

– C'est l'opinion de tous les médecins que je rencontre. Ils prêchent pour leur paroisse. Mon épaule va bien. Il l'a bandée.

– Oui... asseyez-vous, asseyez-vous.

David s'assit.

– Merci, monsieur.

– J'imagine que les deux hommes qui vous ont attaqué hier soir étaient des *provincianos*. Pas des *porteños*.

Spaulding esquissa un pauvre sourire vaincu et se tourna vers Joan Cameron.

– Je connais les porteños. J'imagine que « provincianos » a une signification simple. Les provinciaux ? Ceux qui vivent en dehors des villes.

– Oui, répondit doucement la jeune femme. *La* ville, BA.

– Deux cultures entièrement différentes, poursuivit Granville. Les « provincianos » font preuve d'une certaine hostilité, à juste titre. Ils sont complètement exploités. La colère monte. Le G.O.U. ne fait rien pour atténuer les tensions. Il se contente de les cantonner dans les emplois inférieurs.

– Les provincianos sont nés en Argentine, n'est-ce pas ?

– Certainement. A leur avis, beaucoup plus que les habitants de Buenos Aires, les porteños. Il y a moins de sang italien et allemand, sans parler des Portugais, des gens des Balkans et des juifs. Il y a eu plusieurs vagues d'immigration, vous savez...

– Alors, monsieur l'Ambassadeur, l'interrompit David en espérant flatter le goût de son interlocuteur pour les analyses pédagogiques, ce n'étaient pas des provincianos. Ils se faisaient appeler extranjeros. Des personnes déplacées, j'imagine.

– « Extranjero » est un terme plutôt ironique. Morbidité à rebours. C'est comme si un Indien de l'une de nos réserves l'utilisait à Washington. Étranger dans son pays natal, vous voyez ce que je veux dire.

– Ces hommes n'étaient pas argentins, dit calmement David sans répondre à la question de Granville. Ils parlaient avec un fort accent étranger.

– Ah ? Vous êtes un expert ?

– Oui, dans ce domaine.

– Je vois.

Granville se pencha.

– Pensez-vous que cette agression ait un rapport avec les problèmes de l'ambassade ? Avec les problèmes des Alliés ?

– Je n'en suis pas certain. Je pense que c'était moi qu'ils visaient. J'aimerais bien savoir comment ils ont su que j'étais ici.

– J'ai réfléchi à tout ce que j'ai dit, David, déclara Joan, qui était toujours assise sur le canapé.

Elle s'interrompit, consciente du regard que lui avait lancé l'ambassadeur en l'entendant prononcer le prénom de Spaulding.

– L'appartement que vous occupez est le quatrième que j'ai visité. J'ai commencé à dix heures du matin et je suis arrivée là à deux heures de l'après-midi environ. J'ai immédiatement signé le bail. Je suis navrée, mais c'est le patio qui m'a décidée à le prendre.

David lui sourit.

– De toute façon, je suis allée dans une agence immobilière de Viamonte. Le propriétaire s'appelle Geraldo Baldez. Nous le connaissons tous. C'est un partisan. Il ne traite pas avec les Allemands. Je lui ai fait comprendre que je louais cet appartement pour l'un des nôtres qui vivait ici et qui, franchement, trouvait le règlement de l'ambassade trop astreignant. Il a ri et m'a dit qu'il était sûr que c'était Bobby. Je n'ai pas nié.

– Mais c'était un bail de courte durée, intervint David.

– J'ai invoqué le prétexte que l'appartement pouvait vous déplaire. Nous sommes donc convenus d'une durée de trois mois, une clause courante.

– Pourquoi Bobby ou un autre ne pourrait-il pas disposer de son propre appartement ?

– Pour toutes sortes de raisons. Tout aussi courantes... ici, ajouta Joan, quelque peu embarrassée, pensa David. Je connais mieux la ville que la plupart d'entre nous. J'y ai vécu plusieurs années. Et puis il y a aussi une question d'argent. Je marchande assez bien. Les hommes comme Bobby doivent faire face à des tâches urgentes. Moi, j'ai des horaires plus souples. J'ai du temps.

– Mme Cameron est trop modeste, Spaulding. C'est un énorme atout pour notre petite communauté.

– J'en suis certain, monsieur... Vous ne pensez donc pas que quiconque ait pu suspecter que vous cherchiez un logement pour un nouvel attaché.

– Absolument pas. Tout a été fait... avec tant de naturel, si vous voyez ce que je veux dire.

– Et le propriétaire de l'immeuble ? demanda David.

– Je ne l'ai jamais vu. La plupart de ces appartements appartiennent à des gens fortunés qui habitent les quartiers de Telmo ou de Palermo. Tout passe par l'intermédiaire d'agences immobilières.

David se tourna vers Granville.

– Ai-je reçu des appels téléphoniques ? Des messages ?

– Non. Pas que je sache, et je suis sûr qu'on m'en tiendrait au courant. On vous aurait contacté, bien entendu.

– Un homme nommé Kendall...

– Kendall ? l'interrompit l'ambassadeur. Je connais ce nom... Kendall. Oui, Kendall.

Granville tourna rapidement les feuilles posées sur son bureau.

– Voilà. Un certain Walter Kendall est arrivé hier soir. Par le vol de dix heures et demie. Il est descendu à l'Alvear. C'est près du parc de Palermo. Un vieil hôtel charmant.

Granville leva brusquement les yeux vers Spaulding.

– Il est inscrit sur nos listes comme économiste industriel. C'est un terme plutôt vague. Serait-ce le banquier dont je vous ai parlé hier ?

– Il est chargé de prendre certaines dispositions, en rapport avec les instructions que j'ai reçues.

David ne dissimula pas sa réticence à en dire plus long sur Kendall. Mais il se surprit à donner quelques éclaircissements à Joan Cameron.

– Ici, je dois d'abord servir d'agent de liaison entre les financiers de New York et Londres et les milieux bancaires de Buenos... BA.

David sourit en espérant que son sourire était aussi sincère que celui de Joan.

– Je trouve ça un peu ridicule. Je connais la différence entre un débit et un crédit. Mais Washington a accepté ma nomination. Son Excellence s'inquiète de mon inexpérience.

Spaulding tourna aussitôt son regard vers Granville pour lui rappeler qu'il ne préciserait pas l'identité des « milieux bancaires » en question. Il ne prononcerait pas le nom d'Erich Rhinemann.

– Oui, je le reconnais, j'ai été... Mais ça n'a aucun rapport. Que voulez-vous faire pour hier soir ? Je pense que nous devrions porter plainte auprès de la police. Même si ça ne doit pas améliorer les choses.

David resta un moment silencieux, pesant le pour et le contre.

– La presse parlera-t-elle de cet incident ?

– Très peu, je crois, répondit Joan.

– Les attachés d'ambassade ont généralement un peu d'argent, intervint Granville. Il y a déjà eu des cambriolages. On parlera d'une tentative de vol. C'est probablement ce que l'on a déjà dit.

– Mais le Grupo n'apprécie pas ce genre de nouvelle. Ça ne cadre pas avec l'image que veulent donner les colonels, et ils contrôlent la presse.

Joan pensait à voix haute en regardant David.

– On minimisera l'affaire.

– Et si nous ne portons pas plainte, nous reconnaissons implicitement que nous pensons qu'il ne s'agissait pas d'un cambriolage, mais d'autre chose. Et je n'y tiens pas, dit Spaulding.

– Nous allons donc déposer une plainte officielle ce matin. Vous voudrez bien faire un rapport de l'incident et le signer ?

De toute évidence, Granville souhaitait mettre fin à l'entrevue.

– Pour être franc, Spaulding, je suis persuadé qu'on a simplement essayé de dévaliser un riche Américain fraîchement débarqué, mais je peux me tromper. Les chauffeurs de taxi de l'aéroport, m'a-t-on dit, ont organisé un véritable carnaval des voleurs. Il me semble tout à fait logique que les extranjeros y participent.

David se leva. Il constata avec plaisir que Joan faisait de même.

– Je vous crois, monsieur l'Ambassadeur. Les années que j'ai passées à Lisbonne m'ont rendu excessivement... méfiant. Je vais m'adapter.

– J'espère bien. Rédigez votre rapport.

– Oui, monsieur.

– Je vais lui trouver une secrétaire, dit Joan. Bilingue.

– Ce n'est pas nécessaire. Je dicterai en espagnol.

– J'avais oublié, sourit Joan. Bobby dit qu'on nous a envoyé un petit génie.

David pensait que tout avait commencé par ce premier déjeuner. Quand elle lui affirma, plus tard, que c'était avant, il ne la crut pas. Quand il avait dit que BA était l'abréviation de Montevideo, elle en était persuadée. C'était stupide, cela n'avait pas de sens.

Ce qui en avait – et ils en étaient tous deux conscients sans en parler –, c'était le bien-être qu'ils éprouvaient ensemble. C'était aussi simple que cela. Ils étaient merveilleusement bien. Les silences n'étaient jamais pesants. Ils riaient de rien, sans se forcer : ils avaient le même sens de l'humour.

C'était d'autant plus étonnant, pensa David, qu'aucun des deux ne s'y attendait. Chacun avait de bonnes raisons, des raisons suffisantes d'éviter toute relation autre que superficielle ou presque. David ne se fixerait pas, se contenterait de survivre et de recommencer ailleurs, l'esprit clair et la mémoire effacée. C'était important pour lui. Il savait qu'elle portait encore le deuil d'un homme, dont elle ne pourrait éloigner d'elle le visage, le corps, l'esprit, sans éprouver un terrible sentiment de culpabilité.

Elle lui expliqua pourquoi. Son mari n'avait rien du pilote fonceur que décrivait si souvent le service de relations publiques de la marine. Il avait affreusement peur, pas pour lui, mais d'anéantir d'autres vies. S'il n'avait pas songé au préjudice que cette attitude aurait porté à sa femme et à sa famille dans le Maryland, il aurait demandé le statut d'objecteur de conscience. Et puis peut-être n'avait-il pas non plus le courage de ses opinions.

Pourquoi pilote ?

Cameron avait passé sa vie dans les avions depuis l'âge de dix ans. Cela lui sembla naturel. Sa formation civile lui vaudrait une planque d'instructeur d'État, pensait-il. Il refusa d'étudier le droit militaire. Il avait connu trop de juristes qui s'y étaient laissé prendre et s'étaient retrouvés dans l'infanterie ou sur le pont d'un cuirassé. L'armée avait assez de juristes. Elle avait besoin de pilotes.

David comprenait pourquoi Joan lui parlait tant de son mari mort. Il y avait à cela deux raisons. Tout d'abord, en le faisant si ouvertement, elle se familiarisait avec ce qui était en train de leur arriver. Acceptait peut-être. La seconde raison était moins évidente mais non moins importante. Joan Cameron détestait la guerre. La détestait pour tout ce qu'elle lui avait pris. Elle voulait qu'il le sache.

Parce que, par instinct, elle sentait que David était très engagé. Et elle ne voulait pas participer à cet engagement. Elle devait au moins cela à la mémoire de Cameron.

Ils étaient allés déjeuner dans un restaurant qui donnait sur le bassin de Riachuelo, près des quais de Darsena Sud. C'était elle qui avait conseillé le restaurant et proposé le déjeuner. Elle constata qu'il était encore épuisé : son sommeil, un sommeil insuffisant, était troublé par une douleur incessante. Elle insista pour qu'il prenne le temps de déjeuner, puis qu'il retourne chez lui se coucher et se donne une journée pour récupérer.

Elle n'avait pas l'intention de l'accompagner.

Il n'en avait pas non plus l'intention.

— Ballard est un type sympathique, dit Spaulding en se versant un verre de Colon blanc, clair.

— Bobby est charmant, acquiesça-t-elle. Il est gentil.

— Il vous aime beaucoup.

— Moi aussi... Ce que vous êtes en train de penser me semble parfaitement naturel, et je suis désolée de gâcher votre petit cinéma. Le terme de « mélodie » vous convient-il ? Granville m'a parlé de vos parents. Je suis très impressionnée.

— Je refuse d'apprendre le solfège depuis que j'ai huit ans. Mais « mélodie », ça me convient. Je me posais juste la question.

— Bobby m'a fait des avances en vrai professionnel, avec des tonnes de charme et de bonne humeur. Toute autre que moi aurait mieux réagi. Il avait le droit de se fâcher... J'avais besoin de sa présence et je ne lui apportais pas grand-chose en retour.

— Il a accepté la règle du jeu, répliqua David d'un ton ferme.

— J'ai dit qu'il était gentil.

— Il doit bien y avoir une dizaine d'autres types ici...

— Plus le marine qui monte la garde, s'exclama Joan en esquissant un salut qui n'avait rien de militaire. Ne l'oubliez pas.

— Cent dix alors. Vous êtes Deanna Durbin.

— A peu près. Les marines nous arrivent tour à tour de la base des marines de la Flotte, au sud de La Boca. Le personnel, du moins ceux qui n'ont ni femmes ni enfants, est atteint du syndrome de l'ambassade.

— Qu'est-ce que c'est ?

— Carriérite aiguë... Le grand frisson. Singulièrement, vous ne semblez pas contaminé.

— Je n'en sais rien. Je ne sais pas ce que c'est.

— Ce qui est très révélateur, n'est-ce pas ?

— Révélateur de quoi ?

— Vous n'avez pas l'intention de faire une brillante carrière au Département d'État. Quand le syndrome s'installe, ils en font des tonnes pour que leurs supérieurs, l'ambassadeur en particulier, soient absolument enchantés de leur sincère dévouement.

Joan fit une grimace, le menton délicatement pointé en avant, les sourcils tombants, l'air moqueur. Spaulding éclata de rire. La jeune femme imitait avec une précision féroce les manières et le ton que l'on adoptait au sein de l'ambassade.

– Mais je vais vous faire passer à la radio, fit-il en riant. Vous avez bien décrit ce syndrome. Je comprends tout ! Je le vois comme si j'y étais !

– Mais vous n'êtes pas contaminé.

Joan cessa son imitation et le regarda droit dans les yeux.

– Je vous ai observé avec Granville. Vous étiez tout juste poli. Vous ne cherchiez pas à nouer de bons rapports, n'est-ce pas ?

Il soutint son regard.

– Non, en effet... Pour répondre à la question qui trotte si fort dans cette jolie petite tête qu'elle la fait vibrer, je ne suis ni officier de carrière ni attaché aux Affaires étrangères. J'y travaille uniquement parce que nous sommes en guerre. On m'envoie dans les ambassades pour accomplir certaines tâches et pour diverses raisons liées à celles-ci. Je parle quatre langues et, grâce à ces parents qui vous ont tant impressionnée, je suis en contact avec ce que l'on appelle par euphémisme les gens importants du gouvernement, du monde des affaires, enfin de ces différents milieux. Comme je ne suis pas complètement idiot, je fais souvent circuler des renseignements confidentiels entre les entreprises de différents pays. Le marché ne cesse pas de bourdonner pour de petits désagréments comme la guerre... C'est là que j'interviens. Je n'en suis pas très fier, mais c'est la tâche que l'on m'a confiée.

Elle sourit et lui prit la main.

– Quoi que vous fassiez, je suis persuadée que vous le faites bien et intelligemment. Il est rare de pouvoir dire ça. Et Dieu sait que vous n'avez pas le choix.

– Qu'est-ce que tu faisais pendant la guerre, papa ?... – Eh bien, mon fils.

David se lança dans une autocaricature.

– Je suis allé de place en place conseiller aux amis de la Chase Bank de vendre au plus haut et d'acheter au plus bas pour faire de gros bénéfices.

Il garda sa main dans la sienne.

– Et je me suis fait agresser sur les toits argentins et... – Et d'où viennent ces points de suture à l'épaule ? – L'avion de transport dans lequel je me trouvais a atterri en catastrophe aux Açores. Je crois que le pilote et tout son équipage ont été plâtrés.

– Là-bas. Vous voyez ! Vous avez une vie aussi dangereuse que celle de n'importe quel soldat du front... Si je rencontre ce petit garçon auquel vous vous adressiez tout à l'heure, je lui dirai cela.

Ils ne se quittaient pas des yeux. Joan retira sa main, embarrassée. Pour Spaulding, l'important était qu'elle le crût. Elle avait accepté sa couverture sans la mettre en doute. Il en fut soulagé et malheureux à la fois. Il n'éprouvait aucune fierté professionnelle à mentir avec efficacité.

– Maintenant, vous savez comment j'ai échappé au syndrome du Département d'État. Je ne comprends toujours pas très bien pourquoi cela me distingue des autres. Enfin, avec cent dix hommes et marines...

– Les marines ne comptent pas. Ils ont leurs petites occupations à La Boca.

– Alors le personnel d'encadrement, ceux qui n'ont « ni femmes ni enfants », ils n'ont quand même pas tous le grand frisson.

– Mais si, et je leur en ai été reconnaissante. Ils aimeraient tous, un jour ou l'autre, être présentés à la cour de St. James.

– Je ne vous suis plus du tout. Vous vous lancez dans une de ces gymnastiques mentales !

– Non, absolument pas. Je voulais voir si Bobby vous avait mis au courant. Il ne l'a pas fait. Je vous avais dit qu'il était gentil... Il m'a donné l'occasion de vous le dire moi-même.

– De me dire quoi ?

– Que mon mari était le beau-fils de Henderson Granville. Ils étaient très proches.

Ils quittèrent le restaurant peu après quatre heures et firent à pied le tour des docks du quai sud de la Darsena pour respirer l'air marin. David eut l'impression que Joan était heureuse. Cela faisait partie de ce bien-être qu'ils éprouvaient ensemble, pensa-t-il. Davantage même. C'était comme si elle était délivrée d'un grand poids.

Il avait remarqué son charme dès les premiers instants, dans l'escalier de l'ambassade, mais, en se rappelant cette brève rencontre, David comprit qu'il se passait quelque chose de différent. Joan Cameron s'était montrée ouverte, aimable, accueillante... le charme personnifié. Mais il y avait autre chose. Un détachement dû à sa maîtrise d'elle-même. Une maîtrise totale. Une patine d'autorité qui n'avait rien à voir avec son statut à l'ambassade ni avec l'un des nombreux privilèges que lui valait son mariage avec le beau-fils de l'ambassadeur. Elle seule avait pris la décision de se modeler cette apparence.

Toute la matinée, il avait observé cette autorité détachée, quand elle l'avait présenté aux divers employés de l'ambassade, quand elle donnait des instructions à sa secrétaire, quand elle répondait au téléphone ou formulait de brèves directives.

Même son petit jeu avec Bobby Ballard, elle le menait avec fermeté, avec l'assurance de savoir où elle allait. Ballard pouvait toujours clamer, sur le ton de la plaisanterie, qu'elle s'enivrait, « irresponsable qu'elle était », jamais, ô grand jamais, elle ne se laisserait aller à de tels excès.

Joan tenait la bride haute à son propre personnage.

Or, cette bride, elle était en train de la lâcher.

La veille, il l'avait observée avec attention pour déterminer son âge. Elle n'avait pas manifesté le moindre intérêt, la moindre vanité. A présent, tandis qu'ils marchaient le long des docks, elle lui tenait le bras, elle était consciente et heureuse des regards que lui lançaient les *bocamos* qui se tenaient sur le quai. Elle espérait qu'il avait remarqué ces regards. Spaulding le savait.

– Regardez, David ! dit-elle, tout excitée. Ces bateaux vont se rentrer dedans.

A quelques centaines de mètres de là, dans la baie, deux chalutiers fonçaient l'un vers l'autre. Leurs deux sirènes à vapeur emplissaient l'air de menaces, les deux équipages hurlaient à bâbord et à tribord.

– Celui de droite va virer.

Ce qu'il fit. Au dernier moment, au milieu de gesticulations et de malédictions gutturales.

– Comment le saviez-vous ? demanda-t-elle.

– Simple règle de circulation. Le propriétaire aurait dû réparer des tonnes de dégâts. Il va bientôt y avoir une bagarre sur l'un de ces quais.

– Ce n'est pas la peine d'attendre. Nous en avons assez vu comme ça.

Ils quittèrent le quartier des docks par les rues étroites de La Boca, au milieu des petits marchés au poisson grouillants de monde, de gros marchands au tablier ensanglanté et des hurlements de leurs clients. La pêche du jour était arrivée, la journée de travail des pêcheurs terminée. Il ne leur restait plus qu'à vendre, boire et raconter encore et encore les mésaventures des douze dernières heures.

Ils arrivèrent sur une toute petite place appelée, sans raison apparente, Plaza Ocho Calle. Il n'y avait pas de numéro huit, pas de place, pour ainsi dire. Un taxi hésita à s'arrêter à l'angle d'une rue, déposa son client et repartit aussitôt, vite bloqué par des piétons qui ne se souciaient guère de ce genre de véhicule. David regarda Joan, qui acquiesça de la tête. Il cria quelques mots au chauffeur.

Une fois dans le taxi, il donna son adresse. L'idée d'agir autrement ne lui traversa même pas l'esprit.

Ils poursuivirent leur chemin en silence pendant quelques minutes, épaule contre épaule, sa main à elle glissée sous son bras à lui.

– A quoi pensez-vous ? demanda David, qui avait remarqué son air heureux et lointain à la fois.

– Oh, à ce que j'ai imaginé quand Henderson nous a lu le message codé l'autre soir... Oui, je l'appelle Henderson. Je l'ai toujours appelé ainsi.

– Je n'arrive pas à concevoir que quiconque, pas même le Président, puisse l'appeler Henderson.

– Vous ne le connaissez pas. Sous la veste du Racquet Club, il y a un Henderson tout à fait charmant.

– Comment m'imaginiez-vous ?

– Très différent.

– De quoi ?

– De vous... D'abord, je vous voyais tout petit. Un attaché du nom de David Spaulding, une sorte de crack de la finance qui parle de problèmes d'argent avec les banquiers et les colonels ne peut être que petit, avoir au moins cinquante ans et très peu de cheveux sur le caillou. Il porte des lunettes à monture stricte et a le nez fin. Il est aussi allergique, éternue beaucoup et se mouche sans arrêt. Il s'exprime par des phrases brèves, concises. Très précis et très désagréables.

– Et il drague les secrétaires, ne l'oubliez pas.

– Mon David Spaulding ne drague pas les secrétaires. Il lit des livres cochons.

David eut comme un pincement au cœur. Si Joan avait ajouté à ce tableau une apparence négligée, un mouchoir sale, remplacé la monture stricte par une plus moderne et précisé que l'individu ne portait des lunettes qu'occasionnellement, elle aurait fait le portrait de Walter Kendall.

– Votre Spaulding est un type déplaisant.

– Pas le nouveau, dit-elle en lui serrant le bras.

Le taxi se gara contre le trottoir, devant l'entrée de l'immeuble de l'avenue Córdoba. Joan Cameron hésita, fixa la porte du regard.

– Désirez-vous que je vous reconduise à l'ambassade ? dit David d'une voix douce, sans insistance.

– Non, fit-elle en se tournant vers lui.

Il régla le taxi et ils pénétrèrent dans l'immeuble.

Le fil qu'il avait posé dépassait du bouton de la porte. Il le sentit.

Il introduisit la clef dans la serrure et, instinctivement, la poussa sur le côté avant d'ouvrir la porte. L'appartement était dans l'état où il l'avait laissé le matin même. Il s'effaça pour la laisser entrer. Joan entra et regarda autour d'elle.

– Ce n'est pas si mal que ça, n'est-ce pas ? dit-elle.

– C'est une modeste demeure, mais c'est chez moi.

Il laissa la porte ouverte et d'un sourire, d'un geste, sans prononcer un mot, lui fit signe de s'asseoir. Il se rendit aussitôt dans la chambre, revint, franchit la double porte qui donnait sur le patio. Il leva les yeux, observa soigneusement les fenêtres et le toit. Sous les branches de l'arbre, il lui sourit de nouveau. Elle comprit, ferma la porte et vint le rejoindre sur la terrasse.

— Vous faites ça de manière très professionnelle, monsieur Spaulding.

— En suivant la tradition des grands lâches, madame Cameron.

Il se rendit compte de l'erreur qu'il venait de commettre. Ce n'était pas le moment de l'appeler par son nom de femme mariée. Elle lui sembla étrangement reconnaissante de l'avoir fait. Puis elle s'approcha et se planta devant lui.

— Mme Cameron vous remercie.

Il tendit les bras vers elle et lui prit la taille. Lentement, avec hésitation, elle leva les mains vers ses épaules. Puis elle lui prit le visage et le regarda droit dans les yeux.

Il ne bougea pas. C'était elle qui devait prendre la décision, faire le premier pas. Il l'avait compris.

Elle posa ses lèvres sur les siennes. Ce fut un baiser doux, charmant, fait pour des anges encore attachés à cette terre. Puis elle se mit à trembler, comme sous l'effet d'une pulsion incontrôlable. Ses lèvres s'entrouvirent et elle pressa son corps contre le sien.

Elle enfouit son visage contre sa poitrine, sans desserrer son étreinte possessive.

— Ne dites rien, murmura-t-elle. Ne dites surtout rien... Prenez-moi, c'est tout.

Il la souleva en silence et la porta jusqu'à la chambre. Elle gardait la tête cachée contre la poitrine de David, comme si elle avait peur de voir la lumière ou de le voir lui. Il la posa doucement sur le lit et ferma la porte.

Quelques instants plus tard, ils étaient nus. Il tira la couverture sur eux. Ils étaient merveilleusement bien.

— Je veux te dire quelque chose, dit-elle en faisant glisser un doigt sur ses lèvres.

Son visage était au-dessus du sien, ses seins effleuraient innocemment sa poitrine. Et elle souriait de son sourire sincère.

— Je sais. Tu veux l'autre Spaulding. Le mince avec ses lunettes strictes.

Il lui baisa les doigts.

— Il a disparu dans une explosion.

— Tu ne recules pas devant les descriptions hardies, ma jeune amie.

— Pas si jeune que ça... C'est de cela que je voulais te parler.

– Une pension. Tu veux la Sécurité sociale. Je vais voir ce que je peux faire.

– Sois sérieux, idiot.

– Pas si idiot que ça.

– Cela ne t'engage à rien, David, l'interrompit-elle. Je tiens à ce que tu saches que ... Je ne sais pas comment le dire autrement. Tout s'est passé si vite.

– Tout s'est passé très naturellement. Il est inutile de chercher des explications.

– Il en faut quand même quelques-unes. Je ne pensais pas me retrouver ici.

– Moi non plus. J'espérais, je dois le reconnaître... Je n'avais rien projeté. Aucun de nous deux ne l'avait prévu.

– Je n'en suis pas sûre. Je crois que moi, si. Quand je t'ai vu hier, j'ai pris une décision quelque part au fond de moi. N'est-ce pas impudent de ma part ?

– Si c'est vrai, c'est une décision que tu as longtemps repoussée.

– Oui, je suppose.

Elle s'allongea en tirant le drap sur elle.

– J'ai été très égoïste. Gâtée, égoïste, et je me suis très mal conduite.

– Parce que tu n'as pas couché à droite et à gauche ?

Il se retourna à son tour et lui caressa le visage. Il posa ses lèvres sur ses yeux ouverts, ses yeux si bleus que le soleil de cette fin d'après-midi, qui filtrait à travers les persiennes, rendait encore plus bleus, encore plus profonds. Elle sourit et dévoila des dents très blanches. Sur ses lèvres se dessina une moue frondeuse.

– C'est drôle. Je ne dois pas être très patriote. J'ai gardé mes charmes pour les livrer à un individu qui n'appartient pas aux forces combattantes.

– Les Wisigoths ne t'auraient certainement pas approuvée. Les guerriers d'abord, m'a-t-on dit.

– Nous ne leur dirons rien.

Elle leva les mains vers son visage.

– Oh, David, David !

25.

– J'espère que je ne vous ai pas réveillé. Je ne voulais pas vous déranger, mais j'ai pensé que vous le souhaiteriez.

Il y avait dans la voix de Granville, à l'autre bout de la ligne, plus de sollicitude que n'en attendait David. Il regarda sa montre en lui répondant. Il était dix heures moins trois, ce matin-là.

– Ah ?... Non, monsieur. J'étais en train de me lever. Je suis désolé, je ne me suis pas réveillé.

Il y avait une note sur la table du téléphone, un mot de Joan.

– Votre ami nous a contactés.

– Mon ami ?

David déplia le message.

Mon chéri, tu dormais si profondément que j'aurais eu le cœur brisé de te déranger. J'ai appelé un taxi. A tout à l'heure, dans la matinée. Au Bastile. Ton phénix, naguère un peu trop strict.

David se rappela son sourire.

– ... Je ne vous garantis pas les détails.

Granville venait de dire quelque chose, qu'il n'avait pas écouté.

– Excusez-moi, monsieur l'Ambassadeur, mais la communication est mauvaise. Votre voix s'estompe de temps à autre.

De ce côté de l'Atlantique, que ce fût au nord, au centre ou au sud, le téléphone était un instrument capricieux. C'était indubitable.

– C'est autre chose, je le crains, dit Granville, visiblement irrité.

Il redoutait, semblait-il, les écoutes téléphoniques.

– Passez me voir dès votre arrivée, s'il vous plaît.

– Oui, monsieur. Je viendrai directement.

Il prit le message de Joan et le relut.

Elle lui avait dit la veille qu'il lui compliquait l'existence. Mais cela ne les engageait en rien. Cela aussi, elle l'avait dit.

Qu'était-ce donc que s'engager ? Il ne voulait pas trop y penser. Il ne voulait pas penser à cette terrible découverte, à ce bien-être immédiat qu'ils avaient éprouvé. Le moment n'était pas venu...

Mais le nier eût été rejeter une extraordinaire réalité. Il avait été formé pour faire face aux réalités.

Son « ami » avait contacté l'ambassade.

Walter Kendall.

C'était une autre réalité. Qui ne pouvait pas attendre.

Il écrasa sa cigarette dans un mouvement d'humeur et regarda ses doigts broyer le mégot dans le cendrier de métal.

Pourquoi soudain cette colère ?

Il ne voulait pas non plus y songer. Il avait du pain sur la planche. Il espérait que, pour cela, il se sentirait assez motivé.

— Joan m'a dit que vous aviez eu le plus grand mal à tenir jusqu'à la fin du dîner. Vous aviez besoin de sommeil. Vous avez meilleure mine, je dois le reconnaître.

L'ambassadeur avait fait le tour de son bureau pour le saluer après qu'il fut entré dans la grande pièce surchargée de mobilier. David était perplexe. Le diplomate faisait preuve d'une sollicitude et d'une inquiétude qui démentaient la désapprobation qu'il lui manifestait depuis deux jours. Ou bien était-ce parce qu'il avait dit « Joan » et non plus « madame Cameron ».

— Elle a été très gentille. Sans elle, je n'aurais jamais trouvé de restaurant correct.

— Je dois vous dire... Je ne vous retiendrai pas, vous feriez mieux de vous dépêcher de rejoindre ce Kendall.

— Il vous a contacté...

— Ça a commencé hier soir. Tôt dans la matinée, pour être exact. Il est descendu à l'Alvear, apparemment très énervé, si l'on en croit le standard. A deux heures du matin, il hurlait, exigeait qu'on lui dise où vous vous trouviez. Naturellement, nous ne lui avons pas donné ce renseignement.

— Je vous en sais gré. Comme vous le disiez, j'avais besoin de sommeil. Kendall m'aurait empêché de dormir. Avez-vous son numéro de téléphone ? Ou dois-je le chercher dans le Bottin.

— Non, le voici.

Granville s'avança vers son bureau où se trouvait une feuille de papier. David lui emboîta le pas et prit le papier des mains de l'ambassadeur.

— Merci, monsieur.

Il fit volte-face et se dirigea vers la porte. La voix de Granville l'arrêta net.

— Spaulding ?

— Oui, monsieur ?

– Je suis certain que Mme Cameron aimerait vous voir. S'assurer que vous êtes remis, si je puis dire. Son bureau est dans l'aile sud. Première porte après l'entrée, sur la droite. Vous savez où il se trouve ?

– Je trouverai, monsieur.

– J'en suis certain. Nous nous reverrons dans la journée.

David franchit la lourde porte baroque, qu'il referma derrière lui. Était-ce son imagination ou bien Granville approuvait-il, non sans réticence, la soudaine... alliance qu'il avait conclue avec Joan ? Ses paroles exprimaient son approbation, le ton de sa voix sa réticence.

Il longea le couloir qui menait à l'aile sud jusqu'à la porte de Joan. Son nom était gravé sur une plaque de cuivre, à gauche du chambranle. Il ne l'avait pas remarquée la veille.

Mme Andrew Cameron.

Il s'appelait donc Andrew. Spaulding ne lui avait pas demandé son prénom. Elle n'avait rien dit d'elle-même.

Devant la plaque de cuivre, il eut une étrange réaction. Il éprouva du ressentiment à l'égard d'Andrew Cameron. Du ressentiment à l'égard de sa vie, de sa mort.

La porte était ouverte, et il entra. De toute évidence, la secrétaire de Joan était argentine. Une *porteña*. Ses noirs cheveux d'Espagnole étaient tirés en arrière, en un chignon. Elle avait le teint mat et l'œil sombre.

– Mme Cameron, s'il vous plaît. David Spaulding.

– Je vous en prie, entrez. Elle vous attend.

David s'approcha de la porte et tourna le bouton.

Il l'avait prise au dépourvu, pensa-t-il. Elle était à la fenêtre et regardait la pelouse, une feuille de papier à la main, les lunettes relevées au-dessus de la tête, sur ses cheveux châtain clair.

Elle sursauta, retira ses lunettes et demeura immobile. Puis elle l'observa avant d'esquisser, lentement, un sourire.

David eut peur. Plus que peur, un court instant. Puis cette angoisse soudaine fut suivie d'un profond soulagement.

– Quand je me suis réveillée ce matin, j'ai tendu la main vers toi, dit-elle. Tu n'étais pas là et j'ai eu envie de pleurer.

Il s'avança vers elle et la serra dans ses bras. Ils ne dirent pas un mot. Ils retrouvèrent leur silence, leur étreinte, leur sentiment de plénitude.

– Granville a joué les proxénètes tout à l'heure, fit-il enfin en la tenant par les épaules.

Il contempla ses yeux bleus, si intelligents, si malicieux.

– Je t'ai dit qu'il était charmant. Tu n'as pas voulu me croire.

– Tu ne m'avais pas dit que nous avions dîné ensemble. Ou du moins que j'avais eu du mal à tenir jusqu'au bout.

– J'espérais que tu ferais un lapsus. Que ça lui donnerait à réfléchir.

– Je ne le comprends pas. Toi non plus d'ailleurs.

– Henderson a un problème... Moi. Il ne sait pas comment me prendre. Il est beaucoup trop protecteur parce que je lui ai fait croire que je désirais cette protection. C'est vrai. C'était plus facile. Mais un homme qui a eu trois femmes et au moins deux fois autant de maîtresses au fil des ans n'est pas un puritain... Et il sait que tu ne seras pas ici longtemps. Comme il le dirait si bien : ai-je brossé un tableau réaliste de la situation ?

– Je le pense, répondit David, qui imita le ton très britannique de Granville.

– Ce n'est pas gentil, fit Joan en riant. Il n'approuve sans doute pas... C'est pour cela qu'il a tant de mal à nous donner son accord, fût-il tacite.

David la lâcha.

– Je sais très bien qu'il n'approuve pas... Écoute, il faut que je donne quelques coups de fil, que je sorte pour voir quelqu'un.

– Juste quelqu'un ?

– Une ravissante beauté qui me présentera des tas d'autres ravissantes beautés. Entre nous, je ne peux pas le supporter. Mais il faut que je le voie... Tu dînes avec moi ?

– Oui, je dîne avec toi. C'est ce que j'avais prévu. Tu n'as pas le choix.

– Tu as raison. Tu es une impudente.

– Je t'avais prévenu. Tu as aboli la discipline de fer que je m'imposais. Je suis en train de renaître de mes cendres... Je me sens des ailes.

– Ça devait arriver... J'étais là.

Il ne savait pas très bien pourquoi il avait dit cela, mais il n'avait pu s'en empêcher.

Walter Kendall faisait les cent pas dans sa chambre d'hôtel, comme dans une cage. Spaulding s'assit sur le canapé et l'observa en se demandant quel animal Kendall lui rappelait. Plusieurs lui vinrent à l'esprit, mais aucun animal domestique.

– Ici, vous écoutez, dit Kendall. Ce n'est pas une opération militaire. Vous ne donnez pas d'ordres, vous en recevez.

– Je suis désolé. Je crois que vous avez mal interprété mon comportement.

David eut la tentation de lui répondre du tac au tac, sur le même ton furieux, mais il n'en fit rien.

– J'ai mal interprété, merde alors ! Vous avez dit à Swanson que vous aviez eu des ennuis à New York. C'est votre problème, pas le nôtre.

– Vous ne pouvez pas en être sûr.

– Oh si, je le peux ! Vous avez essayé de faire gober ça à Swanson et il a marché. Vous auriez pu nous mettre en cause !

– Attendez une minute ! intervint Spaulding qui pensait avoir le droit de protester, dans les limites qu'il s'était fixées dans ses rapports avec Kendall. J'ai informé Swanson qu'à mon avis les « ennuis » que j'avais eus à New York pouvaient avoir un lien avec Buenos Aires. Je n'ai pas dit qu'ils en avaient un, mais qu'ils pouvaient en avoir.

– C'est impossible !

– Comment diable pouvez-vous en être certain ?

– Parce que je le suis.

Kendall n'était pas seulement nerveux, pensa David, il était impatient.

– Il s'agit d'une transaction commerciale. L'affaire est conclue. Personne n'essaie de l'arrêter. De nous arrêter.

– Les hostilités n'ont pas cessé parce que vous avez conclu un marché. Si le commandement allemand en a eu vent, il fera sauter Buenos Aires pour vous en empêcher.

– Ouais... Eh bien, c'est possible.

– Vous en êtes conscient ?

– Nous en sommes conscients... Alors ne semez pas le doute dans la tête de cet idiot de Swanson. Je serai franc avec vous. Il s'agit d'une négociation strictement financière. Nous aurions pu la mener à bien sans l'aide de Washington, mais ils ont insisté – Swanson a insisté – pour envoyer quelqu'un ici. Ce quelqu'un, c'est vous. Vous pouvez nous être utile. Vous sortez les papiers et vous parlez plusieurs langues. C'est tout ce que vous avez à faire. N'attirez pas l'attention sur vous. Il ne faut inquiéter personne.

A contrecœur, David commença à comprendre la subtilité de la manipulation du général Swanson. Swanson avait manœuvré pour garder les mains propres. Personne ne s'attendait le moins du monde au meurtre d'Erich Rhinemann, qu'il le tue lui-même ou qu'il engage l'assassin. Swanson n'était nullement un « pauvre idiot », contrairement à ce que croyait Kendall. Contrairement à ce que David avait pensé.

Swanson était nerveux. Un néophyte. Mais il n'était pas mal du tout.

– D'accord. Toutes mes excuses, fit Spaulding avec une sincérité on ne peut plus feinte. J'ai peut-être exagéré l'importance de l'incident de New York. Je me suis fait des ennemis au Portugal, inutile de le nier... Je suis parti en cachette, vous savez.

– Quoi ?

– A New York, ils n'ont aucun moyen de savoir que j'ai quitté la ville.

– Vous en êtes sûr ?

– Aussi sûr que vous l'êtes que personne ne tentera d'interrompre vos négociations.

– Ouais... Bon, tout est clair. J'ai un horaire à respecter.

– Vous avez vu Rhinemann ?

– Hier. Toute la journée.

– Et Lyons ? demanda David.

– Swanson nous l'expédie à la fin de la semaine. Avec ses infirmières. D'après Rhinemann, les plans arriveront dimanche ou lundi.

– Par étapes ou tous ensemble ?

– En deux séries de publications, probablement. Il n'en est pas sûr. Ça n'a aucune importance. Tout sera là mardi. Il me l'a garanti.

– Alors, nous avons accéléré les choses. Vous aviez prévu trois semaines.

David sentit une douleur à l'estomac. Ce n'étaient ni Kendall, ni Eugène Lyons, ni les plans des gyroscopes de haute altitude qui en étaient la cause. C'étaient Joan Cameron et le simple fait qu'il ne passerait plus qu'une semaine avec elle.

Cela le troubla et il réfléchit, rapidement, à la signification de ce trouble.

Puis il comprit qu'il ne pouvait se permettre ce genre de faiblesse. Les deux choses devaient rester séparées, les deux univers devaient rester séparés.

– Rhinemann contrôle bien l'affaire, déclara Kendall, avec plus qu'une pointe de respect dans la voix. Ses méthodes m'impressionnent. Très précises.

– Si telle est votre opinion, vous n'avez pas besoin de moi.

David gagnait quelques secondes pour orienter différemment la conversation. Pure manœuvre rhétorique.

– Nous n'avons pas besoin de vous. C'est ce que je vous ai dit. Mais il y a beaucoup d'argent en jeu et, puisque le ministère de la Guerre paie, d'une façon ou d'une autre, une bonne partie de la note, Swanson veut assurer ses arrières. Je ne lui en veux pas. Les affaires sont les affaires.

C'était le moment qu'attendait Spaulding.

– Alors, venons-en aux codes. Je n'ai pas perdu les trois jours que j'ai passés ici. J'ai noué des liens amicaux avec le crypto de l'ambassade.

– Le quoi ?

– Le cryptographe principal. C'est lui qui envoie les messages codés à Washington, l'autorisation de paiement.

– Oh... Oui, ça.

Kendall était en train de tordre une cigarette avant de la glisser entre ses lèvres. Les codes et les cryptographes ne l'intéressaient qu'à moitié, pensa David. C'étaient l'emballage, les petits détails nécessaires que l'on déléguait aux autres. Ou bien jouait-il la comédie ? se demanda Spaulding.

Il le saurait dans une minute ou deux.

— Comme vous me l'avez fait remarquer, de grosses sommes sont en jeu. Nous avons donc décidé d'utiliser un brouilleur avec changement de code toutes les douze heures. Nous allons préparer le programme crypté ce soir et nous l'enverrons demain à Washington, par un courrier. La plaque principale contient une quinzaine de lettres... Naturellement, le mot d'introduction sera « Tortugas ».

Spaulding observa Kendall.

Il n'eut pas la moindre réaction.

— D'accord... Oui, d'accord.

Kendall s'assit dans un fauteuil confortable. Son esprit semblait ailleurs.

— Vous approuvez tout cela, n'est-ce pas ?

— Bien sûr. Pourquoi pas ? Amusez-vous comme vous voulez. Mais il faut que Genève nous envoie confirmation par radio et que vous partiez d'ici, ça, je ne m'en fous pas.

— Oui, mais j'ai pensé que, dans la référence, il fallait inclure... le facteur code.

— Mais de quoi parlez-vous, bon sang ?

— « Tortugas ». N'est-ce pas « Tortugas »?...

— Pourquoi ? Qu'est-ce que c'est que « Tortugas » ?

Cet homme ne jouait pas la comédie. David en était sûr.

— J'ai peut-être mal compris. Je croyais que « Tortugas » faisait partie du code d'autorisation.

— Seigneur ! Vous et Swanson ! Vous tous, les génies militaires ! Mon Dieu ! Si vous n'avez pas la sauce et les gadgets de l'agent secret de choc, vous avez l'impression que c'est du bidon, hein ?... Écoutez, quand Lyons vous dira que tout est en ordre, faites-le-nous savoir. Puis rendez-vous à l'aéroport... Il s'agit du petit terrain d'aviation de Mendarro... et les hommes de Rhinemann vous indiqueront quand vous pourrez partir, O.K. ? Vous avez pigé ?

— Oui, j'ai pigé, dit Spaulding.

Mais il n'en était pas très sûr.

Dehors, David erra sans but dans les rues de Buenos Aires. Il arriva à l'immense parc de la plaza San Martin, avec ses fontaines, ses rangées d'allées de gravier blanc, son apparent faux désordre.

Il s'assit sur un banc de lattes pour essayer de rassembler les pièces d'un puzzle insaisissable et de plus en plus complexe.

Walter Kendall n'avait pas menti. Le mot « Tortugas » n'avait aucun sens pour lui.

Et pourtant, dans un ascenseur de New York, un homme avait risqué sa vie pour en savoir plus sur l'opération « Tortugas ».

A Fairfax, Ira Barden lui avait révélé qu'il y avait un mot, un seul, en face de son nom dans le dossier de son transfert au ministère de la Guerre, qui se trouvait dans les armoires fortes de Pace : « Tortugas ».

Peut-être y avait-il une réponse simple. La mort d'Ed Pace l'empêchait d'en savoir davantage.

Berlin avait eu vent de la négociation de Peenemünde – trop tard pour prévenir le vol des plans –, mais il ferait tout pour empêcher la vente. Non seulement l'empêcher, mais retrouver la trace de tous ceux qui avaient participé à la transaction. Piéger tout le réseau de Rhinemann.

Si telle était l'explication – et quelle autre raison plausible pouvait-il y avoir ? – le nom de code de Pace, « Tortugas », avait été transmis à Berlin par la taupe de Fairfax. On avait donc ouvert une sérieuse brèche dans le système de sécurité de la base. Le meurtre de Pace en était la preuve.

Berlin n'aurait aucun mal à déterminer son propre rôle, songea David. L'homme de Lisbonne brusquement transféré à Buenos Aires. Le spécialiste qui avait fait ses preuves dans des centaines de transactions secrètes, dont le réseau était le plus impitoyablement efficace du sud de l'Europe, n'aurait pas quitté le poste qu'il avait lui-même créé si l'on n'avait pas eu besoin de ses talents ailleurs. Depuis longtemps, il était persuadé que Berlin nourrissait quelques soupçons à son égard. D'une certaine façon, c'était une protection. Il ne pouvait pas gagner à chaque coup de dés. Si l'ennemi l'éliminait, quelqu'un d'autre prendrait sa place. L'ennemi devrait tout recommencer. Il était connu... on avait repéré le diable.

Spaulding examina avec soin, avec minutie, ce qu'il ferait à la place de l'adversaire. Comment manœuvrerait-il en cet instant précis ?

Sauf panique ou erreur, l'ennemi ne le tuerait pas. Pas maintenant. Parce qu'il ne pouvait *pas* seul empêcher la livraison des plans. Il pouvait cependant permettre à ses homologues d'arriver jusqu'à la date et au lieu de la livraison.

Où l'opération « Tortugas » doit-elle avoir lieu ?

Dans l'ascenseur du Montgomery, un homme hystérique, désespéré, hurlant, lui avait posé cette question. Il aurait préféré mourir plutôt que de révéler l'identité de ceux qui lui donnaient des ordres. Les nazis se délectaient de ce genre de fanatisme. Les autres aussi, pour d'autres raisons.

Lui – Spaulding – serait donc placé sous *äusserste Uberwachung*, haute surveillance, par trois ou quatre équipes, vingt-quatre heures sur vingt-quatre. Berlin devrait donc recruter du personnel à l'extérieur du territoire. Depuis des années, il payait des agents qui opéraient au-delà des frontières allemandes. Les langues et les dialectes variaient. Des espions avec des couvertures en béton qui, dans les capitales neutres, agissaient en toute impunité parce qu'ils n'avaient aucun lien avec la Gestapo, le Gehlen ou le Nachrichtendienst.

On avait engagé ce type d'agents dans les Balkans et au Moyen-Orient. Ils coûtaient cher. Ils étaient parmi les meilleurs. La livre sterling et le dollar étaient les seuls maîtres qu'ils ne trahissaient pas.

En plus de cette surveillance sans faille, Berlin allait certainement prendre des mesures draconiennes pour l'empêcher d'étendre son réseau à Buenos Aires. On infiltrerait donc l'ambassade américaine. Berlin ne négligerait pas cet aspect de la question. On allait mettre de grosses sommes d'argent sur la table.

Qui pouvait-on soudoyer à l'ambassade ?

Toute tentative de corruption sur quelqu'un de haut placé pouvait produire un effet boomerang, lui donner à lui, Spaulding, des renseignements dangereux... Non, ce quelqu'un ne serait pas en haut de l'échelle. Quelqu'un qui pourrait avoir accès aux portes, aux serrures et aux tiroirs secrets. Et aux codes... Un attaché moyen. Un homme qui ne serait probablement jamais présenté à la cour de St. James, qui chercherait une autre sécurité. Négociable au prix fort.

Spaulding aurait un ennemi à l'intérieur même de l'ambassade.

Enfin Berlin donnerait l'ordre de le tuer. Avec quelques-autres, évidemment. Tué au moment de la livraison. Tué après que l'*äusserste Uberwachung* en aurait tiré le maximum.

David se leva de son banc et s'étira en contemplant la beauté du parc de la plaza San Martin. Il se promena sur la pelouse, au-delà de l'allée, jusqu'au bord d'un étang dont les eaux sombres reflétaient les arbres alentour, tel un miroir noir. Deux cygnes blancs glissaient dans une indifférence d'albâtre. Une petite fille était agenouillée au pied d'un rocher sur la rive et arrachait les pétales d'une fleur jaune.

Il était satisfait d'avoir analysé avec précision les différents choix qui s'offraient à ses adversaires. Les choix et les lignes de conduite les plus probables. Il se sentait d'une humeur positive, pas vraiment enthousiaste mais pas négative.

A lui d'élaborer une contre-stratégie. Il devait appliquer les enseignements reçus pendant les années passées à Lisbonne. Mais il lui restait peu de temps. De ce fait, tout faux pas lui serait fatal.

Avec nonchalance, mais sans en avoir vraiment conscience, il regarda les patineurs dans les allées, les badauds sur les pelouses, les rameurs et les passagers des petits bateaux qui sillonnaient le lac sombre. Lequel était l'ennemi ?

Qui l'observait ? Qui essayait de lire dans ses pensées ?

Il les trouverait, au moins un ou deux d'entre eux, dans les quelques jours qui suivraient.

Telle était la genèse de sa contre-stratégie.

Isoler et briser.

David alluma une cigarette et se dirigea vers le pont miniature. Il connaissait le dessous des cartes. Le chasseur et la proie ne faisaient plus qu'un. Tout son corps éprouva une très légère tension. Les mains, les bras, les jambes. Une contraction musculaire, une conscience venaient d'apparaître. Il les reconnut. Il était revenu dans les régions du Nord.

Et il était à l'aise dans cette jungle. Il était le meilleur de tous. C'était là qu'il avait construit ses monuments, ses structures massives de béton et d'acier. Dans sa tête...

26.

Il regarda sa montre : cinq heures et demie. Joan lui avait dit qu'elle serait dans son appartement vers six heures. Il avait marché presque deux heures avant de se retrouver au coin de l'avenue Viamonte, à quelques rues de son immeuble. Il traversa la chaussée et se dirigea vers un kiosque abrité sous un store, où il acheta un journal.

Il jeta un coup d'œil aux premières pages, constata avec amusement que les nouvelles de la guerre, pour le peu qu'on en disait, étaient reléguées à la fin, au milieu des comptes rendus des derniers bienfaits dont le Grupo de Oficiales comblait l'Argentine. Il remarqua que l'on avait mentionné le nom d'un colonel, un certain Juan Perón, dans trois titres distincts.

Il replia le journal sous son bras et, se rendant compte qu'il venait d'avoir quelques instants d'absence, de rêverie, regarda de nouveau sa montre.

David ne l'avait pas fait délibérément. Il n'avait pas pris garde à la brusquerie de son geste. Il s'était simplement retourné parce que le soleil se reflétait violemment sur le cadran de sa montre. Inconsciemment il s'était déporté sur la droite, la main gauche tendue, dissimulée par son ombre.

Mais il leva aussitôt les yeux. Du coin de l'œil, il discerna une interruption soudaine, brutale, de la circulation piétonnière, sur le trottoir. De l'autre côté de la rue, à une dizaine de mètres, deux hommes apparurent, qui bousculèrent les passants, présentèrent des excuses, se noyèrent dans le flot qui longeait le trottoir.

L'homme de gauche n'avait pas été assez rapide. Ou était-il trop négligent, trop inexpérimenté peut-être, pour baisser les épaules, les arrondir imperceptiblement pour se fondre dans la foule ?

Il sortait du lot, David le reconnut.

C'était l'un des deux hommes qui se trouvaient sur le toit de l'appartement de l'avenue Córdoba. David n'était pas certain d'avoir reconnu son compagnon mais celui-là, si. Il avait même la démarche un peu boitillante. David se souvint de la rossée qu'il lui avait flanquée.

On le suivait donc, et c'était bien ainsi.

Son point de départ n'était pas si éloigné qu'il l'avait cru.

Il fit encore six mètres et se mêla à un groupe de gens qui approchait de l'angle de l'avenue Córdoba. Il poursuivit son chemin en évitant bras, jambes et paquets, et entra dans une petite bijouterie où l'on vendait des articles bon marché, de mauvais goût. A l'intérieur, des employées de bureau choisissaient un cadeau pour le départ d'une secrétaire. Spaulding sourit au propriétaire du lieu, qui sembla embarrassé, lui fit signe qu'il pouvait attendre, qu'il n'était pas pressé. Le propriétaire lui répondit par un geste d'impuissance.

Spaulding resta devant la vitrine, le corps dissimulé par le chambranle de la porte.

Une minute s'était à peine écoulée quand il aperçut de nouveau les deux hommes. Ils étaient toujours de l'autre côté de la rue. David les suivit des yeux chaque fois que la foule les laissait apparaître. Ils avaient une conversation animée. Le second maudissait sans doute la claudication de son compagnon. Ils essayaient de voir au-dessus des têtes qui les entouraient, se perchaient sur la pointe des pieds, avaient l'air ridicule des amateurs.

David se dit qu'à l'angle de l'avenue Córdoba, ils allaient tourner à droite, vers l'est, vers son appartement. Ce qu'ils firent et, sous les protestations du bijoutier, Spaulding sortit, se noya dans la cohue et traversa l'avenida Callao en courant, en évitant les voitures et leurs chauffeurs furibonds. Il devait parvenir de l'autre côté en restant hors de la vue des deux hommes. Il ne pouvait donc utiliser ni les passages cloutés ni les bords des trottoirs. Il leur aurait suffi de se retourner. C'est ce que l'on fait quand on essaie de repérer quelqu'un que l'on est chargé de surveiller et que l'on a perdu de vue.

David connaissait à présent son objectif. Il séparerait les deux acolytes et prendrait celui qui boitait. Le prendre et le forcer à répondre à ses questions.

S'ils avaient quelque expérience, se dit-il, ils se sépareraient devant l'immeuble. L'un y entrerait avec précaution pour écouter à la porte, s'assurer de la présence du sujet, l'autre resterait à l'extérieur, assez loin de l'entrée pour ne pas attirer l'attention. Le bon sens voulait que ce fût l'inconnu qui pénétrât dans l'appartement de David.

Spaulding retira sa veste et leva son journal sans le déplier, sans le mettre en évidence, naturellement, comme s'il cherchait à comprendre le sens d'un titre bizarrement rédigé. Puis il avança, dans la cohue, vers le nord de l'avenue Córdoba. Il tourna à droite et marcha d'un pas tranquille, régulier, en restant sur le côté gauche du trottoir, le plus loin possible.

Son immeuble se trouvait juste après le prochain croisement. Il aperçut les deux hommes. De temps à autre, ils se retournaient, mais du côté de la rue où ils se tenaient.

Des amateurs. S'il avait été leur professeur, ils n'auraient pas réussi leur examen de passage.

Ils se rapprochèrent de l'appartement, les yeux rivés sur l'entrée. David comprit que c'était le moment d'agir. Il courrait un risque pendant le quart de seconde où l'un ou l'autre allait se retourner et le voir de face, à quelques mètres. Mais il fallait prendre ce risque. Il fallait dépasser l'entrée de l'immeuble. C'était l'élément essentiel de son piège.

Devant lui, à une faible distance, se trouvait une porteña, une ménagère d'âge moyen qui rapportait ses provisions d'un pas pressé, visiblement impatiente de rentrer chez elle. Spaulding la rattrapa et, sans ralentir le pas, la suivit. Il lui demanda son chemin dans un castillan châtié, lui déclarant, entre autres, qu'il ne s'était pas trompé de rue et qu'il était en retard. Il pencha la tête à droite, à l'opposé du bord du trottoir.

Pour un quelconque observateur, la ménagère et l'homme en manches de chemise, la veste sous le bras gauche et le journal sous le bras droit, avaient l'air de deux amis se hâtant vers une destination commune.

A une vingtaine de mètres après l'entrée de l'immeuble, sur le trottoir d'en face, Spaulding quitta la souriante porteña et s'engouffra sous le dais qui se trouvait à l'entrée d'un immeuble. Il se plaqua contre le mur et regarda en arrière, de l'autre côté de la rue. Les deux hommes étaient au bord du trottoir et, comme il l'avait prévu, ils se séparèrent. L'inconnu entra dans l'immeuble. Le boiteux regarda à droite et à gauche, repéra les véhicules à l'horizon et traversa l'avenue Córdoba, en piquant vers le nord. Là où se trouvait David.

David savait que la silhouette boitillante allait passer devant lui, que ce n'était qu'une question de secondes. La logique, encore. Le bon sens. L'homme poursuivrait son chemin vers l'est – il ne changerait pas de direction – en empruntant une voie transversale. Il se posterait en un point stratégique, d'où il pourrait observer tous ceux qui s'approcheraient de l'appartement, venant de l'ouest. Tel était le plan de David.

L'homme ne l'aperçut que lorsque David posa la main sur lui, lui saisit le bras gauche à hauteur du coude, le bloqua en position horizontale et lui comprima la main en la poussant vers le sol, de sorte que le choc le plus léger lui causait une douleur épouvantable au poignet.

– Continuez à marcher ou je vous arrache la main, dit David en anglais, en le poussant sur le côté droit du trottoir pour éviter les quelques piétons qui remontaient l'avenue Córdoba vers l'ouest.

L'inconnu grimaça de douleur. David accéléra le pas, ce qui fit trébucher sa victime, sa claudication s'étant accentuée, et augmenta sa douleur au poignet.

– Vous allez me casser le bras ! dit l'homme, paniqué, qui se dépêchait pour relâcher la tension.

– Avancez au même rythme que moi ou je vais effectivement vous le casser, répondit David avec le plus grand calme, poliment même.

Ils atteignirent l'angle de l'avenida Parana, et Spaulding fit un brusque écart sur la gauche, entraînant son compagnon avec lui. En retrait, il y avait le porche d'un vieil immeuble commercial, un de ceux où il restait encore quelques bureaux. David fit pivoter l'homme en maintenant sa prise et le jeta violemment contre la paroi de bois, tout au fond du porche. Il lui lâcha le bras. L'homme saisit son poignet meurtri. Spaulding ouvrit la veste d'un geste rapide, forçant son adversaire à baisser les bras, et retira le revolver d'un large étui attaché un peu au-dessus de la hanche gauche de son adversaire.

C'était un Lüger. Mis en circulation moins d'un an plus tôt.

David le coinça dans sa ceinture, plaqua un bras contre la gorge du boiteux, dont il poussa la tête dans le bois tandis qu'il fouillait les poches de sa veste. A l'intérieur, il trouva un grand portefeuille rectangulaire, acheté en Europe. Il l'ouvrit d'un coup sec, déplaça son bras, libérant le cou de l'homme, et bloqua son thorax de l'épaule, le clouant au mur sans pitié. Des deux mains, David extirpa ses papiers d'identité.

Un permis de conduire allemand, un laissez-passer pour circuler sur les *Autobahnen,* des cartes de rationnement contresignées par des *Oberführers* et permettant à leur détenteur de les utiliser sur tout le territoire du Reich, privilège que l'on n'accordait qu'aux très hauts fonctionnaires et à leurs supérieurs.

Et puis il trouva autre chose.

Un laissez-passer faisant aussi office de carte d'identité avec une photo agrafée. Pour les ministères de l'Information, de l'Armement, de l'Air et du Ravitaillement.

La Gestapo.

– Vous êtes sans doute la plus stupide de toutes les recrues de Himmler, dit David, qui le pensait sincèrement.

Il mit le portefeuille dans sa poche intérieure.

– Vous devez avoir des parents... *Was ist « Tortugas »,* murmura soudain Spaulding d'un ton comminatoire.

Il retira son bras et assena deux coups, poings fermés, dans le sternum du nazi, avec une telle violence que l'Allemand se mit à tousser, quasi paralysé.

– *Wer ist Altmüller. Was wissen Sie über Marshall?* demanda David en lui martelant les côtes avec ses poings fermés, faisant vibrer sa cage thoracique sous l'effet des ondes de choc, de douleur.

– *Sprechen Sie sofort!*

– *Nein! Ich weiss nichts!* répondit l'homme entre deux halètements. *Nein!*

Spaulding le reconnut. Le dialecte. Ce n'était pas un Berlinois. Pas même un montagnard bavarois. Quelque chose d'autre.

Qu'est-ce que c'était?

– *Noch'mal!* Encore! *Sprechen Sie!*

Alors, l'homme fit quelque chose d'extraordinaire. Sous l'effet de la douleur, de la frayeur, il cessa de parler allemand. Il se mit à parler anglais.

– Je ne possède pas les renseignements que vous me demandez! J'obéis aux ordres... C'est tout!

David fit un pas à gauche pour protéger le nazi des regards intermittents que leur lançaient les passants. Le porche était profond, obscur. Personne ne s'arrêta. Les deux hommes étaient peut-être de vieilles connaissances, l'un des deux sans doute un peu ivre.

Spaulding serra le poing droit, le coude gauche contre le mur, prêt à plaquer sa main gauche contre la bouche de l'Allemand. Il s'appuya contre la porte et donna un coup dans le ventre avec une force telle que l'agent tomba en avant, n'étant plus soutenu que par la main de David qui lui avait saisi les cheveux, à la limite du front.

– Je peux continuer comme ça jusqu'à ce que j'aie tout démoli à l'intérieur. Et quand j'aurai fini, je vous jetterai dans un taxi et je vous déposerai devant l'ambassade d'Allemagne avec un message. Vous vous ferez tabasser par les deux camps... Maintenant, dites-moi ce que je veux savoir!

David leva ses deux poings serrés vers la gorge de l'homme et frappa deux fois.

– Arrêtez... *Mein Gott!* Arrêtez!

– Pourquoi ne hurlez-vous pas? Vous pouvez crier à vous faire éclater les poumons, vous savez... Bien entendu, je devrai vous faire taire jusqu'à ce que vos amis vous trouvent. Sans pièces d'identité, naturellement... Allez-y! Criez!

David enfonça de nouveau son poing dans la gorge de l'homme.

– Maintenant, vous allez me dire ce qu'est l'opération « Tortugas »? Qui est Altmüller? Comment avez-vous eu un crypto nommé Marshall?

– Je vous le jure! Je ne sais rien!

David le frappa. L'homme s'effondra. Spaulding le redressa en le hissant contre le mur, se cala contre lui pour le dissimuler aux regards. L'agent de la Gestapo ouvrit les paupières. Il roulait des yeux affolés, qu'il ne contrôlait plus.

– Vous avez cinq secondes avant que je vous égorge.

– Non !... Je vous en supplie ! Altmüller... Les armements... Peenemünde...

– Qu'y a-t-il à Peenemünde ?

– La matière première... « Tortugas ».

– Qu'est-ce que cela signifie ?

David lui montra ses deux doigts fléchis. L'Allemand fut terrifié par le souvenir de la douleur.

– Qu'est-ce que c'est l'opération « Tortugas » ?

Le regard de l'Allemand vacilla brusquement sans parvenir à se fixer. Spaulding comprit qu'il regardait par-dessus son épaule. Ce n'était pas une ruse. Le nazi était trop éprouvé pour concevoir un stratagème.

Alors, David sentit une présence dans son dos. Il avait un instinct très sûr, développpé par son expérience récente. Il ne se trompait pas.

Il se retourna.

L'autre membre de l'équipe de surveillance, celui qui était entré dans l'immeuble, avait jailli de la lumière crue du soleil argentin et s'enfonçait dans l'ombre. Il était grand, lourd, musclé, de la taille de David.

Celui-ci tressaillit en apercevant la silhouette qui s'avançait dans la lumière. Il relâcha l'Allemand, prêt à se jeter contre le mur opposé.

Il en fut empêché.

L'agent de la Gestapo, dans un dernier sursaut, s'accrocha à lui.

Il lui bloqua les bras, jeta ses mains autour de son torse et s'agrippa à lui de tout son poids.

Spaulding lança un pied en direction de l'attaquant, rejeta ses coudes en arrière pour renvoyer l'Allemand contre la paroi de bois.

C'était trop tard, et David le savait.

Il aperçut l'énorme main, les longs doigts écartés qui lui arrivaient en plein visage. Il lui sembla voir se dérouler un film macabre au ralenti. Il sentit des doigts s'enfoncer dans sa chair, sa tête se cogner avec violence contre le mur.

Il ressentit une forte douleur à la nuque, accompagnée d'une sensation de naufrage, de chute brutale, de tourbillon.

Il hocha la tête. La première chose qui le frappa fut la puanteur. Tout autour de lui, écœurante.

Il gisait sous le porche en retrait, contre le mur, recroquevillé, en position fœtale. Il était trempé. Son visage, sa chemise et l'entrejambes de son pantalon étaient humides.

C'était du whisky bon marché. Très bon marché, versé en abondance.

On avait déchiré sa chemise, du col à la taille. On lui avait retiré une chaussure et une chaussette. Sa ceinture était défaite, sa braguette à moitié ouverte.

Il avait tout d'une épave.

Il se redressa, s'assit et remit de l'ordre sur lui de son mieux.

Il regarda sa montre.

Ou plutôt l'endroit où il avait une montre. Elle avait disparu.

Son portefeuille aussi. Et l'argent. Et tout le contenu de ses poches.

Il se leva. Le soleil s'était couché. C'était le début de la nuit. Il n'y avait plus autant de monde sur l'avenue Parana.

Il se demanda quelle heure il était. Il ne s'était pas passé plus d'une heure, pensa-t-il.

Il se demanda si Joan l'attendait encore.

Elle lui ôta ses vêtements, lui tamponna la nuque avec de la glace et exigea qu'il prenne une douche bien chaude.

Quand il émergea de la salle de bains, elle lui versa un verre et s'assit à côté de lui sur le petit canapé.

— Henderson va exiger que tu t'installes à l'intérieur de l'ambassade. Tu en es conscient, n'est-ce pas ?

— C'est impossible.

— Tu ne peux quand même pas te faire tabasser tous les jours. Et ne me dis pas que c'étaient des voleurs. Quand Henderson et Bobby t'ont parlé de cambrioleurs pour expliquer l'apparition des hommes sur le toit, tu n'as pas marché !

— C'était différent. Pour l'amour du ciel, Joan, on m'a volé tout ce que j'avais sur moi ! dit David d'un ton sévère.

A ce moment précis, il était important qu'elle le crût. Sans doute devrait-il désormais l'éviter. C'était tout aussi important. Et très douloureux.

— On n'inonde pas les gens de whisky après les avoir dévalisés !

— Si, quand on veut avoir le temps de quitter le quartier. Ce n'est pas une tactique nouvelle. Le temps que la victime s'explique avec la police, qu'elle se fasse accepter pour un citoyen honnête et non un ivrogne, les truands ont filé à trente kilomètres de là.

— Je ne te crois pas. Je ne pense même pas que tu espères me convaincre.

Elle se redressa et le regarda.

— J'espère te convaincre parce que c'est la vérité. On ne jette pas son portefeuille, son argent, sa montre... pour faire gober un mensonge à une fille. Allons, Joan ! J'ai très soif et ma tête me fait encore mal.

Elle haussa les épaules, consciente qu'il était vain de discuter.

– Tu n'as sans doute plus de whisky. Je vais t'en acheter une bouteille. Il y a un marchand de vin au coin de Talcahuano. Ce n'est pas loin...

– Non, l'interrompit-il en se rappelant les énormes mains de l'homme qui était entré dans l'immeuble. J'irai. Prête-moi de l'argent.

– Nous irons tous les deux, répliqua-t-elle.

– Pardon ?... Tu as une minute ? J'attends un coup de téléphone. J'aimerais que l'on sache que je ne serai pas absent longtemps.

– Qui ?

– Un homme nommé Kendall.

Dans la rue, il demanda au premier passant qu'il aperçut où se trouvait la cabine téléphonique la plus proche. Elle était à quelques centaines de mètres, dans la rue Rodriguez Pena, à l'intérieur d'un magasin de journaux.

David courut le plus vite possible.

Le groom de l'hôtel trouva Kendall dans la salle à manger. Quand il prit l'appareil, il continua de mâcher en parlant. Spaulding imagina son interlocuteur, les obscénités qu'il avait griffonnées, sa respiration animale. Il se maîtrisa. Kendall était un malade.

– Lyons arrive dans trois jours, lui dit Kendall. Avec ses infirmiers. Je lui ai dégoté un logement dans le quartier de San Telmo. Un appartement tranquille dans une rue tranquille. J'ai envoyé un télégramme à Swanson avec l'adresse. Il la donnera à ses gardiens, qui s'occuperont de tout. Ils prendront contact avec vous.

– Je croyais que c'était moi qui devais l'installer.

– Vous auriez tout compliqué, l'interrompit Kendall. Pas la peine de se faire chier. Ils vous appelleront. Ou moi. Je serai chez vous sous peu.

– Tant mieux... Parce que la Gestapo y est aussi.

– Quoi ?

– J'ai dit que la Gestapo y est aussi. Vous avez mal évalué la situation, Kendall. On essaie de vous mettre des bâtons dans les roues. Cela ne me surprend pas.

– Vous déconnez à pleins tubes !

– Pas du tout.

– Que s'est-il passé ?

David le lui raconta et, pour la première fois depuis qu'ils étaient associés, il décela de la peur chez son correspondant.

– Ils ont ouvert une brèche dans le réseau de Rhinemann. Cela ne signifie pas que les plans n'arriveront pas ici. Mais cela signifie que nous aurons des obstacles à franchir... si ce Rhinemann est aussi fort que vous le dites. A mon avis, Berlin a découvert que l'on avait volé les plans. Ils savent qu'ils vont passer à l'ennemi ou que Rhinemann est en train de les faire sortir d'Europe. Le haut commandement a eu vent de vos transactions. Les Reichsführers ne vont pas le crier sur tous les toits, ils essaieront de les intercepter. En faisant le moins de bruit possible. Mais vous pouvez parier que quelques têtes sont tombées à Peenemünde.

— C'est fou..., fit Kendall d'une voix inaudible.

Puis il bredouilla quelque chose. David n'en comprit pas un mot.

— Qu'avez-vous dit?

— L'adresse à Telmo. Pour Lyons. C'est un trois-pièces. On entre par l'arrière.

Kendall parlait toujours d'une voix basse, presque indistincte.

«Ce type est au bord de la panique», pensa Spaulding.

— Je vous entends à peine, Kendall... Calmez-vous maintenant! Je crois qu'il est temps que je me présente à Rhinemann, non?

— L'adresse de Telmo. C'est 15, Terraza Verde... C'est tranquille.

— Qui est le contact de Rhinemann?

— Le quoi?

— Le contact de Rhinemann?

— Je n'en sais rien...

— Pour l'amour du ciel, Kendall, vous avez eu une entrevue de cinq heures avec lui!

— Je vous ferai signe...

David entendit le clic. Il était stupéfait. Kendall lui avait raccroché au nez. Il pensa le rappeler mais, dans l'état d'angoisse où se trouvait Kendall, cela ne ferait qu'aggraver les choses.

Maudits amateurs! Mais qu'espéraient-ils donc? Qu'Albert Speer en personne, ayant appris que l'armée de l'air avait quelques problèmes, prenne contact avec Washington et lui prête les plans?

Insensé!

David sortit furieux de la cabine téléphonique, puis du magasin, et se retrouva dans la rue.

Où diable en était-il? Ah oui! Le whisky! La boutique se trouvait à Talcahuano, avait dit Joan. A quatre cents mètres à l'ouest. Il regarda sa montre. Il n'y avait plus de montre, bien entendu.

Zut!

— Je suis navré d'avoir été si long. Je me suis trompé. J'ai pris la mauvaise direction sur une centaine de mètres.

David posa le paquet contenant le whisky et le soda sur l'évier. Joan était assise sur le sofa. «Contrariée», se dit-il.

— M'a-t-on téléphoné?

— Pas celui que tu attendais, répondit Joan d'une voix douce. Quelqu'un d'autre. Il a dit qu'il te rappellerait demain.

– Ah ? A-t-il laissé son nom ?

– Oui. C'était Heinrich Stoltz, répondit-elle, et David remarqua une pointe de frayeur dans sa voix.

– Stoltz ? Connais pas.

– Tu devrais. Il est sous-secrétaire à l'ambassade d'Allemagne... David, qu'es-tu en train de faire ?

27.

– Désolé, *señor*. M. Kendall a quitté l'hôtel hier soir. A dix heures et demie, d'après sa fiche.

– A-t-il laissé une adresse ou un numéro de téléphone où on puisse le joindre à Buenos Aires ?

– Non, *señor*. Je crois qu'il est rentré aux États-Unis. Il y avait un vol Pan American à minuit.

– Merci.

David raccrocha le téléphone et prit son paquet de cigarettes. C'était incroyable ! Kendall avait filé à la première difficulté. Pourquoi ?

Le téléphone sonna, qui le fit sursauter.

– Allô ?

– Herr Spaulding.

– Oui.

– Heinrich Stoltz. Je vous ai appelé hier soir mais vous étiez sorti.

– Oui, je sais... On m'a dit que vous faisiez partie du personnel de l'ambassade d'Allemagne. Inutile de vous dire que je trouve votre appel bien peu orthodoxe. Et plutôt déplacé.

– Allons, Herr Spaulding. L'homme de Lisbonne ? C'est lui qui me parle d'orthodoxie ?

Stoltz rit doucement sans se faire insultant.

– Je suis attaché d'ambassade, expert économique. Rien de plus. Si vous avez entendu parler de moi, vous savez certainement que... Maintenant, je suis en retard...

– Je vous en prie, l'interrompit Stoltz. J'appelle d'une cabine publique. Cela vous rappelle certainement quelque chose.

Bien sûr que oui.

– Je ne dis rien au téléphone.

– Le vôtre ne pose pas de problèmes. J'ai longuement vérifié.

– Si vous voulez me rencontrer, donnez-moi une heure et une adresse... Quelque part dans le centre-ville. Avec des gens autour. Pas de lieu de rendez-vous à l'extérieur.

– Il y a un restaurant, la Casa Langosta del Mar, à quelques centaines de mètres au nord du Parque Lezama. C'est un peu à l'écart, pas à l'extérieur de la ville. Il dispose de plusieurs arrière-salles, avec des rideaux, sans portes. Pas d'isolation. L'isolement seulement.

– A quelle heure ?

– Midi et demi.

– Vous fumez ? demanda brusquement David.

– Oui.

– Ayez un paquet de cigarettes américaines à la main dès que vous sortirez de votre voiture. Dans la main gauche. La feuille de papier d'argent rabattue à une extrémité. Retirez deux cigarettes.

– Ce n'est pas nécessaire. Je sais qui vous êtes. Je vous reconnaîtrai.

– C'est votre affaire. Je ne vous connais pas.

David raccrocha brutalement le téléphone. Comme toujours lorsqu'il se rendait à un rendez-vous de ce genre, il arriverait en avance, par l'entrée des livraisons si possible, et se posterait dans un endroit d'où il pourrait observer l'arrivée de son interlocuteur. Les cigarettes ne constituaient rien de plus qu'un truc psychologique. Il s'agissait de déstabiliser le contact en lui faisant comprendre qu'il était devenu une cible identifiée. Un objectif. Un contact identifié répugnait à provoquer le moindre trouble. Et s'il avait l'intention de faire du grabuge, il ne viendrait pas.

Joan Cameron longea le corridor en direction de l'escalier métallique qui menait au sous-sol.

Aux « Caves ».

Les « Caves », c'était le nom que donnaient sans la moindre sympathie, dans tous les pays du monde, les fonctionnaires des Affaires étrangères à ces pièces situées au sous-sol, remplies de fichiers contenant des dossiers sur presque tous ceux qui entraient en contact avec une ambassade, connus ou inconnus, amis ou adversaires. Y compris les enquêtes et contre-enquêtes exhaustives concernant tout le personnel, les antécédents de service, les prévisions du Département d'État et les rapports de prospective. On ne négligeait rien.

Pour pénétrer dans ces « Caves », deux signatures étaient requises. Celle de l'ambassadeur et celle de l'attaché principal qui demandait l'information.

De temps à autre, on passait outre cette règle, pour des raisons de rapidité et d'efficacité. Il était généralement aisé de convaincre le marine de garde qu'un attaché en poste avait immédiatement besoin de ces documents. Le marine notait alors le nom du membre de l'ambassade et celui du sujet sur une fiche, restait au garde-à-vous pendant que l'on allait chercher le dossier. Si l'affaire avait des conséquences fâcheuses, l'attaché en était tenu pour responsable.

Il n'y avait jamais de problèmes. Une telle violation des règles vous garantissait un poste en Ouganda. La liste de vérifications était cachetée quotidiennement et envoyée à l'ambassadeur, uniquement à lui.

Joan profitait rarement de ses relations privilégiées avec Henderson Granville pour régler des questions professionnelles. En fait, elle en avait l'occasion et, quand celle-ci se présentait, il s'agissait toujours d'un problème mineur.

Cette fois, ce n'était pas un problème mineur. Et elle avait l'intention d'utiliser à fond son statut de membre de la *famille* et de membre respecté du personnel de l'ambassade. Granville était parti déjeuner. Il ne serait pas de retour avant plusieurs heures. Elle avait décidé de dire au marine de garde que « son beau-père l'ambassadeur » lui avait demandé de procéder à une enquête discrète concernant un nouveau transfert.

Spaulding, David.

Si Henderson la convoquait, elle lui dirait la vérité. Qu'elle était très, très liée à cet énigmatique M. Spaulding et que, si Henderson ne l'avait pas remarqué, c'était un bel imbécile.

Le marine de garde, un jeune lieutenant, appartenait à la base des marines de la Flotte, au sud de La Boca. Les marines traversaient la ville à toute allure, en civil, pour rejoindre leur poste à l'ambassade. Le traité qui avait autorisé l'installation de cette petite base interdisait aux hommes en uniforme de franchir les limites de l'une ou l'autre enceinte. Ces mesures restrictives avaient sensibilisé les jeunes officiers au rôle de fonctionnaire anonyme dans lequel on les cantonnait. Que la belle-fille de l'ambassadeur les appelât par leur nom, leur parlât sur un ton confidentiel d'une question qui ne l'était pas moins, le marine obtempérait sans poser de questions.

Joan consulta le dossier de David. C'était effrayant. Il ne ressemblait à aucun des dossiers qu'elle avait vus. Il n'y avait pas de dossier. Pas de notes du Département d'État, pas de rapports, pas d'appréciations, aucune indication des affectations précédentes.

Il ne contenait qu'une page.

On y indiquait le sexe, la taille, le poids, la couleur des cheveux et les signes particuliers.

Sous ces données succinctes, après un espace équivalant à trois lignes, était écrit :

Min. de la Guerre. Transfert. Opérations clandestines. Finance. Tortugas.

Rien d'autre.

– Vous avez trouvé ce que vous cherchiez, madame Cameron ? demanda le lieutenant qui se tenait près de la grille d'acier.

– Oui... Merci.

Joan remit le mince dossier à sa place dans le fichier, sourit au marine et sortit.

Elle arriva devant l'escalier, qu'elle gravit lentement. Joan avait compris que David était chargé d'une mission secrète, mais cela lui déplut profondément. Elle détestait le secret, le danger qu'il impliquait nécessairement. Mais elle s'y était préparée en toute conscience. Elle s'attendait au pire et le pire était arrivé. Joan ne savait pas très bien si elle était capable d'y faire face. Du moins voulait-elle essayer. Si elle n'y parvenait pas, elle profiterait des quelques moments de plaisir égoïste qu'elle pourrait saisir avant de dire au revoir à David Spaulding. Elle avait pris cette décision... tout à fait inconsciemment. Elle ne voulait plus souffrir.

Et puis il y avait autre chose. Ce n'était qu'une ombre légère dans une pièce mal éclairée, mais elle ne pouvait la chasser de son esprit. C'était ce mot.

« Tortugas ».

Elle l'avait déjà vu. Récemment. Quelques jours plus tôt.

Il avait attiré son attention parce qu'elle s'était souvenue de cette île.

... Ils y étaient allés plusieurs fois avec Andrew, à la voile, en partant des Keys.

Où était-ce ?... Oui, elle s'en souvenait.

C'était dans un paragraphe très technique d'un rapport concernant une zone sous surveillance, qui se trouvait sur le bureau de Henderson Granville. Ce matin-là, elle l'avait lu d'un œil distrait... il y avait quelques jours de cela. Elle n'y avait pas prêté attention. Les rapports concernant les zones de surveillance se composaient de phrases courtes, concises, dénuées de rythme et de couleur. Rédigées par des hommes sans imagination, qui ne s'intéressaient qu'aux descriptions brèves, aux données brutes.

C'était à La Boca.

Il s'agissait du capitaine d'un chalutier... et d'une cargaison. Une cargaison à expédier à la Tortue. En violation des limites des eaux côtières. Destination annulée, dirait-on. On invoquerait l'erreur flagrante du capitaine du chalutier.

Pourtant, les documents concernant le chargement parlaient bien de Tortugas, l'île de la Tortue.

Et le code de la mission secrète, de l'opération clandestine de David Spaulding, était « Tortugas ».

Et Heinrich Stoltz de l'ambassade d'Allemagne avait appelé David.

Soudain Joan Cameron eut peur.

Spaulding était convaincu que Stoltz était seul. Il fit signe à l'Allemand de le suivre au fond du restaurant, jusqu'au réduit fermé par un rideau qu'il avait fait installer par un serveur une demi-heure auparavant.

Stoltz entra, le paquet de cigarettes dans la main gauche. Spaulding fit le tour de la table ronde et s'assit face au rideau.

— Prenez un siège, dit-il en indiquant le fauteuil qui se trouvait en face de lui.

Stoltz sourit quand il se rendit compte qu'il tournerait le dos à l'entrée.

— L'homme de Lisbonne est un homme prudent.

L'Allemand tira le fauteuil et s'assit en posant les cigarettes sur la table.

— Je puis vous assurer que je ne suis pas armé.

— Parfait. Moi, je le suis.

— Vous êtes trop prudent. Les colonels voient d'un mauvais œil les belligérants qui se promènent les armes à la main dans leur cité neutre. Votre ambassade aurait dû vous le signaler.

— Si j'ai bien compris, ils arrêtent plus vite les Américains que vous autres.

Stoltz haussa les épaules.

— Et alors ? Après tout, c'est nous qui les avons formés. Vous vous contentez de leur acheter leur bœuf.

— A propos, nous ne déjeunerons pas. J'ai payé le serveur pour qu'il nous laisse la table.

— C'est dommage... La *langosta*... Le homard est excellent ici. Vous désirez peut-être boire quelque chose ?

— Non. Je veux juste bavarder.

— Je viens vous apporter un message de bienvenue, déclara Stoltz d'une voix neutre. De la part d'Erich Rhinemann.

David fixa son interlocuteur du regard.

— Vous ?

— Oui. Je suis votre contact.

— C'est intéressant.

— C'est ainsi que procède Erich Rhinemann. Il achète la fidélité.

— Je veux une preuve.

— Certainement ! De Rhinemann en personne... Ça vous va ?

Spaulding acquiesça.

— Quand ? Où ?

— C'est de cela que je suis venu vous entretenir. Rhinemann est aussi prudent que l'homme de Lisbonne.

– Au Portugal, j'étais rattaché au corps diplomatique. N'en déduisez rien de plus.

– Il faut malheureusement que je vous dise la vérité. Herr Rhinemann est extrêmement contrarié que les hommes de Washington aient éprouvé le besoin de vous envoyer comme agent de liaison. Votre présence à Buenos Aires pourrait attirer l'attention.

David tendit la main vers les cigarettes que Stoltz avait posées sur la table. Il en alluma une... L'Allemand avait raison, évidemment. Rhinemann avait raison. L'ennemi avait sans doute eu connaissance des opérations menées à Lisbonne. C'était l'unique inconvénient du choix de Washington. Ed Pace, il en était certain, avait pris cet aspect de la question en considération, mais avait rejeté toute objection, au regard des avantages que présentait Spaulding. Ce n'était guère un sujet dont il pouvait discuter avec Heinrich Stoltz. L'attaché allemand n'était pas encore un élément sûr.

– Je ne sais absolument pas à quoi vous faites allusion. Je suis à Buenos Aires pour transmettre les recommandations préalables des milieux bancaires de Londres et de New York relatives aux négociations concernant la reconstruction d'après-guerre. Vous voyez, nous sommes vraiment persuadés que nous allons gagner. On ne peut pas se passer de Rhinemann dans de telles discussions.

– L'homme de Lisbonne est un vrai professionnel.

– J'aimerais que vous cessiez de répéter ces âneries...

– Et convaincant, l'interrompit Stoltz. Cette couverture est l'une des meilleures que vous ayez eues. C'est plus imposant qu'un petit Américain mondain et poltron... Même Herr Kendall est d'accord.

David réfléchit avant de répondre. Stoltz tournait en rond, prêt à lui donner une preuve.

– Décrivez-moi Kendall, dit-il calmement.

– En quelques mots ?

– Peu importe.

Stoltz rit dans sa barbe.

– Le plus court sera le mieux. C'est un bipède des plus repoussants. Il doit manier les chiffres de manière extraordinaire. Je ne vois aucune autre raison de rester dans la même pièce que lui.

– Vous êtes déjà resté dans la même pièce que lui ?

– Quatre heures, hélas ! Avec Rhinemann... Maintenant, puis-je vous dire quelque chose ?

– Allez-y.

– Votre Lyons sera ici dans deux jours. Nous sommes en mesure de réaliser l'opération très rapidement. Pour les plans, il n'y aura qu'une livraison, non deux, comme le croit Kendall.

– Il croit ça ?

– C'est ce qu'on lui a dit.

– Pourquoi ?

– Parce que jusqu'à hier soir, c'était aussi ce que croyait Herr Rhinemann. Je n'ai moi-même appris le changement de programme que ce matin.

– Alors, pourquoi m'avez-vous appelé hier soir ?

– Sur instruction de Walter Kendall.

– Pouvez-vous me donner des explications, s'il vous plaît ?

– Est-ce bien nécessaire ? L'un n'a rien à voir avec l'autre. Herr Kendall m'a téléphoné. Apparemment, il venait d'avoir une conversation avec vous. Il m'a dit qu'il avait été brusquement rappelé à Washington, qu'il fallait que je me mette immédiatement en contact avec vous pour qu'il n'y ait pas de rupture de communication. Il a été formel.

– Kendall vous a-t-il dit pourquoi il retournait aux États-Unis ?

– Non. Et je n'avais aucune raison de le lui demander. Ici, son travail est terminé. Il ne nous intéresse pas. Vous êtes l'homme des codes, pas lui.

David écrasa sa cigarette en contemplant la nappe.

– Quel est votre rang au sein de l'ambassade ?

Stoltz sourit.

– Le numéro trois... quatre, pour être plus modeste. Cela dit, je servirai avec loyauté les intérêts de Rhinemann. Cela va de soi, j'imagine.

– Je le saurai quand je rencontrerai Rhinemann, n'est-ce pas ?

David leva les yeux vers l'Allemand.

– Que fait la Gestapo à Buenos Aires ?

– Elle n'y est pas... Enfin, il y a un homme, un fonctionnaire, c'est tout. Comme tous les gens de la Gestapo, il se prend pour le porte-parole du Reich et surcharge les courriers de travail. A propos, ces derniers coopèrent avec nous. C'est un connard, comme vous dites, vous les *Amerikaner*. Il n'y a personne d'autre.

– Vous en êtes sûr ?

– Bien entendu. Je serais le premier à le savoir. Avant l'ambassadeur, je puis vous l'assurer. Ne jouez pas à ce jeu-là, Herr Spaulding. Ce n'est pas nécessaire.

– Vous feriez mieux d'organiser cette entrevue avec Rhinemann... Ça, c'est nécessaire.

– Oui. Certainement... Ce qui nous ramène aux inquiétudes de Herr Rhinemann. Que fait l'homme de Lisbonne à Buenos Aires ?

– Sa présence est indispensable, je le crains. Vous l'avez dit, je suis prudent. J'ai de l'expérience. Et c'est moi qui détiens les codes.

– Mais pourquoi vous ? Cela leur a coûté cher de vous faire venir de Lisbonne. Je vous parle à la fois comme ennemi et comme individu neutre et objectif, comme l'allié de Rhinemann. Y a-t-il un problème accessoire que nous ne connaissions pas ?

– S'il y en a un, je ne suis pas non plus au courant, répondit Spaulding en soutenant le regard inquisiteur de Stoltz. Puisque nous parlons sans détour, je voudrais faire approuver ces plans, envoyer les codes pour que vous obteniez votre fichu argent et ficher le camp d'ici. Dans la mesure où le gouvernement finance une grande partie de l'opération, Washington a considéré que j'étais le mieux placé pour vérifier que nous ne nous faisions pas rouler.

Pendant quelques instants, les deux hommes gardèrent le silence.

– Je vous crois, dit Stoltz. Les Américains ont toujours peur de se faire avoir, n'est-ce pas ?

– Si nous parlions de Rhinemann ? Je veux le rencontrer immédiatement. Je ne me fierai aux dispositions prises par Kendall que lorsqu'il les aura confirmées. Et je ne mettrai au point mon programme codé que lorsque j'aurai obtenu confirmation.

– Aucun programme n'a été fixé ?

– Il n'y en aura pas tant que je n'aurai pas vu Rhinemann.

Stoltz respira profondément.

– Vous êtes un perfectionniste, comme on dit. Vous rencontrerez Rhinemann... Ce sera après la tombée de la nuit, à sa résidence. Deux transferts de véhicules. Il ne peut pas prendre le risque que l'on vous voie ensemble... Ces précautions vous ennuient-elles ?

– Pas du tout. Sans codes, les fonds ne seront pas transférés en Suisse. J'imagine que Herr Rhinemann se montrera très accueillant.

– Oui, j'en suis certain... Très bien. Affaire conclue. Vous serez contacté dès ce soir. Serez-vous chez vous ?

– Si je n'y suis pas, je laisserai un message au standard de l'ambassade.

– *Denn auf Wiedersehen, mein Herr.*

Stoltz se leva de son fauteuil et hocha la tête avec une courtoisie toute diplomatique.

– *Heute Abend.*

– *Heute Abend,* répondit Spaulding tandis que l'Allemand écartait le rideau pour sortir de la pièce.

David remarqua que Stoltz avait laissé ses cigarettes sur la table, cadeau anodin ou insulte anodine ? Il en prit une et se surprit à en tordre le bout comme le faisait Kendall, à chaque cigarette qu'il s'apprêtait à fumer. David déchira le papier qui enveloppait le tabac et le jeta dans le cendrier. Tout ce qui lui rappelait Kendall lui était odieux. Il n'aimait penser ni à cet homme ni à son brusque départ, sous le coup de la peur.

Il avait d'autres chats à fouetter.

Heinrich Stoltz, « numéro trois ou quatre » de l'ambassade d'Allemagne, n'était pas aussi haut placé qu'il l'avait cru. Le nazi n'avait pas menti. Il ne savait pas que la Gestapo était à Buenos Aires. Et, s'il ne le savait pas, c'était qu'on ne le lui avait pas dit.

Quelle ironie, pensa David, qu'Erich Rhinemann et lui finissent par travailler ensemble! Avant qu'il ne tue Rhinemann, bien entendu.

Heinrich Stoltz s'assit à son bureau et décrocha le téléphone.

– Passez-moi Herr Rhinemann à Lujan, dit-il dans un allemand parfait.

Il raccrocha l'appareil, se cala dans son fauteuil et sourit. Quelques instants plus tard, la sonnerie retentit.

– Herr Rhinemann ?... Heinrich Stoltz... Oui, oui, tout s'est bien passé. Kendall a dit la vérité. Ce Spaulding ne sait rien ni de Koening ni des diamants. Il ne se préoccupe que des plans. La seule chose dont il puisse nous menacer, c'est de bloquer les fonds. Il ne m'a pas impressionné, mais c'est lui qui détient les codes. On pourrait donner l'ordre aux patrouilles de la flotte américaine d'interdire l'accès au port. Le chalutier sortira... Vous vous rendez compte ? Ce Spaulding n'a qu'une idée en tête : ne pas se faire avoir.

28.

Il pensa d'abord s'être trompé... Non, ce n'était pas ça. Il n'avait pas pensé, il s'était contenté de réagir.

Il était ébahi.

Leslie Hawkwood!

Il l'avait aperçue de son taxi, en grande conversation avec un homme, au sud de la fontaine de la plaza de Mayo. Le taxi avançait lentement au milieu des encombrements de l'immense place. Il ordonna au chauffeur de se rabattre et de s'arrêter.

David régla sa course et sortit. Il se trouvait juste en face de Leslie et de son interlocuteur. Il distinguait leurs silhouettes floues sur l'eau de la fontaine.

L'homme tendit une enveloppe à Leslie et la salua à l'européenne. Puis il se retourna, s'avança au bord du trottoir et leva la main pour héler un taxi. Une voiture s'arrêta, dans laquelle il monta. Le véhicule se noya dans le flot de la circulation, et Leslie se dirigea vers le passage clouté où elle attendit le signal permettant aux piétons de traverser.

David fit le tour de la fontaine en jouant des coudes et se précipita au bord du trottoir au moment où le signal lumineux s'alluma.

Il évita les véhicules impatients, dont les chauffeurs klaxonnaient en poussant des cris furibonds, et se fraya un chemin vers la gauche. Elle risquait de se retourner pour voir ce qui provoquait toute cette agitation. Leslie était au moins à une quarantaine de mètres devant lui. Elle ne pouvait pas le repérer, il en était sûr.

Sur le boulevard, Leslie se dirigea vers l'avenida 9 de Julio, à l'ouest. David réduisit l'écart qui les séparait en se fondant dans la cohue. Elle s'arrêta un bref instant devant quelques vitrines, se demanda deux fois, à l'évidence, si elle allait entrer ou non.

C'était Leslie tout crachée. Elle détestait renoncer à l'idée d'une acquisition nouvelle.

Elle poursuivit son chemin cependant. Une fois, elle regarda sa montre. Elle prit la direction du nord sur l'avenida 9 de Julio et vérifia le numéro de deux magasins, avant de déterminer la suite de son parcours.

Leslie Hawkwood n'était jamais venue à Buenos Aires.

Elle poursuivit sa route vers le nord, d'un pas tranquille, en contemplant l'immense boulevard aux couleurs chatoyantes. Elle atteignit l'angle de l'avenue Corrientes, au centre du quartier des théâtres, passa devant les affiches, jetant un coup d'œil aux photos des artistes.

Spaulding se rendit compte que l'ambassade américaine était à moins de deux cents mètres, entre les avenidas Supacha et Esmeralda. Il n'y avait pas de temps à perdre.

Elle l'aperçut avant qu'il eût ouvert la bouche. Elle avait les yeux écarquillés, la mâchoire tombante. Tout son corps tremblait de manière visible. Le sang affleura sous sa peau bronzée.

— Tu es face à une alternative, Leslie, dit Spaulding, qui s'approcha tout près d'elle et baissa les yeux vers son visage terrifié. L'ambassade est à deux pas. C'est un territoire américain. Tu y seras arrêtée pour avoir mis en péril la sécurité nationale, si ce n'est pour espionnage. Ou bien tu peux m'accompagner... Et répondre à mes questions. Quelle solution choisis-tu ?

Le taxi les conduisit à l'aéroport où Spaulding loua une voiture avec les papiers d'identité de « Donald Scanlan, contremaître minier ». Il les portait sur lui quand il avait rendez-vous avec des hommes comme Heinrich Stoltz.

Il tenait Leslie par le bras, exerçait une pression destinée à lui couper l'envie de s'échapper. Elle était sa prisonnière et il ne plaisantait pas. Elle ne dit pas un mot pendant le trajet, se contentant de regarder par la fenêtre, évitant son regard.

— Où allons-nous ? avait-elle demandé dans le bureau de location. Ce fut tout.

— En dehors de Buenos Aires, avait-il répondu succinctement.

Il suivit la berge du fleuve vers le nord, les faubourgs, en direction des collines qui surplombaient la ville. Au bout de quelques kilomètres, dans la province de Santa Fe, le rio Lujan s'incurva vers l'ouest. Spaulding descendit la pente qui menait à la grand-route parallèle à la rive. C'était le fief des riches Argentins. Des yachts y étaient amarrés ou glissaient lentement sur l'eau. Des bateaux à voile de toutes sortes prenaient paresseusement les vents qui remontaient le courant, louvoyant harmonieusement entre les petites îles, jardins luxuriants qui jaillissaient de l'eau. Des routes privées partaient de l'axe principal, sinueuses, en direction de l'ouest. Les rives étaient parsemées de gigantesques villas. C'était, de tous côtés, un ravissement pour les yeux.

Il aperçut une route sur la gauche, juste au pied d'une colline. Il s'y engagea et, au bout d'un kilomètre, le paysage se modifia.

Vigia Tigre.

Un spectacle étonnant. Une aubaine pour le touriste.

Il avança la voiture jusqu'à l'entrée d'un parking et s'arrêta le long du garde-fou. C'était en semaine. Il n'y avait pas d'autre véhicule.

Leslie n'avait rien dit depuis une heure. Elle avait fumé cigarette sur cigarette, les mains tremblantes, le regard fuyant. Par expérience, David connaissait les mérites du silence en pareille circonstance.

Elle était sur le point de craquer.

— Bon. Venons-en aux questions que j'ai à poser, fit-il en se tournant vers elle. Et, crois-moi, je n'hésiterai pas à te faire mettre aux arrêts de rigueur si tu refuses de répondre.

Elle détourna la tête et lui jeta un regard furieux où se reflétait toujours la même peur.

— Pourquoi ne l'as-tu pas fait il y a une heure ?

— Pour deux raisons, répondit-il simplement. Une fois que l'ambassade sera dans le coup, je serai bloqué par la hiérarchie. Je ne serai plus à même de décider. Et je suis trop curieux pour perdre le contrôle des opérations... Deuxièmement, ma vieille, je crois que tu as complètement perdu la boule. Que se passe-t-il, Leslie ? Dans quoi t'es-tu embringuée ?

Elle glissa une cigarette entre ses lèvres et inhala la fumée, comme si sa vie en dépendait. Elle ferma les yeux un instant.

— Je ne peux pas te le dire, murmura-t-elle. Ne m'y force pas.

Il soupira.

— Je ne crois pas que tu aies compris. Je suis un officier des services secrets affecté aux opérations clandestines. Je ne t'apprends rien. Tu leur as permis de fouiller ma chambre d'hôtel. Tu as menti. Tu t'es planquée. Tout ce que je sais, c'est que tu es responsable de plusieurs agressions qui ont failli me coûter la vie. Et voilà que tu te pointes à Buenos Aires, à six mille kilomètres de cet appartement de Park Avenue ! Tu m'as suivi à six mille kilomètres !... Pourquoi ?

— Je ne peux pas te le dire. On ne m'a pas dit ce que je pouvais te...

— On ne t'a pas... Incroyable ! Il me suffirait de raconter ce que je sais et ce dont je puis témoigner pour que tu passes vingt ans en prison !

— J'aimerais sortir de cette voiture. Je peux ? fit-elle doucement en écrasant sa cigarette dans le cendrier.

— Bien sûr. Vas-y.

David ouvrit la portière et fit le tour du véhicule. Leslie se dirigea vers le garde-fou. Au loin coulaient les eaux du rio Lujan.

– C'est très beau ici, n'est-ce pas ?

– Oui... As-tu essayé de me faire tuer ?

– Oh, mon Dieu !

Elle fit brusquement volte-face.

– J'ai essayé de te sauver la vie ! rétorqua-t-elle d'un ton vif. Je suis ici parce que je ne veux pas que tu meures !

David mit quelques secondes à se remettre du choc qu'avaient provoqué ces paroles. Les lèvres tremblantes, elle refoula ses larmes.

– Tu ferais mieux de m'expliquer tout ça, dit-il d'une voix sourde.

Elle se détourna et regarda la rivière en contrebas, les villas, les bateaux.

– Ça ressemble à la Riviera, n'est-ce pas ?

– Arrête, Leslie !

– Pourquoi ? Ça fait partie de ma vie.

Elle posa ses mains sur le rail.

– Autrefois, il n'y avait que ça. Rien d'autre ne comptait. Où allons-nous après ? Qui allons-nous rencontrer ? Quelle charmante soirée !... Toi aussi, tu étais comme ça.

– Pas vraiment. Tu t'es trompée si tu l'as cru. Exactement comme tu te trompes en ce moment... Tu ne me feras pas renoncer.

– Je n'essaie pas.

Elle s'agrippait à la rambarde en serrant de plus en plus fort. Ce geste reflétait son indécision, le mal qu'elle avait à trouver ses mots.

– J'essaie de te dire quelque chose.

– Que tu m'as suivi parce que tu voulais me sauver la vie ! fit-il, incrédule. Tu m'as joué la comédie à New York, si ma mémoire est bonne. Tu avais attendu, combien déjà ? Cinq, six, huit ans pour me ramener sur le sol du hangar à bateaux. Tu es une salope.

– Et toi, tu es un moins que rien, lui lança-t-elle sans dominer sa colère.

Puis elle se tut, retrouva la maîtrise d'elle-même.

– Je ne veux pas parler de toi... toi. C'est simplement en comparaison de tout le reste. Nous sommes tous des moins que rien, en ce sens.

– Madame défend donc une cause.

Leslie le fixa du regard.

– En laquelle elle croit profondément.

– Alors, tu ne devrais pas hésiter à m'en parler.

– Je t'en parlerai, tu peux me croire. Mais maintenant, je ne peux pas... Aie confiance en moi !

– Certainement, fit David d'un ton dégagé.

Puis il écarta brusquement la main, saisit le sac qu'elle portait en bandoulière. Leslie résista. Il la regarda. Enfin elle céda et reprit son souffle.

Il ouvrit le sac et sortit l'enveloppe qu'on lui avait remise à la plaza de Mayo. Ce faisant, il aperçut un renflement à la base du sac, recouvert par un foulard de soie. Il prit l'enveloppe entre deux doigts et plongea la main à l'intérieur. Il écarta l'écharpe et sortit un petit revolver, un Remington. Sans rien dire, il vérifia le barillet et la sûreté avant de le glisser dans la poche de sa veste.

– J'ai appris à m'en servir, déclara timidement Leslie.

– Ça vaut mieux pour toi, répliqua Spaulding en ouvrant l'enveloppe.

– Au moins tu verras combien nous sommes efficaces, dit-elle en se retournant pour contempler le fleuve.

Il n'y avait ni en-tête ni aucune mention de l'expéditeur ou d'une quelconque organisation. En haut de la page était écrit :

Spaulding, David. Lt. Col. Services Secrets, Armée U.S. Unité 4-0. Fairfax.

Ces deux lignes étaient suivies de cinq paragraphes compliqués, détaillant chacun de ses mouvements depuis qu'il avait pénétré dans l'ambassade, le samedi après-midi. David fut enchanté de constater qu'on ne mentionnait aucun « Donald Scanlan ». On ne l'avait donc repéré ni à l'aéroport ni à la douane.

Tout le reste était consigné : son appartement, son numéro de téléphone, son bureau à l'ambassade, l'incident du toit de l'avenue Córdoba, le déjeuner avec Joan Cameron à La Boca, l'entrevue avec Kendall à l'hôtel, l'agression de l'avenida Parana, son appel téléphonique dans le magasin de l'avenue Rodriguez Pena.

Tout.

Même le déjeuner avec Heinrich Stoltz à la Langosta del Mar, à la limite de Lezama. Son entrevue avec Heinrich Stoltz durerait « une heure au minimum », estimait-on.

Voilà pourquoi elle avait pris le temps de flâner sur l'avenida de Mayo. Mais David avait écourté la rencontre. Il n'y avait pas eu de déjeuner. Il se demanda si on l'avait suivi à la sortie de restaurant. Il ne s'en était pas inquiété. Il ne pensait qu'à cet Heinrich Stoltz qui ignorait tout de la présence de la Gestapo.

– Les gens pour qui tu travailles font les choses à fond. Mais qui sont-ils ?

– Des hommes... et des femmes qui ont un idéal. Un dessein. Un *grand* idéal.

– Ce n'est pas ce que je t'ai demandé...

On entendit une automobile remonter la colline, un peu plus bas que le parking. Spaulding plongea la main dans sa veste et saisit son revolver. La voiture apparut et passa devant eux avant de s'éloigner. Les passagers riaient. David reporta son attention sur Leslie.

– Je t'ai demandé de me faire confiance, dit la jeune femme. Je devais me rendre à une certaine adresse, sur le boulevard de Julio. Je devais y être à une heure et demie. Ils vont se demander où je suis passée.

– Tu n'as pas l'intention de me répondre, n'est-ce pas ?

– Je te répondrai à ma manière. Je suis ici pour te convaincre de quitter Buenos Aires.

– Pourquoi ?

– Quelle que soit ta mission – et je ne sais pas de quoi il s'agit, on ne me l'a pas dit –, tu ne pourras pas la mener à bien. Nous ne pouvons pas laisser faire ça. C'est mal.

– Puisque tu ne sais pas de quoi il s'agit, comment peux-tu dire que c'est mal ?

– Parce qu'on me l'a dit ! Ça me suffit !

– *Ein Volk, ein Reich, ein Führer*, déclara calmement David. Monte !

– Non ! Il faut que tu m'écoutes ! Quitte Buenos Aires ! Va dire à tes généraux que ce n'est pas possible.

– Monte dans la voiture !

Une autre automobile apparut, qui venait dans l'autre sens, du haut de la colline cette fois. David plongea à nouveau la main dans sa veste et la ressortit d'un geste naturel. C'était le même véhicule, les mêmes touristes qui étaient passés un peu plus tôt. Ils riaient toujours, gesticulaient, ivres probablement du vin du déjeuner.

– Tu ne peux pas m'emmener à l'ambassade. Tu ne peux pas !

– Si tu ne montes pas dans la voiture, tu vas t'y retrouver ! Allez !

Il y eut un crissement de pneus sur le gravier. La voiture qui descendait avait fait demi-tour au dernier moment et foncé dans le parking avant de s'arrêter net.

David leva les yeux et jura en son for intérieur, la main immobile sous la veste.

Deux fusils étaient pointés par la fenêtre ouverte du véhicule. C'était lui que l'on visait.

A l'intérieur, trois hommes, la tête couverte d'un bas de soie, le visage aplati, grotesque derrière ce masque translucide. Un homme assis, à l'avant, à côté du chauffeur et un autre à l'arrière tenaient les fusils.

L'homme à l'arrière ouvrit la portière, l'arme à la main. Il ordonna d'une voix calme, en anglais :

– Montez dans la voiture, madame Hawkwood... Et vous, mon colonel, sortez votre arme par la crosse, entre deux doigts.

David obtempéra.

– Avancez jusqu'au rail, poursuivit l'homme qui se trouvait sur le siège arrière, et jetez-la par-dessus, dans les bois.

David obéit. L'homme sortit de la voiture pour permettre à Leslie d'y monter. Puis il se rassit et ferma la portière.

On entendit le vrombrissement puissant du moteur et de nouveau le crissement des roues sur le gravier. La voiture fit un écart en sortant du parking et descendit la colline à toute allure.

David resta près du garde-fou. Il allait le franchir pour chercher son revolver. Il était inutile de tenter de suivre l'automobile, Leslie Hawkwood et les trois hommes masqués. La voiture qu'il avait louée n'aurait pu se mesurer à une Duesenberg.

29.

C'était Joan qui avait choisi le restaurant dans un endroit un peu à l'écart, dans le quartier nord de la ville, au-delà du parc de Palermo, un lieu idéal pour un rendez-vous. Il y avait des prises de téléphone au mur, dans les renfoncements. Les garçons vous apportaient l'appareil jusqu'aux tables les plus isolées.

Cela le surprit que Joan connût un lieu pareil. Et qu'elle ait décidé de l'y retrouver.

— Où es-tu allé cet après-midi ? demanda-t-elle tandis que, de l'emplacement en retrait où ils se trouvaient, il contemplait la salle plongée dans une demi-obscurité.

— A deux ou trois réunions. Très ennuyeuses. Les banquiers ont tendance à les prolonger plus que nécessaire. Que ce soit à la City ou Wall Street, ils sont tous pareils.

Il lui sourit.

— Oui... Peut-être cherchent-ils toujours le moyen de tirer le maximum de chaque dollar.

— Pas « peut-être ». C'est ainsi... Cet endroit est très tranquille. Il me rappelle Lisbonne.

— Rome, dit-elle. Ça ressemble davantage à Rome. Ses environs. La via Appia. Savais-tu qu'il y a plus de trente pour cent d'Italiens dans la population de Buenos Aires ?

— Je savais qu'ils étaient très nombreux.

— A l'italienne... cette expression a, semble-t-il, quelque chose de funeste.

— Cela évoque aussi l'intelligence. Pas nécessairement le mal. On envie aux Italiens leur sens artistique.

— Bobby m'a emmenée ici un soir... Je crois qu'il y amène pas mal de filles.

— C'est... discret.

– Il craignait que Henderson ne découvre ses intentions malhonnêtes. C'est pour cela qu'il m'avait amenée ici.

– Ce qui confirme leur malhonnêteté.

– Oui... C'est un coin pour les amoureux. Mais nous ne l'étions pas.

– Je suis content que tu aies fait ce choix. Ça me donne un agréable sentiment de sécurité.

– Oh non ! Ne cherche pas ça. Personne n'est en sécurité cette année. Non... La sécurité n'est pas à l'ordre du jour. L'engagement non plus. Pas d'engagement à vendre.

Elle prit une cigarette dans son paquet ouvert. Il remarqua qu'elle le fixait des yeux, au-dessus de la flamme. Quand elle s'en aperçut, elle baissa le regard.

– Qu'y a-t-il ?

– Rien... rien du tout.

Elle sourit, mais ce n'était qu'un sourire superficiel, et sans humour.

– As-tu parlé à ce Stoltz ?

– Mon Dieu, c'est ça qui t'inquiète ?... Je suis désolé. J'aurais dû te le dire. Stoltz voulait me vendre des renseignements concernant la Flotte. Je ne suis pas en position d'acheteur. Je lui ai conseillé de prendre contact avec les services secrets de la marine. Ce matin, j'ai fait un rapport au commandant de la base des marines. S'ils veulent l'utiliser, qu'ils le fassent !

– C'est bizarre qu'il t'ait appelé.

– C'est ce que je me suis dit. Les équipes de surveillance allemandes m'ont suivi l'autre jour, semble-t-il. Ils étaient au courant de mes tractations financières. C'était suffisant pour Stoltz.

– C'est un transfuge ?

– Ou il n'a rien d'intéressant à vendre. C'est le problème des marines de la Flotte, pas le mien.

– Quel beau parleur tu fais !

Elle but son café en tenant sa tasse d'une main mal assurée.

– Qu'est-ce que tu entends par là ?

– Rien... Juste que tu as l'esprit vif. Vif et agile. Tu dois être parfait pour le métier que tu exerces.

– Et toi, tu es d'une humeur massacrante. Aurais-tu abusé du gin ?

– Oh, tu crois que je suis ivre ?

– Tu n'es pas à jeun. Non que j'y attache de l'importance, ajouta-t-il avec un grand sourire. Tu es loin d'être une alcoolique.

– Merci pour cette belle confiance. Mais ne te pose pas trop de questions. Pour cela, il faut un peu de temps devant soi. Et nous n'en avons pas, n'est-ce pas ?

– Ah bon ? Cela semble t'obséder, ce soir. C'est une question que je ne me posais pas.

– Tu l'as esquivée, j'imagine. Je suis certaine que tu as d'autres problèmes à résoudre, plus pressants.

En reposant sa tasse, Joan renversa du café sur la nappe. Elle s'en voulait manifestement.

– Je m'y prends mal, dit-elle après un instant de silence.

– Tu t'y prends mal, acquiesça-t-il.

– J'ai peur.

– De quoi ?

– Tu n'es pas à Buenos Aires pour discuter avec des banquiers, n'est-ce pas ? C'est beaucoup plus important que ça. Tu ne me diras rien, je le sais. Et, dans quelques semaines, tu seras parti... si tu es encore en vie.

– Tu as une imagination très fertile.

Il lui prit la main. Elle écrasa sa cigarette et posa son autre main sur la sienne, qu'elle serra très fort.

– D'accord. Admettons que tu aies raison, fit-elle d'une voix douce, si faible qu'il dut tendre l'oreille. J'ai tout inventé. Je suis folle et je bois trop. Je me laisse aller. Joue le jeu, juste un instant.

– Si tu veux que... Bon.

– Ce n'est qu'une hypothèse. Mon David n'est pas atteint du syndrome du Département d'État, tu vois. C'est un agent. Nous en avons eu quelques-uns ici. Je les ai rencontrés. Les colonels les appellent des *provocarios*... Donc, mon David est un agent et, de ce fait, occupe un poste... à haut risque, d'une façon ou d'une autre, parce que les règles sont différentes. C'est-à-dire que les règles ne signifient rien... Il n'y a pas de règles pour ces gens-là... comme pour mon hypothétique David. Tu suis ?

– Je suis, répondit-il simplement. Je ne vois pas très bien quel est l'objet du jeu ni comment on marque les points.

– Nous y arrivons.

Elle but ce qui lui restait de café en tenant la tasse d'une main trop ferme. Ses doigts tremblaient.

– Le problème, c'est qu'un homme comme mon... David mythique pourrait se faire tuer, blesser, rester infirme. On pourrait lui faire sauter la cervelle. C'est horrible, non ?

– Oui. Il y a, aujourd'hui, des milliers d'hommes qui prennent les mêmes risques. C'est horrible.

– Mais ils sont différents. Ils sont dans des armées, ils portent des uniformes et suivent certaines règles. Même dans les avions... ils ont plus de chances de s'en tirer. Et je m'y connais.

Il la fixa des yeux, intensément.

– Arrête.

– Oh non, pas encore. Maintenant, je vais te dire comment tu peux marquer un point. Pourquoi mon hypothétique David fait-il ce qu'il fait ?... Non, ne réponds pas encore.

Elle se tut et esquissa un pauvre sourire.

– Mais tu n'allais pas me répondre, n'est-ce pas ? Cela n'a pas d'importance. Ma question comporte une seconde partie. Tu peux marquer quelques points de plus en y réfléchissant.

– Quelle est cette seconde partie ?

Joan était en train de réciter un raisonnement qu'elle avait appris par cœur, pensait David. Ses propos le lui confirmèrent.

– Tu vois, j'ai pensé et repensé... à ce prétendu jeu... à ce prétendu agent. Il se trouve dans une situation exceptionnelle. Il travaille seul... ou du moins avec très, très peu de gens. Il est dans un pays étranger et il est seul... Tu comprends la seconde partie de ma question maintenant ?

David la regarda. Elle suivait le fil abstrait de ses pensées sans les traduire en paroles.

– Non.

– Si David travaille seul dans ce pays étranger et s'il doit envoyer des messages codés à Washington... Henderson m'a dit que... Cela signifie que ceux pour qui il travaille sont contraints de le croire. Il peut leur raconter tout ce qu'il veut... Alors, revenons à notre question. Sachant ce que nous savons, pourquoi mon David mythique fait-il ce qu'il fait ? Il ne s'imagine quand même pas qu'il va influencer l'issue de la guerre. Il est seul au milieu de millions et de millions de gens.

– Et... si je te suis bien... ce prétendu agent peut informer ses supérieurs qu'il rencontre des difficultés...

– Qu'il est obligé de rester à Buenos Aires. Longtemps, l'interrompit-elle en lui comprimant la main de toutes ses forces.

– Et s'ils lui disent non, il peut toujours se cacher dans la pampa.

– Ne te moque pas de moi ! fit-elle d'un ton exalté.

– Je ne me moque pas de toi. Je ne prétends pas te donner une réponse logique, mais je ne crois pas que l'homme dont tu parles ait le champ aussi libre. Les hommes comme lui ont la bride sur le cou, j'imagine. On peut envoyer d'autres agents dans la région... On en enverrait, j'en suis certain. Ta stratégie ne lui permettrait que de gagner un peu de temps. Le châtiment serait long et dur.

Elle retira lentement ses mains et détourna le regard.

– Ça vaudrait peut-être la peine de risquer le coup. Je t'aime beaucoup. Je ne veux pas qu'on te fasse du mal et je sais que des gens essaient.

Elle se tut et tourna de nouveau les yeux vers lui.

– Ils essaient de te tuer, n'est-ce pas ?... Un être parmi des millions d'autres... Et je n'arrête pas de me dire : pas lui, mon Dieu, pas lui. Tu ne comprends pas ?... Avons-nous besoin d'eux ? Ces gens – quels qu'ils soient – sont-ils si importants ? Pour nous ? N'en as-tu pas fait assez ?

Il soutint son regard et, à sa grande surprise, comprit le sens profond de sa question. Ce n'était pas une constatation désagréable... Il en avait fait *assez*. Sa vie avait été bouleversée : tout pouvait arriver, tous les jours.

Pour qui ?

Les amateurs ? Alan Swanson ? Walter Kendall ?

Ed Pace qui était mort. Fairfax qui était corrompu.

Un être parmi des millions.

– Señor Spaulding ?

L'interpellation le prit au dépourvu. Un maître d'hôtel en smoking se tenait près de leur table.

– Oui ?

– On vous demande au téléphone, dit-il à voix basse.

David regarda cet homme si discret.

– Pouvez-vous m'apporter le téléphone à la table ?

– Toutes nos excuses. A cette table, la prise de l'appareil ne fonctionne pas.

Il mentait, bien entendu, et David le savait.

– Très bien.

David sortit du renfoncement où ils se trouvaient. Il se tourna vers Joan.

– Je reviens tout de suite. Reprends du café.

– Et si j'ai envie d'un verre ?

– Demandes-en un, dit-il en s'éloignant.

– David ? appela-t-elle d'une voix assez forte pour être entendue, sans crier toutefois.

– Oui.

Il se retourna et elle le fixa de nouveau du regard.

– Tortugas ne vaut pas la peine que tu te donnes tant de mal, dit-elle calmement.

Cela lui fit l'effet d'un puissant coup de poing à l'estomac. Il eut un goût acide dans la gorge, sa respiration se bloqua, ses yeux, quand il les baissa vers elle, le piquaient.

– Je reviens tout de suite.

– C'est Heinrich Stoltz, dit la voix.

– J'attendais votre appel. Je suppose que le standard vous a donné mon numéro.

– Il n'était pas nécessaire de téléphoner. Toutes les dispositions sont prises. Dans vingt minutes, une Packard verte vous attendra à la sortie du restaurant. Un homme y sera, le bras gauche à la fenêtre, un paquet de cigarettes ouvert à la main, des cigarettes allemandes cette fois. J'ai pensé que cette répétition symbolique vous plairait.

– Je suis touché. Mais il vous faudra peut-être changer l'heure et la voiture.

– On ne peut rien changer. Herr Rhinemann a été formel.

– Moi aussi. Il y a un élément nouveau.

– Désolé. Dans vingt minutes. Une Packard verte.

La communication fut coupée.

Après tout, c'était le problème de Stoltz, songea David. Il ne pensait plus qu'à une seule chose : aller retrouver Joan.

Il se dirigea vers le coin faiblement éclairé où se trouvait leur table et contourna maladroitement les clients du bar, dont les tabourets bloquaient le passage. Il était pressé, contrarié, agacé par ces obstacles stupides. Il parvint jusqu'à la voûte qui marquait l'entrée de la salle à manger et avança d'un pas rapide jusqu'au fond.

Joan était partie. Il y avait un message sur la table.

Rédigé au dos d'une serviette en papier, en caractères épais et gras, ceux d'un crayon à sourcils. Écrit à la hâte, presque inintelligible :

David. Je suis certaine que tu as des affaires à régler, des rendez-vous et, ce soir, je suis casse-pieds.

Rien d'autre. Comme si elle s'était arrêtée là.

Il froissa la serviette, la mit dans sa poche et traversa la salle en courant jusqu'à l'entrée. Le maître d'hôtel se tenait devant la porte.

– *Señor ?* Y a-t-il un problème ?

– La femme qui était avec moi. Où est-elle allée ?

– Mme Cameron ?

Mon Dieu ! pensa David en regardant le placide porteño. Que se passait-il ? La réservation était à son nom. Joan ne lui avait-elle pas dit qu'elle n'était venue qu'une fois dans ce restaurant ?

– Oui ! Mme Cameron ! Bon Dieu, où est-elle ?

– Elle est partie il y a quelques minutes. Elle a pris le premier taxi qui stationnait là.

– Vous allez m'écouter...

– *Señor,* l'interrompit l'Argentin obséquieux, un monsieur vous attend dehors. Il réglera votre note. Il a un compte chez nous.

Spaulding regarda par les grands panneaux vitrés de la lourde porte d'entrée. Il aperçut un individu sur le trottoir. Il portait un costume d'été blanc.

David ouvrit la porte et s'approcha de lui.

– Vous désirez me voir ?

– Je vous attends, Herr Spaulding. Pour vous conduire. La voiture devrait être là dans un quart d'heure.

30.

La berline verte arriva à un stop de l'autre côté de la rue, juste en face du restaurant. On apercevait le bras du chauffeur par la fenêtre ouverte, un paquet de cigarettes à la main, dont on ne pouvait distinguer la marque. L'homme au complet blanc fit signe à Spaulding de le suivre, d'un geste courtois.

Comme il approchait, David vit que le chauffeur était grand et portait une chemise noire à manches courtes, qui, découvrant ses bras, en faisait ressortir les muscles. Il avait une barbe de plusieurs jours, des sourcils épais et l'air peu amène d'un capitaine au long cours, une apparence rude qui ne devait rien au hasard, Spaulding en était certain. L'homme qui marchait à ses côtés ouvrit la portière et David s'engouffra à l'intérieur.

Personne ne parla. La voiture prit la route du sud, vers le centre de Buenos Aires. Puis piqua au nord-est, dans le quartier de l'Aeroparque. David fut quelque peu surpris de voir le chauffeur s'engager sur la grand-route parallèle au fleuve. Celle qu'il avait prise, dans l'après-midi, avec Leslie Hawkwood. Il se demanda si l'on avait choisi délibérément cet itinéraire, si l'on attendait qu'il fasse une remarque sur cette coïncidence.

Il se cala sur la banquette et ne laissa rien paraître.

La Packard accéléra sur la grand-route qui longeait le fleuve et qui, à présent, bifurquait sur la gauche pour en suivre le cours dans les collines du Nord-Ouest. La berline ne prit pourtant pas l'une de ces routes partant de l'axe principal, comme l'avait fait David quelques heures plus tôt. Le chauffeur roulait vite et à une allure régulière. Un panneau réfléchissant apparut dans la lumière vive des phares :
– *Tigre, 12 kil.*

Il y avait peu de circulation. De temps à autre, ils croisaient quelques véhicules. La Packard en dépassa d'autres. Le chauffeur regardait constamment ses rétroviseurs intérieurs et latéral.

Au milieu d'un long virage, la Packard ralentit. Le chauffeur fit un signe de la tête à l'homme en complet blanc assis à côté de David.

– Nous allons changer de voiture, maintenant, Herr Spaulding, dit-il en plongeant la main à l'intérieur de sa veste.

Il en sortit une arme.

Ils se trouvaient devant un bâtiment, un restaurant de banlieue ou une auberge. Une voie circulaire passait devant l'entrée avant de poursuivre sa courbe jusqu'à un grand parking sur le côté. Les phares éclairèrent l'entrée et la pelouse d'en face.

Le chauffeur se rangea. Son compagnon donna une petite tape sur l'épaule de Spaulding.

– Sortez, s'il vous plaît. Et entrez là.

David ouvrit la portière. A sa grande surprise, le portier en uniforme demeura près de l'entrée sans faire un pas en direction de la voiture. Puis il passa devant la porte et prit l'allée de gravier qui menait au parking. Spaulding ouvrit la porte d'entrée et pénétra dans le vestibule moquetté du restaurant. L'homme au complet blanc était sur ses talons, le revolver dans la poche.

Au lieu de se diriger vers la salle à manger, il retint David par le bras, poliment, et frappa à ce qui lui apparut comme la porte d'un petit bureau donnant dans le vestibule. Celle-ci s'ouvrit et les deux hommes y pénétrèrent.

C'était une pièce minuscule, mais Spaulding y prêta peu attention. Il fut fasciné par les deux hommes qui se trouvaient à l'intérieur. L'un était vêtu d'un complet d'été blanc – l'autre, et David ne put s'empêcher d'en sourire – était habillé exactement comme lui. Une veste de velours rayé bleu pâle et un pantalon de couleur foncée. Il avait à peu près la même taille, la même corpulence, le même aspect général.

David n'eut pas le temps de l'observer davantage. Le second individu en costume blanc éteignit la lampe de bureau. L'Allemand qui avait amené Spaulding se dirigea vers l'unique fenêtre qui s'ouvrait sur l'allée circulaire.

– *Schnell. Beeilen Sie sich... Danke,* dit-il doucement.

Les deux hommes s'avancèrent vers la porte et sortirent. Près de la fenêtre, la silhouette de l'Allemand se détacha dans la lumière qui filtrait de la porte d'entrée. Il fit un signe à David.

– *Kommen Sie hier.*

Il s'approcha de la fenêtre, à côté de lui. Dans l'allée, leurs deux homologues discutaient et gesticulaient comme s'il y avait entre eux un désaccord, mais sans violence. Ils fumaient, le visage dissimulé par la main. Ils tournaient le dos à la grand-route.

Une automobile surgit de la droite, venant du parking, et les deux hommes s'y engouffrèrent. Elle se dirigea lentement vers la gauche, vers l'entrée de la grand-route. Elle s'arrêta quelques secondes, attendant le moment opportun de se glisser entre les véhicules qui circulaient, peu nombreux, dans la nuit. Elle avança en cahotant, s'engagea sur la voie de droite et fonça vers le sud, vers la ville.

David ne savait pas pourquoi cette stratégie élaborée leur avait paru nécessaire. Il allait le demander à son compagnon. Mais, avant de parler, il remarqua que ce dernier esquissait un sourire à quelques centimètres de lui, près de la fenêtre. Spaulding regarda à l'extérieur.

A une cinquantaine de mètres, sur le bord de la route qui longeait le fleuve, des phares s'étaient allumés. Un véhicule qui roulait vers le nord fit demi-tour sur la grand-route et piqua vers le sud, dans une brusque accélération.

Le sourire de l'Allemand s'élargit.

– *Amerikanische... Kinder.*

David recula. L'homme s'approcha du bureau et ralluma la lampe.

– C'était un exercice intéressant, déclara Spaulding.

Son compagnon leva les yeux.

– Ce n'était qu'un... comment dites-vous?... *eine Vorsichtsmassnahme...* une...

– Une précaution, dit David.

– *Ja.* C'est ça, vous parlez allemand... Venez. Il ne faut pas faire attendre Herr Rhinemann plus longtemps que les... précautions ne l'exigent.

Même en plein jour, ce chemin de terre devait être difficile à trouver. Sans réverbères, sous la seule lumière de la lune, la Packard semblait avoir quitté le macadam pour s'enfoncer dans un mur de sombres broussailles. On entendait le bruit familier de la boue sous les roues de la voiture qui poursuivait sa route : le chauffeur connaissait les lignes droites et les nombreux virages. Quand ils eurent parcouru quelque sept cents mètres dans la forêt, le chemin de terre s'élargit et le revêtement devint de nouveau lisse et dur.

Il y avait un gigantesque parking. Sous la voûte obscure des cieux, à l'extrémité du champ, se dressaient quatre piliers de pierre, larges, d'aspect médiéval, équidistants les uns des autres. Chacun était couronné d'une grosse lampe. Leurs rayons se croisaient, éclairant toute la zone jusqu'à la forêt et même au-delà. Les hauts piliers étaient reliés par une clôture d'un épais grillage, au centre de laquelle se trouvait un portail d'acier qui, de toute évidence, était commandé de manière électrique.

Des hommes en chemise et en pantalon noirs, d'une coupe quasi militaire, étaient postés là. Certains tenaient des chiens en laisse.

Des dobermans. Énormes, qui tiraient sur leur laisse en aboyant d'un air mauvais.

On entendit les ordres que leur donnèrent leurs maîtres. Les bêtes se calmèrent.

L'homme au costume blanc ouvrit la portière et sortit. Il s'avança jusqu'au pilier principal. Un autre apparut à la clôture, qui venait de l'intérieur de l'enceinte. Les deux hommes eurent une brève discussion. David vit qu'au-delà du garde se dressait un bâtiment (de béton ou de stuc sombre ?) d'une longueur d'environ six mètres, où l'on apercevait de petites fenêtres éclairées.

Le garde retourna vers la petite maison. L'homme au complet blanc revint vers la Packard.

— Nous attendrons quelques minutes, dit-il en s'installant sur le siège arrière.

— Je croyais que nous étions pressés.

— D'être là. Que Herr Rhinemann sache que nous sommes arrivés. Pas nécessairement d'entrer.

— Charmant personnage, déclara David.

— Herr Rhinemann est comme il veut.

Dix minutes plus tard, le portail d'acier s'ouvrit lentement et le chauffeur démarra. La Packard passa entre les deux battants et les deux gardes. Les dobermans se remirent à aboyer avec hargne. Leurs maîtres les firent taire aussitôt. La route sinuait en gravissant la colline, jusqu'à un autre immense parking situé devant une gigantesque demeure blanche. Un escalier de marbre menait à la plus grande porte de chêne que David eût jamais vue. Là aussi, des flots de lumière éclairaient les environs. L'endroit était moins austère que ses abords. Il y avait une fontaine au milieu de la cour, où venait se refléter la lumière.

C'était comme si l'on avait démantelé une extravagante maison de planteur d'avant-guerre, pierre par pierre, planche par planche, bloc de marbre par bloc de marbre, et qu'on l'avait reconstruite en plein cœur de la forêt argentine.

Spectacle extraordinaire, architecture massive et par là même assez terrifiante. L'ingénieur qui sommeillait en David se sentit agressé et époustouflé à la fois. Une telle réalisation avait certainement exigé une logistique étonnante, d'incroyables méthodes de nivellement et de transport.

Un coût astronomique.

L'Allemand sortit de la voiture et en fit le tour jusqu'à la portière de David, qu'il ouvrit.

— Nous allons vous laisser maintenant. Nous avons fait un agréable voyage. Avancez jusqu'à la porte. Vous pourrez entrer. *Auf Wiedersehen.*

David sortit et resta devant les marches de marbre. La Packard verte démarra et s'élança dans la pente sinueuse.

Spaulding demeura seul pendant presque une minute. S'il était surveillé – l'idée lui traversa l'esprit –, son observateur aurait pu le prendre pour un visiteur émerveillé par la splendeur du lieu. Ce jugement n'aurait été que partiellement exact. Il avait néanmoins concentré son attention sur certains détails concrets : les fenêtres, le toit, le terrain des deux côtés visibles.

Il devait constamment garder à l'esprit les problèmes d'entrée et de sortie, il ne fallait jamais écarter les hypothèses les plus inattendues.

Il gravit les marches et s'approcha de la porte de bois, immense, épaisse. Il n'y avait ni heurtoir ni sonnette. Il n'attendait rien de tel.

Il se retourna pour contempler la zone éclairée. Personne en vue. Ni gardes ni domestiques. Personne. Tout était tranquille. Même les bruits de la forêt semblaient assourdis. Seules les gerbes d'eau de la fontaine venaient en retombant briser le silence.

Ce qui signifiait, bien sûr, que des yeux invisibles le regardaient, qu'il était l'objet de murmures inaudibles.

La porte s'ouvrit. Heinrich Stoltz apparut dans l'embrasure.

– Bienvenue à Habichtsnest, Her Spaulding. Le nid d'aigle, un nom merveilleusement adapté, bien qu'un peu théâtral, n'est-ce pas ?

David entra. L'entrée, comme on pouvait s'y attendre, était gigantesque. Un escalier de marbre s'élevait derrière un lustre composé de plusieurs milliers de perles et pendeloques de cristal. Les murs étaient tapissés d'une étoffe damassée et dorée. Sous des lampes d'argent étaient accrochés des tableaux Renaissance.

– Ça ne ressemble à aucun nid que je connaisse.

– Exact. Cependant, la traduction fait perdre une partie de son sens au mot « Habichtsnest ». Suivez-moi, s'il vous plaît. Herr Rhinemann est dehors, sur le balcon qui donne sur le fleuve. Quelle soirée agréable !

Ils passèrent sous le lustre baroque et pourtant beau, devant l'escalier de marbre, et s'avancèrent sous la voûte qui se trouvait au bout du grand hall. Elle menait à une immense terrasse qui prolongeait le bâtiment. Il y avait là des tables en fer forgé peintes en blanc, couvertes d'un plateau de verre et entourées de fauteuils garnis de coussins de couleur vive. On apercevait, de chaque côté du passage voûté, plusieurs grandes portes à deux battants. Elles conduisaient sans doute aux diverses parties de cette immense maison.

Au bord de la terrasse, une balustrade de pierre, à hauteur de la taille, était garnie de statues et de plantes. Du balcon, on distinguait au loin les eaux du rio Lujan. A gauche de la terrasse, une petite plate-forme se fermait par un portail. Celui-ci était surmonté de fils métalliques très épais. C'était la station d'un téléphérique dont les câbles descendaient, de toute évidence, jusqu'au fleuve.

David admira la splendeur du site en attendant de rencontrer Rhinemann. Il n'y avait personne. Il s'avança vers la balustrade et aperçut une autre terrasse au-dessous du balcon, à cinq ou six mètres. Des lampes éclairaient l'eau bleu-vert d'une grande piscine. Les lignes séparant les couloirs avaient été tracées à même la mosaïque. Autour de la piscine, la terrasse était parsemée d'autres tables de fer forgé, de parasols et de chaises longues. Tout autour s'étendait une pelouse qui, sous les reflets changeants de l'éclairage, ressemblait à un green de golf britannique, le plus épais, le plus fourni que David eût jamais vu. On y distinguait l'ombre incongrue de poteaux et d'arceaux. Un jeu de croquet avait été installé sur la surface lisse.

– J'espère que vous viendrez un jour, colonel Spaulding, partager nos plaisirs les plus simples.

David tressaillit en entendant cette voix calme, étrange. Il distingua la silhouette d'un homme dans le passage voûté du grand hall.

Erich Rhinemann était, naturellement, en train de l'observer.

Rhinemann sortit de l'endroit sombre où il se tenait. C'était un homme de taille moyenne, aux cheveux raides et gris, coiffés en arrière, sans raie au milieu. Il était assez massif, « puissant » serait plus exact, malgré une bedaine corpulente. Entre ses grandes mains, robustes et délicates à la fois, il tenait un verre de vin qui semblait minuscule.

Quand il fut suffisamment éclairé, David distingua clairement ses traits. Ce visage le surprit sans qu'il sût pourquoi : un visage large avec un grand front surmontant de longues lèvres et un nez plat, épaté. Il était très bronzé, les sourcils blanchis par le soleil. David comprit soudain ce qui l'avait étonné.

Erich Rhinemann était un homme vieillissant. Sa peau brûlée était couverte de myriades de rides tracées par les ans et ses yeux rétrécis s'entouraient de plis boursouflés par l'âge. Sa veste sport, à la coupe impeccable, et son pantalon étaient faits pour quelqu'un de beaucoup, beaucoup plus jeune.

Rhinemann menait un combat que sa fortune ne pouvait pas gagner.

– *Habichtsnest ist prächtig. Unglaublich,* dit poliment David, sans manifester un enthousiasme démesuré.

– Vous êtes charmant, répondit Rhinemann en lui tendant la main. Et courtois aussi. Mais nous n'avons aucune raison de ne pas parler anglais... Venez vous asseoir. Puis-je vous offrir quelque chose à boire ?

Il le conduisit jusqu'à la table la plus proche.

– Non, merci, fit David, qui prit place en face de Rhinemann. J'ai

296

une affaire urgente à régler à Buenos Aires. Ce que j'ai essayé de faire comprendre à Stoltz avant qu'il ne me raccroche au nez.

Rhinemann leva les yeux vers un Stoltz imperturbable, adossé à la balustrade de pierre.

– Était-ce nécessaire ? Herr Spaulding ne doit pas être traité de cette façon.

– Je crains que ce n'ait été nécessaire, *mein Herr*. Pour le bien de notre ami américain. Nous avons appris qu'il était suivi. Nous nous y attendions d'ailleurs.

– Si j'ai été suivi, c'est vous qui me suiviez.

– Après ce qui s'est passé, mon colonel. Je ne le nie pas. Avant, nous n'avions aucune raison de le faire.

Les yeux plissés de Rhinemann se tournèrent vers Spaulding.

– Qui aurait pu vous faire suivre ?

– Puis-je vous parler en privé ? demanda David en jetant un coup d'œil à Heinrich Stoltz.

Le financier sourit.

– Il n'y a rien dans notre arrangement qui justifie l'exclusion du *Botschaftssekretär*. En Amérique latine, c'est un des associés que j'estime le plus. Nous ne devons rien lui cacher.

– Je ne vous dirai rien tant que nous ne serons pas seuls.

– Notre colonel américain est sans doute un peu embarrassé, interrompit Stoltz d'un ton insultant. Son propre gouvernement ne considère pas l'homme de Lisbonne comme quelqu'un de compétent. Il est placé sous surveillance américaine.

David alluma une cigarette. Il ne répondit pas à l'attaché allemand. Ce fut Rhinemann qui parla en agitant ses grandes mains.

– Si c'est le cas, je ne vois pas pourquoi l'on vous exclurait. Et de toute évidence, il ne peut y avoir d'autre explication.

– Nous achetons, dit David d'une voix calme mais déterminée. Vous vendez... des marchandises volées.

Stoltz voulut intervenir, mais Rhinemann leva la main.

– L'allusion que vous êtes en train de faire ne correspond à aucune réalité. Nous avons pris des dispositions dans le plus grand secret. Ce fut une réussite totale. Et Herr Stoltz est le confident du haut commandement. Plus que l'ambassadeur.

– Je n'aime pas me répéter, s'emporta David. Surtout quand je paie.

– Laissez-nous, Heinrich, dit Rhinemann en fixant son regard sur Spaulding.

Stoltz salua avec raideur et s'éloigna à pas rapides, furieux, disparaissant sous la voûte du grand hall.

– Merci.

David changea de position dans son fauteuil et contempla les nombreux petits balcons qui garnissaient le deuxième et le troisième étage. Il se demanda combien d'hommes étaient postés derrière les fenêtres, l'œil aux aguets, prêts à sauter s'il faisait le moindre mouvement malencontreux.

– Nous sommes seuls comme vous l'avez demandé, déclara l'exilé allemand qui avait le plus grand mal à dissimuler son irritation. De quoi s'agit-il ?

– Stoltz est grillé, dit Spaulding.

Il se tut pour observer la réaction du financier devant une telle nouvelle. Comme il s'y attendait, il n'en eut aucune. David poursuivit et se dit que Rhinemann n'avait sans doute pas compris tout ce que cela impliquait.

– Les renseignements qu'on lui fournit à l'ambassade ne sont pas exacts. Il ferait peut-être mieux chez nous.

– Absurde.

Rhinemann demeura immobile, les paupières mi-closes, le regard fixé sur David.

– Sur quoi fondez-vous un tel jugement ?

– La Gestapo. Stoltz affirme que la Gestapo n'a aucune activité à Buenos Aires. Il a tort. Elle est très active. Elle est déterminée à vous empêcher de conclure. A nous en empêcher.

La froide carapace d'Erich Rhinemann se fissura, une faille infinitésimale. Les poches charnues qu'il avait sous les yeux s'animèrent d'une vibration légère, à peine perceptible, et son regard se fit encore plus dur. « Un tour de force », pensa David.

– Expliquez-vous, je vous en prie.

– Je voudrais d'abord que vous répondiez à certaines questions.

– Vraiment.

Le ton monta. La main de Rhinemann s'agrippa à la table. Les veines se gonflèrent sous ses tempes grisonnantes. Il s'interrompit un instant avant de continuer :

– Pardonnez-moi. Je ne suis pas habitué à ce qu'on me pose des conditions.

– J'en suis certain. Quant à moi, je ne suis pas habitué à traiter avec un contact comme Stoltz qui ne se rend pas compte de sa propre vulnérabilité. Les gens comme lui m'ennuient... et m'inquiètent.

– Ces questions, quelles sont-elles ?

– Je suppose que les plans ont quitté le pays ?

– Oui.

– En route ?

– Ils arrivent ce soir.

– Vous êtes en avance. Notre homme ne sera là qu'après-demain.

– Cette fois, Herr colonel, c'est vous que l'on a mal informé. Lyons, le chercheur américain, sera là demain.

David garda le silence quelques instants. Il avait trop utilisé ce genre de stratagème pour manifester la moindre surprise.

— Il doit arriver à San Telmo après-demain, répéta-t-il. Ce changement de programme est sans importance, mais c'est ce que Kendall m'a dit.

— Avant de monter à bord du clipper de la Pan American, nous avons eu une longue conversation.

— Il s'est apparemment entretenu avec de nombreuses personnes. Ce changement est-il justifié ?

— On peut ralentir ou accélérer la procédure en cas de nécessité...

— Ou la modifier pour faire perdre pied à quelqu'un, l'interrompit David.

— Ce n'est pas le cas. Il n'y aurait aucune raison de le faire. Comme vous l'avez dit si succinctement, nous vendons, vous achetez.

— Et, bien entendu, la Gestapo n'a aucune raison de se trouver à Buenos Aires...

— Revenons au sujet qui nous intéresse, s'il vous plaît, intervint Rhinemann.

— Dans un instant, répondit Spaulding, conscient que la patience de l'Allemand était de nouveau mise à rude épreuve. Il me faut dix-huit heures pour faire parvenir les codes à Washington. Ils doivent partir par courrier, sous cachet chimique.

— Stoltz me l'a dit. Vous êtes stupide. Vous auriez déjà dû envoyer les codes.

— *Eine Vorsichtsmassnahme, mein Herr,* dit David. Pour être franc, je ne sais pas qui l'on a acheté dans notre ambassade, mais je suis certain que quelqu'un l'a été. Or il y a toujours moyen de vendre des codes. Les véritables codes ne seront donc envoyés par radio que lorsque Lyons aura vérifié les plans.

— Alors, vous devrez agir vite. Transmettez vos messages le matin. J'apporterai la première série de plans à San Telmo demain soir... *Eine Vorsichtsmassnahme.* Vous aurez le reste quand vous nous aurez affirmé que Washington accepte de virer le paiement en Suisse... après avoir reçu le code que vous aurez établi. Vous ne quitterez pas l'Argentine tant que nous n'aurons pas de nouvelles de Berne. Il y a un petit aérodrome appelé Mendarro. Près d'ici. Ce sont mes hommes qui le contrôlent. Votre avion vous y attendra.

— D'accord.

David éteignit sa cigarette.

— Demain soir, la première série de plans. Le reste dans vingt-quatre heures... Maintenant nous avons un programme. C'était tout ce qui m'intéressait.

— *Gut !* Revenons-en à cette histoire de Gestapo.

Rhinemann se pencha en avant. Les veines de ses tempes dessinaient des canaux bleus sur sa peau cuite au soleil.

– Vous deviez me donner des explications !

Ce que fit Spaulding.

Quand il eut terminé, Erich Rhinemann soufflait fort, régulièrement. Entre les plis de chair, entre ses paupières mi-closes, on distinguait son regard furieux et pourtant maîtrisé.

– Merci. Je suis certain qu'il y a une explication logique. Nous agirons en temps et en heure... La soirée a été longue et fertile en complications. On va vous reconduire à Córdoba. Bonsoir.

– *Altmüller !* rugit Rhinemann. L'idiot ! Le crétin !

– Je ne comprends pas, fit Stoltz.

– Altmüller...

La voix de Rhinemann s'éteignit sans que disparaisse sa violence. Il se tourna vers le balcon, face à l'obscurité et au fleuve en contrebas.

– Avec sa folle manie de vouloir dissocier le haut commandement de Buenos Aires... d'absoudre son précieux ministère, il est pris au piège de sa propre Gestapo !

– Il n'y a pas de Gestapo à Buenos Aires, Herr Rhinemann, déclara fermement Stoltz. L'homme de Lisbonne ment.

Rhinemann fit volte-face et regarda le diplomate.

– Je sais quand un homme ment, Herr Stoltz, dit-il d'un ton glacial. Cet agent de Lisbonne dit la vérité. Il n'aurait d'ailleurs aucune raison de mentir... Alors, si Altmüller ne s'est pas fait piéger, c'est qu'il m'a trahi. Il a envoyé la Gestapo. Il n'a pas l'intention de procéder à l'échange. Il prendra les diamants et détruira les plans. Les antisémites m'ont tendu un piège.

– Je suis, moi, le seul coordinateur avec Franz Altmüller, déclara Stoltz avec une persuasion qu'il avait cultivée pendant des décennies au sein du corps des Affaires étrangères. Vous n'avez aucune raison de douter de moi. Les types de l'entrepôt d'Ocho Calle ont presque terminé. Les diamants de Koening seront authentifiés dans un jour ou deux. Le courrier livrera les plans avant la fin de la nuit. Tout se passe comme nous l'avions prévu. L'échange aura lieu.

Rhinemann se détourna à nouveau. Il posa les mains sur la balustrade et regarda au loin.

– Il n'y a qu'un moyen d'en être sûr, dit-il calmement. Envoyez un message radio à Berlin. Je veux qu'Altmüller vienne à Buenos Aires. Sinon il n'y aura pas d'échange.

31.

L'Allemand au complet d'été blanc avait revêtu l'uniforme para-militaire que portaient les gardes de Rhinemann. Le chauffeur n'était plus le même. C'était un Argentin.

Ce n'était pas non plus la même voiture, mais une limousine Bentley avec un tableau de bord en acajou, des sièges recouverts de cuir gris et des rideaux aux fenêtres. Ce type de véhicule convenait parfaitement aux diplomates britanniques de haut rang, sans aller jusqu'à l'ambassadeur. Éminemment respectable, c'était tout. « La marque de Rhinemann, une fois de plus », pensa David.

Le chauffeur conduisit la voiture jusqu'à la grand-route qui longeait le fleuve depuis l'obscur chemin de terre. Il appuya sur l'accélérateur, pied au plancher, et la Bentley s'élança dans la nuit. L'Allemand qui avait pris place à côté de Spaulding lui offrit une cigarette. David déclina son offre d'un hochement de tête.

— Vous avez demandé à être conduit à l'ambassade américaine, *senõr* ? fit le chauffeur en tournant légèrement la tête, sans quitter des yeux la route qui défilait à toute allure. J'ai bien peur de ne pas pouvoir vous satisfaire. Le *senõr* Rhinemann nous a ordonné de vous ramener à l'appartement de l'avenue Córdoba. Pardonnez-moi.

— Nous n'avons pas le droit de désobéir aux instructions, ajouta l'Allemand.

— J'espère que vous ne le faites jamais. C'est comme ça que nous gagnons les guerres.

— Vous m'injuriez à tort. Cela m'est complètement indifférent.

— J'oubliais. *Habichtsnest* est neutre.

David changea de place, croisa les jambes et regarda par la vitre pour mettre fin à la conversation. Il ne pensait plus qu'à l'ambassade et à Joan. Elle avait évoqué « Tortugas ».

Toujours cet énigmatique « Tortugas » !

Comment était-elle au courant ? Était-il concevable qu'elle participe à l'opération ? Qu'elle joue un rôle en relation avec l'aspect caché de l'affaire ?

Non.

« Tortugas » ne vaut pas la peine que tu te donnes tant de mal. Joan avait prononcé ces mots. Elle l'avait imploré.

Leslie Hawkwood l'avait imploré, elle aussi. Leslie avait parcouru six mille kilomètres pour le supplier de se méfier. Avec un certain fanatisme.

Quitte Buenos Aires, David !

Y avait-il un rapport entre les deux ?

« Mon Dieu, pensa-t-il. Y avait-il vraiment un rapport ? »

– *Señores !* s'écria le chauffeur d'une voix dure qui fit sursauter David et le tira de ses réflexions.

L'Allemand se retourna instantanément, instinctivement, et regarda par la vitre arrière. Il ne prononça que deux mots.

– Depuis quand ?

– Trop longtemps pour qu'il y ait le moindre doute. Vous avez vu ?

– Non.

– J'ai dépassé trois véhicules. Sans plan précis. Puis j'ai ralenti pour me placer dans la file de droite. Il nous suit. Il se rapproche.

– Nous sommes dans le district de la Colline numéro 2, n'est-ce pas ? demanda l'Allemand.

– *Si...* Il se rapproche rapidement. C'est une voiture puissante. Il nous rattrapera sur la grand-route.

– Foncez vers les Colinas Rojas ! Prenez la prochaine route à droite ! N'importe laquelle ! ordonna le lieutenant de Rhinemann en sortant un pistolet de sa veste.

La Bentley tourna brusquement, dérapa et traversa la chaussée en diagonale pour se ranger sur la droite. David et l'Allemand furent projetés sur la gauche du siège arrière. L'Argentin fit ronfler le moteur, s'engagea dans la colline, passa en première en rudoyant le changement de vitesse pour atteindre une allure maximale en quelques secondes. La Bentley se stabilisa, adhérant à une surface plus plane, avant de grimper une seconde colline que le chauffeur utilisa pour faire tourner le moteur plus vite et prendre de la vitesse. La voiture, telle une balle de revolver, s'élança sous l'effet d'une brusque accélération.

La pente était plus raide que la première fois, mais la vitesse initiale leur donnait de l'élan. Ils la gravirent à toute allure. Le chauffeur connaissait bien son engin, pensa David.

– Voilà les phares ! hurla l'Allemand. Ils nous suivent !

– Le terrain s'aplanit... Je crois, intervint le chauffeur qui restait concentré sur la route. Au-delà des collines, il existe de nombreuses routes perpendiculaires. Nous allons essayer d'en prendre une et de les semer. Peut-être poursuivront-ils leur chemin.

– Non.

L'Allemand surveillait toujours la vitre arrière. Il vérifia au toucher le barillet de son arme. Satisfait, il le bloqua. Puis il se détourna et plongea la main sous le siège. La Bentley gravissait la colline en vibrant et fonçait sur la petite route de campagne. L'Allemand jurait en agitant furieusement le bras entre ses jambes.

Spaulding entendit le bruit sec de serrures métalliques. L'Allemand glissa le pistolet dans sa ceinture et tendit vers le sol la main qui restait libre. Il saisit un fusil automatique d'un gros calibre. David reconnut l'arme la plus neuve, la plus puissante, qu'ait utilisée le IIIᵉ Reich sur le front. Le chargeur incurvé que l'Allemand inséra rapidement contenait plus de quarante projectiles d'un calibre de 30 millimètres.

– Engagez-vous sur la ligne droite. Laissez-les se rapprocher.

David se redressa brutalement. Il s'accrocha à la poignée de cuir accrochée au dos du siège avant et plaqua sa main gauche au chambranle de la fenêtre.

– Ne tirez pas avec ça ! Vous ne savez pas qui ils sont.

L'homme au fusil jeta un bref coup d'œil à Spaulding

– Je sais ce que j'ai à faire.

Il se glissa à la droite de la vitre arrière. Il y avait là un petit anneau de métal inséré dans le cuir. Il y introduisit l'index, le poussa vers le haut et le tira vers lui d'un coup sec, découvrant une fente d'une largeur d'environ vingt-cinq centimètres et d'une hauteur de dix centimètres.

David regarda à gauche de la vitre. Il y avait un autre anneau, une autre ouverture.

La voiture de Rhinemann était équipée pour les interventions d'urgence. On pouvait tirer à son aise sur toute automobile se permettant de la suivre. Les lignes de visée étaient claires et, à grande vitesse et en terrain difficile, le risque de maladresse réduit.

– Imaginez que ce soit une équipe de surveillance américaine qui me couvre ! cria David à l'Allemand qui était à genoux sur le siège, prêt à introduire le fusil dans l'ouverture.

– Ce n'est pas ça.

– Vous n'en *savez* rien !

– *Señores* ! hurla le chauffeur. Nous descendons la colline. Il y a un grand virage, très long. Je m'en souviens ! Après, il y a des champs d'herbe haute... Une route.. plate. Attendez !

La Bentley plongea soudain comme si elle avait franchi le bord d'un précipice. Sa vitesse augmenta aussitôt, si brutalement que

303

l'Allemand fut rejeté en arrière, le corps suspendu pendant une fraction de seconde. Il alla s'écraser sur l'appuie-tête du siège avant, l'arme tendue à bout de bras pour amortir la chute.

David n'hésita pas. Il ne pouvait pas se le permettre. Il saisit le fusil, plaça les doigts sur le pontet, tourna la crosse vers l'intérieur et l'arracha des mains de l'Allemand. Le lieutenant de Rhinemann fut stupéfait de la rapidité avec laquelle avait agi Spaulding. Il tendit la main vers la ceinture où il avait glissé son pistolet.

La Bentley descendait la pente à une vitesse fulgurante. Elle atteignit le grand virage dont avait parlé l'Argentin. Elle s'engagea dans un long processus de dérapage contrôlé qui n'était pas sans risque pour la mécanique : le véhicule était propulsé sur deux roues, les deux autres avaient quitté le sol.

David et l'Allemand s'arc-boutèrent, le dos plaqué contre chaque portière, les jambes tendues, les pieds comme enracinés dans le tapis de feutre.

— Donnez-moi ce fusil !

L'Allemand pointa son pistolet sur la poitrine de Spaulding. Celui-ci avait la crosse calée sous les bras, le doigt sur la détente, le canon de son arme monstrueuse braqué sur le ventre de l'Allemand.

— Si vous tirez, je tire, cria-t-il en retour. Je m'en sortirai peut-être. Pas vous. Vous allez exploser dans la voiture !

Spaulding se rendit compte que le chauffeur paniquait. Il se sentait incapable de faire face à la situation : la bagarre à l'arrière du véhicule était venue s'ajouter aux nombreux problèmes que lui posaient la conduite dans la colline, la vitesse et les virages.

— *Señores ! Madre de Jesús !...* Vous allez nous tuer !

La Bentley vint heurter le bord rocailleux de la route, provoquant une secousse terrible.

— Vous avez un comportement stupide, dit l'Allemand. Ces hommes vous suivent vous, pas nous !

— Je ne peux pas en être certain. Je ne tue pas les gens sur des suppositions.

— Alors, vous allez nous tuer ? Pour quoi faire ?

— Je ne veux tuer personne... A présent, lâchez votre arme. Nous sommes tous deux conscients des risques que nous courons.

L'Allemand hésita.

Il y eut encore une secousse. La Bentley avait heurté un gros rocher ou une branche tombée. Cela suffit à convaincre le lieutenant de Rhinemann. Il posa le pistolet sur le siège.

Les deux adversaires s'arc-boutèrent. David avait les yeux fixés sur la main de l'Allemand, ceux de l'Allemand sur le fusil.

— *Madre de Dios !* cria l'Argentin, mais c'était un cri de soulagement, non plus de panique.

La Bentley ralentit peu à peu.

David jeta un coup d'œil par le pare-brise. Ils étaient sortis du virage. On apercevait au loin les plates étendues des champs, pampas miniatures qui reflétaient la pâleur lunaire. Il tendit la main vers le pistolet de l'Allemand, que ce geste prit au dépourvu. Le lieutenant de Rhinemann était mécontent de lui.

— Calmez-vous, dit Spaulding au chauffeur. Prenez une cigarette. Et ramenez-moi en ville.

— Mon colonel! aboya l'Allemand. C'est peut-être vous qui détenez les armes, mais il y a toujours une voiture derrière nous! Si vous refusez de suivre mon conseil, laissez-nous au moins quitter cette route!

— Je n'ai pas de temps à perdre. Je ne lui ai pas dit de ralentir uniquement pour qu'il se détende.

La Bentley roulait de nouveau sur une portion de route lisse, et le chauffeur accéléra. Ce faisant, il suivit le conseil de David et alluma une cigarette. La voiture avançait de nouveau à une allure régulière.

— Rasseyez-vous, ordonna Spaulding, qui se plaça en diagonale, dans le coin droit, un genou à terre.

Il tenait le fusil avec attention, sans crispation.

— Voilà encore les phares, signala l'Argentin d'un ton monotone, apeuré. Ils se rapprochent plus vite que ne peut rouler cette voiture... Que voulez-vous que je fasse?

David soupesa les différentes possibilités qui s'offraient à lui.

— Donnons-leur une chance de réagir... La lune éclaire-t-elle assez la route pour rouler sans phares?

— Pendant quelque temps. Pas longtemps. Je ne me souviens pas bien...

— Allumez et éteignez alternativement! Deux fois... Maintenant!

Le chauffeur obtempéra. Cela produisit un effet des plus étranges: l'obscurité soudaine puis l'illumination brutale, tandis que la Bentley balayait sur son passage les hautes herbes des bas-côtés de la route.

David observa par la vitre arrière les phares du véhicule qui les suivait. Nul ne répondit aux signaux. Il se demanda si le message d'apaisement avait été clairement perçu.

— Recommencez, ordonna-t-il au chauffeur. Plusieurs fois de suite... Pendant quelques secondes. Maintenant!

On entendit le bruit sec du tableau de bord. Les phares restèrent éteints trois, quatre secondes. De nouveau le déclic. De nouveau l'obscurité.

Vint alors la réaction des poursuivants.

Des coups de feu partirent de leur automobile. Le verre de la vitre arrière se brisa, vola en éclats, venant se planter dans la peau et dans le tissu des sièges. David sentit le sang couler sur sa joue. L'Allemand hurla de douleur en saisissant sa main gauche ensanglantée.

Le Bentley fit un écart. Le chauffeur fit osciller le volant. La voiture zigzagua sur la chaussée.

— Là, voilà notre réponse ! rugit le lieutenant de Rhinemann, avec dans le regard une fureur mêlée de panique.

David tendit aussitôt le fusil à l'Allemand.

— Servez-vous-en !

L'Allemand glissa le canon dans l'ouverture. Spaulding sauta sur la banquette pour atteindre l'anneau métallique qui se trouvait du côté gauche du pare-brise, le tira vers lui et leva son pistolet.

De nouveaux crépitements leur parvinrent de la voiture suiveuse. Une mitraillette d'un gros calibre tirait, des tirs dispersés arrosant l'arrière de la Bentley. Le cuir fut défoncé en haut et sur les côtés de la banquette. Des balles firent éclater le pare-brise.

L'Allemand se mit à tirer avec l'automatique. David visa avec le plus de précision possible. Au gré des embardées et des secousses de la Bentley, la voiture sortait de sa ligne de tir. Il appuya sur la détente en espérant toucher les pneus.

L'arme de l'Allemand faisait un bruit de tonnerre incessant. Les ondes de choc de chaque salve emplissaient l'intérieur du véhicule.

David vit l'explosion au moment même où celle-ci se produisit. Le capot de l'automobile qui fonçait sur eux ne fut plus qu'une masse de fumée et de vapeur.

Des rafales partaient encore du nuage où elle s'était engloutie.

— Aaaooooooh ! hurla le chauffeur.

David regarda le sang couler de sa tête. Il avait le cou à moitié arraché. Les mains de l'Argentin quittèrent brusquement le volant.

Spaulding sauta sur le siège avant, essaya d'attraper le volant mais n'y parvint pas. La Bentley sortit de la route et s'enfonça dans les hautes herbes.

L'Allemand retira son arme de l'ouverture. Il brisa la vitre latérale avec le canon du fusil et rechargea, tandis que la Bentley s'arrêtait dans l'herbe, dans une ultime secousse.

La voiture qui les suivait, un nuage de fumée et d'étincelles, était à présent parallèle à la route. Elle freina deux fois, fit un écart et s'immobilisa.

De l'ombre profilée du véhicule partirent des coups de feu en rafales. L'Allemand ouvrit d'un coup de pied la porte de la Bentley et sauta dans les broussailles. David s'accroupit contre la portière gauche, chercha la poignée à tâtons en poussant de tout son poids pour ouvrir grande la porte. Celle-ci le couvrirait quand il se jetterait à l'extérieur.

L'air retentit soudain des puissants crépitements du fusil automatique qui tirait sans discontinuer.

Des cris déchirèrent la nuit. David repoussa brusquement la porte et, en sortant, aperçut le lieutenant de Rhinemann debout dans l'herbe. Il avançait sous le feu, le doigt sur la détente de l'automatique, le corps tremblant de bas en haut, vacillant sous l'impact des balles qui criblaient sa chair.

Il tomba.

Une seconde explosion parvint de la voiture arrêtée sur la route.

Le réservoir éclata sous le coffre, projetant du feu et du métal dans l'air.

David contourna l'arrière de la Bentley, pistolet au poing.

La fusillade cessa. Il n'y eut plus que le rugissement des flammes, le sifflement de la fumée.

Derrière le coffre de la Bentley, il observa le carnage, là-bas sur la route.

Il reconnut alors l'automobile. C'était la Duesenberg qui était venue à la rencontre de Leslie Hawkwood, dans l'après-midi.

Il aperçut deux cadavres à l'arrière, qui furent aussitôt noyés dans les flammes. Le chauffeur était arc-bouté sur le siège, les bras pendants, immobile, les yeux grands ouverts dans la mort.

Il y avait un quatrième homme, étendu sur le sol près de la portière droite.

Sa main bougea! Puis sa tête!

Il était vivant!

Spaulding courut vers la Duesenberg en feu et éloigna le blessé à demi-conscient de l'épave.

Il en avait trop vu mourir pour ignorer combien la vie s'éteignait vite. Il était vain de vouloir repousser la mort. Mieux valait s'en servir.

David s'agenouilla près de l'homme.

– Qui êtes-vous? Pourquoi vouliez-vous me tuer?

Les yeux qui roulaient dans leurs orbites se fixèrent sur David. Un seul phare clignotait encore dans la fumée qui enveloppait la Duesenberg. Elle aussi était en train de mourir.

– Qui êtes-vous? Dites-moi qui vous êtes!

L'homme ne voulait pas – ne pouvait pas – parler. Ses lèvres s'entrouvrirent sans rien murmurer.

Spaulding se pencha davantage.

Le blessé essayait désespérément de lui cracher au visage. La salive et le sang se mêlèrent sur son menton quand sa tête retomba.

A la lumière des flammèches, Spaulding ouvrit la veste du cadavre.

Pas de papiers d'identité.

Dans le pantalon non plus.

Il déchira la doublure du manteau, puis la chemise jusqu'à la taille.

Puis il s'arrêta. Étonné, curieux.

Il avait des marques sur l'abdomen. Des cicatrices qui ne devaient rien aux balles. David avait déjà vu des marques semblables.

Il ne put se maîtriser. Il souleva l'homme par le cou, lui arracha son manteau au niveau de l'épaule gauche et tira sur les coutures de la chemise pour découvrir le bras.

Ils étaient là. Profondément inscrits dans la peau. Inscrits à jamais.

Les numéros tatoués d'un camp de la mort.

Ein Volk, ein Reich, ein Führer.

L'homme qui était mort était juif.

32.

Il était près de cinq heures quand Spaulding rejoignit son appartement de l'avenue Córdoba. Il avait pris le temps de subtiliser tous les papiers qui auraient permis une identification trop aisée du chauffeur argentin et du lieutenant de Rhinemann. Il trouva des outils dans le coffre pour retirer la plaque minéralogique de la Bentley, avança les aiguilles de la pendule du tableau de bord avant de la briser. Ces quelques détails ralentiraient le travail de la police – d'au moins quelques heures –, ce qui lui laisserait un temps précieux avant d'affronter Rhinemann.

Rhinemann allait exiger cette confrontation.

Et il avait trop de choses à découvrir, trop de pièces à rassembler.

Il avait marché pendant près de deux heures pour revenir depuis les collines – las Colinas Rojas – jusqu'à la grand-route qui longeait le fleuve. Il avait retiré les éclats de verre de son visage, heureusement peu nombreux. Il n'avait constaté que des coupures légères. Il avait emporté l'imposant fusil automatique loin de la scène du carnage, ôté le chargeur et brisé le système de percussion pour rendre l'arme inutilisable. Puis il l'avait jeté dans les bois.

Un camion de lait qui venait de la région du Tigre le recueillit. Il raconta au chauffeur une invraisemblable histoire d'alcool et de sexe : il s'était fait rosser en beauté et ne pouvait s'en prendre qu'à lui-même.

Le chauffeur admira l'esprit dont faisait preuve cet étranger, qui acceptait le risque et la défaite. Le voyage se poursuivit dans la gaieté.

Il était inutile d'essayer de dormir. Il avait trop à faire. Il se doucha et prépara une grande cafetière.

Le moment était venu. Le jour se levait sur l'Atlantique. Il avait les idées claires. Le moment était venu d'appeler Joan.

Il indiqua au marine abasourdi qui était de service de nuit au standard de l'ambassade que Mme Cameron attendait son appel. Il était même en retard, il ne s'était pas réveillé. Mme Cameron avait l'intention d'aller pêcher en pleine mer. On les attendait à La Boca à six heures.

– Bonjour ?... Bonjour, répondit la voix de Joan, ahurie d'abord, puis simplement surprise.

– C'est David. Je n'ai pas le temps de te présenter des excuses. Il faut que je te voie immédiatement.

– David ? Oh, mon Dieu...

– Je te retrouve dans ton bureau dans vingt minutes.

– Je t'en prie...

– On n'a pas le temps ! Vingt minutes. S'il te plaît, sois là... J'ai besoin de toi, Joan. J'ai besoin de toi !

Le lieutenant de garde aux portes de l'ambassade se montra coopératif bien que peu aimable. Il consentit à demander au standard d'appeler le bureau de Mme Cameron. Le marine accepterait de le laisser passer à condition que celle-ci se porte garante pour lui.

Joan apparut sur le perron. Elle semblait vulnérable, presque enfantine. Elle fit le tour de l'allée jusqu'au portail et l'aperçut. A ce moment-là, elle réprima un cri de surprise.

Il comprit.

Le crayon de glycérine n'avait pas effacé les entailles que les éclats de verre avaient laissées sur ses joues et sur son front. Il les avait en partie dissimulées. Au mieux.

Ils ne parlèrent pas le long du couloir. Elle lui serra le bras avec tant de force qu'il changea de côté. Elle lui avait réveillé une douleur dans l'épaule qui, depuis l'accident des Açores, n'était pas cicatrisée.

Dès qu'ils eurent pénétré dans son bureau, elle ferma la porte et se jeta dans ses bras. Elle tremblait.

– David. Je suis désolée, désolée, désolée. J'ai été épouvantable. Je me suis tellement mal conduite !

Il la prit par les épaules et la tint serrée contre lui.

– Nous étions en train de régler un petit différend.

– J'ai l'impression que je ne peux plus régler quoi que ce soit. Et j'ai toujours pensé que j'étais capable de... Qu'as-tu au visage ?

Elle fit glisser son doigt sur sa joue.

– C'est enflé là.

– « Tortugas » ?

Il la regarda droit dans les yeux.

– Oui, « Tortugas ».

– Oh, mon Dieu ! murmura-t-elle en enfouissant sa tête dans sa poitrine. Je suis complètement désemparée. Je t'en supplie, ne... qu'il ne t'arrive plus rien.

– Alors, il va falloir que tu m'aides.

Elle recula.

– Moi ? Comment puis-je t'aider ?

– Réponds à mes questions... Je saurai si tu mens.

– Si je mens ?... Ne plaisante pas. Je ne t'ai jamais menti.

Il la crut... ce qui ne lui facilitait guère la tâche. Et ne clarifiait pas non plus la situation.

– Où as-tu entendu prononcer le mot « Tortugas » ?

Elle retira ses bras de son cou. Il desserra son étreinte. Elle fit quelques pas pour s'éloigner de lui, sans battre en retraite.

– Je ne suis pas fière de ce que j'ai fait. Je n'avais jamais agi ainsi auparavant.

Elle se retourna pour lui faire face.

– Je suis descendue aux « Caves »... sans autorisation... et j'ai lu ton dossier. C'est le dossier le plus succinct de toute l'histoire du corps diplomatique, j'en suis convaincue.

– Qu'y avait-il dedans ?

Elle le lui dit.

– Alors, tu vois, mon David mythique de l'autre soir reposait sur une certaine réalité.

Spaulding s'approcha de la fenêtre qui s'ouvrait sur la pelouse est de l'ambassade. Sous les premiers rayons du soleil, l'herbe scintillait de rosée. Il se souvint de l'autre pelouse merveilleusement entretenue qu'il avait contemplée, à la lumière des spots, sous la terrasse de Rhinemann. Et cela lui rappela les codes. Il fit volte-face.

– Il faut que je voie Ballard.

– C'est tout ce que tu as à me dire ?

– Le David, qui n'est pas si mythique que ça, a du pain sur la planche. Rien n'est changé.

– Je n'y peux rien, c'est ça que tu veux dire ?

Il revint vers elle.

– Non, tu n'y peux rien... J'aimerais mieux que tu puisses quelque chose. J'aimerais pouvoir moi aussi. Je n'arrive pas à me convaincre – pour paraphraser certaine jeune femme – que ce que je fais changera quoi que ce soit... Mais j'agis par habitude, j'imagine. Ou bien c'est ma personnalité profonde. C'est peut-être aussi simple que ça.

– J'ai dit que tu étais très fort, n'est-ce pas ?

– Oui. Et c'est vrai... Tu sais ce que je suis ?

– Officier de renseignements. Un agent. Un homme qui travaille avec d'autres hommes. Qui chuchotent la nuit, qui manient beaucoup d'argent et qui mentent. Voilà ce que je pense.

– Pas ça. C'est récent... Ce que je suis vraiment... Je suis ingénieur du bâtiment. Je bâtis des immeubles, des ponts, des barrages et des autoroutes. J'ai construit l'annexe d'un zoo à Mexico. Le plus bel enclos pour primates que l'on ait jamais vu. Malheureusement, nous avons dépensé tellement d'argent que la Société zoologique n'a plus eu les moyens d'acheter les singes, mais l'espace est là.

Elle rit doucement.

– Tu es drôle.

– Je préférais construire des ponts. Traverser un obstacle naturel sans le saccager, sans détruire sa raison d'être...

– Je ne pensais pas que les ingénieurs étaient des romantiques.

– Les ingénieurs du bâtiment le sont. Du moins, les meilleurs... Mais tout cela est bien loin. Quand les choses seront rentrées dans l'ordre, j'y retournerai, bien sûr, mais cela présentera quelques inconvénients pour moi... Je ne serai pas comme l'avocat qui pose ses livres pour les reprendre. Le droit ne change pas beaucoup. Ni comme un banquier. Les règles du marché ne peuvent pas changer.

– Je ne vois pas très bien où tu veux en venir...

– La technologie. C'est le seul apport réel, civilisé, d'une guerre. On a fait des progrès révolutionnaires en matière de construction. En trois ans, on a mis au point des techniques entièrement nouvelles... Je n'y ai pris aucune part. Mes références d'après-guerre ne seront pas excellentes.

– Mais ce n'est pas vrai, tu t'apitoies sur toi-même.

– Mais *oui* ! D'une certaine façon... Ou plus exactement je suis en colère. On ne m'a pas mis le couteau sous la gorge : je me suis engagé dans ce... métier pour de mauvaises raisons et sans penser à l'avenir... C'est pour cela que je dois le faire bien.

– Et nous ? Peut-on dire « nous » ?

– Je t'aime, dit-il simplement. Je le sais.

– Au bout d'une semaine ? C'est ce que je me demande sans cesse. Nous ne sommes plus des enfants.

– Nous ne sommes plus des enfants, répondit-il. Les enfants n'ont pas accès aux dossiers du Département d'État.

Il sourit, puis redevint sérieux.

– J'ai besoin de ton aide.

Elle lui lança un regard sévère.

– De quoi s'agit-il ?

– Que sais-tu d'Erich Rhinemann ?

– C'est un homme ignoble.

– Il est juif.

– Alors, c'est un juif ignoble. La race ou la religion ne font rien à l'affaire.

– Pourquoi est-il ignoble ?

– Parce qu'il utilise les gens. De manière perverse. Il se sert de sa fortune pour corrompre tout ce qui peut s'acheter. Il soudoie la junte pour se concilier ses bonnes grâces. C'est ainsi qu'il a obtenu dcs terres, des concessions publiques, des droits de fret. Il a chassé un certain nombre de compagnies minières du bassin de Patagonie. Il exploite plus d'une dizaine de champs pétrolifères à Comodoro Rivadavia...

– Et politiquement ?

Joan réfléchit une seconde. Elle se cala dans son fauteuil et contempla la fenêtre, un instant. Puis elle leva les yeux vers Spaulding.

– Il ne croit qu'en lui, répondit-elle.

– J'ai entendu dire qu'il soutenait ouvertement l'Axe.

– Simplement parce qu'il croit que l'Angleterre tombera et que l'on signera un compromis. Il détient encore un certain pouvoir en Allemagne, m'a-t-on dit.

– Mais il est juif.

– Handicap provisoire. Je ne crois pas qu'il soit assidu à la synagogue. La communauté israélite de Buenos Aires se passe très bien de lui.

David se leva.

– C'est peut-être ça.

– Quoi ?

– Rhinemann a tourné le dos à la tribu. Il soutient ceux qui ont créé Auschwitz. Sans doute ont-ils envie de le tuer. D'abord lui retirer ses gardes, puis s'attaquer à lui.

– Si par « ils », tu entends les juifs d'ici, je suis obligé de te contredire. Les *judios* argentins se font tout petits. Les militaires ici défilent au pas de l'oie. Rhinemann a de l'influence. Bien entendu, rien ne peut arrêter un ou deux fanatiques...

– Non... Ce sont peut-être des fanatiques, mais ils ne sont pas un ou deux. Ils sont organisés. Ils ont du répondant, pas mal d'argent, je crois.

– S'en prendre à Rhinemann ? La communauté juive paniquerait... Franchement, je pense qu'ils se tourneraient d'abord vers nous.

David cessa de faire les cent pas. Une phrase lui revint en mémoire : *il n'y aura pas de négociation avec Altmüller.* Sous un porche sombre de la 52e Rue, à New York.

– As-tu déjà entendu prononcer le nom d'Altmüller ?

– Non. Il y a un Müller à l'ambassade d'Allemagne, il me semble, mais c'est comme Martin ou Dupont. Pas d'Altmüller.

– Et Hawkwood ? Une femme nommée Leslie Jenner Hawkwood ?

– Non. Mais si ces gens-là appartiennent aux services secrets, je n'ai aucune raison de les connaître.

– Ils en font partie, mais je ne pense pas qu'ils aient une couverture. Du moins pas cet Altmüller.

– Qu'est-ce que ça signifie ?

– Son nom est apparu dans un contexte où il était seulement cité. Mais je ne parviens pas à le dénicher.

– Tu veux que je vérifie dans les « Caves » ? demanda-t-elle.

– Oui. J'irai moi-même avec Granville. Quand ouvrent-elles ?

– A huit heures et demie. Henderson est dans son bureau à neuf heures moins le quart.

David regarda son poignet, oubliant qu'il n'avait pas de montre. Elle jeta un coup d'œil à la pendule du bureau.

– Un peu plus de deux heures. Fais-moi penser à t'acheter une montre.

– Merci... Ballard. Il faut que je le voie. Comment est-il tôt le matin ? A cette heure-ci ?

– Tu me demandes ça pour le principe, j'imagine... Il a l'habitude d'être tiré du lit pour des problèmes de codage. Dois-je l'appeler ?

– S'il te plaît. Tu peux nous préparer du café ici ?

– Il y a une plaque chauffante par là, fit Joan en désignant la porte de l'antichambre. Derrière le fauteuil de ma secrétaire, et un évier dans le placard... Ne t'inquiète pas, je m'en charge. Mais je vais d'abord chercher Bobby.

– Je vais préparer le café. Tu téléphones, je m'occupe de la cuisine. Tu me sembles prendre les choses en main avec une telle efficacité que je n'ose pas intervenir.

Il versait le café moulu dans le pot quand il entendit un bruit. Un bruit de pas. Un seul pas dans le couloir. Un pas qui aurait dû être étouffé mais ne l'était pas. Un autre pas aurait dû suivre, qui ne suivit pas.

Spaulding posa le pot sur le bureau, se pencha et retira ses chaussures sans faire de bruit. Il traversa la pièce en direction de la porte et demeura près du chambranle.

De nouveau. Des pas. Tranquilles, peu naturels.

David ouvrit sa veste pour vérifier son arme et posa sa main gauche sur la poignée de la porte. Il la tourna en silence, ouvrit brusquement et sortit.

A quelque quatre mètres de là, un homme avançait, qui se retourna en entendant le bruit. Sur ses traits était peinte une expression que David avait souvent vue.

La peur.

– Bonjour, vous. Vous êtes sans doute notre nouvelle recrue. Nous n'avons pas encore été présentés... Je m'appelle Ellis. Bill Ellis... J'ai une abominable réunion à sept heures.

Le ton n'était guère convaincant.

– Nous devions aller pêcher, mais les prévisions météorologiques sont incertaines. Voulez-vous vous joindre à nous ?

– J'aimerais bien mais j'ai cette fichue réunion, à cette heure impossible !

– Oui. Vous l'avez déjà dit. Un peu de café ?

– Merci, mon vieux. Mais il faut que je potasse quelques papiers.

– Bon. Désolé.

– Moi aussi... Eh bien, à bientôt.

Le dénommé Ellis lui adressa un sourire gauche, lui fit un signe plus gauche encore – auquel David répondit – et poursuivit son chemin.

Spaulding retourna dans le bureau de Joan et ferma la porte. Elle l'attendait devant la table de sa secrétaire.

– Avec qui diable pouvais-tu bien discuter à une heure pareille ?

– Il prétend qu'il s'appelle Ellis. Il prétend également qu'il doit se rendre à une réunion avec je ne sais qui à sept heures du matin... C'est faux.

– Pardon ?

– Il mentait. Dans quel service travaille Ellis ?

– Les autorisations d'import-export.

– C'est pratique... Et Ballard ?

– Il arrive. Il dit que tu es un méchant homme... Qu'est-ce qui est pratique ?

Spaulding saisit le pot de café qui reposait sur le bureau et se dirigea vers le placard. Joan lui barra le passage et lui prit le pot des mains.

– Quelle appréciation porte-t-on sur Ellis ? demanda-t-il.

– Excellente. Le Britannique type. Il veut être présenté à la cour d'Angleterre. Tu ne m'as pas répondu. Qu'est-ce qui est « pratique » ?

– Il a été acheté. C'est un entonnoir. Ce peut être une chose grave ou une broutille.

– Ah ? fit Joan, perplexe, en ouvrant la porte du placard où se trouvait l'évier.

Elle s'interrompit brusquement et se tourna vers Spaulding.

– David, que signifie « Tortugas » ?

– Je t'en prie, ne te moque pas de moi.

– Ce qui signifie que tu ne me le diras pas.

– Ce qui signifie que je ne le sais pas. Et pourtant tu n'imagines pas à quel point j'aimerais le savoir.

– C'est un nom de code, non ? C'est ce qu'il y a dans ton dossier.

– C'est un code dont je n'ai jamais entendu parler et c'est moi qui en suis responsable !

– Remplis-moi ça. Rince-le d'abord.

Joan lui tendit le pot à café et se dirigea vers son bureau, puis vers sa table à pas pressés. David la suivit avant de s'immobiliser dans l'embrasure de la porte.

– Qu'est-ce que tu fais ?

– Lorsqu'un attaché et même un sous-secrétaire a un rendez-vous de très bonne heure, il l'inscrit sur le registre de l'entrée.

– Ellis ?

Joan acquiesça de la tête et décrocha son téléphone. La conversation fut brève. Elle reposa l'appareil et leva les yeux vers Spaulding.

– La première personne inscrite doit arriver à neuf heures. Ellis n'a pas de rendez-vous à sept heures et demie.

– Cela ne me surprend pas. Pourquoi sembles-tu étonnée ?

– Je voulais m'assurer que... Tu as dit que tu ne savais pas ce que signifiait « Tortugas ». Je suis peut-être en mesure de te l'apprendre.

David, sidéré, s'avança vers elle.

– Quoi ?

– Il existe un rapport de surveillance en provenance de La Boca. C'est le district d'Ellis. Son service a dû tirer l'affaire au clair, le blanchir. On a laissé tomber.

– Qu'est-ce qu'on a laissé tomber ? De quoi parles-tu ?

– Un chalutier à La Boca. Qui transportait une cargaison en violation des règlements de surveillance côtière... Ils ont dit que c'était une erreur. La destination était Tortugas, la Tortue.

La porte du bureau s'ouvrit brutalement, et Bobby Ballard entra.

– Ciel ! s'exclama-t-il. Les gnômes travaillent bien tôt au pays du magicien d'Oz !

33.

En moins d'une demi-heure, il avait mis le programme codé au point avec Ballard. David fut subjugué par l'imagination fertile de ce dernier qui aligna – sur-le-champ – une progression de chiffres et de lettres que les meilleurs cryptos qu'il connaissait auraient mis une semaine à décoder.

Ce dont David avait besoin, c'était au maximum de quatre-vingt-seize heures.

Bobby glissa la copie réservée à Washington dans une enveloppe officielle, la cacheta chimiquement, la déposa dans une pochette munie de trois serrures et appela la base des marines de la Flotte pour demander qu'un officier – qui ait au moins le grade de capitaine – rejoigne l'ambassade d'ici une heure. Les codes partiraient à bord d'un avion de chasse côtier à neuf heures. Ils arriveraient au terrain d'aviation d'Andrews en fin d'après-midi, seraient transportés au ministère de la Guerre par une estafette postale blindée et remis peu après au service du général Swanson.

Le message de confirmation était simple. Spaulding avait indiqué deux mots à Ballard : *Câblez Tortugas*.

Quand le code parviendrait à Washington, Eugène Lyons aurait authentifié les plans des systèmes de navigation. Swanson serait prévenu. Il pourrait alors contacter par radio la banque suisse, qui effectuerait un virement sur le compte de Rhinemann. En utilisant le mot « Tortugas », David espérait que quelqu'un, quelque part, comprendrait l'état d'esprit dans lequel il se trouvait. Sa colère de porter toute la responsabilité de l'affaire sans en avoir toutes les données en main.

Rhinemann exigeait plus que son dû, se disait Spaulding. Un élément qui ne jouerait pas en sa faveur.

On éliminerait Rhinemann.

Et les grandes lignes d'un plan commençaient à se dessiner, qui aboutirait à cette mort nécessaire. L'acte lui-même serait la partie la plus simple de sa mission.

Il n'y avait aucune raison de cacher à Joan et à Bobby Ballard l'existence des plans des systèmes de navigation. Kendall avait quitté Buenos Aires sans l'ombre d'une explication. David aurait peut-être besoin d'aide. Il n'aurait alors pas le temps de mettre au courant ceux qui viendraient à son secours. Sa couverture était désormais superflue. Il leur décrivit donc minutieusement le programme de Rhinemann, la fonction d'Eugène Lyons et l'entrée en scène de Heinrich Stoltz, le contact.

Ballard s'étonna de l'intrusion de Stoltz.

– Stoltz ! C'est sidérant... Je veux dire, c'est un partisan convaincu. Pas l'âme damnée de Hitler, il s'y refuse, d'après ce qu'on m'a dit. Mais l'Allemagne ! Le traité de Versailles, les réparations, le géant saigné à blanc, exporter ou mourir, et tout le tremblement. Moi qui le prenais pour une sorte de junker...

David ne prêta guère attention à ces propos.

La logistique de la matinée avait été clairement définie et, à huit heures quarante-cinq, il se mettrait au travail.

L'entretien avec Henderson fut bref et cordial. L'ambassadeur se satisfaisait parfaitement de ne pas connaître le véritable motif de sa présence à Buenos Aires, tant qu'il n'y avait pas de conflit diplomatique. Spaulding lui assura qu'à sa connaissance il n'y en avait pas. Et il y en aurait d'autant moins que l'ambassadeur resterait étranger au cœur de l'affaire. Granville acquiesça. Comme le lui avait demandé David avec une grande simplicité, il fit faire des recherches, dans les « Caves », sur Franz Altmüller et Leslie Jenner Hawkwood.

Rien.

Après avoir quitté le bureau de Granville, Spaulding retourna dans celui de Joan. Elle venait de recevoir la liste des passagers qui avaient débarqué à l'Aeroparque. Eugène Lyons était inscrit sur le vol 101 et devait arriver à deux heures de l'après-midi. Il exerçait la profession de « physicien » et se rendait en Argentine pour assister à des « rencontres industrielles ».

David était mécontent de Walter Kendall. Ou bien devait-il attribuer son mécontentement au général de brigade Alan Swanson, cet amateur déconcerté par sa mission ? Ils auraient au moins pu qualifier Lyons de « savant ». « Physicien », c'était stupide. A Buenos Aires, un physicien serait naturellement soumis à une surveillance, même de la part des Alliés.

Il revint vers son petit bureau isolé. Pour réfléchir.

Il décida d'aller chercher Lyons lui-même. Ses infirmiers, lui avait dit Kendall, devaient installer ce solitaire triste et muet à San Telmo. Spaulding, qui avait gardé le souvenir des deux infirmiers, s'attendait au plus effroyable désastre. Johnny et Hal – ils s'appelaient bien ainsi, n'est-ce pas ? – étaient parfaitement capables de déposer Lyons sur les marches de l'ambassade d'Allemagne, pensant qu'il s'agissait d'un quelconque hôpital.

Il attendrait donc le vol 101 de la Pan Am. Et conduirait les trois visiteurs à San Telmo par un itinéraire compliqué.

Une fois Lyons installé, il lui resterait, estimait David, deux, peut-être trois heures avant que Rhinemann – ou Stoltz – reprenne contact avec lui. A moins que Rhinemann ne soit déjà à ses trousses, pris de panique en apprenant la tuerie des Colinas Rojas. Si cette hypothèse était avérée, Splauding avait « assuré sa tranquillité ». Un alibi irréfutable... Il n'était pas là. On l'avait déposé avenue Córdoba à deux heures du matin.

Qui pourrait le contredire ?

Il avait donc deux ou trois heures devant lui.

La Boca.

Joan avait discrètement consulté la surveillance navale de la base des marines. La discrétion faisait partie de la routine professionnelle. Coup de téléphone ennuyé au chef des opérations. Il lui restait un « détail à régler » dans un « dossier classé ». Cela n'avait pas la moindre importance. Une simple question de paperasserie bureaucratique. Avant de clore une affaire, on s'efforçait toujours de laisser les choses en ordre. Le lieutenant acceptait-il de lui donner un petit renseignement ? Le chalutier qui se dirigeait par erreur vers Tortugas, l'île de la Tortue, était ancré près des entrepôts d'Ocho Calle. L'erreur avait été vérifiée et confirmée par l'attaché d'ambassade William Ellis, division de l'import-export.

Ocho Calle.

David passerait une heure environ à inspecter les lieux. Il risquait d'y perdre son temps. Quel lien pouvait-il y avoir entre un chalutier de pêche et sa mission ? Il n'en voyait aucun. Mais il y avait ce nom, « Tortugas ». Il y avait aussi un attaché dénommé Ellis qui avançait à pas feutrés derrière des portes closes et mentait en invoquant quelque rendez-vous à l'aube, rendez-vous inexistant.

Cela valait la peine de jeter un coup d'œil à Ocho Calle.

Ensuite, il attendrait près du téléphone de l'avenue Córdoba.

– Tu m'emmènes déjeuner ? demanda Joan en pénétrant dans son bureau. Ne regarde pas ta montre. Tu n'en as pas.

Spaulding avait levé la main, tourné le poignet.

– Je ne me rendais pas compte qu'il était si tard.

– Il n'est pas tard. Il n'est que onze heures, mais tu n'as pas mangé – ni dormi non plus – et tu m'as dit que tu devais te rendre à l'aéroport peu après une heure.

– C'était exact. Tu es une assistante modèle. Tu as un sens effrayant de l'organisation.

– Je suis loin de t'égaler dans ce domaine. Nous nous arrêterons d'abord dans une bijouterie. Je les ai déjà appelés. Un cadeau t'y attend.

– J'adore les cadeaux. Allons-y.

Spaulding se levait de son fauteuil quand le téléphone sonna. Il baissa les yeux vers l'appareil.

– Sais-tu que c'est la première fois que cet engin émet un son ?

– C'est probablement pour moi. J'ai prévenu ma secrétaire que j'étais ici... Je n'étais pas vraiment obligée de le lui dire, j'imagine.

– Allô ? répondit David.

– Spaulding ?

David reconnut l'accent policé de Heinrich Stoltz. On percevait sa tension à l'autre bout de la ligne.

– Ce n'est pas très malin de m'appeler ici.

– Je n'avais pas le choix. Notre ami commun est dans un état d'extrême agitation. Tout est menacé.

– De quoi parlez-vous ?

– Ce n'est pas le moment de jouer les imbéciles ! La situation est grave.

– Ce n'est pas le moment de jouer tout court. A quoi diable faites-vous allusion ?

– Hier soir ! Ce matin. Que s'est-il passé ?

– Que s'est-il passé où ?

– Ça suffit ! Vous y étiez !

– Où ?

Stoltz hésita. David l'entendit souffler. L'Allemand paniquait et essayait désespérément de retrouver son sang-froid.

– Les hommes ont été tués. Vous devez savoir ce qui s'est passé.

– Tués ?... Vous êtes fou. Comment ?

– Je vous avertis...

– Maintenant, ça suffit ! C'est moi qui achète, ne l'oubliez pas... Je ne veux pas me mêler de vos problèmes d'organisation. Ces hommes m'ont déposé à une heure et demie du matin. A propos, ils sont tombés sur vos autres anges gardiens, ceux qui s'occupent de mon appartement. Également à propos, je n'apprécie pas du tout cette surveillance ininterrompue !

Stoltz était atterré, comme l'escomptait David.

– Les autres ?... Quels autres ?

– Arrêtez vos salades ! Vous le savez très bien.

Spaulding laissa planer le doute.

– Tout cela est extrêmement ennuyeux...

Stoltz essayait de garder une contenance.

– Je suis navré, fit David d'un air dégagé.

Exaspéré, Stoltz lui coupa la parole.

– Je vous rappellerai.

– Pas ici. Je serai absent une grande partie de l'après-midi, ajouta aussitôt Spaulding avec amabilité. Je serai dans l'un de ces bateaux à voile que contemple majestueusement notre ami commun, du haut de son balcon. Je pars avec quelques amis du corps diplomatique qui sont presque aussi riches que lui. Téléphonez-moi après cinq heures, avenue Córdoba.

David raccrocha instantanément sans laisser le temps à Stoltz de protester davantage. Joan l'observait, fascinée.

– Tu as fait ça très bien, dit-elle.

– J'ai plus d'expérience que lui.

– Stoltz ?

– Oui. Passons dans ton bureau.

– Je croyais que nous allions déjeuner.

– Oui. Mais deux ou trois choses d'abord... Il y a une sortie par derrière, n'est-ce pas ?

– Plusieurs. Un portail de l'autre côté.

– Je voudrais utiliser un véhicule de l'ambassade. Ça pose un problème ?

– Non, bien sûr que non.

– Ta secrétaire. Peux-tu la retenir à déjeuner, un long déjeuner ?

– Tu es charmant. Je m'étais mis dans la tête, folle que j'étais, que tu m'avais invitée, moi.

– Absolument. Pourrait-elle relever ses cheveux et mettre un chapeau à bord flottant ?

– N'importe quelle femme le pourrait.

– Bon. Va chercher ce manteau jaune que tu portais hier soir. Et trouve-moi un homme, n'importe lequel pourvu qu'il ait à peu près ma taille. Quelqu'un avec qui ta secrétaire aimerait partager ce long déjeuner. De préférence avec un pantalon foncé. Je lui laisserai ma veste.

– Qu'est-ce que tu fais ?

– Nos amis adorent faire des farces. Voyons comment ils réagiront quand ils en seront les victimes.

Caché derrière les rideaux, Spaulding regarda par la fenêtre du deuxième étage. Il avait pris des jumelles. En dessous, sur le perron, la secrétaire de Joan – avec un chapeau à large bord et le fameux manteau jaune – s'éloignait à pas rapides sur le trottoir longeant l'allée d'accès. L'un des assistants de Ballard la suivait, grand, avec un pantalon foncé et la veste de David. Tous deux portaient des lunettes noires. Le collègue de Ballard s'arrêta un instant sur la première marche pour consulter la carte qu'il avait déployée. Il avait le visage dissimulé par une curieuse masse de papier. Il descendit les marches. Ensemble ils montèrent dans la limousine de l'ambassade, un véhicule réservé aux hauts fonctionnaires et muni de rideaux.

Spaulding balaya du regard l'avenida Corrientes, devant le portail. Tandis que la limousine passait, un coupé Mercedes qui était garé du côté sud de la rue s'éloigna du trottoir et la suivit. Une deuxième voiture garée du côté nord fit prudemment demi-tour et s'engagea dans le sillage de la Mercedes, en laissant quelques véhicules s'intercaler.

Satisfait, David reposa les jumelles et quitta la pièce. Dans le couloir, il tourna à gauche, passa devant quelques portes, contourna nombre de cages d'escalier pour rejoindre, de l'autre côté du bâtiment, la pièce qui correspondait à son poste d'observation précédent. Bobby Ballard était assis dans un fauteuil près de la fenêtre. Les jumelles à la main, il se retourna en entendant David approcher.

– Quelque chose à signaler ? demanda Spaulding.

– Deux voitures, répondit le crypto. Garées en face l'une de l'autre. Elles sont parties.

– Même chose devant. On ne perd pas le contact radio.

– Minutieux, non ?

– Pas autant qu'ils le croient, rétorqua Spaulding.

Le manteau sport de Ballard avait la taille lâche et les manches un peu courtes. On apercevait donc la nouvelle montre de David, ce qui ravissait Joan. C'était un magnifique chronomètre.

Le restaurant était minuscule, une sorte de nid à rats dans une rue latérale, près de San Martín. La façade était ouverte. Un store étroit protégeait les quelques tables du soleil. Leur table était à l'intérieur. Spaulding s'assit en face de l'entrée pour mieux observer les passants sur le trottoir.

Mais, pour le moment, il ne les regardait pas. Il regardait Joan. Et ce qu'il lut sur son visage le fit parler sans réfléchir.

– Ce sera bientôt fini. Je reprends mes billes.

Elle lui prit la main, cherchant son regard, et ne répondit pas tout de suite. Comme si elle désirait que ses paroles restent en suspens, isolées, pour qu'on les médite.

– C'est curieux de dire ça. Je ne sais pas très bien ce que cela signifie.

– Cela signifie que je veux passer des années et des années avec toi. Le reste de ma vie... Je ne vois pas comment le dire autrement.

Joan ferma les yeux un instant, l'espace d'une seconde de silence.

– Je trouve que tu l'as dit... très joliment.

Comment le lui dire ? Comment lui expliquer ? Il fallait essayer. C'était tellement important.

– Il y a moins d'un mois, fit-il doucement, il est arrivé quelque chose dans un champ. La nuit, en Espagne. Près d'un feu de camp... Il m'est arrivé quelque chose. Peu importent les circonstances, mais il s'est produit... la chose la plus effrayante que l'on puisse imaginer. Et ça n'avait rien à voir avec les risques calculés que l'on prend dans mon métier. Rien à voir avec la peur – j'ai toujours eu peur, je peux te le jurer... Mais, brusquement, je me suis rendu compte que je ne ressentais plus rien. Plus rien du tout. On m'avait fait un rapport qui aurait dû me faire bondir, pleurer ou me mettre en colère, dans une colère folle. Mais je ne ressentais rien. J'étais anesthésié. J'ai reçu la nouvelle et j'ai reproché à l'homme qui me l'avait annoncée de me l'avoir dissimulée trop longtemps. Je lui ai dit de ne pas en faire une maladie... Il pensait, à juste titre, que je réagirais mal.

David s'interrompit et posa sa main sur celle de Joan.

– Ce que j'essaie de te dire, c'est que tu m'as rendu quelque chose que je croyais avoir perdu. Je ne veux plus prendre le risque de le perdre.

– Tu vas me faire pleurer, dit-elle calmement, les yeux humides.

Ses lèvres tremblantes esquissèrent un sourire.

– Ne sais-tu pas que les filles pleurent quand on leur dit des choses pareilles ?... J'aurai tant à t'apprendre... Oh, mon Dieu, murmura-t-elle. Je vous en prie, je vous en supplie... des années.

David se pencha vers la petite table. Leurs lèvres se touchèrent et, tandis qu'ils restaient l'un contre l'autre, il lâcha la main de Joan et fit glisser ses doigts sur sa joue.

Il y avait des larmes.

Il les sentit. Il était incapable d'en verser, mais il sentait les siennes.

– Je rentre avec toi, bien sûr, dit-elle.

Ses mots le ramenèrent à la réalité... l'autre réalité, la moins importante.

– Pas avec moi. Mais bientôt. Il me faudra quelques semaines pour régler la situation... Tu devras demander un transfert.

Elle lui lança un regard interrogateur sans poser de question.

– Tu dois prendre... certaines dispositions pour rapporter les plans ou les modèles, je ne sais plus.

– Oui.

– Quand ?

– Si tout se passe comme prévu, dans un jour ou deux. Au pire, trois.

– Alors, pourquoi as-tu besoin de quelques semaines ?

Il hésita avant de répondre. Puis il comprit qu'il désirait lui dire la vérité. .

– Il y a une faille dans le système de sécurité d'un endroit appelé Fairfax...

– Fairfax, l'interrompit-elle. C'était dans ton dossier.

– C'est un centre des services secrets, en Virginie. Très confidentiel. On y a tué un homme. C'était l'un de mes amis. Je n'ai pas dévoilé à dessein l'information qui aurait pu faire cesser les fuites et, ce qui est plus important, permettre de découvrir l'assassin.

– Mais pourquoi donc?

– J'y ai été contraint en quelque sorte. Les hommes de Fairfax n'ont pas été mis au courant de ma mission. Le seul qui l'était est incompétent... Il ne fait pas partie des services secrets. C'est un général qui s'occupe de l'intendance. Il achète du matériel.

– Des plans de gyroscope, par exemple?

– Oui. Quand j'y retournerai, je le forcerai à me donner tous les éléments.

David se tut.

– En fait, reprit-il autant pour lui-même que pour Joan, je me fiche qu'il me les donne. J'ai une longue période de congé, des congés accumulés, devant moi. Je passerai une semaine ou deux à Fairfax. Un agent allemand se balade dans cette enceinte, un agent classé quatre-zéro. Il a tué un homme très bien.

– Cela me fait peur.

– Il ne faut pas, répondit David en souriant.

Il le pensait vraiment.

– Je n'ai pas l'intention de mettre en péril ces années dont nous avons parlé tout à l'heure. Si c'est nécessaire, j'opérerai à partir d'une cellule de haute sécurité... Ne t'inquiète pas.

– Non, fit-elle en hochant la tête. Je te crois... Je te rejoindrai, disons, dans trois semaines. Je dois bien ça à Henderson. Il devra prendre certaines dispositions. Et puis il faut que je m'occupe d'Ellis.

– N'y touche pas. Nous ne savons rien encore. Si nous découvrons qu'il travaille pour l'étranger, il peut nous être d'une grande utilité là où il est. Les agents retournés sont de petits joyaux. Quand nous mettons la main sur l'un d'eux, nous nous arrangeons pour le conserver en excellente santé.

– Dans quel monde vis-tu? lui demanda Joan avec inquiétude, sans le moindre humour.

– Dans un monde que tu vas m'aider à quitter... Après Fairfax, j'aurai terminé.

Eugène Lyons se glissa sur le siège arrière du taxi, entre Spaulding et l'infirmier qui se nommait Hal. Johnny, l'autre accompagnateur, s'assit à côté du chauffeur. David lui donna ses instructions en espagnol. Le chauffeur s'engagea sur la longue route lisse de l'Aeroparque.

David regarda Lyons. Ce n'était pas facile. Si près de ce visage triste, émacié, il ne comprit que mieux combien son attitude était volontaire. Il n'y avait aucun désir de communiquer dans le regard de Lyons. Le voyage l'avait épuisé. Il se méfiait de son nouvel environnement et détestait l'agressive efficacité de Spaulding qui les avait fait sortir du terminal au pas de charge.

– Je suis content de vous revoir, lui dit David.

Lyons cligna des yeux. Spaulding se demanda si c'était là l'ébauche d'un salut.

– Nous ne vous attendions pas, intervint Johnny, qui avait pris place sur le siège avant. Nous pensions nous occuper nous-mêmes du professeur.

– Nous avions tout noté, ajouta Hal en se penchant à droite de Lyons pour sortir quelques fiches de sa poche.

– Regardez. L'adresse. Votre numéro de téléphone. Celui de l'ambassade. Et un portefeuille bourré de devises argentines.

Hal avait mis l'accent sur le « i » d'argentines. David se demanda comment on pouvait lui confier un traitement à base d'injections hypodermiques. Qui lisait les étiquettes ? Johnny, son acolyte – moins bavard et sans doute plus malin –, était de toute évidence le chef.

– Eh bien, ici, tout est détraqué. Les moyens de communication sont tout le temps en panne... Avez-vous fait bon voyage, professeur ?

– Pas mauvais, répondit Hal. On a été secoués comme des pruniers au-dessus de Cuba.

– Probablement des masses d'air un peu lourdes qui montaient de l'île, dit David en observant Lyons du coin de l'œil.

Le physicien réagissait à présent. Un petit coup d'œil en direction de Spaulding. Il avait une pointe de malice dans le regard.

– Ouais, fit Hal d'un air entendu. C'est ce que nous a dit l'hôtesse de l'air.

Lyons esquissa un fin sourire.

Spaulding allait profiter de cette occasion, mais il fut perturbé de ce qu'il vit dans le rétroviseur, qu'il surveillait instinctivement.

C'était l'étroite calandre d'une automobile qu'il avait déjà repérée, sans s'en être alarmé. Il l'avait aperçue deux fois : près du long trottoir où étaient alignés les taxis et à la sortie du parking. Elle était de nouveau là, et David changea lentement de position pour regarder par la vitre arrière du taxi. Lyons parut remarquer son inquiétude. Il se déplaça pour lui faciliter la tâche.

Il s'agissait d'une La Salle de 1937, noire. Sur la calandre et autour des phares, le chrome était rouillé. Elle restait à une cinquantaine de mètres en arrière, mais le conducteur – un homme blond – ne laissait aucun autre véhicule s'intercaler. Il accélérait chaque fois que sa position était menacée. Ce chauffeur blond était inexpérimenté ou négligent. S'il était en train de les suivre.

David s'adressa au chauffeur sur un ton pressant et calme à la fois. Il lui proposa un pourboire de cinq dollars s'il changeait de direction et s'éloignait de San Telmo pendant quelques minutes. Le porteño était plus aguerri que le conducteur de la La Salle. Il comprit immédiatement, d'un coup d'œil dans le rétroviseur. Il acquiesça en silence, fit brusquement demi-tour, malmenant ses passagers, et fonça vers l'ouest. Le taxi se mit à zigzaguer, faisant du gymkhana dans le flot des voitures, puis tourna brutalement à droite avant d'accélérer sur la route du sud, celle qui longeait l'océan. En apercevant la mer, David songea à Ocho Calle.

Après avoir déposé Eugène Lyons à San Telmo, il avait la ferme intention d'y retourner.

La question de la La Salle était réglée.

– Mon Dieu ! s'écria Hal. C'était quoi, ça ? Puis il répondit à sa propre question :

– Nous étions suivis, hein ?

– Nous n'en étions pas sûrs, dit David.

Lyons l'observait, le regard inexpressif.

– Cela signifie-t-il que nous devons nous attendre à quelques difficultés ? s'enquit Johnny. Vous avez demandé à ce type de mettre la gomme. M. Kendall ne nous a pas parlé d'ennuis quelconques... Juste notre boulot.

Johnny ne s'était pas retourné.

– S'il y en avait, ça vous embêterait ? Johnny se tourna pour faire face à Spaulding. C'était un garçon très sérieux, pensa David.

– Ça dépend, rétorqua l'infirmier. Notre boulot, c'est de veiller sur le professeur. De prendre soin de lui. Si nous devons avoir des problèmes, je ne crois pas que j'aimerais ça.

– Je vois. Que feriez-vous ?

– On l'emmènerait loin d'ici, répondit simplement Johnny.

– Le professeur Lyons a du travail à Buenos Aires. Kendall a dû vous prévenir.

Johnny soutint le regard de Spaulding.

– Je vous le dis tout net, monsieur. Ce porc peut aller se faire foutre. Personne ne m'a autant fait chier dans la vie.

– Pourquoi n'avez-vous pas démissionné ?

– Nous ne bossons pas pour Kendall, dit Johnny, comme si cette perspective lui répugnait. Nous sommes payés par le Centre de recherches de Meridian Aircraft. Lui, c'est un sale petit comptable.

326

– Vous comprenez, monsieur Spaulding, intervint Hal, pour atténuer l'agressivité de son partenaire, nous devons veiller sur le professeur. C'est pour ça que le Centre de recherches nous a engagés.

– Je comprends. Je suis en contact permanent avec le Centre de recherches de Meridian. Il ne s'agit nullement de faire du mal à M. Lyons. Je puis vous l'assurer, mentit David avec conviction.

Il ne pouvait affirmer quoi que ce fût, n'étant lui-même sûr de rien. Son seul objectif était de transformer, aux yeux de Hal et de Johnny, cet inconvénient en atout. La clé en serait le Centre de recherches de Meridian et le lien fictif qu'il entretenait avec lui. Et leur répulsion commune à l'égard de Kendall.

Le taxi ralentit, tourna dans la tranquille rue San Telmo. Le chauffeur se rangea devant une étroite maison de stuc blanc, à deux étages, avec un toit en pente couvert de tuiles rouges. C'était le 15, Terraza Verde. Le rez-de-chaussée était alloué à Eugène Lyons et à ses « assistants ».

– Voilà, dit Spaulding en ouvrant la porte.

Lyons lui emboîta le pas. Sur le trottoir, il leva les yeux vers la petite maison colorée et pittoresque, dans la rue paisible. Les arbres alignés sur le trottoir étaient taillés. Tout semblait propre et net. Le quartier avait la sérénité du Vieux Monde. Lyons venait de trouver ce qu'il cherchait. Du moins David en eut-il l'impression.

Puis il comprit de quoi il s'agissait. Eugène Lyon levait les yeux vers un charmant lieu de repos. Son dernier repos. Une tombe.

34.

David disposait de moins de temps qu'il ne l'avait espéré. Il avait dit à Stoltz de l'appeler après cinq heures, dans l'appartement de l'avenue Córdoba. Il était à peine quatre heures.

Les premiers bateaux accostaient aux quais. Les sirènes hurlaient, les hommes lançaient et rattrapaient les lourds cordages. Partout des filets séchaient aux derniers rayons du soleil.

Ocho Calle se trouvait dans le Darsena Norte, à l'est des dépôts de marchandises de Retiro, dans un quartier relativement isolé de La Boca. Le long des entrepôts, des rails de chemin de fer, depuis longtemps hors d'usage, étaient restés incrustés dans la chaussée. Ocho Calle n'était pas un des principaux lieux de stockage ou de chargement. L'accès aux chenaux menant à la mer n'était pas aussi encombré que celui des unités intérieures de La Plata, mais les installations étaient démodées. C'était comme si la direction ne parvenait pas à décider s'il valait mieux vendre ses bâtiments portuaires ou les remettre en état. De cette indécision résultait un abandon virtuel.

Spaulding était en bras de chemise. Il avait laissé la veste beige de Ballard à la Terraza Verde. Il portait sur l'épaule un grand filet usé acheté à un étalage. Ce maudit filet avait conservé une odeur rance de chanvre pourrissant et de poisson mort, mais il servait son dessein. Il pouvait ainsi se couvrir le visage à volonté et se déplacer facilement, à l'aise dans cet environnement. Il s'y intégrait parfaitement. S'il devait un jour – Dieu l'en préserve ! – entraîner des recrues à Fairfax, il insisterait, se disait-il, sur l'importance du confort. Du confort psychologique. C'était une chose que l'on sentait immédiatement, aussi vite que l'on repère l'inconfort de l'artifice.

Il longea le trottoir jusqu'au bout. Le dernier pâté de maisons d'Ocho Calle était bordé, en son extrémité, de quelques vieux immeubles et de terrains à l'abandon, séparés par des clôtures. Autrefois destinés à entreposer des marchandises, ces derniers étaient à présent couverts de hautes herbes. Du côté du quai, deux immenses entrepôts étaient reliés l'un à l'autre par un espace à claire-voie. On apercevait la coque d'un chalutier amarré entre deux bâtiments. Le quai suivant se trouvait de l'autre côté d'un bassin, à cinq cents mètres au moins. Les entrepôts d'Ocho Calle étaient vraiment à l'écart.

David s'arrêta. Le pâté de maisons était une sorte de péninsule miniature. Il y avait peu de monde. Pas de rues latérales, pas d'immeubles au-delà d'une rangée de maisons sur la gauche. Rien que des terrains derrière les bâtiments et des pieux plantés dans la terre pour refouler les eaux d'un petit canal.

L'extrémité d'Ocho Calle était bien une péninsule. Les entrepôts n'étaient pas seulement à l'écart, ils étaient isolés.

David fit glisser le filet de son épaule droite sur son épaule gauche. Deux marins sortirent d'un bâtiment. Au premier étage, une femme ouvrit une fenêtre et se mit à crier, reprochant à son mari l'heure de son prochain retour. Un vieil homme à la peau sombre et au faciès d'Indien s'assit dans un fauteuil de bois sur une petite véranda délabrée, devant un magasin crasseux où l'on vendait des appâts. A l'intérieur, derrière la vitre maculée de saleté et de sel, d'autres vieillards buvaient à même leur bouteille de vin. Dans la dernière maison, une putain solitaire, de la fenêtre du rez-de-chaussée, aperçut David et ouvrit son corsage, découvrant une poitrine opulente.

Ocho Calle était un bout du monde.

David s'avança vers le vieil Indien, le salua en passant et entra dans le magasin d'appâts. Mélange d'urine et de pourriture, une puanteur le prit à la gorge. Il y avait trois hommes à l'intérieur, plus proches de soixante-dix ans que de soixante et dans un état d'ébriété avancé.

Derrière les planches qui servaient de comptoir, un serveur, stupéfait de voir un client, ne savait trop que faire. Spaulding sortit un billet de sa poche, au grand étonnement des trois hommes qui l'entouraient, et lui adressa la parole en espagnol.

– Vous avez du calmar?

– Non... Non, non, pas de calmar. Maigre arrivage aujourd'hui, répondit le propriétaire, les yeux rivés sur le billet.

– Qu'est-ce que vous avez?

– Des vers. De la viande de chien, du chat. Le chat, c'est très bon.

– Donnez-m'en.

L'homme recula en trébuchant et prit des morceaux d'intestin qu'il enveloppa dans un papier journal sale. Il posa le paquet sur la planche, à côté de l'argent.

– Je n'ai pas de monnaie, *señor*...

– Ça ne fait rien, répondit Spaulding. Cet argent est pour vous. Et gardez les appâts.

Ébahi, l'homme lui sourit.

– *Señor ?*

– Gardez l'argent. Compris ?... Dites-moi, qui travaille par ici ?

David pointa le doigt en direction de la fenêtre qui n'était plus guère transparente.

– Dans ces gros entrepôts...

– Presque personne... Des hommes vont et viennent... de temps en temps. Un bateau de pêche... de temps en temps.

– Y êtes-vous entré ?

– Oh oui ! Il y a trois, quatre ans, j'y travaillais. Une grosse affaire, il y a trois, quatre... cinq ans. Nous travaillions tous.

Les deux autres vieillards hochèrent la tête et reprirent leur bavardage.

– Plus maintenant ?

– Non, non... Tout est fermé. Fini. Plus personne n'entre à présent. Le propriétaire est un homme très méchant. Il y a des vigiles qui vous cassent la figure.

– Des vigiles ?

– Oh oui ! Avec des fusils. Beaucoup de fusils. Très méchants.

– Des voitures viennent-elles par ici ?

– Oh oui ! De temps en temps... Une ou deux... Elles ne nous apportent pas de travail.

– Merci. Gardez l'argent. Merci encore.

David se dirigea vers la vitre crasseuse, en frotta un coin et jeta un coup d'œil à l'entrepôt, long comme un pâté de maisons. Tout semblait désert, à l'exception de quelques hommes sur le quai. Alors, il regarda ces gens de plus près.

Il hésita d'abord. Bien qu'il eût frotté la vitre, il y avait encore une pellicule à l'extérieur. Il n'y voyait pas très clair, et deux hommes entraient et sortaient de l'étroite surface transparente.

Puis il fut certain. Et brusquement furieux.

Il y avait au loin, sur le quai, des individus portant les mêmes vêtements paramilitaires que ceux des gardes de Rhinemann, devant le portail de sa demeure.

C'étaient les hommes de Rhinemann.

Le téléphone sonna exactement à cinq heures et demie. Ce n'était pas Stoltz et, comme ce n'était pas lui, David refusa de suivre les instructions qui lui furent données. Il raccrocha et attendit. La sonnerie retentit moins de deux minutes plus tard.

– Vous êtes vraiment très obstiné, dit Erich Rhinemann. C'est à nous d'être prudents, pas à vous.

– Ça ne rime à rien de me dire ça. Je n'ai nullement l'intention de suivre les ordres de quelqu'un que je ne connais pas. Je n'exige pas de contrôles draconiens, mais vous êtes quand même trop laxistes.

Rhinemann ne répondit pas tout de suite.

– Que s'est-il passé hier soir ? fit-il d'un ton rogue.

– J'ai raconté à Stoltz ce qui m'était arrivé à moi. Je ne sais rien d'autre.

– Je ne vous crois pas.

La voix de Rhinemann était tendue, âpre, sa colère montait.

– Je suis navré, dit David. Mais ça ne me concerne pas vraiment.

– Aucun de ces hommes n'aurait quitté l'avenue Córdoba ! Impossible !

– Ils sont partis. Vous pouvez me croire sur parole.... Écoutez, j'ai dit à Stoltz que je ne voulais pas me mêler de vos problèmes...

– Comment êtes-vous sûr de ne pas y être... mêlé ?

C'était, bien entendu, la question qui venait logiquement à l'esprit, et David le comprit.

– Parce que je suis dans mon appartement et que je vous parle. D'après Stoltz, les autres sont morts. C'est une situation que je souhaite éviter. Moi, je me contente de vous acheter quelques papiers. Occupons-nous de cela.

– Nous en reparlerons plus tard, dit Rhinemann.

– Pas maintenant. Nous avons des affaires à régler.

L'Allemand fit de nouveau silence.

– Faites ce qu'il vous a dit. Rendez-vous à la Casa Rosada sur la plaza de Mayo. Porte sud. Si vous prenez un taxi, descendez avenue Julio et marchez.

– Je suppose que vos hommes me suivront dès que j'aurai quitté l'appartement.

– Discrètement. Pour voir si vous êtes seul.

– Alors, j'irai à pied. Ce sera plus facile.

– Très intelligent. Une voiture vous attendra à la Casa Rosada. La même que celle qui vous a ramené hier soir.

– Serez-vous là ? demanda David.

– Bien sûr que non. Mais nous nous verrons sous peu.

– J'apporte directement les plans à Telmo ?

– Si tout se passe bien, oui.

– Je pars dans cinq minutes. Vos hommes seront-ils prêts ?

– Ils le sont, répliqua Rhinemann avant de raccrocher.

David fixa la lanière du Beretta autour de son torse et enfila sa veste. Il se rendit dans la salle de bains, prit une serviette sur une étagère et frotta ses chaussures pour en retirer la boue de l'Aeroparque et de La Boca. Il se peigna et recouvrit de talc les cicatrices de son visage.

Il ne put s'empêcher de remarquer les deux cernes sombres qu'il avait sous les yeux. Il avait besoin de sommeil, mais ce n'était pas le moment. Il devait prendre son temps, il le savait, pour sa propre sécurité, pour sa survie.

Il se demanda quand cela se produirait.

Il retourna vers le téléphone. Il avait deux coups de fil à donner avant de s'en aller.

Le premier serait pour Joan. Pour lui demander de rester à l'ambassade. Il aurait peut-être besoin de la joindre. De toute façon, il lui téléphonerait à son retour. Il lui dit qu'il se rendait chez Eugène Lyons à la Terraza Verde. Et qu'il l'aimait.

Le second appel fut pour Henderson Granville.

— Je vous avais affirmé que ni l'ambassade ni vous-même ne seriez impliqués dans cette affaire, monsieur. Si j'ai changé d'avis, c'est que l'un de vos hommes a commis l'erreur de clore un dossier de surveillance navale. Je crains que cela n'affecte directement ma mission.

— « Commis l'erreur », qu'entendez-vous par là ? C'est une accusation grave. Une faute passible de poursuites, même.

— Oui, monsieur. Il est donc capital de ne pas donner l'alarme, de garder le silence le plus total. C'est du ressort des services de renseignements.

— Qui est cet homme ? demanda Granville d'une voix glaciale.

— Un attaché nommé Ellis. William Ellis. Je vous en prie, monsieur, ne prenez aucune mesure.

Spaulding parlait vite, catégoriquement.

— Il a peut-être été trompé, peut-être pas. De toute façon, il ne faut pas l'alerter.

— Très bien. Je vous suis... Alors, pourquoi m'avez-vous dit... si vous ne voulez pas que nous prenions des mesures.

— Pas contre Ellis, monsieur. Mais nous avons absolument besoin de clarifier cette affaire de surveillance.

David lui fit une description des entrepôts d'Ocho Calle et du chalutier amarré entre les deux bâtiments.

Granville l'interrompit calmement.

— Je me souviens de ce rapport. Surveillance navale. Il s'agissait de la destination d'une cargaison... Voyons...

— Tortugas, intervint David.

— Oui, c'était ça. Violations des règles de circulation côtière. Une erreur, bien sûr. Il n'y a pas un bateau de pêche qui se risquerait à pareil voyage. La véritable destination était *Torugos*, un petit port au nord de l'Uruguay, je crois.

David réfléchit une seconde. Joan ne lui avait pas parlé de cette éventuelle similitude.

— C'est possible, monsieur, mais il vaudrait mieux savoir de quelle cargaison il s'agissait.

— C'était inscrit. Matériel agricole, je pense.

— Nous n'y croyons pas, dit Spaulding.

– Eh bien, nous n'avons pas le droit d'inspecter les cargaisons...

– Monsieur l'Ambassadeur ? coupa David. Y a-t-il, au sein de la junte, quelqu'un à qui nous puissions faire confiance, une confiance totale ?

Le vieil homme répondit avec une prudente hésitation. Spaulding comprit.

– Un, deux peut-être.

– Je ne vous demanderai pas leur nom, monsieur. Mais je vous prie de leur demander de l'aide. En prenant des mesures de sécurité on ne peut plus strictes. Ces entrepôts sont gardés... par les hommes d'Erich Rhinemann.

– Rhinemann ?

A l'autre bout de la ligne, l'ambassadeur ne dissimula guère son dégoût. C'était un atout, pensa David.

– Nous avons des raisons de croire qu'il est en train de faire avorter une négociation ou d'y mêler de la contrebande, monsieur. Un trafic clandestin. Il faut que nous connaissions la nature de cette cargaison.

Ce fut tout ce que David trouva à lui dire. Une extrapolation sans fondement réel. Mais des hommes étaient prêts à tuer et à se faire tuer pour « Tortugas ». Sans doute était-ce là une raison suffisante. Si Fairfax avait inscrit ce nom sur son ordre de transfert sans le lui dire, c'était une raison plus que suffisante.

– Je vais faire ce que je peux, Spaulding. Je ne peux rien vous promettre, bien entendu.

– Oui, monsieur, je comprends. Et merci.

L'avenida de Mayo était très encombrée. C'était pire sur la plaza. A l'extrémité de la place, la pierre rose de la Casa Rosada reflétait la lumière orangée du soleil couchant. « Un spectacle seyant à une capitale contrôlée par des soldats », pensa David.

Il traversa la plaza, s'arrêta près de la fontaine et se souvint de la veille et de Leslie Hawkwood. Où était-elle à présent ? A Buenos Aires. Mais où ? Et ce qui était plus important, pourquoi ?

La réponse résidait peut-être dans le nom de « Tortugas » et dans un chalutier d'Ocho Calle.

Il fit deux fois le tour de la fontaine, puis rebroussa chemin pour se tester et tester Erich Rhinemann. Où étaient donc les hommes qui le surveillaient ? Ou bien étaient-ce des femmes ?

Se trouvaient-ils à bord d'une voiture, d'un taxi ou d'une camionnette ? Tournaient-ils en rond comme lui ?

Il en repéra un. Ce n'était pas trop difficile. Il était assis sur le bord du bassin de la fontaine. Un pan de sa veste trempait dans l'eau. Il s'était assis trop vite pour ne pas se faire remarquer.

David emprunta le passage clouté, celui-là même qu'il avait pris pour suivre Leslie Hawkwood et, au premier abri pour piétons, attendit que le feu passe au rouge. Il ne traversa pas cependant et revint vers la fontaine. Il accéléra le pas et s'assit au bord du bassin pour observer le passage clouté.

L'homme à la veste mouillée émergea avec le premier groupe de piétons et regarda autour de lui, l'air inquiet. Enfin il aperçut Spaulding.

David lui fit signe de la main.

L'homme fit volte-face et se précipita de l'autre côté de la rue.

Spaulding courut derrière lui et réussit à passer avant que le feu ne change à nouveau. L'homme ne regarda pas en arrière. Il avait l'air de chercher désespérément un contact, pensa David. Quelqu'un qui prenne les choses en main, peut-être. Il tourna à gauche devant la Casa Rosada, et Spaulding le suivit sans se faire repérer.

L'homme atteignit l'angle d'une rue et, à la surprise de David, ralentit le pas, s'arrêta et pénétra dans une cabine téléphonique.

« Quelle étrange réaction, une réaction d'amateur », songea David. Ce qui lui en dit long sur le personnel d'Erich Rhinemann. Ils n'étaient pas aussi forts qu'ils le pensaient.

Un long coup de klaxon s'éleva au-dessus du tumulte ordinaire du flot automobile de la plaza de Mayo. Ce coup de klaxon en appela d'autres et, en quelques secondes, une cacophonie stridente emplit les rues. David regarda ce qui se passait. Ce n'était rien. Un automobiliste irrité avait momentanément atteint les limites de sa patience. Le chaos ordinaire revint dès que les véhicules qui attendaient au passage clouté eurent démarré.

Puis on entendit un cri. Un cri de femme. Et un autre. Encore un autre.

Un attroupement se fit autour de la cabine téléphonique.

David se fraya un chemin jusque-là en jouant des coudes, des bras, des épaules. Quand il fut près de la cabine, il jeta un coup d'œil à l'intérieur.

L'homme à la veste mouillée était effondré contre la vitre, les jambes fléchies, les bras tendus au-dessus de la tête, une main encore accrochée au combiné dont le fil pendait. Il avait la tête renversée en arrière. Le sang coulait de l'occiput. Spaulding leva les yeux pour observer les parois de la cabine. Du côté de la rue, on apercevait distinctement trois petits trous entourés de verre brisé.

Il entendit les hurlements perçants des sirènes de la police et se fondit de nouveau dans la foule. Il atteignit le grillage de la Casa Rosada, tourna à droite et fit le tour du bâtiment, à pas pressés, en direction du sud.

La porte sud.

La Packard était garée devant l'entrée, le moteur ronflait. Un homme, qui avait à peu près sa taille, s'approcha de lui. Comme il s'avançait vers l'automobile.

– Colonel Spaulding ?

– Oui ?

– Dépêchez-vous, s'il vous plaît.

L'inconnu ouvrit la porte arrière, et David s'engouffra à l'intérieur.

Heinrich Stoltz le salua.

– Vous avez longtemps marché. Asseyez-vous. Le trajet vous reposera.

– Pas maintenant.

David désigna le compartiment au-dessous du tableau de bord.

– Pouvez-vous joindre Rhinemann avec ce truc ? Tout de suite ?

– Nous sommes constamment en liaison. Pourquoi ?

– Appelez-le. L'un de vos hommes vient d'être tué.

– L'un de nos hommes ?

– Celui qui me suivait. On l'a descendu dans une cabine téléphonique.

– Ce n'était pas l'un des nôtres, mon colonel. C'est nous qui l'avons éliminé, déclara calmement Stoltz.

– Quoi ?

– Nous le connaissions. C'était un tueur à gages de Rio de Janeiro. Vous étiez sa cible.

Les explications données par Stoltz furent des plus succinctes. Ils avaient repéré le tueur peu de temps après que David eut quitté son appartement. C'était un Corse, venu de Marseille avant la guerre. L'un des hommes de main de l'Unio Corso. Il avait assassiné un préfet gênant sur l'ordre de contrebandiers du sud de la France.

– Nous ne pouvons prendre aucun risque avec l'Américain qui détient les codes. Vous nous accorderez qu'au milieu des encombrements un silencieux s'imposait.

– Je ne crois qu'il ait eu l'intention de me tuer, déclara Spaulding. Vous avez agi trop tôt.

– Alors, il attendait que vous veniez à notre rencontre. Pardonnez-moi, mais nous ne pouvions pas laisser faire ça. Vous êtes d'accord ?

– Non. J'allais lui mettre la main dessus.

David se cala contre le dossier et posa une main sur son front, fatigué, contrarié.

– J'*allais* lui mettre la main dessus. Nous avons tous les deux perdu.

Stoltz regarda David. Il avait une question à lui poser.

– De la même manière ? fit-il prudemment. Vous vous le demandez, vous aussi ?

– Pas vous ?... Vous êtes toujours persuadé que la Gestapo n'est pas à Buenos Aires ?

– Impossible ! murmura Stoltz entre ses dents, avec l'ardeur de la conviction.

– C'est exactement ce que notre ami commun a dit de ce qui est arrivé hier soir à vos hommes... Je ne sais rien de cette fichue affaire, mais je comprends pourquoi ils sont morts. Alors, pourquoi serait-ce impossible ?

– La Gestapo ne peut pas être impliquée. C'est une information qui nous est parvenue des plus hauts niveaux de la hiérarchie.

– Rhinemann est juif, n'est-ce pas ? fit David en regardant Stoltz.

C'était une question inattendue.

L'Allemand se tourna vers lui et soutint son regard. Un certain embarras se peignit sur son visage.

– Il ne pratique aucune religion. Sa mère était juive... Franchement, ça ne veut rien dire. Les théories raciales de Rosenberg et de Hitler sont loin de faire l'unanimité. On y a attaché beaucoup trop d'importance... C'est – c'était – surtout un problème économique. Distribution du pouvoir bancaire, décentralisation des hiérarchies financières... Un sujet déplaisant.

Spaulding allait pousser le diplomate dans ses retranchements, mais il ne le fit pas... Pourquoi Stoltz cherchait-il une justification ? Pourquoi invoquait-il une explication qu'il savait dépourvue de toute logique ?

Heinrich Stoltz était censé obéir à Rhinemann, pas au IIIe Reich.

Spaulding détourna le regard et ne dit rien. Il était franchement perplexe, mais ce n'était guère le moment de le laisser paraître.

– C'est une drôle de question, poursuivit Stoltz. Pourquoi l'avoir posée ?

– Une rumeur... J'en ai entendu parler à l'ambassade.

Et c'était vrai, pensa David.

– D'après ce que j'ai compris, la communauté juive de Buenos Aires serait plutôt hostile à Rhinemann.

– Pure spéculation. Les juifs d'ici sont comme les autres. Ils restent entre eux, ont peu de rapports avec l'extérieur. Le ghetto est sans doute moins facile à définir, mais il existe. Ils n'ont aucun désaccord avec Rhinemann. En fait, nous n'avons aucun rapport.

– Éliminons cette supposition, dit Spaulding.

– On peut en faire une autre, répliqua Stoltz. Vos propres compatriotes.

David se tourna lentement vers l'Allemand.

– C'est une hypothèse à envisager. Comment en êtes-vous arrivé à cette conclusion ?

– C'est une entreprise d'aéronautique qui achète ces plans. Il y a cinq ou six grandes sociétés en compétition, qui se disputent inlassablement vos contrats publics. Celui qui possédera les plans du gyroscope, quel qu'il soit, détiendra un avantage considérable, je dirais même irrésistible. Tous les autres systèmes de navigation seront obsolètes.

– Vous dites cela sérieusement ?

– Absolument. Nous avons analysé la situation en long, en large et... en travers. Nous sommes pratiquement convaincus que c'est là qu'il faut chercher une explication logique.

Stoltz détourna le regard et regarda droit devant lui.

– Il n'y en a pas d'autre. Ce sont des Américains qui essaient de nous mettre des bâtons dans les roues.

35.

La Packard verte zigzaguait dans les rues de Buenos Aires. Elle suivait un itinéraire qui, pour paraître erratique, n'en était pas moins bien défini. Spaulding en comprit la raison d'être : une stricte sécurité. Par intermittence, le chauffeur décrochait le micro qui se trouvait sous le tableau de bord et débitait une série de chiffres convenue à l'avance. Une réponse grésillante leur parvenait par le haut-parleur, qui répétait les mêmes chiffres. La Packard tournait alors une nouvelle fois, poursuivant sa route en apparence incohérente.

David repéra plusieurs fois les véhicules chargés de la surveillance visuelle. Rhinemann y avait affecté au moins cinq voitures. Au bout de trois quarts d'heure, on pouvait être certain que la route de San Telmo était dégagée.

— Le champ est libre, dit le chauffeur à Stoltz. Les autres vont reprendre leur position.

— Allez-y, dit Stoltz.

Ils prirent la direction du nord-ouest. La Packard accéléra sur la route de San Telmo. David savait qu'au moins trois autres voitures les suivaient. Il y en avait peut-être deux devant. Rhinemann s'était constitué une colonne motorisée. Les plans du gyroscope se trouvaient donc dans l'une de ces automobiles.

— Avez-vous la marchandise ? demanda-t-il à Stoltz.

— En partie, répondit l'attaché, qui se pencha pour appuyer sur un coin du siège qui se trouvait devant lui.

Une sorte de languette apparut. Stoltz tira un plateau de sous le siège. Le tiroir secret contenait une fine boîte de métal qui ressemblait un peu à celles que l'on utilisait dans les bibliothèques pour protéger les manuscrits rares du feu ou des insectes. L'Allemand s'en saisit, la posa sur ses genoux et repoussa le tiroir du pied.

– Nous y serons dans quelques minutes, dit-il.

La Packard se rangea au bord du trottoir devant la maison de stuc blanc de San Telmo. Spaulding tendit la main vers la poignée de la porte, mais Stoltz lui effleura le bras et hocha la tête. David retira sa main. Il avait compris.

L'un des véhicules de surveillance s'était garé à une cinquantaine de mètres devant eux. Deux hommes en sortirent. L'un portait une mince valise métallique, l'autre un étui de cuir oblong, une radio. Ils se dirigèrent vers la Packard.

David n'eut pas besoin de regarder par la vitre arrière pour savoir ce qui se passait dans son dos. Il se retourna simplement pour vérifier son intuition. Une autre automobile venait de se garer. Deux autres hommes s'avançaient sur le trottoir. Le premier portait évidemment une valise, le second une radio dans un étui de cuir.

Les quatre hommes se retrouvèrent devant la portière de la Packard. Stoltz fit un signe de la tête à Spaulding. Celui-ci sortit de la voiture et contourna le véhicule pour rejoindre la petite troupe de Rhinemann. Il allait s'engager dans l'étroite allée qui menait à l'entrée de la maison quand Stoltz l'en empêcha.

– Attendez, s'il vous plaît, dit-il à travers la vitre de l'automobile. Nos hommes ne sont pas encore postés. Ils nous préviendront.

On entendit des parasites à la radio du tableau de bord. Suivit une litanie de chiffres. Le chauffeur décrocha le micro et les répéta.

Heinrich Stoltz hocha la tête et sortit de la voiture. David se dirigea vers la porte.

Deux des hommes de Rhinemann restèrent dans le vestibule. Deux autres traversèrent l'appartement pour rejoindre la cuisine et une porte qui, à l'arrière, donnait sur une petite cour. Stoltz accompagna David dans la salle de séjour où Lyons était assis à une grande table. La table était vide à l'exception de deux blocs-notes et d'une demi-douzaine de crayons.

Johnny et Hal, les infirmiers, obéirent aux ordres laconiques que leur donna David. Ils se postèrent à chaque extrémité de la pièce devant un canapé, en manches de chemise, le pistolet bien calé dans un étui fixé à l'épaule, qui ressortait sous le tissu blanc.

Stoltz, qui avait pris l'une des valises métalliques des mains de l'un des hommes, dit à David de prendre l'autre. Ensemble, Stoltz et Spaulding posèrent les trois mallettes sur la grande table, et Stoltz ouvrit les serrures. Lyons ne fit pas le moindre effort pour saluer ses visiteurs – ces intrus – et seul Stoltz le salua pour la forme. Apparemment, Kendall l'avait mis au courant des handicaps du savant. Le diplomate allemand se comporta en conséquence.

Stoltz s'adressa à Lyons qui était assis en face de lui :

– Les plans sont classés dans l'ordre à partir de la gauche. Nous avons joint un lexique bilingue à chaque schéma et tout processus décrit ici a été traduit mot pour mot à l'aide des formules anglaises correspondantes et de symboles internationalement admis, parfois des deux... Tout près d'ici, nous avons à notre disposition un expert en aéronautique de Peenemünde que nous pouvons facilement contacter grâce à la radio de notre automobile. Vous pourrez le consulter à votre gré... Enfin vous comprendrez aisément qu'il vous est impossible de prendre des photos.

Eugène Lyons prit un crayon et écrivit quelques mots sur son bloc-notes. Il déchira la page qu'il tendit à Spaulding.

De combien de temps disposons-nous ? Avons-nous la série complète ? avait-il inscrit.

David remit le mot à Stoltz.

– Tant que vous en aurez besoin, *Herr Doktor*... Il reste une dernière boîte. On vous l'apportera plus tard.

– Avant vingt-quatre heures, l'interrompit Spaulding. J'y tiens.

– Quand nous aurons reçu confirmation que les codes sont bien arrivés à Washington.

– Le message est sans aucun doute déjà à l'ambassade.

David regarda sa montre.

– J'en suis certain, ajouta-t-il.

– Puisque vous le dites, je vous crois, déclara Stoltz. Cela ne servirait à rien de mentir. Vous ne quitterez pas l'Argentine tant que *nous* n'aurons pas de nouvelles de... Suisse.

Il y avait comme une interrogation dans les propos de l'Allemand sans que Spaulding sût en définir la nature. Une interrogation qui ne cadrait pas avec ce qu'il venait de dire. Stoltz était plus nerveux qu'il ne voulait le laisser paraître, songea David.

– Je confirmerai les codes quand nous partirons... A propos, je tiens également à ce que les plans restent ici. Quand le professeur Lyons les aura vérifiés.

– Nous avions prévu cette... requête. Vous autres Américains, vous êtes tellement méfiants. Deux de nos hommes resteront aussi. Il y en aura d'autres à l'extérieur.

– Quel gaspillage de main-d'œuvre ! A quoi cela sert-il de me donner les trois quarts de la marchandise ?

– Vous n'en avez pas les trois quarts, répliqua l'Allemand.

Pendant deux heures et demie, on n'entendit plus que le frottement du crayon de Lyons, le bruit incessant des parasites sur les ondes des radios installées dans l'entrée et dans la cuisine, auxquels s'ajoutaient l'irritante litanie des chiffres communiqués, les pas de Heinrich Stoltz, les yeux rivés en permanence sur les pages noircies par un Lyons épuisé pour s'assurer que le chercheur n'essayait ni de les glisser dans sa poche ni de les dissimuler, les bâillements de Hal, l'infirmier, le silence, les regards hostiles de son acolyte, Johnny.

A dix heures trente-cinq, Lyons se leva de son fauteuil. Il posa sa pile de notes à sa gauche, écrivit quelques mots sur son bloc, déchira la page, qu'il tendit à Spaulding.

Jusque-là – authentique. Je n'ai pas de questions à poser.

David transmit le message à un Stoltz anxieux.

– Bon, dit l'Allemand. Maintenant, mon colonel, voudriez-vous expliquer aux compagnons du professeur que nous allons être contraints de leur retirer leurs armes. Nous les leur rendrons, bien entendu.

– D'accord, dit David à Johnny. Posez-les sur la table.

– Qui a dit que c'était d'accord ? fit Johnny qui, adossé au mur, ne fit pas le moindre geste pour obtempérer.

– Moi, rétorqua Spaulding. Il n'arrivera rien.

– Ces salopards sont des nazis ! Vous voulez aussi nous mettre un bandeau sur les yeux ?

– Ce sont des Allemands. Pas des nazis.

– Conneries !

Johnny décolla du mur et resta debout.

– Je n'aime pas leur façon de parler.

– Écoutez-moi, fit David en s'approchant de lui. De nombreuses personnes ont risqué leur vie pour mener cette affaire à bien. Pour différentes raisons. Vous ne les aimez sans doute pas plus que moi, mais on ne peut pas tout faire foirer maintenant. Je vous en prie, faites ce que je vous demande.

Johnny jeta un regard furibond à Spaulding.

– J'espère que vous savez ce que vous faites.

Les deux infirmiers déposèrent leurs armes.

– Merci, messieurs, dit Stoltz, qui se dirigea vers le vestibule.

Il dit quelques mots en allemand aux deux gardes. L'homme à la radio traversa rapidement le salon en direction de la cuisine. L'autre ramassa les armes, en glissa une dans sa ceinture, l'autre dans la poche de sa veste. Puis il retourna dans le vestibule sans un mot.

Spaulding s'avança vers la table, suivi de Stoltz. Lyons avait rangé les plans dans des enveloppes de papier brun. Il y en avait trois.

– Quand je pense à l'argent que notre ami commun va toucher pour ça ! fit David.

– Vous ne paieriez pas si ça n'en valait pas la peine.

– Je suppose... Il n'y a aucune raison de ne pas les mettre dans une mallette, avec les notes.

Spaulding regarda Lyons qui se tenait immobile à l'autre bout de la table.

– N'est-ce pas, professeur ?

Lyons hocha la tête, ses yeux tristes à demi clos, plus pâle que jamais.

– Comme vous voudrez, dit Stoltz.

Il prit les enveloppes et les notes et les rangea dans la première mallette qu'il ferma à clef. Il ferma les deux autres avant de les placer au-dessus de la première, comme s'il accomplissait quelque rite religieux devant un autel.

Spaulding s'approcha des deux hommes qui se tenaient près de la fenêtre.

– Vous avez eu une rude journée. Le professeur Lyons aussi. Allez vous coucher et laissez nos hôtes monter la garde. Je crois qu'ils vont faire des heures supplémentaires.

Hal sourit. Pas Johnny.

– Bonsoir, professeur. Ce fut un grand honneur pour moi de rencontrer un homme de science aussi éminent, dit Stoltz d'un air pénétré en esquissant, à l'autre extrémité de la pièce, un salut non moins diplomatique.

Le garde chargé de la radio sortit de la cuisine et fit un signe de tête à l'attaché allemand. Ils quittèrent la pièce ensemble. Spaulding sourit à Lyons. Le savant fit volte-face comme s'il n'avait rien vu et entra dans sa chambre, à droite de la porte de la cuisine.

A l'extérieur, sur le trottoir, Stoltz tenait la portière de la voiture pour laisser passer David.

– Un homme très étrange, votre professeur Lyons, dit-il tandis que Spaulding s'engouffrait dans la Packard.

– Peut-être, mais c'est l'un de nos meilleurs spécialistes de la question... Demandez à votre chauffeur de m'arrêter devant un téléphone public. Il faut que je contacte la salle des transmissions de l'ambassade. Vous aurez votre confirmation.

– Excellente idée... Voudriez-vous vous joindre à moi pour le dîner ?

David regarda l'attaché qui s'asseyait à côté de lui, plein d'assurance, l'air quelque peu moqueur. La nervosité de Stoltz s'était évanouie.

– Non, *Herr Botschaftssekretär*. J'ai d'autres obligations.

– Avec la charmante Mme Cameron, sans doute. Je m'incline.

Spaulding ne répondit pas. Il regardait par la fenêtre en silence.

La Terraza Verde était paisible. Les lampadaires jetaient une lumière douce sur les trottoirs sombres et calmes. Les arbres taillés, sculptés, se profilaient contre les tons pastel de la brique et de la pierre des maisons pittoresques, de style méditerranéen. Derrière les bacs de fleurs des fenêtres brillaient, accueillantes, les lampes des salons et des chambres. Un homme en complet-veston, un journal sous le bras, gravit les marches d'un escalier jusqu'à une porte et sortit une clef de sa poche. Un jeune couple riait tranquillement, appuyé à une grille de fer forgé. Une fillette sautillait sur le trottoir, qui tenait en laisse un petit épagneul au poil clair qui sautait joyeusement entre ses pas.

Terraza Verde était un lieu plein de charme.

Et David pensa un bref instant à l'autre quartier qu'il avait vu dans la journée. A ces vieillards crasseux qui sentaient l'urine, à cette putain édentée, à ces boyaux de chat et à ces fenêtres poussiéreuses. A ces deux entrepôts gigantesques et désertés et à ce chalutier à l'ancrage, qui, il n'y avait pas si longtemps, devait partir pour Tortugas.

La Packard tourna au coin d'une autre rue. Il y avait plus de lumières, moins d'arbres taillés, mais elle ressemblait à la Terraza Verde. David se souvint alors de ces petites rues de Lisbonne menant aux riches *caminos,* bordées de boutiques de luxe, que fréquentait la population cossue qui habitait à quelques centaines de mètres.

Il y avait des boutiques, là aussi. Aux vitrines subtilement éclairées et décorées avec goût.

Une rue plus loin, la Packard ralentit à une intersection qu'elle franchit. Davantage de magasins, moins d'arbres, davantage de chiens, accompagnés le plus souvent par une domestique. Des adolescents étaient agglutinés autour d'une voiture de sport italienne.

Ce fut alors que David aperçut le pardessus. Ce ne fut d'abord qu'un pardessus. Un pardessus gris pâle sous un porche.

Un pardessus gris. Un porche en retrait.

L'homme était grand et mince. Un homme grand et mince dans un pardessus gris pâle. Sous un porche !

« Mon Dieu ! pensa David. *L'homme de la 52ᵉ Rue !* »

Ce dernier, de profil, contemplait une vitrine faiblement éclairée. Spaulding ne les voyait pas, mais il imaginait ses yeux sombres, enfoncés, et croyait entendre cet anglais abâtardi par un vague accent balkanique, il devinait le désespoir de ce regard.

Il n'y aura pas de négociations avec Franz Altmüller... Retenez la leçon de Fairfax !

Il fallait qu'il sorte de cette Packard. Vite !

Il fallait qu'il retourne à la Terraza Verde. Sans Stoltz ! Il le fallait !

— Il y a un café au-delà de cette rue, dit Spaulding en désignant un dais orange en travers du trottoir, sous lequel on apercevait des lumières. Arrêtez-vous ici. Je vais appeler l'ambassade.

— Vous me semblez bien impatient, mon colonel. Cela peut attendre. Je vous crois sur parole.

Spaulding se tourna vers l'Allemand.

— Vous voulez que je mette les points sur les i ? Parfait... Je ne vous aime pas, Stoltz. Et je n'aime pas non plus Rhinemann. Je n'aime pas les hommes qui hurlent, qui aboient des ordres et qui me font suivre... C'est à vous que j'achète, mais je n'ai nullement à m'associer avec vous. Je ne suis obligé ni de dîner avec vous ni de me promener dans votre voiture une fois notre travail de la journée terminé. Suis-je assez clair?

– Vous êtes tout à fait clair. Bien qu'un peu mal élevé. Et ingrat, si je puis me permettre. Nous vous avons sauvé la vie au début de la soirée.

– C'est vous qui le dites. Pas moi. Alors, laissez-moi partir, téléphoner et vous rapporter votre confirmation... Comme vous l'avez si bien dit, je n'ai aucun intérêt à mentir. Poursuivez votre chemin, je prendrai un taxi.

Stoltz ordonna au chauffeur de s'arrêter devant le dais orange.

– Faites comme vous voudrez. Et, si vous avez prévu de rendre une petite visite au professeur Lyons, n'oubliez pas que nous avons posté des hommes dans le coin. Ils ont des ordres stricts. Ces plans resteront là où ils sont.

– Je ne paierai pas les trois quarts d'une livraison sans me préoccuper du reste. Et je n'ai pas l'intention de me heurter à votre phalange de robots.

La Packard se rangea devant le dais. Spaulding ouvrit rapidement la portière avant de la claquer d'un geste furieux. Il pénétra aussitôt dans le hall éclairé et demanda où se trouvait le téléphone.

– L'ambassadeur essaie de vous joindre depuis une bonne demi-heure, lui dit le standardiste de garde. Il dit que c'est urgent. Je vais vous donner son numéro.

L'opératrice lui indiqua les chiffres avec un accent traînant.

– Merci, fit David. Maintenant passez-moi M. Ballard au service des transmissions, s'il vous plaît.

– Ici le saloon O'Leary, répondit la voix indifférente de Bobby Ballard.

– Vous êtes très drôle. Mais je n'ai vraiment pas la tête à la galéjade.

– Le standard m'a prévenu que c'était vous. Vous savez que Granville vous cherche.

– Il paraît. Où est Joan?

– Dans son bureau. Elle se languit, comme vous le lui avez ordonné.

– Avez-vous reçu des nouvelles de Washington?

– C'est dans la poche. Il y a plusieurs heures. Vos codes sont validés. Où en êtes-vous avec les plans de votre engin?

– Les instructions – enfin, les trois quarts – sont dans leur boîte. Mais nos petits compagnons de jeu sont un peu trop nombreux.

– A Terraza Verde?

– Tout autour.

344

– Dois-je vous envoyer quelques surveillants de la base des marines ?

– Je crois que je me sentirais plus à l'aise, répondit Spaulding. Dites-leur de patrouiller. Rien d'autre. Je tâcherai de les repérer et je crierai en cas de besoin.

– Il leur faudra une demi-heure pour venir de la base.

– Merci. Pas de défilé, je vous en prie, Bobby.

– Ils seront tellement discrets que personne ne s'apercevra de leur présence, à part nous autres Microsiens. Faites attention.

Spaulding retint le combiné d'un doigt, tenta de le soulever, inséra une autre pièce et appela Granville... Il n'avait pas le temps. Il sortit de la cabine et franchit la porte du restaurant devant la Packard. Stoltz était à la fenêtre. David remarqua qu'il manifestait de nouveau une certaine nervosité.

– Vous avez votre confirmation. Livrez le reste de la marchandise et vous pourrez profiter de votre argent... Je ne sais pas d'où vous venez, Stoltz, mais je finirai par le savoir et je m'arrangerai pour qu'une bombe raye votre patelin de la carte. Je demanderai au 8e régiment des forces aériennes de donner votre nom au raid.

Son air furieux parut soulager Stoltz, comme il l'avait prévu.

– L'homme de Lisbonne est compliqué. Je suppose que cela s'allie à la complexité de la mission... Nous vous appellerons bientôt.

Stoltz se tourna vers le chauffeur.

– *Los, abfahren, machen Sie schnell !*

La Packard verte démarra en trombe. Spaulding attendit, à l'abri du dais, pour s'assurer qu'elle ne ferait pas demi-tour. Dans ce cas, il rentrerait dans le café et patienterait.

Elle ne fit pas demi-tour, elle fonça tout droit. David la suivit des yeux jusqu'à ce que les feux arrière ne soient plus que de minuscules taches rouges. Puis il s'éloigna d'un pas rapide, le plus rapide possible, sans attirer l'attention sur lui, et se dirigea vers Terraza Verde.

Il arriva au pâté de maisons où il avait aperçu l'homme au pardessus gris pâle et s'arrêta. Son inquiétude l'incitait à se hâter. Mais, d'instinct, il attendit, observa, avança prudemment.

L'homme n'était plus dans le coin. Il n'était plus en vue. David rebroussa chemin et se dirigea vers le bord du trottoir. Il tourna à gauche et courut jusqu'au prochain croisement, tourna de nouveau à gauche, ralentit le pas jusqu'à ce que son allure parût naturelle. Il aurait payé cher pour mieux connaître le quartier, les immeubles qui se trouvaient derrière la maison de stuc blanc de Lyons. D'autres le connaissait. D'autres l'attendaient au détour de porches sombres qu'il ignorait.

Les gardes de Rhinemann. L'homme au pardessus gris pâle. Combien y en avait-il avec lui ?

Il s'approcha de l'angle de Terraza Verde et traversa la rue en diagonale en s'éloignant de la maison de stuc. Il se tint à l'écart des halos des lampadaires et rejoignit la rue qui se trouvait derrière la rangée des maisons de Terraza Verde en marchant sur la chaussée. De l'autre côté, il y avait, bien entendu, d'autres demeures, pittoresques, originales, tranquilles. Spaulding leva les yeux vers un panneau verticale : *Terraza Amarilla.*

San Telmo se nourrissait de sa propre substance.

Il demeura à l'angle, sous un arbre, et dirigea son regard vers la partie de la rue adjacente où devait se trouver l'arrière de la maison de Lyons. Il distinguait à peine la pente du toit de tuiles, assez cependant pour repérer l'immeuble en face, à environ cent cinquante mètres.

Il aperçut également la voiture de Rhinemann, l'une de celles qu'il avait remarquées pendant le long trajet qui l'avait conduit depuis la Casa Rosada jusque-là, de mesure de sécurité en mesure de sécurité. Elle était garée devant un hôtel particulier en brique jaune avec un large portail de chaque côté. Ces portes devaient s'ouvrir sur des allées pavées menant au mur ou à la clôture qui séparait l'autre entrée de la propriété de la terrasse de Lyons. Ce devait être quelque chose comme ça. Les gardes de Rhinemann, de leur poste, pouvaient repérer quiconque sortirait de ces deux portails.

Alors, Spaulding se souvint du crépitement des parasites qui provenait des radios du vestibule et de la cuisine et des listes de chiffres ininterrompues. Les hommes chargés des radios étaient armés. Il glissa la main sous sa veste, chercha son étui et sortit le Beretta. Le chargeur était en place. Il débloqua la sûreté, cala l'arme dans sa ceinture et traversa la rue en direction de l'automobile.

Avant d'atteindre l'angle situé juste en face, il entendit le ronflement d'un véhicule qui arrivait dans son dos. Il n'avait pas le temps de courir ni même de prendre une décision, bonne ou mauvaise. Il porta la main à sa ceinture et essaya d'adopter une attitude désinvolte.

Une voix l'interpella, qui le frappa de stupeur.

— Monte, espèce d'imbécile !

Leslie Hawkwood était au volant d'un petit coupé Renault. Elle avait tendu la main pour ouvrir la portière. David la saisit, partagé entre le choc qu'il venait de recevoir et la crainte que les gardes de Rhinemann, postés à quelques centaines de mètres, n'entendent le bruit. Il n'y avait pas même une dizaine de piétons dans le secteur, entre les deux rues. Les hommes de Rhinemann avaient certainement été alertés.

Il sauta dans la Renault et, de la main gauche, saisit Leslie à la jambe, juste au-dessus du genou, et exerça une pression sur les tendons en la serrant dans un étau.

– Recule le plus calmement possible et prends la première à gauche dans cette rue.

– Lâche-moi! Mais lâche-moi!

– Fais ce que je te dis ou je te fais sauter la rotule!

La Renault était très courte. Leslie n'eut pas besoin de passer en marche arrière, elle tourna le volant et la voiture vira brusquement.

– Lentement! ordonna Spaulding, sans quitter des yeux l'automobile de Rhinemann.

Il vit une tête se retourner, puis deux. Ensuite, il les perdit de vue.

David retira sa main du genou de la fille. Elle le souleva et agita les épaules sous l'effet de la douleur. Spaulding saisit le volant et passa au point mort. La voiture s'arrêta au milieu du pâté de maisons, près du trottoir.

– Espèce de salaud! Tu m'as cassé la jambe!

Leslie pleurait de douleur, pas de chagrin. Elle était dans un état proche de la fureur, mais elle ne cria pas. David comprit une chose qu'il ignorait jusque-là.

– Ce n'est pas une jambe que je vais te casser si tu ne me dis pas ce que tu fais ici! Combien êtes-vous? J'en ai vu un. Combien d'autres?

Elle releva brusquement la tête, balayant ses longs cheveux en arrière. Il y avait de la méfiance dans ses yeux.

– Tu pensais que nous ne le trouverions pas?

– Qui?

– Votre savant. Ce Lyons! Nous l'avons déniché!

– Leslie, pour l'amour du ciel, qu'est-ce que vous cherchez?

– A vous arrêter!

– Moi?

– Vous. Altmüller. Rhinemann. Koening! Ces salopards de Washington... Peenemünde! C'est terminé. Ils ne vous feront plus confiance. « Tortugas », c'est fini.

Encore ce nom sans visage... encore Altmüller. Tortugas... Koening? Des mots, des noms... qui avaient une signification ou qui n'en avaient pas. Il n'y avait pas de lumière au bout du tunnel.

Il n'avait pas le temps!

Spaulding attira la fille contre lui. Il lui empoigna les cheveux au-dessus du front, tira fort et, de l'autre main, lui serra la gorge, juste en dessous de la mâchoire. Puis il exerça une pression à petits coups rapides, chacun d'entre eux plus douloureux que le précédent.

Si dur. Si loin de lui.

– Si tu veux jouer à ce petit jeu-là, tu vas le jouer jusqu'au bout! Tu vas me dire ce qui se passe? Tout de suite!

Elle se contorsionna pour se dégager, lui envoya de violents coups de poing et de pied. Mais, à chaque mouvement, il lui enfonçait les doigts dans la gorge. Ses yeux s'agrandirent.

– Parle, Leslie ! dit-il. Je vais te tuer si tu ne dis rien. Je n'ai pas le choix ! Pas maintenant... Pour l'amour du ciel, ne m'y force pas !

Elle s'effondra, le corps mou, sans perdre connaissance. Sa tête brinquebalait. Elle poussait des gémissements rauques. Il la relâcha et lui redressa doucement le visage. Elle ouvrit les yeux.

– Ne me touche pas ! Oh, *mon Dieu,* ne me touche pas !

Sa voix n'était plus qu'un faible murmure, elle ne pouvait plus crier.

– A l'intérieur... Nous allons entrer. Tuer le savant. Tuer les hommes de Rhinemann...

Avant qu'elle ait terminé, Spaulding serra le poing et lui donna un coup rapide, violent, à la pointe du menton. Elle s'écroula, inconsciente.

Il en avait assez entendu. Il n'*avait* pas le temps.

Il l'étendit sur l'étroit siège avant et retira la clé de contact. Il chercha son sac à main. Elle n'en avait pas. Il ouvrit la porte, la referma d'un geste ferme et balaya la rue du regard. Il aperçut deux couples au milieu du pâté de maisons. Une voiture se garait à l'angle. Il y avait aussi une fenêtre ouverte au premier étage d'un immeuble, de l'autre côté de la rue, d'où sortait de la musique.

A part cela, rien. La paix régnait à San Telmo.

Spaulding courut jusqu'à ce qu'il se trouve à quelques mètres de la Terraza Amarilla. Il s'arrêta avant de longer une grille de fer forgé, maudissant la lumière qui tombait du réverbère. A travers la clôture, il jeta un coup d'œil à la voiture de Rhinemann qui se trouvait à moins d'une centaine de mètres. Il prêta une attention particulière au siège avant, aux deux têtes qui s'étaient retournées quelques minutes auparavant. Plus rien ne bougeait à présent, aucune lueur de cigarettes...

Rien.

Il y avait pourtant une ombre sur la silhouette profilée dans l'encadrement de la fenêtre de gauche, une masse qui obstruait la partie inférieure de la vitre.

Spaulding tourna à l'angle de la grille de fer forgé et s'avança lentement vers l'automobile, le Beretta bien en main, le doigt sur la détente. *Soixante-dix mètres, soixante, quarante-cinq.*

La masse qui faisait obstruction n'avait pas bougé d'un pouce.

Trente-cinq, trente... Il sortit le pistolet de sa ceinture, prêt à tirer.

Rien.

Il distinguait les choses plus clairement. La masse était une tête rejetée contre la vitre, pas en position de repos mais violemment renversée, tordue, immobile.

Morte.

Il traversa la rue en courant, se dirigea vers l'arrière du véhicule et s'accroupit en maintenant le Beretta au niveau de l'épaule. Aucun bruit, aucun chuchotement ne provenait de l'intérieur.

La rue était déserte à présent. On n'entendait plus que le vague brouhaha, étouffé, assourdi, qui filtrait d'une centaine de fenêtres éclairées. Un petit chien aboya. Il distingua, au loin, le gémissement d'un bébé.

David se leva et regarda par la vitre arrière de l'automobile.

Il aperçut le corps d'un deuxième homme, étendu sur le siège avant. Les réverbères répandaient leur lumière sur le haut du dos et des épaules. Tout n'était qu'une masse de sang et de vêtements lacérés.

Spaulding se glissa le long de la voiture jusqu'à la portière avant droite. La fenêtre était ouverte, découvrant un spectacle épouvantable. L'homme au volant avait été descendu d'une balle dans la tempe, son compagnon avait reçu plusieurs coups de couteau.

L'étui de cuir parallélépipédique de la radio gisait sur le sol, sous le tableau de bord, brisé.

Cela avait dû se produire dans les cinq ou six dernières minutes, pensa David. Leslie Hawkwood avait foncé au volant de sa Renault pour l'intercepter au moment précis où des hommes armés de silencieux et de couteaux à longue lame s'avançaient vers les gardes de Rhinemann.

Leur crime accompli, les hommes aux pistolets et aux couteaux avaient couru vers le portail de l'autre côté de la rue, vers la maison de Lyons. Couru sans penser à se couvrir ni à se camoufler, sachant que la radio était en liaison constante avec celle du 15, Terraza Verde.

Spaulding ouvrit la portière de la voiture, remonta la vitre et fit glisser la forme inanimée sur le siège. Il referma la porte. Les corps étaient moins visibles qu'auparavant. Mieux valait ne pas donner l'alarme dans la rue.

Il leva les yeux vers les deux portails, de chaque côté de l'hôtel particulier. Celui de gauche était entrouvert.

Il s'y précipita et se laissa glisser par l'ouverture sans rien toucher, l'arme au côté, pointée en avant. Un passage cimenté partait de l'entrée, qui longeait le bâtiment jusqu'à une sorte de minuscule patio bordé d'un haut mur de brique.

Il marcha en silence, d'un pas rapide, jusqu'au bout du passage. Le patio se composait d'allées d'ardoises, de gazon et de petits massifs de fleurs. La lune faisait briller une statue d'albâtre. Une vigne vierge rampait le long du mur de brique.

Il évalua la hauteur du mur : deux mètres, peut-être deux mètres cinquante. L'épaisseur : vingt à vingt-cinq centimètres, la taille standard. La construction : récente – quelques années – et solide. C'était ce dernier élément qui le préoccupait le plus. En 1942, à San Sebastián, il avait escaladé un mur de trois mètres de haut qui s'était écroulé. Un mois plus tard, il en riait. Sur le moment, il avait failli mourir.

Il rangea le Beretta dans son étui, remit la sûreté et prit la précaution d'écarter l'arme. Puis il se pencha et frotta ses mains dans la poussière sèche, au pied du mur du ciment, pour absorber la sueur. Alors, il se redressa et courut jusqu'au mur.

Spaulding sauta. Une fois au sommet, il resta sur le ventre, silencieux, les mains agrippées au bord, figé comme s'il faisait corps avec la pierre. Il demeura immobile, le visage tourné vers la terrasse de Lyons, et attendit quelques secondes. La porte de derrière était close. On n'apercevait aucune lumière dans la cuisine. Les volets avaient été baissés. On n'entendait pas un bruit.

Il se glissa au pied du mur, sortit son arme et courut jusqu'à la porte de la cuisine. Il plaqua son dos contre le mur de stuc blanc. A son grand étonnement, la porte n'était *pas* close. Puis il comprit pourquoi. Sur le sol, à peine visible dans l'obscurité de la pièce, il distingua l'extrémité d'une main. Elle s'était agrippée au bas du chambranle et s'était brisée dans cette position. C'étaient les doigts d'un mort.

Spaulding s'avança et poussa la porte. De deux centimètres. De cinq centimètres. Le bois heurta un poids mort. L'effort fut tel que son coude lui fit mal.

Cinq, dix, quinze centimètres. Trente centimètres.

Il perçut des voix indistinctes, à présent, des voix d'hommes assourdies mais furieuses.

Il franchit le seuil, repoussa violemment – le plus discrètement possible – le corps étendu, poids mort immense et mou qui bloquait le chambranle. Il enjamba le cadavre du garde de Rhinemann, constata que la radio avait été arrachée de son étui de cuir et brisée sur le sol. Il referma la porte en silence.

Des voix lui parvenaient du salon. Il se glissa le long du mur en tenant le Beretta, la sûreté ôtée, prêt à tirer.

A l'autre extrémité de la pièce, un garde-manger ouvert attira son attention. L'unique fenêtre, en verre teinté ordinaire, haut placée sur le mur ouest, laissait filtrer les rayons de la lune, inquiétants et colorés. En dessous, sur le sol, se trouvait le deuxième garde de Rhinemann. Sa mort défiait toute description. Le corps était arc-bouté en arrière. C'était probablement la balle d'un pistolet de petit calibre qui l'avait tué. Un pistolet avec un silencieux. On avait agi avec la plus grande discrétion. David sentit la sueur lui couler sur le front et dans le cou.

Combien étaient-ils ? Ils avaient enrôlé toute une garnison ! On ne lui avait pas confié la responsabilité d'une tâche de cette ampleur.

Il se sentait pourtant responsable envers Lyons. A ce moment précis, il ne se sentait responsable que de lui. Il n'osait pas penser aux conséquences.

Et puis il était fort. Il ne pouvait pas, ne devait pas l'oublier. C'était le meilleur de tous.

Mais cela comptait-il encore pour quelqu'un?

Si quiconque s'en préoccupait.

Si dur. Si loin de lui.

Il plaqua sa joue contre une moulure de la voûte et ce qu'il vit lui donna la nausée. Le cadre soulignait sans doute toute l'horreur de la situation : un appartement bien meublé avec des chaises, des tables et des canapés faits pour des gens civilisés ayant des objectifs civilisés.

Ce n'était pas la mort.

Les deux infirmiers, l'hostile Johnny, l'affable et stupide Hal, avaient été jetés au sol, les bras liés, les deux têtes à quelques centimètres l'une de l'autre. Leurs sangs mêlés faisaient une flaque sur le parquet. Johnny avait les yeux grands ouverts, reflétant la colère et la mort. Le visage de Hal était tranquille, interrogateur, reposé.

Derrière eux gisaient les deux autres gardes de Rhinemann, le corps affalé sur le canapé comme des mannequins désarticulés.

J'espère que vous savez ce que vous faites!

Ces paroles de Johnny résonnaient douloureusement – hurlaient – dans la tête de David.

Il y avait trois autres hommes dans la pièce, debout, vivants, avec sur le visage les mêmes bas grotesques que ceux des occupants de la Duesenberg qui avaient abrégé son tête-à-tête avec Leslie Hawkwood, là-haut dans les collines de Lujan.

La Duesenberg qui avait explosé au milieu des flammes, dans les Colinas Rojas.

Ces hommes étaient debout – aucun ne tenait une arme – autour de la silhouette inclinée d'Eugène Lyons, agréablement assis à la table, qui ne manifestait pas la moindre frayeur. Quand David croisa le regard du chercheur, il comprit la vérité : la mort était la bienvenue.

– Voyez ceux qui vous entourent ! s'écria l'homme au pardessus gris pâle. Nous n'hésiterons pas plus longtemps ! Vous êtes un homme mort !... Donnez-nous les plans !

Mon Dieu! pensa David. Lyons avait caché les plans.

– Il est inutile de vous entêter, je vous en prie, croyez-moi, poursuivit l'homme au pardessus, qui avait, sous les yeux, ces cernes dont Spaulding se souvenait si bien. Vous ne serez épargné que si vous nous le dites ! Tout de suite !

Lyons ne bougea pas. Il leva les yeux vers l'homme au pardessus sans déplacer la tête, le regard calme. David fut saisi par l'émotion.

– Écrivez ! le menaça-t-il.

C'était le moment d'intervenir.

David fit le tour du pilier, pistolet au poing.

– Ne touchez pas à vos armes ! Vous ! cria-t-il à l'inconnu qui était le plus proche. Tournez-vous !

Sous le choc, sans réfléchir, l'homme obéit. Spaulding fit deux pas en avant et lui frappa brutalement le crâne avec le canon du Beretta. Il s'effondra aussitôt.

– Prenez cette chaise ! Tout de suite ! hurla David à l'adresse de l'homme qui se tenait à côté de celui qui interrogeait Lyons.

Il désigna de son arme une chaise au dossier droit, qui se trouvait à quelques dizaines de centimètres de la table.

– J'ai dit tout de suite

L'homme s'avança et fit ce qu'on lui avait ordonné. Puis il demeura figé.

– Si vous la lâchez, je vous tue, poursuivit David... Professeur Lyons, désarmez-les. Vous trouverez des pistolets et des couteaux. Vite, s'il vous plaît.

Tout se passa très rapidement. David savait que sa seule chance d'éviter une fusillade, c'était d'agir très vite, d'immobiliser un ou deux hommes et de renverser la situation en un éclair.

Lyons se leva de son fauteuil et se dirigea d'abord vers l'homme au pardessus gris pâle. De toute évidence, le savant avait déjà observé l'endroit où il cachait son arme. Il la sortit de la poche du pardessus. Puis il s'avança vers l'homme au fauteuil et en retira un pistolet identique. Il le fouilla et trouva, dans sa veste, un grand couteau et un second revolver, plus court, dans un étui sous sa veste. Il posa les armes à l'extrémité de la table et s'approcha du troisième homme, celui qui était inconscient. Il le fit rouler et récupéra deux revolvers et un couteau à cran d'arrêt.

– Retirez vos manteaux ! Immédiatement ! ordonna Spaulding aux deux hommes.

Il ôta la chaise des mains de celui qui se tenait à côté de lui et le poussa vers son compagnon. Ils se défirent de leurs manteaux.

– Ça suffit ! les interrompit Spaulding avant qu'ils n'aient terminé. Restez comme vous êtes !... Professeur, voulez-vous apporter deux chaises et les placer derrière eux.

Lyons obtempéra.

– Asseyez-vous, dit Spaulding à ses captifs.

Ils s'assirent, le manteau à moitié tombé des épaules. David s'approcha d'eux et leur arracha un peu plus leur vêtement, qui leur descendit jusqu'aux coudes.

Avec leur masque grotesque, les deux hommes étaient à présent installés, les bras bloqués par leurs propres manteaux.

Debout devant eux, Spaulding se pencha pour leur arracher leurs masques de soie. Il recula et s'appuya à la table de la salle à manger, le pistolet à la main.

– Bien, dit-il. J'estime que nous avons environ quinze minutes avant que ça commence à chauffer ici... J'ai quelques questions à vous poser. Et vous allez me répondre.

36.

Spaulding écouta, incrédule. L'accusation était tellement énorme qu'elle dépassait, au sens propre du terme, son entendement.

L'homme aux poches sous les yeux était Asher Feld, le commandant de l'aile provisoire de la Haganah, qui opérait aux États-Unis. Ce fut lui qui prit la parole :

– Ce sont les Américains, un Américain, pour être précis, qui a donné, le premier, à l'opération... l'échange des plans du système de navigation contre les diamants industriels... le nom de « Tortugas ». Il avait décidé que le transfert aurait lieu dans l'île Sèche, décision à laquelle Berlin opposa un veto catégorique. Cet homme conserva cependant le nom de code. Cette fausse dénomination servait sa peur panique d'être associé à l'affaire. Pour lui et pour Fairfax, ce terme recouvrait les activités de l'homme de Lisbonne.

« Quand le ministère de la Guerre donna le feu vert aux bureaux new-yorkais de la société Koening, comme l'exigeaient les Alliés, cet homme donna à cette autorisation le nom de code de « Tortugas ». Si quiconque prenait la peine de vérifier, « Tortugas » apparaîtrait comme une opération commandée par Fairfax. Cela ne ferait aucun doute.

« C'est le Nachrichtendienst qui élabora le premier le concept de la négociation. Je suis certain que vous avez entendu parler du Nachrichtendienst, mon colonel...

David ne répondit pas. Il était incapable de prononcer un mot.

– A la Haganah, poursuivit Feld, nous en avons eu vent, à Genève. Nous avons eu connaissance d'une entrevue peu ordinaire entre un Américain du nom de Kendall, analyste financier d'une grande société d'aéronautique, et un homme d'affaires allemand à la réputation plus que douteuse, un homosexuel qu'un administrateur de premier rang du ministère de l'Armement, l'Unterstaatssekretär

Franz Altmüller, avait envoyé en Suisse... La Haganah est partout, mon colonel, y compris dans les services extérieurs du ministère et de la Luftwaffe...

David fixa du regard son interlocuteur, qui poursuivait son incroyable... son extraordinaire récit... d'un ton neutre.

– Vous m'accorderez, j'imagine, qu'une telle rencontre était quelque peu inhabituelle. Il ne fut pas difficile de manœuvrer de manière à enregistrer la conversation de ces deux messagers. Ça s'est passé dans un restaurant isolé, et c'étaient des amateurs.

« Nous avons alors appris quelques points essentiels. Les aspects matériels et la localisation générale. Mais pas l'endroit précis du transfert. Et c'était le facteur le plus important. Buenos Aires est une ville immense, son port s'étend sur des kilomètres. Dans cette vaste région maritime et accidentée, où ce transfert devait-il avoir lieu ?

« C'est alors que, bien entendu, nous avons eu des nouvelles de Fairfax. On avait rappelé l'homme de Lisbonne. Un événement tout à fait exceptionnel. Mais un choix ô combien intelligent ! Le meilleur spécialiste de réseaux en Europe, parlant couramment allemand et espagnol, un expert en plans. On ne peut plus logique. Vous en conviendrez ?

David lui répondit, s'interrompant au bout de quelques mots. Feld avait évoqué des événements qui avaient réveillé sa mémoire... qui l'avaient fait résonner de roulements de tonnerre... Il avait entendu des choses invraisemblables. Il se contenta de hocher la tête. Paralysé.

Feld l'observa avec attention.

– A New York, je vous ai expliqué, brièvement certes, les raisons du sabotage de Terceira. Des fanatiques. Les juifs espagnols, qui ont le sang chaud, n'auraient pas supporté que l'homme de Lisbonne vire de bord et participe à cet échange. Nul n'a été plus soulagé que nous, aile provisoire, que vous vous en soyez sorti. Vous faisiez escale à New York, pensions-nous, pour affiner la logistique de l'opération de Buenos Aires. Nous sommes partis de cette hypothèse.

« Et puis, brusquement, le temps nous a été compté. C'est un rapport en provenance de Johannesburg qui nous a appris, avec un retard impardonnable, que les diamants étaient arrivés à Buenos Aires. Nous avons donc pris les mesures brutales qui s'imposaient. Nous avons même tenté de vous tuer. Ce sont les hommes de Rhinemann qui nous en ont empêché, j'imagine.

Asher Feld s'interrompit un instant.

– Le reste, vous le connaissez, ajouta-t-il d'un ton las.

Non ! Il ne connaissait pas le reste ! Ni rien d'autre !

Démence !

Folie !

Tout n'était rien ! Rien était tout !

Les années ! Les victimes !... Les terribles cauchemars, la peur... La tuerie ! Oh, mon Dieu, cette tuerie !

Pourquoi ?... Oh, mon Dieu, pourquoi ?

– Vous mentez ! s'écria David en écrasant son poing sur la table.

L'acier du pistolet heurta le bois avec tant de force que la vibration emplit l'air environnant.

– Vous mentez ! répéta-t-il d'une voix blanche, sans crier. Je suis à Buenos Aires pour acheter les plans de ce gyroscope ! Pour les faire authentifier ! Pour confirmer par message codé que l'on peut payer cet enfant de salaud sur son compte en Suisse ! C'est tout ! Il n'y a absolument rien d'autre ! Pas tout ça !

– Si..., fit doucement Asher Feld. C'est de cela qu'il s'agit.

David pivota sans raison. Il s'étira le cou. Dans sa tête résonnaient toujours les mêmes roulements de tonnerre. Devant ses yeux fusaient des éclairs, aveuglants, terriblement douloureux. Il vit les corps étendus sur le sol, le sang... les cadavres sur le sofa, le sang.

Spectacle de mort.

La mort.

Le monde ténébreux auquel il appartenait était sorti de son orbite. Des milliers de paris... de souffrances, de manipulations, de morts. Encore la mort... Tout venait se fondre dans un néant sans signification. La trahison – si trahison il y avait – était d'une telle ampleur... Des centaines de milliers de gens avaient été sacrifiés pour rien, absolument rien.

Il devait s'arrêter. Il devait réfléchir. Se concentrer.

Il regarda Eugène Lyons, affreusement décharné, pâle comme un linge.

« Il est en train de mourir », pensa David.

La mort.

Il devait se concentrer.

Mon Dieu ! Il fallait *réfléchir.* Commencer *quelque part. Réfléchir. Se concentrer.*

Ou il allait perdre la raison.

Il se tourna vers Feld, qui lui lança un regard compatissant. Il aurait pu être différent, mais il était ainsi. Compatissant.

Et pourtant c'était le regard d'un homme qui tuait de sang-froid, après mûre réflexion.

Comme lui, l'homme de Lisbonne, avait tué.

Exécution.

Pourquoi ?

Il se posait des questions. *Il réfléchissait à ces questions. Écouter.* Trouver l'erreur. *Trouver l'erreur.* S'il devait y avoir une erreur en ce monde, elle était *là.*

— Je ne vous crois pas, déclara David en essayant, plus qu'il n'avait jamais essayé, d'être convaincant.

— Je crois que si, répondit tranquillement Feld. La fille, Leslie Hawkwood, nous a dit que vous n'étiez pas au courant. Nous avons eu du mal à l'accepter... Maintenant, je le pense.

David avait besoin d'un instant de réflexion. Au début, ce nom ne lui dit rien. *Leslie Hawkwood.* Et puis il se souvint très vite, douloureusement.

— Qu'a-t-elle à voir avec vous ? demanda-t-il d'une voix éteinte.

— Son oncle est Herold Goldsmith. Par alliance, bien sûr. Elle n'est pas juive.

— Goldsmith ? Ce nom... ne me dit rien.

Se concentrer ! Il devait se concentrer et tenir des propos cohérents.

— Des milliers de juifs le connaissent. C'est lui qui a permis les négociations entre Baruch et Lehman. Il a fait plus que n'importe quel Américain pour sortir les nôtres des camps... Il a refusé de s'accocier à notre lutte jusqu'à ce que les hommes civilisés, compatissants, qui siègent à Washington, à Londres et au Vatican lui tournent le dos. Alors, il est venu nous trouver... furieux. Il a provoqué un ouragan. Sa nièce a été balayée dans la tornade. Elle est sans doute un peu trop théâtrale, mais motivée, efficace. Elle évolue dans des milieux auxquels les juifs n'ont pas accès.

— *Pourquoi ?...*

Écoute nom d'un chien, écoute. Sois rationnel. Concentre-toi.

Asher Feld se tut. Un voile de haine profonde lui passa devant les yeux.

— Elle a rencontré des dizaines... des centaines de gens peut-être, que Herold Goldsmith avait fait sortir. Elle a vu les photos, écouté les récits. C'était suffisant. Elle était prête.

David commençait à retrouver son calme. Leslie était le tremplin dont il avait besoin pour sortir de la folie. Ils se posaient des questions...

— C'est Rhinemann qui a acheté les plans, je ne peux quand même pas le nier !

— Allons, allons ! l'interrompit Feld. Vous étiez l'homme de Lisbonne. Combien de fois vos propres agents, vos meilleurs hommes, se sont-ils heurtés à l'invulnérabilité de Peenemünde ? La résistance allemande elle-même n'a-t-elle pas renoncé à y pénétrer ?

— On ne renonce jamais. D'un côté ou de l'autre. La résistance allemande y participe !

Là était l'erreur, songea David.

— Si c'était le cas, dit Feld en désignant d'un mouvement du menton les cadavres des deux Allemands sur le canapé, ces hommes seraient membres de la résistance clandestine. Vous connaissez la Haganah, Lisbonne. Nous ne tuons jamais ces gens-là.

Spaulding dévisagea ce juif qui parlait si calmement et qui, il le comprit, disait la vérité.

– L'autre soir, intervint aussitôt Spaulding, sur l'avenue Parana, j'ai été suivi, tabassé... Mais j'ai vu les papiers. C'étaient des agents de la Gestapo !

– C'étaient des agents de la Haganah, répliqua Feld. La Gestapo, c'est notre meilleure couverture. S'ils avaient appartenu à la Gestapo, ils auraient eu connaissance de votre fonction... Vous auraient-ils laissé la vie ?

Spaulding protesta d'abord. La Gestapo ne prendrait pas le risque de tuer quelqu'un dans un pays neutre. Pas avec des agents portant sur eux la preuve de leur identité. Puis il comprit l'absurdité de sa logique. Buenos Aires n'était pas Lisbonne. Bien sûr, ils l'auraient tué. Puis il se souvint des paroles de Heinrich Stoltz.

Nous avons vérifié au plus haut niveau... Pas la Gestapo... Impossible...

Et puis cette apologie curieusement déplacée : *les théories raciales de Rosenberg et de Hitler ne font pas l'unanimité... Surtout pour des raisons économiques...*

Une défense de l'indéfendable par un homme qui était censé servir nom le IIIe Reich mais *Erich Rhinemann.* Un juif.

Enfin Bobby Ballard :

... Il croit en ce qu'il fait... Un véritable junker...

– Oh, mon Dieu ! murmura David dans un souffle.

– Vous avez l'avantage, mon colonel. Quel choix allez-vous faire ? Nous sommes prêts à mourir. Je ne dis pas ça pour briguer l'honneur d'être héroïque. C'est un simple fait.

Spaulding resta immobile.

– Avez-vous pensé aux conséquences... ? demanda doucement David.

– Nous y pensons depuis ce jour où, à Genève, votre Walter Kendall a rencontré Johann Dietrich.

Ce fut comme une gifle pour David.

– Johann... Dietrich.

– L'héritier des Dietrich Fabriken, celui qu'on pouvait se permettre de sacrifier.

– J.D., murmura Spaulding qui se rappela les papiers froissés qu'il avait trouvés dans le bureau new-yorkais de Walter Kendall.

Les seins, les testicules, les svastikas... les griffonnages obscènes d'un obsédé, d'un psychopathe. Johann Dietrich... J.D.

– Altmüller l'a fait éliminer. D'une manière excluant toute...

– Pourquoi ? demanda David.

– Pour qu'on ne puisse plus établir de lien avec le ministère de l'Armement, c'est du moins ce que nous pensons. Aucun rapport avec le haut commandement. Dietricht a initié les négociations et les a menées jusqu'à ce qu'elles puissent se poursuivre à Buenos Aires. Jusqu'à Rhinemann. Après la mort de Dietricht, la responsabilité du haut commandement est devenue plus floue.

Les réflexions se bousculaient dans l'esprit de David : Kendall, pris de panique, avait fui Buenos Aires. Les choses avaient mal tourné. Le comptable ne voulait pas se laisser piéger, se faire tuer. Et lui, David, allait tuer Erich Rhinemann. Après l'acquisition des plans, la mort de Rhinemann devait elle aussi « rendre plus flou » le rôle de Washington.

Pourtant, il y avait Edmund Pace.

Edmund Pace.

Jamais.

– Un homme a été tué, dit David. Un certain colonel Pace...

– A Fairfax, enchaîna Asher Feld. Une mort nécessaire. On l'a utilisé comme on vous utilise. Nous sommes des pragmatiques... Sans se préoccuper des conséquences – ou en refusant de les admettre –, le colonel Pace a monté l'opération « Tortugas ».

– Vous auriez pu le prévenir. Pas le tuer ! Vous auriez pu tout arrêter ! Espèces de salauds !

Asher Feld soupira.

– Je crains que vous ne compreniez pas dans quel état hystérique sont les industriels. Ou les hommes du Reich. Il aurait été éliminé... En le supprimant nous-mêmes, nous avons neutralisé Fairfax. Et sa gigantesque infrastructure.

Il était inutile d'insister sur la nécessité de la mort de Pace, pensa David. Feld, le pragmatique, avait raison : Fairfax avait été écarté de « Tortugas ».

– Alors, Fairfax n'est pas au courant.

– Notre agent, si. Mais pas suffisamment.

– Qui est-ce ? Qui est votre agent à Fairfax ?

Feld fit un signe à son compagnon silencieux.

– Il ne le sait pas et je ne vous dirai rien. Vous pouvez me tuer, je ne vous dirai rien.

Le juif aux yeux sombres disait la vérité. Spaulding en était certain.

– Si l'on a utilisé Pace... et moi, qui nous utilise ?

– Je ne peux pas vous répondre.

– Vous êtes bien placé pour le savoir. Vous devez bien avoir... une idée. Dites-moi.

– Celui qui vous donne des ordres, j'imagine.

– Un homme...

– Nous savons. Il n'est pas très bien, n'est-ce pas ? Il y en a d'autres.

– Qui ? Où cela s'arrête-t-il ? L'État ? Le ministère de la Guerre ? La Maison-Blanche ? Où, bon sang ?

– Ces territoires-là n'ont aucune signification dans de telles transactions. Ils disparaissent.

– Pas les hommes ! Les hommes ne disparaissent pas dans la nature !

– Regardez ceux qui ont traité avec Koening. En Afrique du Sud. Les hommes de Kendall. Ce sont eux qui ont monté l'opération « Tortugas », déclara Asher Feld d'une voix de plus en plus forte. C'est votre affaire, colonel Spaulding. Ce que nous voulons, c'est tout arrêter. Et nous serons heureux de mourir pour ça.

David regarda cet homme au visage mince et triste.

– C'est si important pour vous ? Avec ce que vous savez, ce que vous croyez ? L'un ou l'autre camp valent-ils la peine que vous vous donniez tant de mal ?

– Il y a des priorités dans l'existence. Même mineures. Si Peenemünde est sauvé... rattrape son retard... le Reich aura un pouvoir de négociation que nous jugeons inacceptable. Regardez Dachau, regardez Auschwitz, Belsen. Inacceptable.

David fit le tour de la table et se planta devant les deux juifs. Il remit son Beretta dans son étui et regarda Asher Feld.

– Si vous m'avez menti, je vous tuerai. Ensuite, je retournerai à Lisbonne, dans les régions du Nord, et je nettoierai les collines de tous les fanatiques de la Haganah. Ceux-là, je ne les tuerai pas, je les démasquerai... Mettez vos manteaux et sortez d'ici. Prenez une chambre à l'Alvear sous le nom de ... Pace. E. Pace. Je vous contacterai.

– Nos armes ? demanda Feld en enfilant son pardessus gris pâle.

– Je les garde. Je suis certain que vous pouvez vous en payer d'autres... Et ne nous attendez pas à l'extérieur. Un véhicule des marines patrouille dans le secteur.

– Et « Tortugas » ? fit Asher Feld d'une voix suppliante.

– Je vous ai dit que je prendrai contact avec vous ! cria Spaulding. Maintenant, sortez d'ici !... Allez chercher Mme Hawkwood. Elle est au coin de la rue, dans la Renault. Voici les clefs.

David plongea les mains dans sa poche et les lança au compagnon d'Asher Feld, qui les attrapa au vol.

– Renvoyez-la en Californie. Ce soir, si possible. Pas plus tard que demain matin. C'est clair ?

– Oui... Vous nous contacterez ?

– Sortez d'ici, dit Spaulding, épuisé.

Les deux agents de la Haganah se levèrent de leur fauteuil. Le plus jeune se dirigea vers le troisième homme, toujours inconscient, le souleva et le hissa sur ses épaules. Dans le vestibule, Asher Feld se retourna. Son regard se posa un bref instant sur les cadavres avant de se diriger vers Spaulding.

– Vous et moi. Nous devons nous charger des priorités... L'homme de Lisbonne est un homme extraordinaire.

Il s'avança vers la porte qu'il maintint ouverte pour laisser passer son compagnon et son fardeau. Puis il sortit et referma derrière lui.

David se tourna vers Lyons.

– Allez chercher les plans.

37.

Quand avait commencé l'attaque du 15, Terraza Verde, Eugène Lyons s'était remarquablement comporté. C'était si simple que cela semblait une histoire d'enfant, pensa Spaulding. Il avait pris la mallette de métal qui contenait les plans, ouvert la fenêtre de sa chambre et l'avait laissée tomber, deux mètres plus bas, dans la rangée de lis tigrés qui longeait le mur latéral de la maison. Après avoir refermé la fenêtre, il avait couru dans la salle de bains et verrouillé la porte.

Tout bien considéré – le choc, la panique, ses propres handicaps –, il avait réagi de la manière la plus inattendue : il avait gardé la tête froide. Il avait fait disparaître la mallette sans essayer de la cacher, l'avait envoyée dans un endroit *accessible,* ce que ne pouvaient prévoir des fanatiques habitués aux tactiques complexes et aux traquenards élaborés.

David suivit Lyons. Ils sortirent par la porte de la cuisine et contournèrent la maison. Il prit la mallette des mains tremblantes du physicien et l'aida à franchir la petite clôture qui les séparait de la propriété mitoyenne. Ensemble, ils passèrent en courant devant les deux maisons voisines et se dirigèrent avec prudence vers la rue. Spaulding, la main tendue, fermement posée sur l'épaule de Lyons, le maintint contre le mur, prêt à le jeter à terre à la moindre alerte... à la moindre reprise des hostilités.

David ne s'attendait pourtant à aucune action. Il était convaincu que la Haganah avait éliminé tous les gardes de Rhinemann postés devant la maison, pour l'excellente raison qu'Asher Feld était sorti par la porte d'entrée. Ce dernier ferait peut-être une dernière tentative pour mettre la main sur les plans. Ou bien verrait-on apparaître un véhicule de Rhinemann, garé tout près, et dont les occupants ne recevaient plus le moindre signal radio du 15, Terraza Verde.

Ces deux éventualités étaient vraisemblables. Aucune ne lui sembla pourtant réaliste.

C'était trop tôt et trop tard à la fois.

Toutefois, il espérait tomber sur une berline bleu-vert sillonnant les rues au ralenti. Une voiture avec deux petits insignes orange sur les pare-chocs, indiquant que le véhicule était propriété des États-Unis. Les « surveillants » de Ballard. Les hommes de la base des marines de la Flotte.

Elle ne roulait pas. Elle était garée à l'extrémité de la rue, lanternes allumées. A l'intérieur, trois hommes fumaient des cigarettes dont la lueur éclairait le véhicule. Il se tourna vers Lyons.

– Allons-y. Marchez lentement, normalement. La voiture est là-bas.

Le chauffeur et son voisin sortirent de l'automobile au moment où Spaulding et Lyons arrivaient au bord du trottoir. Habillés en civil, ils se tinrent près du capot, l'air gauche. David traversa la rue.

– Montez dans cette sacrée bagnole et emmenez-nous loin d'ici ! Pendant que vous y êtes, pourquoi n'avez-vous pas peint des cibles sur la carrosserie ? Vous faites un objectif idéal en ce moment !

– Du calme, mon vieux ! rétorqua le chauffeur. On vient d'arriver.

Il ouvrit la portière arrière et Spaulding aida Lyons à monter.

– Vous étiez censés patrouiller, pas faire du surplace comme des chiens de garde !

David s'installa à côté de Lyons. L'homme qui se trouvait près de la fenêtre opposée leur fit de la place. Le chauffeur se glissa derrière le volant, ferma sa portière et démarra. Le troisième homme resta dehors.

– Faites-le monter ! aboya Spaulding.

– Il restera là où il est, mon colonel, dit l'homme à l'arrière, celui qui était assis à côté de Lyons. Il restera ici.

– Qui diable êtes-vous ?

– Colonel Daniel Meehan, forces navales, services de renseignements de la marine. Et nous voulons savoir ce qui a bien pu se passer.

La voiture démarra.

– Vous n'avez aucun contrôle à exercer sur cette opération, dit David lentement, posément. Et je n'ai pas le temps de ménager les susceptibilités. Conduisez-nous à l'ambassade, s'il vous plaît.

– Allez vous faire foutre avec vos susceptibilités ! Nous désirons simplement obtenir une petite clarification ! Vous savez ce qui se passe dans notre secteur, bon Dieu ? Ce petit détour par Telmo n'est pour nous qu'un dérangement sans importance ! Je ne serais pas là si ce petit malin de crypto n'avait mentionné votre putain de nom... Bon sang !

Spaulding se pencha en avant en fixant Meehan du regard.

– Vous feriez mieux de me dire ce qui se passe dans votre secteur. Et pourquoi mon nom vous a fait venir jusqu'à San Telmo.

Le marine soutint son regard et jeta un coup d'œil visiblement dégoûté au teint de cendre de Lyons.

– Et alors ? Votre ami est au courant ?

– Oui, maintenant. Personne ne l'est plus que lui. Nous avons trois croiseurs qui patrouillent au large de Buenos Aires, un destroyer et un transport de troupes quelque part par là... Il y a cinq heures, nous avons eu une alerte bleue : préparez le black-out radio et radar, en mer et dans les airs, restez sur vos positions. Quarante-cinq minutes plus tard, nous avons reçu un message brouillé de Fairfax, source quatre-zéro. Interceptez le colonel David Spaulding, également quatre-zéro. Il faut qu'il prenne contact avec nous illico.

– Avec Fairfax ?

– Uniquement avec Fairfax... Nous avons donc envoyé quelqu'un chez vous, avenue Córdoba. Il ne vous a pas trouvé, mais il est tombé sur un sacré fils de pute qui était en train de mettre votre appartement sens dessus dessous. Il a essayé de l'avoir et s'est fait assommer... Il nous est revenu quelques heures plus tard, la tête en compote, et devinez qui nous a appelés ? Sur la ligne directe !

– Ballard, répondit David calmement. Le crypto de l'ambassade.

– Le petit con ! Il n'arrête pas de plaisanter. Il nous a dit d'aller jouer à Telmo ! D'attendre que vous vous pointiez.

Le colonel des marines hocha la tête d'un air dégoûté.

– Vous m'avez dit que l'alerte bleue impliquait le silence radar... et radio.

– Tous les navires et les avions sont immobilisés, l'interrompit Meehan. Qu'est-ce qui peut bien nous arriver ? L'état-major au grand complet, bon sang ? Roosevelt ? Rintintin ? Et qui sommes-nous ? L'ennemi ?

– Il ne s'agit pas de ce qui nous arrive, mon colonel, dit doucement David, mais de ce qui part... A quel moment le plan entre-t-il en vigueur ?

– C'est très vague. N'importe quand durant les prochaines quarante-huit heures. C'est pas mal comme horaire strict, hein ?

– Qui est mon contact en Virginie ?

– Oh... Voilà.

Meehan se déplaça sur son siège et saisit une enveloppe jaune cachetée, la marque des messages brouillés. David tendit la main.

On entendit le crépitement des parasites d'une radio à l'avant, suivi d'un mot unique qui sortit du haut-parleur : Redbird ! Le chauffeur décrocha aussitôt le micro du tableau de bord.

– Ici Redbird, répondit le marine.

Il y avait toujours des parasites, mais on comprenait clairement le message.

« Interception de Spaulding. Cueillez-le et ramenez-le. Ordre de quatre-zéro à Fairfax. Aucun contact avec l'ambassade. »

– Vous l'avez entendu, fit Meehan en riant. Pas d'ambassade, ce soir, mon colonel.

David était abasourdi. Il commença par protester avec colère, avec fureur même, puis il cessa toute récrimination... Fairfax. Pas les nazis, mais la Haganah. Asher Feld l'avait prévenu. L'aile provisoire avait l'esprit concret. Et quoi de plus concret, dans les quarante-huit heures à venir, que de neutraliser l'homme qui détenait les codes. Washington n'ordonnerait pas le black-out radio et radar sans eux. Et si un sous-marin ennemi faisait surface pour aller à la rencontre d'un chalutier, il apparaîtrait sur les écrans de contrôle et serait torpillé. Les diamants Koening – le matériau de Peenemünde – allaient sombrer au fond de l'Atlantique Sud.

Mon Dieu ! Quelle ironie ! songea David. Fairfax – quelqu'un à Fairfax – était précisément en train de faire ce qu'il *fallait* faire, motivé par des considérations que Washington et les sociétés d'aéronautique refusaient de prendre en compte ! Ils avaient d'autres préoccupations : les trois quarts d'entre elles gisaient au pied de Spaulding. Les plans d'un gyroscope de haute altitude.

David appuya son bras contre l'épaule de Lyons. Le chercheur aux traits émaciés regardait toujours droit devant lui, mais il répondit au geste de Spaulding par un léger mouvement du coude gauche.

David hocha la tête et soupira ostensiblement. Il tendit l'enveloppe à bout de bras et haussa les épaules avant de la glisser dans la poche de sa veste.

Sa main réapparut avec un pistolet.

– Je regrette mais je ne puis obéir à ces ordres, colonel Meehan.

Spaulding pointa l'automatique sur la tête du marine. Lyons se cala dans son siège.

– Qu'est-ce que vous faites, bon sang ?

Meehan se jeta en avant. David débloqua le percuteur.

– Dites à votre chauffeur de nous conduire où je vous l'ai demandé. Je ne tiens pas à vous tuer, mon colonel, mais je m'y résoudrai. C'est une question de priorités.

– Vous êtes un agent double ! C'est ce que Fairfax avait découvert !

David soupira.

– J'aimerais que ce soit aussi simple.

D'une main tremblante, Lyons serra les nœuds autour des poignets de Meehan. Le chauffeur gisait un kilomètre plus bas, dans le chemin de terre, bien étendu à la limite des hautes herbes. La nuit, l'endroit était peu passant. Ils avaient atteint les Colinas Rojas.

Lyons recula et fit signe à Spaulding.

– Montez dans la voiture.

Lyons hocha de nouveau la tête et se dirigea vers l'automobile. Meehan roula sur le sol et leva les yeux vers David.

– Vous êtes un homme mort, Spaulding. C'est le peloton d'exécution qui vous attend. Vous êtes également stupide. Vos amis nazis vont perdre cette guerre !

– Ça vaudrait mieux, répliqua David. Quant aux exécutions, il y en aura peut-être quelques-unes. A Washington même. C'est de cela qu'il s'agit, mon colonel... On vous trouvera demain. Si vous le désirez, vous pouvez ramper vers l'ouest. Votre chauffeur est à un peu plus d'un kilomètre sur cette route... Je suis navré.

Spaulding haussa les épaules comme pour s'excuser, l'air à moitié convaincu, avant de se précipiter vers le véhicule de la base. Lyons était assis à l'avant et, quand la lampe au-dessus de la porte éclaira son visage, David observa ses yeux. Était-il possible qu'il y eût dans ce regard une trace de gratitude ? Ou d'approbation ? Ce n'était pas le moment de se lancer dans ce genre de spéculation. David se contenta de lui sourire doucement.

– Vous avez subi une épreuve terrible, j'en suis conscient..., dit-il avec calme, mais je ne vois pas ce que je pouvais faire d'autre. Je n'en sais rien. Si vous le souhaitez, je vous ramène à l'ambassade. Vous y serez en sécurité.

David démarra et gravit la pente, l'un des nombreux raidillons des Colinas Rojas. Il avait l'intention de revenir sur une route parallèle et de rejoindre la grand-route dans une dizaine ou une quinzaine de minutes. Il déposerait Lyons dans un taxi de banlieue et demanderait au chauffeur de conduire le physicien à l'ambassade américaine. Ce n'était pas exactement ce qu'il aurait aimé faire. Mais comment procéder autrement ?

Alors, il perçut quelques mots. Chuchotés, assourdis, à peine audibles mais compréhensibles ! Du plus profond d'une gorge martyrisée.

– Je... reste avec... vous. Ensemble...

Spaulding se cramponna au volant de peur de perdre le contrôle du véhicule. Ses mains l'avaient presque lâché sous le choc de ce douloureux discours et, pour Eugène Lyons, c'était bien un discours. Il se tourna vers le chercheur. Dans l'ombre éclairée par intermittence, il vit que Lyons le regardait aussi. Il avait les lèvres serrées, les yeux fixes. Lyons savait exactement ce qu'il faisait. Ce qu'ils faisaient tous deux. Ce qu'ils devaient faire.

– D'accord, dit David en essayant de rester calme et concis. Je vous ai compris. Et Dieu sait que j'ai besoin d'aide. Nous en avons tous les deux besoin. Ce qui me frappe, c'est que nous avons deux ennemis puissants : Berlin et Washington.

– Je ne veux plus être interrompu, Stoltz ! hurla David dans le combiné de la petite cabine téléphonique qui se trouvait près d'Ocho Calle. Lyons était à présent au volant du véhicule des marines, une dizaine de mètres plus loin. Le moteur tournait. Le savant n'avait pas conduit depuis douze ans, mais, à demi-mots et par gestes, il avait convaincu Spaulding qu'il en serait capable en cas d'urgence.

– Vous ne pouvez pas agir ainsi ! s'entendit-il répondre.

Une réponse faite sous l'emprise de la panique.

– Je suis Pavlov, vous le chien ! Alors, fermez-la et écoutez-moi ! C'est la pagaille à Terraza Verde, si vous ne l'avez pas encore appris. Vos hommes sont morts, les miens aussi. Maintenant c'est moi qui ai les plans et Lyons... Votre Gestapo prétendument inexistante est en train de procéder à un certain nombre d'exécutions !

– Impossible ! cria Stoltz.

– Allez dire ça aux cadavres, espèce de fils de pute incompétent ! Pendant que vous remettrez de l'ordre !... Je veux le reste de ces plans, Stoltz. Attendez que je vous rappelle !

David raccrocha brutalement le combiné et jaillit hors de la cabine. Il se rua vers la voiture. Il était temps de se servir de la radio. Ensuite l'enveloppe de Fairfax. Puis Ballard à l'ambassade. Une chose à la fois.

Spaulding ouvrit la portière et se glissa sur le siège à côté de Lyons. Le physicien désigna le tableau de bord.

– Encore...

Un mot, un seul, pénible.

– Bien, dit Spaulding. Ils s'impatientent. Ils vont ouvrir grandes leurs oreilles.

David appuya sur le bouton et décrocha le micro de la fixation. Avec les doigts, il exerça une pression telle sur le minuscule haut-parleur que la grille fut enfoncée. Il couvrit l'instrument d'une main, l'approcha de sa veste et lui imprima un mouvement circulaire pour perturber l'audition.

– Redbird à la base... Redbird à la base.

On entendit d'abord les parasites, puis une voix furibonde.

– Bon sang, Redbird ! Nous essayons de vous contacter depuis près de deux heures ! Ce Ballard n'arrête pas de nous appeler ! Où diable êtes-vous ?

– Redbird... Vous n'avez pas reçu notre dernière transmission ?

– Transmission ? Merde ! J'ai déjà du mal à capter celle-ci. Ne raccrochez pas. Je vais aller chercher l'officier responsable.

– Laissez tomber ! Pas la peine. Je vous entends de moins en moins bien. Nous sommes aux trousses de Spaulding. Nous le suivons. Il est dans un véhicule... à trente, trente-cinq kilomètres au nord...

David interrompit brusquement la communication.

– Redbird ! Redbird !... Bon sang, cette fréquence est à chier ! Trente-cinq kilomètres au nord de quoi ?... Je ne comprends pas, Redbird ! Redbird, répondez !

– ... Ici... bird, dit David dans le micro. Cette radio a besoin d'être révisée, mon vieux. Je répète. Pas de problèmes. Nous rentrerons à la base dans à peu près...

Spaulding reposa le micro et appuya de nouveau sur le bouton pour couper le contact.

Il sortit de la voiture et retourna vers la cabine téléphonique.

Une chose à la fois. Pas de confusion, pas de précipitation. Chaque action devait être bien définie, accomplie avec précision.

C'était au tour du message chiffré de Fairfax. Le code qui lui apprendrait le nom de celui qui le faisait intercepter. La source quatre-zéro, dont le rang et les fonctions permettaient que l'on envoie de tels ordres du Centre des transmissions des services secrets.

L'agent qui se promenait en toute impunité dans les couloirs les plus secrets et qui avait tué un homme appelé Ed Pace, le soir du nouvel an.

L'infiltré de la Haganah.

Il avait eu la tentation de déchirer cette enveloppe jaune quand, à San Telmo, l'officier des marines la lui avait tendue, mais il avait résisté à cette formidable tentation. Il savait qu'il serait surpris, qu'il le connût ou non. Et il vengerait la mort de son ami, et cette vengeance porterait un nom.

Ces pensées entravaient le cours de son action. Rien ne devait ralentir son rapide et prudent voyage vers Ocho Calle. Rien ne devait interférer avec la préparation de son entrevue avec Heinrich Stoltz.

Il sortit l'enveloppe jaune et glissa un doigt sous le rabat.

Au début, ce nom ne lui dit rien.

Lieutenant-colonel Ira Barden.

Rien.

Puis il se souvint.

Le nouvel an !

Mon Dieu, oui, il se souvenait ! Le commandant en second de Fairfax, qui parlait durement et ne faisait pas de cadeaux. Le « meilleur ami » d'Ed Pace avait pleuré la mort de son « meilleur ami » avec une colère toute militaire. Il avait secrètement pris des dispositions pour que David fût envoyé à la base de Virginie et participât à l'enquête, et utilisé ce tragique assassinat pour pénétrer dans les chambres fortes où son « meilleur ami » gardait ses dossiers... Pour n'y rien trouver.

L'homme qui avait affirmé qu'un cryptographe de Lisbonne nommé Marshall avait été tué au Pays Basque, qui lui avait dit qu'il se renseignerait sur Franz Altmüller.

Et qui, bien entendu, ne l'avait jamais fait.

L'homme qui essayait de convaincre David de violer les règles de confidentialité, dans l'intérêt de tous, et de donner des explications sur la mission que lui avait confiée le ministère de la Guerre.

Ce que David avait failli faire. Et regrettait à présent de n'avoir pas fait.

Mon Dieu ! Pourquoi Barden ne lui avait-il pas fait confiance ? Sans doute ne le pouvait-il pas. Une telle attitude aurait éveillé des soupçons sur le meurtre de Pace, ce qui n'était guère souhaitable.

Ira Barden n'était pas un imbécile. Un fanatique, peut-être, mais pas un idiot. Il savait que l'homme de Lisbonne le tuerait si on jetait le coupable à ses pieds.

Retenez la leçon de Fairfax...

« Insensé, pensa David. Nous luttons les uns contre les autres, nous nous entre-tuons... Nous ne savons plus où est l'ennemi. »

Pour quelle raison ?

Il avait maintenant une autre raison d'appeler Ballard. Un nom ne lui suffisait pas : il avait besoin de plus que cela. Il allait affronter Asher Feld.

Il décrocha le combiné, inséra une pièce et composa le numéro.

Ce fut Ballard qui répondit. Cette fois, il n'était, semblait-il, pas d'humeur à plaisanter.

— Écoutez, David.

Ballard ne l'avait jamais appelé par son nom auparavant. Il s'efforçait visiblement de maîtriser sa colère.

— Je n'ai pas la prétention de comprendre vos combinaisons

mais, si vous avez l'intention d'utiliser mon matériel, j'aimerais être prévenu !

– Il y a eu des morts. Je n'en fais pas partie. J'ai eu de la chance, mais les circonstances m'ont empêché de vous contacter. Ma réponse vous satisfait-elle ?

Ballard garda le silence pendant quelques secondes. Ce silence n'était pas une simple réaction devant l'événement, pensa David. Bobby n'était pas seul. Quand le crypto répondit, il n'y avait plus trace de colère dans sa voix. Il semblait hésitant, effrayé.

– Ça va ?

– Oui. Lyons est avec moi.

– Les gars de la base sont arrivés trop tard..., fit Ballard, qui parut regretter aussitôt les mots qu'il venait de prononcer. Je n'arrête pas de les appeler. Ils m'évitent. Je crois que leur véhicule s'est perdu.

– Pas vraiment. C'est moi qui l'ai...

– Oh, mon Dieu !

– Ils ont laissé quelqu'un à San Telmo... en observateur. Il y en avait deux autres. Ils ne sont pas blessés. Ils sont disqualifiés.

– Mais qu'est-ce que cela signifie, bon sang ?

– Je n'ai pas le temps de vous expliquer... Il leur a été ordonné de m'intercepter. C'est Fairfax. L'ambassade n'est pas censée le savoir. C'est un coup monté. Je n'ai pas le droit de me faire prendre. Du moins pendant un certain temps...

– Eh, nous ne voulons pas nous frotter à Fairfax, déclara Ballard avec détermination.

– Vous le pouvez, cette fois-ci. J'ai prévenu Joan qu'il y avait une brèche dans la sécurité de Fairfax. Je n'en suis pas responsable, croyez-moi... mais il me faut du temps. Peut-être même quarante-huit heures. Il est indispensable que je trouve la réponse à certaines questions. Lyons peut m'aider. Pour l'amour du ciel, faites-moi confiance !

– Je vous fais confiance, mais je ne suis pas grand-chose ici... Attendez une minute. Joan est avec moi...

– C'est bien ce que je pensais, l'interrompit Spaulding.

David avait l'intention de demander de l'aide à Ballard. Il comprit soudain que Joan lui serait beaucoup plus utile.

– Dites-lui deux mots avant qu'elle ne m'écorche vif.

– Avant de vous en aller, Bobby... pouvez-vous effectuer un contrôle d'urgence à Washington ? A Fairfax, pour être exact ?

– Il me faut un motif. Le sujet – un membre des services secrets, surtout de Fairfax – risque de l'apprendre.

– Je m'en fiche. Dites que je l'ai exigé. Mon unité a pour code quatre-zéro. Le G-2 a ça dans ses dossiers. J'en prends la responsabilité.

– Qui est-ce ?

– Un lieutenant-colonel du nom d'Ira Barden. Compris ?

– Oui. Ira Barden. Fairfax.

– C'est ça. Maintenant passez-moi...

Une avalanche de mots qui s'entrechoquaient lui parvint de l'autre bout de la ligne, un mélange de rage et d'amour, de désespoir et de soulagement.

– Joan, dit-il quand elle lui eut posé la demi-douzaine de questions auxquelles il ne pouvait pas répondre, l'autre soir tu m'as fait une proposition que je n'ai pas prise au sérieux. A présent, je la prends très au sérieux. Ton fameux David mythique a besoin d'un endroit où se cacher. Pas dans la pampa, mais dans n'importe quel lieu moins éloigné... Peux-tu m'aider ? Nous aider ? Pour l'amour du ciel !

38.

Il appellerait Joan plus tard, avant la tombée du jour. Lyons et lui devaient se déplacer dans l'ombre, où qu'ils aillent. Quel que soit le refuge que leur trouverait Joan.

Il n'enverrait aucun message codé à Washington, on ne délivrerait aucune autorisation pour cet échange scandaleux. Il n'y aurait pas non plus de black-out radio ou radar qui immobiliserait la Flotte. David le comprit. C'était le moyen le plus sûr, le plus simple de faire avorter l'opération « Tortugas ».

Mais cela ne suffisait pas.

Il y avait des hommes derrière « Tortugas ». Il fallait les arracher aux sombres recoins de leur abjection et les exposer en pleine lumière. Si la vie avait encore un sens, si toutes ces années de souffrance, de peur et de mort avaient encore un sens, il fallait que le monde les contemple dans toute leur obscénité.

Le monde méritait cela. Des centaines de milliers d'êtres humains le méritaient, qui, des deux côtés, porteraient durant toute leur existence les cicatrices de cette guerre.

Il fallait qu'ils sachent pourquoi ils avaient vécu cela.

David accepta son rôle. Il affronterait les hommes de « Tortugas ». Mais il ne pourrait pas leur faire face sans obtenir le témoignage d'un juif fanatique. Or les paroles d'Asher Feld, le chef de l'aile provisoire de la Haganah, ne constituaient nullement un témoignage. Les fanatiques étaient des fous. Le monde en avait assez de ces deux catégories qui n'en faisaient qu'une. On les renverrait. Ou bien on les éliminerait. Les deux peut-être.

David savait qu'il n'avait pas le choix.

Face aux hommes de « Tortugas », il ne parlerait pas le langage d'Asher Feld. Ou alors d'une manière ambiguë, manipulatrice, qui pourrait donner lieu à des centaines d'interprétations.

Mensonges. Affaires étouffées. Déplacements.

Il les affronterait avec ce qu'il avait vu. Avec ce qu'il savait, car il en avait été témoin. Il leur présenterait des preuves irréfutables. Puis il les détruirait.

Pour ce faire, il lui fallait monter à bord du chalutier d'Ocho Calle. Le chalutier qui serait coulé s'il tentait de quitter le port pour aller à la rencontre du sous-marin allemand.

Il était inévitable qu'il essaie de sortir. Le fanatisme l'exigeait. Il n'y aurait plus alors aucune preuve de ce qu'il aurait vu. De ce que l'on avait juré d'accomplir.

Il devait monter à bord de ce chalutier.

Il donna ses dernières instructions à Lyons et se glissa dans les eaux chaudes, huileuses, du Rio de la Plata. Lyons resterait dans la voiture – la conduirait si cela se révélait nécessaire. Si David ne revenait pas, il attendrait quatre-vingt-dix minutes avant de se rendre à la base des marines, où il annoncerait au commandant que David était retenu prisonnier à bord du chalutier. Un agent américain avait été fait prisonnier.

Cette stratégie suivait une logique. Les marines de la Flotte avaient reçu l'ordre de ramener David de toute urgence. L'ordre de Fairfax. Il serait trois heures et demie du matin. Avec Fairfax, il fallait agir avec rapidité et hardiesse. Surtout à trois heures et demie du matin dans un port neutre.

David s'efforçait toujours d'assurer ses arrières quand il y avait de grands risques d'infiltration. Tels étaient les termes de l'échange, sa vie contre une perte de moindre importance. La leçon des régions du Nord.

Il ne voulait pas que les choses se passent ainsi. Il y avait trop de moyens de le neutraliser, trop de gens pris de panique à Washington et à Berlin pour qu'on le laisse en vie. Au mieux, il accepterait un compromis. Au pire... l'échec total de « Tortugas » ne suffirait pas, il les mettrait tous en accusation.

Son pistolet était plaqué contre son crâne, attaché par une bande de tissu arrachée à sa chemise. Il tenait le morceau d'étoffe entre ses dents. Il avança à la brasse vers la coque du bateau, en gardant la tête hors de l'eau et le mécanisme du percuteur aussi sec que possible. Au prix de gorgées d'eau salée, polluée par l'essence, rendue plus écœurante encore par le contact d'un congre attiré par le déplacement de cette masse de chair blanche avant d'être repoussé.

Il atteignit la coque. Des vaguelettes venaient doucement lécher le matériau dur et sombre. Il se glissa jusqu'à la poupe du navire en ouvrant grands les yeux et les oreilles, à l'affût du moindre signe de vie.

Rien que le clapotement incessant de l'eau.

Il y avait de la lumière sur le pont, mais ni mouvement, ni ombres, ni voix. Rien que la lumière pâle, sans relief, des ampoules nues accrochées à des fils noirs, qui se balançaient lentement au rythme mou de la coque. A bâbord – du côté des docks –, deux lignes formaient une boucle au-dessus de l'arrière et de la partie médiane du bateau. On avait disposé des ratières tous les trois mètres environ. Les épaisses cordes de chanvre étaient noires de graisse et de cambouis. En approchant, David aperçut un garde assis sur une chaise près des immenses portes de chargement, qui étaient fermées. La chaise était inclinée contre la paroi de l'entrepôt. Deux lampes-tempête étaient accrochées de chaque côté du large chambranle. Spaulding recula pour avoir une meilleure vue d'ensemble. Le garde portait la tenue paramilitaire de Habichtsnest. Il était plongé dans un livre. Ce qui lui sembla étrange.

Soudain, il entendit des pas dans la partie ouest du dock, des pas lents, réguliers. On ne faisait rien pour en étouffer le bruit.

Le garde leva le nez de son livre. Entre les pieux, David distingua une deuxième silhouette. C'était un autre garde, qui avait aussi revêtu l'uniforme de Rhinemann. Il tenait à la main une mallette de cuir, l'étui de radio que portaient les hommes – les morts – du 15, Terraza Verde.

Sur la chaise, le garde sourit et s'adressa à la sentinelle qui se tenait debout. Il parlait allemand.

– On change de poste, si tu veux, dit l'homme à la chaise. Repose-toi un peu.

– Non, merci, répondit l'homme à la radio. Je préfère marcher. Le temps passe plus vite.

– Des nouvelles de Lujan ?

– Pas de changement. Toujours beaucoup d'agitation. J'ai entendu quelques hurlements par-ci par-là. Tout le monde donne des ordres.

– Je me demande ce qui s'est passé à San Telmo.

– Tout ce que je sais, c'est qu'il y a eu du grabuge. Ils nous ont barré la route. Ils ont envoyé des hommes au pied d'Ocho Calle.

– Tu as entendu tout ça ?

– Non. J'ai eu une conversation avec Geraldo. Luis et lui sont là. Devant l'entrepôt. Dans la rue. J'espère qu'il ne vont pas réveiller les putains.

L'homme à la radio éclata de rire.

– Même Geraldo peut faire mieux que ces nullards.

– Ne parie pas trop gros, répliqua le garde assis sur sa chaise.

Celui qui était debout rit de nouveau et se dirigea vers l'est, reprenant sa patrouille solitaire autour du bâtiment. L'homme à la chaise se replongea dans son bouquin.

David retourna à la nage vers la coque du chalutier.

Il avait les bras fatigués. L'odeur putride de l'eau du port lui agressait les narines. Et puis il avait un autre sujet de préoccupation : Eugène Lyons.

Lyons se trouvait à quatre cents mètres, à l'autre extrémité du bassin, à quatre rues du pied d'Ocho Calle. Si les hommes de Rhinemann patrouillaient dans le coin, ils tomberaient sur le véhicule de la base et sur Lyons. C'était une hypothèse qu'il n'avait pas considérée. Il aurait dû y songer.

Il était inutile de gamberger à présent.

Il atteignit le flanc tribord du bateau et s'accrocha à un bordé au niveau de la ligne de flottaison, pour permettre aux muscles douloureux de ses bras et de ses épaules de se reposer. Le chalutier était un bateau de taille moyenne, pas plus de vingt ou vingt-cinq mètres de long, sur neuf mètres de large environ. D'après ce que David pouvait apercevoir dans l'obscurité, les cabines qui se trouvaient au centre et à l'arrière, sous la timonerie, devaient avoir respectivement quatre mètres cinquante et six mètres de long et disposaient d'une entrée de chaque côté et de deux hublots, l'un sur bâbord, l'autre sur tribord. Si les diamants Koening *étaient* à bord, ils devaient logiquement se trouver dans la cabine située à l'arrière du navire, la plus éloignée des activités de l'équipage. A l'arrière, du reste, les cabines étaient plus spacieuses et au calme. Si Asher Feld avait dit vrai, si deux ou trois chercheurs de Pennemünde examinaient la production de Koening au microscope, ils étaient certainement soumis à un horaire strict, ce qui impliquait un certain isolement.

David commençait à reprendre haleine. Il saurait bientôt où se trouvaient ces diamants, si diamants il y avait. Dans quelques instants.

Il dénoua le turban qu'il avait autour de la tête et avança dans l'eau en tenant fermement son pistolet. Le lambeau de chemise dériva. Il s'accrocha au rebord de la ligne de flottaison et regarda au-dessus. Le plat-bord était à deux mètres environ de la surface de l'eau. Il aurait besoin de ses deux mains pour s'agripper au mince rebord de la coque et grimper.

Il cracha l'eau du port qu'il avait encore dans la bouche et cala le canon de son arme entre ses dents. Il n'avait plus que son pantalon pour vêtement. Il plongea les mains dans l'eau, les frotta contre l'étoffe pour éliminer le résidu gras de l'eau de l'estuaire.

La main droite tendue, il saisit de nouveau le bordé au-dessus de la ligne de flottaison, sortit le corps de l'eau et saisit le plat-bord qui se trouvait juste au-dessus et qui longeait la coque. Il prit entre ses doigts un espar de un centimètre de large environ et se hissa en donnant, sur la droite, une claque de la main gauche et en repoussant le bois de la poitrine pour obtenir un mouvement de levier. Ses pieds nus touchaient presque la surface de l'eau, le plat-bord n'était plus qu'à un mètre.

Il leva lentement les genoux jusqu'à ce que ses orteils prennent appui sur le rebord et fit une courte pause pour reprendre son souffle, conscient que ses doigts ne tiendraient plus longtemps sur l'espar. Il contracta ses abdominaux en repoussant la coque de ses orteils, de toutes ses forces, et il se hissa le plus haut possible en écartant les mains d'un geste brusque. S'il manquait le plat-bord, il retomberait dans l'eau. Le bruit donnerait l'alarme.

La main gauche parvint à le saisir. La main droite glissa. Mais cela suffit.

Il s'éleva jusqu'au bastingage. Son torse frottait contre la coque rugueuse et érodée par la mer et les intempéries. Des traces de sang apparurent sur sa peau. Il enroula son bras gauche au-dessus du bord et retira le pistolet de sa bouche. Il se trouvait – comme il l'avait espéré – au milieu du navire, entre les cabines avant et arrière. Il était dissimulé aux yeux des gardes du dock de chargement.

Il s'allongea sur le plat-bord et retomba sur une portion étroite du pont. Puis il rampa jusqu'à la paroi de la cabine. Il s'adossa aux lattes de bois et se redressa lentement. Il se glissa pas à pas vers le premier hublot. La lumière ne filtrait qu'à travers une sorte de rideau sommaire, entrouvert pour laisser entrer la brise de la nuit. Le second hublot, un peu plus loin, était dégagé, mais il se trouvait à quelques dizaines de centimètres de l'extrémité de la paroi. Une sentinelle, invisible du bassin, pouvait fort bien y monter la garde. Il se contenterait de la première ouverture.

Sa joue humide posée contre le caoutchouc pourri qui entourait le hublot, il regarda à l'intérieur. Le « rideau » était une lourde bâche noire repliée à un angle. La lumière provenait, comme il s'y attendait, d'une unique ampoule suspendue au plafond par un fil épais, qui allait du hublot jusqu'à une prise de courant installée sur le quai. Au port, on ne surmenait pas les générateurs. Un morceau de métal plat, d'une forme bizarre, pendait à côté de l'ampoule. David ne comprit d'abord pas très bien pourquoi il se trouvait là. Puis il comprit : le métal déviait la lumière de l'ampoule pour qu'elle n'éclaire pas le fond de la cabine. Derrière un pli de la bâche, il distingua deux couchettes. Des hommes y dormaient. La lampe restait allumée, mais ils demeuraient dans une pénombre relative.

A l'autre extrémité de la cabine, plaquée contre le mur, une longue table avait l'apparence incongrue d'une table de laboratoire d'hôpital. Elle était recouverte d'une toile cirée blanche, impeccable, sur laquelle étaient posés quatre puissants microscopes, équidistants les uns des autres. A côté de chaque instrument, une lampe d'une forte intensité et tous les fils électriques menant à une batterie de secours de douze volts, placée sous la table. Quatre sièges à haut dossier étaient alignés devant les microscopes, quatre tabourets blancs, impeccables, avec une sorte de raideur clinique.

C'était bien le terme, pensa David. « Clinique ». Ce coin isolé du chalutier était une sorte de contrepoint au reste du navire crasseux : c'était un petit îlot d'une propreté clinique au milieu de la pourriture marine et des ratières.

Puis il les aperçut. Dans un coin.

Quatre caisses d'acier, avec des bandes de métal qui doublaient les arêtes supérieures, fixées par de lourdes serrures. Sur le devant de chaque caisse était clairement inscrit au stencil le nom de l'expéditeur : MINES KOENING, LTD.

Il les avait vues. C'était indéniable, irréfutable.

Tortugas.

L'échange scandaleux qui passait par l'intermédiaire d'Erich Rhinemann.

Et il était si près du but. La mise en accusation finale.

A sa peur – et il *avait* peur – se mêlaient la rage et une irrésistible tentation. Ces deux sentiments suffisaient du reste à effacer son angoisse, à l'obliger à se concentrer sur son objectif. A croire – sans se faire d'illusions – à quelque invulnérabilité mystique, ne serait-ce que pour quelques précieuses minutes.

Ce fut assez.

Il baissa la tête sous le premier hublot et s'approcha du second. Puis il se redressa et jeta un coup d'œil à l'intérieur. La porte de la cabine était dans sa ligne de mire. C'était une porte neuve, qui ne faisait pas partie du chalutier. Elle était en acier et, au milieu, il y avait un loquet d'au moins deux centimètres et demi d'épaisseur, qui se glissait dans un support fixé au chambranle.

Les savants de Peenemünde n'étaient pas seulement cliniquement isolés. Ils s'étaient imposé une véritable prison.

Ce verrou, David le comprit, était une sorte de col alpin qu'il devait franchir nu.

Il s'accroupit, passa sous le hublot et s'avança jusqu'à l'extrémité de la paroi de la cabine. Il resta à genoux et, millimètre par millimètre, la joue contre le bois, tendit le col pour regarder de l'autre côté.

Il y avait là, bien entendu, une sentinelle dans la grande tradition de la marine. Cette garde sur le pont l'ennuyait, ce qui l'agaçait ; et le côté à la fois agréable et inutile de l'inactivité lui pesait.

Il ne portait pas la tenue paramilitaire de Habichtsnest, mais un vêtement lâche qui dissimulait mal un corps puissant, un corps de soldat. Il avait les cheveux coupés court, comme dans la Wehrmacht.

Calé contre un treuil servant à remonter les filets de pêche, il fumait un fin cigare tout en rejetant distraitement la fumée dans l'air de la nuit. Il avait à ses côtés un fusil automatique, calibre 30 millimètres. La lanière qui le rattachait à l'épaule était défaite, roulée sur le pont. Cette arme n'avait pas servi depuis un certain temps. Sur la lanière, à la surface du cuir, on apercevait des traces de moisissure.

La lanière... David retira la ceinture de son pantalon. Il se redressa, recula pas à pas vers le hublot, passa sous le bastingage et retira l'une des gaffes placées le long du plat-bord, et attachées à la paroi intérieure de la coque. Il donna deux petites tapes sur le bastingage. Puis deux autres. Les pieds du garde frottèrent sur le sol. Il n'avançait pas, il changeait de position.

Il tapota de nouveau. Deux fois. Deux fois encore. Ces petits coups calmes, précis, intentionnels, réguliers, suffirent à éveiller la curiosité. Pas à donner l'alarme.

Ce fut alors qu'il entendit les pas du garde. Toujours détendu, il marchait doucement, sans se préoccuper du danger, curieux simplement. Sans doute pensait-il qu'un morceau de bois à la dérive venait heurter la coque et était ballotté par le va-et-vient du courant.

Le garde tourna à l'angle. Telle une lanière de fouet, la ceinture de Spaulding vint s'enrouler autour de son cou, si vite et si fort qu'il ne put crier.

David imprima une torsion au cuir, tandis que l'homme tombait à genoux, sa face brunissant perceptiblement dans le halo de lumière que dessinait le hublot, les lèvres pincées par l'angoisse et la strangulation.

David ne laissa pas sa victime perdre connaissance. Il devait franchir cet obstacle. Il enfonça son pistolet dans son pantalon, saisit le fourreau qui pendait à la taille du garde et sortit la baïonnette, le couteau préféré des combattants, rarement ajustée au bout du fusil. Il mit la lame sous les yeux du garde et soupira.

– *Español* ou *Deutsch* ?

L'homme terrorisé leva les yeux. Spaulding resserra la lanière de cuir autour de sa gorge. Le garde s'étrangla et leva deux doigts avec peine. David soupira de nouveau en pointant la lame sur la peau, juste en dessous de l'orbite droite.

– *Deutsch* ?

L'homme hocha la tête.

Bien sûr il était allemand, pensa Spaulding. Et nazi. Les vêtements, les cheveux. Peenemünde, c'était le IIIᵉ Reich. Ses savants étaient protégés par ses hommes. Il fit pivoter la lame de la baïonnette pour entailler la peau. Le garde ouvrit la bouche, terrifié.

– Vous allez faire exactement ce que je vais vous dire, lui murmura David à l'oreille, ou je vous fais sauter l'œil. Compris ?

Décomposé, l'homme acquiesça d'un mouvement de tête.

– Levez-vous et appelez par le hublot. Vous avez un message urgent de... Altmüller, Franz Altmüller ! Il faut qu'ils ouvrent la porte pour le signer... Allez-y ! Et souvenez-vous que ce couteau est à portée de vos yeux.

Sous le choc, le garde se redressa. Spaulding le poussa contre le hublot ouvert, ne desserrant la lanière que très légèrement, et se plaça à côté de lui, près de l'ouverture, le cuir dans la main gauche, le couteau dans la droite.

– *Maintenant !* murmura David en dessinant des demi-cercles avec la lame.

Le garde parla d'abord d'une voix tendue, artificielle. Spaulding se rapprocha. L'homme savait qu'il n'aurait plus que quelques secondes à vivre s'il ne s'exécutait pas.

Il s'exécuta.

On s'agita dans les couchettes au fond de la cabine. Ce furent d'abord des grognements de mécontentement, qui cessèrent dès que fut prononcé le nom d'Altmüller.

Un individu petit, d'âge moyen, se leva de la couchette du bas, à bâbord, et s'avança d'un pas de somnambule vers la porte d'acier. Il portait un caleçon, rien d'autre. David poussa le garde de l'autre côté du mur et s'approcha de la porte quand il entendit glisser le verrou.

Il projeta l'Allemand contre le panneau d'acier avec la ceinture. La porte s'ouvrit brusquement, David saisit la poignée pour l'empêcher de heurter la cloison. Il laissa tomber son couteau, sortit aussitôt son pistolet et donna, avec le canon de l'arme, un violent coup sur le crâne du savant.

– *Schweigen !* fit-il d'une voix rauque. *Wenn Ihnen Ihr Leben lieb ist !*

Les trois hommes allongés sur les couchettes – plus âgés, l'un très vieux – se levèrent en trébuchant, muets et tremblants. Le garde, qui avait toujours le plus grand mal à respirer, regarda autour de lui et tenta de se redresser. Spaulding fit deux pas en avant et lui assena un violent coup sur la tempe, en diagonale. Il s'écroula sur le pont.

Le vieil homme, qui avait moins peur que ses compagnons, fixa Spaulding du regard. Pour des raisons que David ne parvint pas à s'expliquer, il eut honte. La violence semblait déplacée dans cette cabine aseptisée.

– Je n'ai rien contre vous, dit-il en allemand d'une voix dure et basse. Vous obéissez aux ordres. Mais ne vous méprenez pas, je vous tuerai si vous faites le moindre bruit !

Il désigna des papiers à côté d'un microscope. Ils étaient remplis de chiffres et de colonnes.

– Vous ! dit-il en pointant son arme sur le vieil homme. Donnez-les-moi. Vite !

Le chercheur se dirigea d'un pas traînant vers la table de travail, à l'autre bout de la cabine. Il prit les papiers et les tendit à Spaulding, qui les enfouit dans la poche de son pantalon mouillé.

– Merci... Maintenant, fit-il en pointant son arme sur les deux autres, ouvrez l'une de ces caisses ! Sur-le-champ !

– Non... Non ! Pour l'amour du ciel ! dit à voix basse le plus grand des trois savants, qui parut terrifié.

David saisit le cou de celui qui se trouvait près de lui. Il enroula son bras sur la chair flasque et lui plaqua son pistolet sur la tempe. Il débloqua le percuteur.

– Vous allez ouvrir une caisse, dit-il calmement, ou je tue cet homme. Quand il sera mort, je me retournerai contre vous. Croyez-moi, je n'ai pas le choix.

Le plus petit des trois tourna brusquement la tête et, en silence, lança un regard suppliant au plus grand : celui que tenait David, et qui était le chef. Spaulding le savait. Un vieil... *alter Anführer.* Il fallait toujours prendre le chef.

Le savant de Peenemünde s'avança d'un pas craintif jusqu'à l'extrémité de la table de travail, vers un trousseau de clés pendu au mur. Il se dirigea, hésitant, vers la première caisse d'acier. Il se pencha pour introduire la clef dans la serrure qui maintenait la bande métallique sur le bord. La bande s'écarta vers le centre.

– Soulevez le couvercle ! ordonna Spaulding.

L'anxiété lui avait fait élever le ton. Un peu trop. Il s'en rendit compte.

La caisse d'acier était fermée par un lourd couvercle. L'Allemand dut le soulever des deux mains. Les rides autour de ses yeux et de sa bouche trahissaient son effort. Quand il eut atteint un angle de quatre-vingt-dix degrés, les chaînes placées des deux côtés se tendirent. On entendit le bruit métallique d'un ressort et le couvercle se bloqua dans cette position.

A l'intérieur, des dizaines de compartiments identiques étaient placés dans ce qui ressemblait à des tiroirs coulissants. C'était une sorte de grande boîte compliquée comme celles des pêcheurs pour ranger leurs divers accessoires. Alors David comprit : le devant de la caisse était monté sur une charnière. On pouvait également l'ouvrir, l'abaisser pour être exact, pour en extraire les tiroirs coulissants.

Chaque compartiment contenait deux petites enveloppes de papier, lourdes, apparemment doublées d'un tissu doux. Il y avait ainsi des dizaines d'enveloppes, rien que dans le tiroir supérieur.

David lâcha le vieil homme et le poussa vers les couchettes. D'un mouvement de son arme, il ordonna à celui qui avait ouvert la caisse de rejoindre les deux autres. Il se pencha, sortit une enveloppe et la porta à sa bouche pour l'ouvrir avec les dents. Il la secoua après l'avoir retournée. De minuscules pierres translucides s'éparpillèrent sur le sol de la cabine.

Les diamants Koening.

Il observa les Allemands tout en froissant l'enveloppe. Ils fixaient des yeux les pierres qui jonchaient le sol.

« Quoi de surprenant ? » pensa David. C'était dans cette cabine que se trouvait la solution aux problèmes de Peenemüde. Dans ces caisses était empilée la matière première qui permettrait de faire pleuvoir la mort sur des milliers et des milliers d'êtres humains... tout comme les plans du gyroscope contre lesquels on les échangeait permettraient d'autres massacres, d'autres morts.

Il allait jeter cette enveloppe qui le dégoûtait et emplir ses poches de quelques autres quand il aperçut une inscription. Il défroissa l'enveloppe, le pistolet toujours pointé sur les Allemands, et baissa les yeux. Un seul mot y était écrit :

ECHT

Vrai. Authentique. Cette enveloppe, ce plateau, cette caisse d'acier avaient déjà fait l'objet d'une inspection.

Il se pencha pour prendre autant d'enveloppes que pouvait en contenir sa main gauche et les glissa dans la poche de son pantalon.

C'était tout ce dont il avait besoin pour mettre les coupables en accusation.

C'était tout. C'était le fond de l'affaire.

Il lui restait une chose à accomplir. D'une nature plus immédiatement pratique Il traversa la pièce en diagonale vers la table de travail et passa devant les quatre microscopes alignés, plantant le canon de son arme dans chaque lentille, jusqu'à l'oculaire. Il chercha une mallette de laboratoire, de celles qui contenaient le matériel optique. Il devait y en avoir une !

Elle était sur le sol, sous la longue table. Il la fit glisser d'un coup de son pied nu et se pencha pour ouvrir la serrure.

De nouveau des rainures et des plateaux, mais remplis de lentilles et de petits tubes noirs pour les ranger.

Il se pencha de nouveau pour retourner la mallette. Des dizaines de lentilles rondes tombèrent sur le sol. Il saisit le premier tabouret blanc venu et le lança sur les verres empilés.

Il n'avait pas tout détruit, mais il avait causé assez de dégâts pour les quarante-huit heures à venir.

Il se redressa, l'arme toujours pointée en direction des savants, aux aguets.

Il entendit ! Il sentit ! En même temps, il comprit que, s'il ne changeait pas de place dans l'instant, il était un homme mort.

Il se jeta sur le sol, à droite. Une main fendit l'air, qui venait de derrière. La baïonnette qu'elle tenait alla se planter là où se trouvait son cou moins d'une seconde auparavant.

Il avait laissé cette sacrée baïonnette sur le sol ! Il avait oublié cette fichue baïonnette ! Le garde était revenu à lui et s'était emparé de cette foutue baïonnette !

Le nazi poussa un cri avant que Spaulding ait eu le temps de se mettre à genoux et de lui cogner le crâne contre le plancher avec une force telle que le sang lui jaillit de la tête, par à-coups.

Mais ce seul cri avait suffi.

– Qu'est-ce qui se passe ? demanda une voix de l'extérieur, à une vingtaine de mètres, sur le quai de chargement. Heinrich ! Vous avez appelé ?

Il n'y avait pas une seconde, pas un instant à perdre, il ne pouvait se permettre la moindre hésitation.

David courut vers la porte d'acier, l'ouvrit et se précipita de l'autre côté de la cloison, vers la partie cachée du plat-bord. A ce moment-là, un garde – la sentinelle postée à la proue du chalutier – apparut. Il tenait un fusil à hauteur de la taille et tira.

Spaulding tira à son tour. Avant de riposter, il s'était rendu compte qu'il était touché. Une balle lui avait cisaillé le côté. Il sentit le sang ruisseler dans son pantalon. Il franchit le bastingage et se jeta à l'eau. Il entendit crier, hurler, à l'intérieur de la cabine et, plus loin, sur le quai.

Il se débattit dans la vase puante du rio en tentant de conserver son sang-froid. Où était-il ? Dans quelle direction ? Où ? Pour l'amour du ciel, où ?

Les cris se faisaient de plus en plus forts. Des torches parcouraient le chalutier de fond en comble, dont les rayons s'entrecroisaient dans les eaux du port. Il entendit des hommes hurler à la radio, comme seuls peuvent hurler des êtres paniqués. Accusateurs, impuissants.

Soudain, David comprit qu'il n'y avait pas de bateaux ! Aucun bateau ne s'éloignait du quai, armé de torches et de fusils assez puissants pour causer sa perte.

Pas de bateaux !

Il faillit éclater de rire. L'opération d'Ocho Calle était tellement secrète qu'on n'avait laissé aucun petit bâtiment pénétrer dans la zone, à présent déserte !

Il porta la main à son flanc, plongea sous l'eau le plus vite possible.

Le chalutier et les gardes hurlants de Rhinemann-Altmüller s'évanouirent dans la brume portuaire. Spaulding relevait sans cesse la tête pour respirer en priant le ciel de nager dans la bonne direction.

Il était de plus en plus fatigué, mais ne se laissait pas abattre. Il ne pouvait pas se le permettre ! Pas maintenant !

Il avait de quoi dénoncer l'opération « Tortugas ».

Il aperçut les pieux, tout près. A quelque deux ou trois cents mètres. C'étaient les mêmes pieux, le même quai ! C'étaient... Il le fallait !

Il sentit un grouillement autour de lui et aperçut les formes serpentines de congres qui cinglaient son corps à l'aveuglette. Le sang de sa blessure les attirait ! Une foule horrible de ces serpents convergeait vers lui !

Il se débattit, donna des coups de pied, réprima un cri. Il rabattit l'eau devant lui, tandis que ses mains heurtaient sans cesse la peau visqueuse des serpents du port. Des petits points lumineux dansaient devant ses yeux, des éclairs jaunes et blancs. Dans l'eau, il avait la gorge sèche, les tempes battantes.

Quand il sut qu'il ne pourrait plus se retenir de crier, qu'il fallait que ce cri sorte, il sentit une main dans la sienne. On souleva ses épaules, tandis qu'il percevait le son rauque de sa propre voix, de sa terreur, profonde, au-delà de ce qu'il était capable d'endurer. Il baissa les yeux et distingua, alors que ses pieds glissaient à chaque pas sur l'échelle, les cercles que dessinaient en dessous les congres grouillants.

Eugène Lyons le porta jusqu'au véhicule des marines. Spaulding eut conscience, vaguement, que Lyons le hissait sur la banquette arrière.

Lyons s'engouffra après lui, et David comprit – sans comprendre – qu'il le giflait. Fort. De plus en plus fort.

Délibérément. Sans rythme mais avec une grande vigueur.

Les coups pleuvaient sans cesse. Il ne pouvait pas les arrêter ! Il ne pouvait pas empêcher cette demi-ruine de Lyons, cet infirme aphone, de le frapper.

Il ne pouvait que pleurer. Pleurer comme un enfant.

Brusquement, il se calma. Il ôta ses mains de son visage et saisit les poignets de Lyons, prêt, si besoin était, à les briser.

Il cligna des yeux et dévisagea le physicien.

Lyons sourit dans l'ombre.

– Je suis désolé..., murmura-t-il de sa voix torturée. Vous étiez... en état de... choc... provisoirement. Mon ami.

39.

Une trousse de secours très complète se trouvait dans le coffre du véhicule de la base. Lyons recouvrit la blessure de David de poudre de sulfamide, referma la plaie en pinçant les deux bords qu'il recouvrit d'un sparadrap large de sept centimètres et l'appliqua sur le tout. C'était une déchirure nette, et le sang cessa de couler. Le pansement tiendrait jusqu'à ce qu'ils trouvent un médecin. Même s'il fallait attendre un jour, un jour et demi, il ne risquait rien de grave.

Lyons conduisit.

David observa le visage émacié de l'homme au volant. Il n'était pas sûr de lui, mais déterminé. C'était la seule description que l'on pouvait en donner. De temps à autre, son pied appuyait trop fort sur l'accélérateur, et les brèves poussées de vitesse l'effrayaient. Bientôt, elles ne firent plus que le gêner. Au bout de quelques minutes, il sembla prendre un réel plaisir à manœuvrer la voiture dans les virages.

David avait trois objectifs à remplir : joindre Henderson Granville, téléphoner à Joan et se rendre à la planque que cette dernière leur aurait dénichée, du moins l'espérait-il. Si on pouvait lui amener un médecin, tant mieux. Sinon, il dormirait. Il avait dépassé son seuil de résistance, il n'était plus à même de fonctionner normalement sans repos préalable.

Combien de fois, dans les régions du Nord, avait-il cherché des grottes isolées dans les collines ? Combien de fois avait-il empilé branches et feuillages à l'entrée d'un refuge pour que son corps et son esprit puissent retrouver l'équilibre et l'objectivité qui lui sauveraient la vie ? Il avait besoin d'un coin tranquille.

Demain, il prendrait les dernières dispositions pour régler l'affaire Rhinemann.

Les dernières feuilles de son acte d'accusation.

– Il faut que nous trouvions un téléphone, dit David.

Au volant, Lyons acquiesça d'un signe de tête.

David dirigea le physicien vers le centre de Buenos Aires.

Il pensait disposer encore d'un peu de temps avant que les marines de la Flotte ne se lancent à leur recherche. Les insignes orange des pare-chocs décourageraient sans doute la curiosité de la police argentine. Les Américains étaient des enfants de la nuit.

Il se rappela la cabine téléphonique au nord de la Casa Rosada. La cabine téléphonique dans laquelle un tueur à gages de l'Unio Corso – venu de Rio de Janeiro – avait rendu le dernier souffle.

Ils atteignirent la plaza de Mayo au bout d'un quart d'heure. Ils empruntèrent un itinéraire circulaire pour s'assurer qu'ils n'étaient pas suivis. La plaza n'était pas déserte. C'était, comme le proclamaient les affiches de tourisme d'avant-guerre, comme à Paris. Il y avait effectivement des dizaines de traînards matinaux, le plus souvent bien vêtus. Des taxis s'arrêtaient avant de repartir. Des prostituées tentaient une dernière fois de dénicher la bonne affaire de la nuit. Les réverbères illuminaient d'immenses fontaines. Les amoureux trempaient la main dans les bassins.

A trois heures et demie du matin, la plaza de Mayo n'était pas un endroit mort, vide. Et David en fut heureux.

Lyons gara la voiture devant la cabine téléphonique. Spaulding en sortit.

– Je ne sais pas ce que vous avez fait, mais vous avez touché le nerf le plus à vif de Buenos Aires, déclara Granville d'une voix cassante. Je suis contraint d'exiger que vous reveniez à l'ambassade. Pour votre protection et pour le bien de nos relations diplomatiques.

– Vous devrez d'abord me donner quelques précisions, je le crains, répondit David.

Granville les lui donna.

L'ambassadeur, qui pensait contacter « une ou deux personnes » au Grupo, ne put, bien entendu, en joindre qu'une. L'homme en question avait mené son enquête sur le chalutier d'Ocho Calle et avait, peu après, été tiré du lit pour être emmené sous bonne garde. C'étaient tous les renseignements que Granville avait pu obtenir d'une épouse hystérique.

Une heure plus tard, l'ambassadeur avait appris d'un agent de liaison du GOU que son « ami » avait été tué dans un accident de voiture. Le GOU tenait à ce qu'il en fût informé. C'était très regrettable.

Quand Granville avait essayé de joindre la femme, l'opérateur était intervenu pour lui expliquer que la ligne était coupée.

– Vous nous avez embringués dans cette histoire, Spaulding ! Nous ne pouvons pas agir si nous trimballons les poids morts des services secrets autour du cou. A Buenos Aires, la situation est extrêmement délicate.

– Vous êtes impliqué, monsieur. A quelques milliers de kilomètres d'ici, il y a des gens qui se tirent dessus !

– Merde !

De la part de Granville, David s'attendait à tout sauf à cette interjection.

– Respectez votre ligne de démarcation ! Nous avons tous un travail à faire dans les limites de... paramètres... artificiels, si vous voulez, mais qui ont été établis à notre usage ! Je vous le répète, monsieur, revenez à l'ambassade et je m'occupe immédiatement de votre retour aux Etats-Unis. Si vous refusez, allez vous-même à la base des marines de la Flotte. Ce n'est plus de ma juridiction. Vous ne ferez plus partie de notre ambassade !

Mon Dieu ! pensa David. *Paramètres artificiels. Juridictions. Subtilités diplomatiques. Quand des hommes mouraient,* que des armées étaient détruites, des villes rayées de la carte ! Et ces gens qui, sous le haut plafond de leur bureau, jouaient avec les mots et les attitudes !

– Je ne peux pas me rendre aux marines. Mais je peux vous dire quelque chose qui vous fera réfléchir. Dans les quarante-huit heures qui viennent, tous les bateaux et les avions américains qui se trouvent dans les zones côtières devront respecter un black-out radio et radar ! Ils resteront tous au port ou au hangar, immobilisés. Par décret des autorités militaires. Vous devriez en chercher la raison ! Je crois, moi, la connaître et, si je ne me trompe, votre naufrage diplomatique est plus avancé que vous ne l'imaginez ! Essayez de joindre un certain Swanson au ministère de la Guerre. Le général de brigade Alan Swanson ! Et dites-lui que j'ai découvert la véritable nature de « Tortugas » !

David raccrocha le combiné avec une telle brutalité que des éclats de bakélite tombèrent à côté du téléphone. Il avait envie de prendre ses jambes à son cou. D'ouvrir la porte de cette cabine étouffante et de s'enfuir.

Mais où ? Il ne pouvait aller nulle part. Il était en outre blessé.

Il respira profondément, plusieurs fois, avant de composer de nouveau le numéro de l'ambassade.

Joan avait une voix douce, angoissée. Mais elle avait trouvé un endroit !

Lyons et lui prendraient une route plein ouest, par Rivadavia, jusqu'aux lointains faubourgs de Buenos Aires. Au bout de Rivadavia, il y avait une bifurcation sur la droite, aisément reconnaissable grâce à une grande statue de la Madone, élevée à l'embranchement. Cette route menait au plat pays, aux provinciales. A une cinquantaine de kilomètres après la Madone, il fallait bifurquer sur une autre route, repérable, cette fois, par un transformateur juché au sommet d'un poteau téléphonique doublement fixé, où convergeaient de nombreux fils. Elle conduisait à un ranch appartenant à un certain Alfonso Quesarro. Le señor Quesarro ne serait pas là... étant donné les circonstances. Sa femme non plus. Mais il y avait un personnel réduit, qui se mettrait à la disposition des amis inconnus de Mme Cameron.

Joan suivrait les consignes de David : elle ne quitterait pas l'ambassade.

Et elle l'aimait.

L'aube se levait sur la campagne. La brise était chaude. David devait faire un effort pour se rappeler qu'on était en janvier, l'été argentin. Un membre du personnel d'Estancia Quesarro vint à leur rencontre, à quelques kilomètres de la maison, au-delà du croisement des lignes téléphoniques, à la limite de la propriété, et les escorta à la *ranchería*, un petit ensemble de maisonnettes de plain-pied, proches du bâtiment principal sans lui être accolées. On les conduisit jusqu'à un adobe un peu à l'écart. Celui-ci se trouvait à la limite d'un enclos, avec des champs à perte de vue. Cette maison était la résidence du *caporal*, le contremaître du ranch.

En observant le toit, David constata qu'il n'y avait qu'une ligne téléphonique. Dans un ranch, le contremaître devait avoir un téléphone à sa disposition.

Celui qui les avait accompagnés jusque-là ouvrit la porte et resta dans l'embrasure, impatient de s'en aller. Il effleura le bras de David.

— Ici, pour téléphoner, il faut passer par un opérateur, lui dit-il dans un espagnol teinté d'indien des pampas. Le service n'est pas terrible. Pas comme en ville. Il fallait que je vous prévienne, *senõr*.

Mais le gaucho ne l'avait pas seulement informé. Il lui avait conseillé la prudence.

— Je m'en souviendrai, fit Spaulding. Merci.

L'homme s'éloigna aussitôt, et David ferma la porte. Lyons se tenait à l'autre bout de la pièce, sous une petite voûte qui menait à une sorte de réduit ensoleillé. Il avait dans la main droite la mallette de métal qui contenait les plans du gyroscope. Il fit signe à David de la main gauche.

Le passage voûté débouchait sur un local exigu. Au centre, sous une fenêtre oblongue donnant sur la campagne, se trouvait un lit.

Spaulding retira son pantalon.

Il tomba de tout son poids sur le dur matelas et sombra dans un sommeil de plomb.

40.

Cela ne faisait que quelques secondes, lui semblait-il, qu'il était passé sous la voûte qui menait au réduit ensoleillé.

Il sentit une pression autour de sa plaie. Il grimaça : on lui versait un liquide chaud et froid près de la taille et on lui arrachait le sparadrap.

Il ouvrit les yeux, le regard féroce, et aperçut la silhouette d'un homme penché sur son lit. Lyons se tenait derrière lui. A l'extrémité du matelas, il distingua la forme d'un sac de médecin. Celui qui se penchait sur lui en était propriétaire.

— Vous avez dormi près de huit heures, lui dit-il dans un anglais étonnamment pur. C'était ce que l'on pouvait vous prescrire de mieux... Je vais vous faire trois points de suture. Ça devrait aller. Ça vous gênera un peu, mais avec le sparadrap vous serez tout à fait mobile.

— Quelle heure est-il ? demanda David.

Lyons regarda sa montre.

— Deux... heures, dit-il d'une voix claire, après avoir soupiré.

— Merci d'être venu ici, dit Spaulding en se déplaçant pour faire de la place aux divers instruments du médecin.

— Attendez que je sois de retour à mon bureau de Palermo, répondit ce dernier en riant doucement, d'un air sardonique. Je suis certain d'être inscrit sur leurs listes.

Il fit le premier point de suture en souriant pour rassurer David.

— J'ai laissé un mot disant que j'avais été appelé pour un accouchement dans un ranch isolé... Voilà.

Il coupa le fil et donna une tape sur la peau nue de Spaulding.

— Encore deux et nous aurons terminé.

— Vous pensez qu'on vous posera des questions ?

— Non. Non, pas vraiment. La junte ferme souvent les yeux. Les médecins ne courent pas les rues par ici... Et ce qui est amusant, c'est que ceux qui viennent vous poser des questions cherchent à profiter d'une consultation gratuite. Cela fait partie du jeu.

— Et vous cachez ce que vous savez. C'est dangereux, j'imagine.

Le médecin regarda David sans déplacer ses mains.

— Joan Cameron est une femme extraordinaire. Si l'on écrit un jour une histoire de Buenos Aires pendant la guerre, son nom y sera en bonne place.

Il s'absorba dans le deuxième point de suture sans en dire davantage. David eut l'impression qu'il ne souhaitait pas poursuivre cette conversation. Il était pressé.

Vingt minutes plus tard, Spaulding était sur pied, le médecin sur le seuil de l'adobe. David lui serra la main.

— Je ne peux vous payer, je le crains, dit-il.

— Vous l'avez déjà fait, mon colonel. Je suis juif.

Spaulding ne lâcha pas la main du médecin. Il la serra fermement. Ce n'était plus une manière de le saluer.

— Expliquez-vous, je vous prie.

— Il n'y a rien à expliquer. Une rumeur circule dans la communauté juive, une rumeur sur cet officier américain qui se mesure à ce porc... ce porc de Rhinemann.

— C'est tout ?

— Cela suffit.

Le médecin retira sa main de celle de Spaulding et sortit. David ferma la porte.

Ce porc de Rhinemann. L'heure était venue de s'occuper de Rhinemann.

Une voix de Teuton, gutturale, hurla au téléphone. David imagina les veines bleu-noir gonfler à la surface de la peau bronzée, boursouflée. Il vit les yeux exorbités par la fureur.

— C'était vous ! C'était vous !

Il répéta, répéta, répéta encore cette accusation, comme si la répétition pouvait entraîner une dénégation.

— C'était moi, répondit David sans emphase.

— Vous êtes mort ! Vous êtes un homme mort !

David parla lentement, sereinement. Avec précision.

— Si je suis mort, aucun code ne sera envoyé à Washington. Il n'y aura pas de black-out radar ou radio. Les écrans de contrôle capteront la trace du chalutier et, au moment où le sous-marin fera surface, il sera torpillé.

Rhinemann garda le silence. Spaulding entendit la respiration rythmée du juif allemand, mais ne dit mot. Il laissa Rhinemann réfléchir aux conséquences de sa menace. Ce dernier répondit enfin. Avec la même précision.

– Alors, vous avez quelque chose à me dire. Sinon, vous ne m'auriez pas téléphoné.

– C'est exact, acquiesça David. J'ai quelque chose à vous dire. J'imagine que vous prenez votre pourcentage au passage. Je n'arrive pas à croire que vous ayez monté cet échange pour rien.

Rhinemann resta de nouveau silencieux.

– Non... C'est une transaction, répondit-il prudemment.

Son souffle lourd résonnait sur la ligne.

– Il faudra bien payer certains services.

– Mais le paiement s'effectuera plus tard, n'est-ce pas ? poursuivit David d'un ton calme, dépassionné. Vous n'êtes pas pressé. Vous êtes content, vous avez manipulé tout le monde... La Suisse n'enverra aucun message radio pour dire que les comptes sont réglés. Le seul message que vous recevrez – ou que vous ne recevrez pas – viendra d'un sous-marin qui vous annoncera que les diamants Koening ont été transférés depuis le chalutier. C'est alors que je quitte Buenos Aires avec les plans. C'est le signal.

Spaulding rit, un rire bref, froid, tranquille.

– C'est très pro, Rhinemann. Je vous félicite.

– Où voulez-vous en venir ? demanda le financier d'une voix basse, circonspecte.

– C'est tout aussi pro... Je suis le seul qui puisse permettre que ce message vous parvienne de l'U-boot. Personne d'autre. Je détiens les codes qui commandent le black-out. Qui obscurcissent les écrans radars... Mais je veux être payé.

– Je vois..., hésita Rhinemann, dont le souffle était toujours perceptible. Ce que vous me demandez là est bien présomptueux. Vos supérieurs veulent les plans du gyroscope. Si vous entravez la livraison, vous serez châtié, exécuté, sans aucun doute. On ne respectera pas les formes, bien entendu, mais le résultat sera le même. Vous en êtes certainement conscient.

David rit, de nouveau un rire bref, mais jovial cette fois-ci.

– Vous êtes loin du compte. Loin du compte. Certains seront exécutés, pas moi. Jusqu'à hier soir, je ne connaissais que la moitié de l'histoire. Maintenant, je sais tout... Non, il ne s'agit pas de mon exécution. En revanche, il se pose un problème pour vous. Je le sais. Après quatre années passées à Lisbonne, un homme comprend ce genre de chose.

– Quel est mon problème ?

– Si vous ne livrez pas la marchandise Koening qui se trouve à Ocho Calle, Altmüller enverra un bataillon clandestin à Buenos Aires. Et il aura votre peau.

De nouveau le silence. Par ce silence, Rhinemann reconnaissait que David avait raison.

390

– Alors, nous sommes alliés, déclara-t-il. En une nuit, vous avez fait du chemin. Vous avez pris de gros risques et franchi plusieurs étapes. J'admire une ambition aussi agressive. Je suis certain que nous pourrons nous entendre.

– J'étais certain que vous seriez certain.

– Parlerons-nous chiffres ?

David rit doucement, une fois de plus.

– Être payé par vous, c'est comme... avant-hier soir. Seulement la moitié de l'histoire. Pour votre part, soyez généreux. En Suisse. La seconde moitié sera versée aux États-Unis. Des acomptes substantiels. Je veux des noms, ajouta David d'un ton laconique.

– Je ne comprends pas...

– Réfléchissez ! Les hommes derrière cette opération. Les Américains. Ce sont ces noms-là que je veux. Pas un comptable, pas un général de brigade qui ne sait plus où il en est. Les autres... Sans ces noms, il n'y aura pas de marché. Pas de codes.

– L'homme de Lisbonne n'a aucune moralité, répliqua Rhinemann avec une pointe de respect. Vous êtes... comme disent les Américains... un vrai pourri.

– J'ai servi de grands maîtres. J'ai réfléchi... Pourquoi pas ?

De toute évidence, Rhinemann n'avait pas écouté la réponse de David.

– Si vous en êtes arrivé à cette conclusion... à cette décision d'accroître votre fortune personnelle, fit-il d'un ton brusquement méfiant, pourquoi avez-vous agi ainsi hier soir ? Je dois vous dire que les dégâts ne sont pas irréparables, mais pourquoi avez-vous fait ça ?

– Pour une raison extrêmement simple : je n'y avais pas encore pensé hier soir. Je n'étais pas encore arrivé à cette conclusion... hier soir.

Dieu était témoin que c'était la vérité, pensa David.

– Oui. Je crois comprendre, dit le financier. Une réaction très humaine...

– Je veux le reste des plans, coupa Spaulding. Et vous souhaitez que j'envoie les codes. Pour respecter notre programme, il nous reste trente-six heures, à deux ou trois heures près. Je vous appellerai à six heures. Tenez-vous prêt.

David raccrocha. Il respira profondément et se rendit compte qu'il transpirait... et que la petite maison était fraîche. La brise des champs qui entrait par la fenêtre faisait flotter ses rideaux. Il regarda Lyons qui l'observait, assis dans son fauteuil d'osier au dossier droit.

– Comment étais-je ? demanda-t-il.

Le physicien déglutit et lui répondit. Spaulding s'était habitué à la voix cassée de Lyons, à moins que son élocution ne se fût améliorée.

– Très... convaincant. A part la... sueur qui coule sur votre visage et l'expression... de votre regard.

Lyons sourit avant de lui poser une question, grave à ses yeux :

– Avons-nous une chance de... récupérer le reste des plans ?

David approcha une allumette de sa cigarette. Il avala la fumée, leva les yeux vers les rideaux qui se balançaient doucement devant la fenêtre ouverte, puis se tourna vers le physicien.

– Je crois qu'il faut que nous nous comprenions bien, professeur. Je me contrefiche de ces plans. Je ne devrais peut-être pas, mais c'est ainsi. Et si, pour mettre la main dessus, il faut prendre le risque que le chalutier rejoigne le sous-marin, c'est hors de question. En ce qui me concerne, nous avons déjà les trois quarts de ce que nous n'avions pas. Et c'est déjà trop, bon sang... J'ai la preuve, maintenant, je veux les noms.

– Vous voulez vous venger, dit calmement Lyons.

– Oui !... Bon Dieu, oui !

David écrasa sa cigarette à peine entamée, se dirigea vers la fenêtre et contempla la campagne.

– Je suis désolé. Je n'avais pas l'intention de vous engueuler. Je devrais peut-être. Vous avez entendu Feld. Vous avez vu ce que j'ai rapporté d'Ocho Calle. Vous savez tout de cette affaire obscène... putride.

– Je sais... Les hommes qui pilotent ces avions... ne sont pas responsables.. Je crois que... l'Allemagne doit perdre cette guerre.

– Pour l'amour du ciel ! rugit David, qui fit volte-face et s'éloigna de la fenêtre. Vous avez vu ! Vous devez avoir compris !

– Voulez-vous dire... qu'il n'y a aucune différence ? Je ne le crois pas... Je ne crois pas que vous le pensiez.

– J'ignore ce que je pense !... Non, je le sais. Je sais ce que je n'accepte pas. Parce qu'on ne pourrait plus croire en rien... Et je veux ces noms.

– Vous devriez les avoir... Vous posez des questions graves... morales. Je crois qu'ils vous peineront... pendant des années.

A présent, Lyons avait du mal à poursuivre son discours.

– Je reconnais simplement... en dépit de ce qui s'est passé... qu'Asher Feld avait raison. Il ne faut pas que cette guerre se termine par un compromis... Il faut qu'on la gagne.

Le savant s'interrompit pour se racler la gorge. David s'avança vers la table où Lyons avait posé un pichet d'eau et en versa un verre. Il le porta au physicien exténué et le lui tendit. En accomplissant ce geste de remerciement, David songea que c'était étrange... De tous les hommes, ce reclus au visage émacié qu'il avait devant lui serait le dernier à profiter de l'issue de la guerre. Pourtant, Eugène Lyons avait été ému par la détermination d'Asher Feld. Dans sa douleur, sans doute comprenait-il les problèmes simples que sa propre colère avait déformés.

Asher Feld. L'hôtel Alvear.

— Écoutez-moi, dit Spaulding. S'il y a une chance de récupérer ces plans, et peut-être y en a-t-il une, nous ne la laisserons pas passer. Un échange reste possible. Un échange dangereux... pas pour nous, mais pour votre ami Asher Feld. Nous verrons. Je ne vous promets rien. D'abord les noms... C'est une route parallèle. Tant que je n'aurai pas ces noms, il faut que Rhinemann croie que je tiens à ces plans comme il tient lui-même aux diamants... Nous verrons.

La sonnerie du téléphone de campagne résonna, faible, capricieuse. Spaulding décrocha.

— C'est Ballard, dit une voix anxieuse.

— Oui, Bobby ?

— J'espère que vous n'avez rien à vous reprocher, parce que tout tend à prouver le contraire. Je pars du principe qu'un type raisonnable ne risque pas la cour martiale et de longues années de prison pour une poignée de dollars.

— Hypothèse raisonnable. De quoi s'agit-il ? Avez-vous les renseignements ?

— Commençons par le commencement. Tout d'abord, les marines vous veulent mort ou vif. Peu importe votre état, je crois même qu'ils vous préféreraient mort.

— Ils ont trouvé Meehan et le chauffeur...

— Tu parles qu'ils les ont trouvés ! Ils ont été dévalisés et foutus à poil par des *vagos* de grand chemin. Ils sont dans une de ces rognes ! Ils se foutent des consignes de Fairfax comme de leur première chemise ! Fairfax, c'est secondaire. Ils vous veulent, vous. Agression caractérisée, vol, et cetera.

— D'accord. Il fallait s'y attendre.

— S'y attendre ? Vous êtes un drôle de zig ! Je suppose que je n'ai pas besoin de vous parler de Granville. A cause de vous, il va faire sauter mon standard. Washington nous prépare un message chiffré au plus haut niveau. Je suis enchaîné à mon bureau en attendant de le recevoir.

— Alors, il ne sait rien. On ne lui dit rien, fit Spaulding, contrarié.

— Et comment ! Bien sûr qu'il ne sait rien ! Bien sûr qu'on lui cache tout ! Ce silence radio : vous avez mis le doigt sur une défection au niveau du haut commandement ! Un projet allié qui vient du ministère de la Guerre.

— Évidemment que ça vient du ministère de la Guerre. Je peux même vous dire de quel bureau.

— C'est vrai... Un sous-marin doit amener deux ou trois grands pontes de Berlin. Vous êtes hors du coup. Ce n'est pas votre boulot. Granville vous le dira.

– Des conneries ! hurla David. De la pure connerie ! Une connerie transparente ! Demandez à n'importe quel agent clandestin opérant en Europe. On n'obtient pas un *Briefmarke* dans n'importe quel port allemand ! Je suis bien placé pour le savoir !

– Intéressant, sur le plan ontologique. La transparence n'est pas une qualité que l'on associe...

– Trêve de plaisanterie ! Mon humour est plutôt à sec !

David comprit soudain qu'il n'avait aucune raison d'engueuler le crypto. Ballard avait le même cadre de référence que dix-huit heures plus tôt, avec quelques complications en plus, certes, mais ce n'était pas pour lui une question de vie ou de mort. Ballard ne savait rien du carnage de San Telmo, ni de la cargaison qui attendait à Ocho Calle, ni de la livraison à Peenemünde. Ni de la Haganah qui s'était infiltrée dans le noyau le plus secret du renseignement militaire. Et il n'allait pas le mettre au courant.

– Je suis navré. J'ai de gros problèmes.

– Bien sûr, bien sûr, répondit Ballard, comme s'il était habitué aux sautes d'humeur de ses semblables.

« Un trait commun à la plupart des cryptographes », songea David.

– Joan m'a dit que vous aviez été blessé. Que vous étiez tombé et que vous aviez une vilaine entaille. On vous a poussé ?

– Ça va. J'ai vu le médecin... Avez-vous obtenu les renseignements ? Sur Ira Barden.

– Oui... J'ai directement appelé le G-2 à Washington. Une demande de dossier par télétype à votre nom. Ce Barden sera tenu au courant.

– Ça ne fait rien. Qu'y a-t-il dedans ?

– Tout le truc ?

– Ce qui vous paraît... bizarre. Ses compétences à Fairfax, probablement.

– Ils n'utilisent pas le nom de Fairfax. Juste un classement en haute priorité... Il est dans la réserve, pas dans l'armée d'active. La société familiale fait de l'importation. Il a passé quelques années en Europe et au Moyen-Orient. Parle cinq langues...

– Dont l'hébreu, l'interrompit calmement David.

– C'est exact. Comment avez-vous... ? Peu importe. Il a passé deux ans à l'université américaine de Beyrouth. Son père représentait alors la société sur le pourtour méditerranéen. Ils étaient spécialisés dans les textiles du Proche-Orient. Barden a été transféré à Harvard, puis dans une petite université de l'État de New York... Je sais laquelle. Il a opté pour une spécialisation en études orientales, c'est marqué là. Quand il a obtenu son diplôme, il est entré dans l'affaire familiale jusqu'à la guerre... J'imagine que c'est à cause des langues.

— Merci, dit David. Brûlez le télétype, Bobby.

— Avec plaisir... Quand nous reviendrez-vous ? Vous feriez bien de vous pointer avant que les marines de la Flotte ne vous trouvent. Joan parviendra sans doute à persuader le vieil Henderson de calmer le jeu.

— Très bientôt. Comment va Joan ?

— Hein ? Bien... Elle a peur, elle est nerveuse, j'imagine. Cela dit, c'est une fille forte.

— Dites-lui de ne pas s'inquiéter.

— Dites-le-lui vous-même.

— Elle est à côté de vous ?

— Non...

Ballard insista un peu sur ce dernier mot, comme pour laisser deviner une inquiétude qui venait de poindre.

— Non, elle n'est pas avec moi. Elle est partie vous voir...

— *Quoi ?*

— L'infirmière. L'infirmière du médecin. Elle a appelé il y a une heure en disant que vous désiriez voir Joan. Qu'est-ce qui se passe, bon Dieu, Spaulding ? ajouta Ballard d'une voix soudain devenue tendue.

41.

– L'homme de Lisbonne s'attendait certainement à des représailles. Je suis stupéfait qu'il ait été si négligent.

On percevait l'arrogance de Heinrich Stoltz à l'autre bout de la ligne.

– Vous ne vous êtes pas préoccupé de Mme Cameron. Vous n'imaginiez sûrement pas que nous contre-attaquerions sur ce flanc. Il est difficile de résister aux injonctions de l'être que l'on aime, n'est-ce pas ?

– Où est-elle ?

– Elle est partie pour Lujan. Elle sera l'hôtesse de Habichtsnest. Une hôtesse honorée, je puis vous l'assurer. Herr Rhinemann sera absolument enchanté. J'étais sur le point de lui téléphoner. J'ai préféré attendre que nous l'ayons interceptée.

– Vous sortez des limites de votre territoire ! déclara David, qui essayait de conserver un calme apparent. Vous allez vous attirer des représailles de toutes les zones neutres. Les otages appartenant au corps diplomatique en pays neutre...

– Une invitée, l'interrompit l'Allemand, qui buvait du petit-lait. Pas vraiment le gros lot. La femme d'un beau-fils. Mari décédé. Pas de statut officiel. Ils sont si compliqués, les rituels sociaux des Américains !

– Vous savez ce que je veux dire ! Vous n'avez pas besoin de dessin !

– J'ai dit qu'elle était invitée ! Chez un éminent financier avec lequel vous avez été vous-même envoyé pour prendre contact... à propos d'une affaire d'économie internationale, je crois. Un juif expulsé de son pays, de ce pays qui est votre ennemi. Je ne vois aucune raison de s'alarmer... Sauf pour vous, peut-être.

Il était inutile de faire traîner les choses. Joan ne faisait partie ni du marché ni de la mise en accusation. Tant pis pour la mise en accusation ! Il n'allait pas s'engager dans cette aventure insensée. Cela n'avait plus aucun sens !

Seule Joan comptait.

— Alors, à vous de jouer, dit David.

— J'étais certain que vous coopéreriez. Qu'est-ce que ça peut vous faire ? Ou à moi, d'ailleurs... Vous et moi, nous obéissons aux ordres. En laissant la philosophie à ceux qui traitent les grandes affaires. Nous survivons.

— Ce ne sont pas des propos bien convaincus. On m'a pourtant dit que vous étiez un convaincu, rétorqua David d'un ton négligent.

Il avait besoin d'un peu de temps, de quelques secondes. Pour réfléchir.

— Aussi étrange que cela puisse paraître, je le suis. Dans un monde qui n'est plus, j'ai peur. Il n'y a que dans celui qui vient... Le reste des plans se trouve à Habichtsnest. Allez-y immédiatement, vous et votre physicien. Je souhaite conclure notre négociation dès ce soir.

— Attendez une minute !

David passait toutes les hypothèses en revue, les choix qui s'offraient à son partenaire.

— Ce n'est pas le nid le plus douillet que je connaisse. Ses habitants laissent quelque peu à désirer.

— Les invités aussi...

— Deux conditions. La première : je veux voir Mme Cameron dès mon arrivée. La deuxième : je n'enverrai les codes – à condition de pouvoir les envoyer – que lorsqu'elle sera de retour à l'ambassade. Avec Lyons.

— Nous en parlerons plus tard. Il y a toutefois une condition préalable.

Stoltz s'interrompit.

— Si vous n'êtes pas à Habichtsnest cet après-midi, vous ne reverrez jamais Mme Cameron. Comme la dernière fois que vous l'avez vue... Il y a tant de distractions à Habichtsnest. Nos hôtes en profitent aussi. Malheureusement, nous avons eu, dans le passé, d'épouvantables accidents. Dans le fleuve, dans la piscine... à cheval...

Le contremaître leur donna une carte routière et remplit le réservoir du véhicule militaire avec l'essence de la pompe du ranch. Spaulding retira les médaillons orange des pare-chocs et effaça à moitié les numéros de la plaque minéralogique en écaillant la peinture de sorte que les sept ressemblèrent à des un et les huit à des trois. Puis il brisa l'emblème qui se trouvait à l'extrémité du capot, flanqua de la peinture noire sur la calandre et enleva les quatre enjoliveurs. Il prit ensuite un marteau de forgeron et, au grand amusement du gaucho silencieux, le lança violemment contre les portières, le coffre et le toit.

Quand il eut terminé, l'automobile des marines ressemblait à une de ces épaves que l'on croise en rase campagne.

Ils reprirent la route en direction de la première grand-route, celle qui partait du transformateur téléphonique, et bifurquèrent vers l'est, vers Buenos Aires. Spaulding appuya sur l'accélérateur. Les vibrations firent s'entrechoquer les morceaux de métal brinquebalants. Lyons tenait la carte dépliée sur ses genoux. S'il ne se trompait pas, ils pouvaient rejoindre le district de Lujan sans emprunter les axes principaux, ce qui réduisait le risque de tomber sur une des patrouilles que la base avait dû lancer à leurs trousses.

Quelle ironie du sort! pensa David. Leur sécurité – la sécurité de Joan, la sienne aussi, en fait – dépendait de ses rapports avec un ennemi qu'il avait férocement combattu pendant plus de trois ans. Un ennemi qui était devenu un allié dans d'incroyables circonstances... par la trahison de Washington et de Berlin.

Qu'avait dit Stoltz? *Laissez la philosophie à ceux qui traitent de grandes affaires.*

Ce qui pouvait avoir un sens ou n'en pas avoir du tout.

David faillit manquer l'entrée à moitié dissimulée de Habichtsnest. Il en approchait par une route droite et déserte qu'il n'avait prise qu'une fois, de nuit. Des traces de pneus noires sur la surface claire du revêtement de l'entrée lui firent ralentir l'allure et regarder à sa gauche. Il observa l'orée du bois. Ces marques n'étaient pas assez anciennes pour avoir été effacées par le soleil ou par le passage d'autres véhicules. Spaulding se rappela les paroles du garde, sur le quai d'Ocho Calle.

– ... *On crie beaucoup.*

David imagina Rhinemann hurlant des ordres, faisant crisser les pneus d'une colonne de Bentley et de Packard qui, de l'allée enfouie de Habichtsnest, se dirigeaient vers une rue tranquille de San Telmo.

Un peu plus tard – dans les heures qui précédèrent l'aube –, d'autres voitures, d'autres hommes de main, affolés, en sueur, s'étaient sans doute précipités vers la petite péninsule isolée qu'était Ocho Calle.

Spaulding songea, non sans une certaine fierté professionnelle, qu'il avait bien entravé leur action.

Celle des ennemis des deux bords. De tous ses ennemis.

Un vague plan germa dans son esprit, les grandes lignes du moins. Cela dépendait en grande partie de ce qui les attendait à Habichtsnest.

Et des paroles de haine qu'Asher Feld avait prononcées avec tant de douceur.

Les gardes en uniforme paramilitaire levèrent leurs fusils à l'approche de l'automobile. Les autres retinrent les chiens qui tiraient sur leur laisse, les dents menaçantes, et aboyaient férocement. L'homme qui se trouvait au portail électrique cria des ordres à ceux qui étaient postés devant. Quatre gardes accoururent vers l'automobile et ouvrirent violemment les portières. Spaulding et Lyons en sortirent. On les poussa contre leur véhicule pour les fouiller.

David tournait la tête de droite et de gauche, surveillant la clôture de chaque côté du portail. Il évalua la hauteur et l'élasticité des liaisons, les points électrifiés entre les sections délimitées par d'épais poteaux. Les angles d'orientation.

Cela faisait partie de son plan.

Joan traversa le balcon et se précipita vers lui. Il la serra dans ses bras, en silence, quelques instants. Ce bref retour à des sentiments normaux lui fit du bien.

Rhinemann se tenait près de la balustrade, à quelque six mètres de là. Stoltz était à ses côtés. Entre les plis de chair tannée par le soleil, les yeux étroits de Rhinemann fixaient David. C'était un regard de respect hautain, et David le savait.

Il y avait un troisième homme : grand, blond, en costume d'été blanc, assis à une table en verre. Spaulding ne le connaissait pas.

— David, David, qu'est-ce que j'ai fait ?

Joan ne voulait plus le lâcher. Il caressa ses cheveux bruns et lisses.

— Entre autres choses, tu m'as sauvé la vie..

— Le IIIᵉ Reich dispose d'un système de surveillance très strict, madame Cameron, l'interrompit Stoltz en souriant. Nous avons tous les juifs à l'œil. Surtout ceux qui exercent une profession libérale. Nous savions que vous entreteniez des relations amicales avec le médecin de Palermo. Et que le colonel était blessé. Ce fut donc extrêmement simple.

— La surveillance que vous exercez sur les juifs concerne-t-elle également celui qui se trouve à vos côtés ? demanda David d'un ton monocorde.

Stoltz pâlit légèrement. Son regard passa rapidement de Rhinemann à l'homme aux cheveux blonds qui était toujours assis.

– Herr Rhinemann comprend ce que je veux dire. Je parle avec réalisme de l'observation nécessaire des éléments hostiles.

– C'est vrai, je m'en souviens, dit David, qui relâcha Joan et lui glissa un bras autour des épaules. Vous avez été très clair hier quant à la regrettable nécessité de certaines pratiques. Je suis désolé que vous n'ayez pas assisté à ce cours magistral, Rhinemann. Il traitait de la concentration des fortunes juives... Bref, nous sommes là. Alors, mettons-nous à l'œuvre.

Rhinemann s'écarta de la balustrade.

– Tout à fait. Mais d'abord, pour que la boucle soit bouclée, je voudrais vous présenter une de mes relations qui nous arrive de Berlin. Par des voies tout ce qu'il y a de neutres, évidemment. Je veux que vous ayez l'occasion de traiter directement avec lui. L'échange sera plus authentique de cette manière.

Spaulding leva les yeux vers l'homme aux cheveux blonds et au costume blanc.

– Franz Altmüller, ministère de l'Armement, Berlin, dit-il.

– Colonel David Spaulding. Fairfax. Ancien agent au Portugal. L'homme de Lisbonne, répondit Altmüller.

– Vous êtes des chacals, ajouta Rhinemann, qui mènent un combat de traîtres et qui déshonorent leurs services respectifs. Je vous le dis à tous les deux. Pour que vous le sachiez l'un et l'autre... Maintenant, comme vous le dites si bien, mon colonel, nous allons nous mettre à l'œuvre.

Stoltz fit descendre Lyons jusqu'à la pelouse impeccablement tondue, près de la piscine. Là, devant une grande table ronde, se tenait l'un des gardes de Rhinemann, un attaché-case métallique à la main. Lyons s'assit, dos au balcon. Le garde souleva la mallette pour la poser sur la table.

– Ouvrez-la, ordonna Erich Rhinemann d'en haut.

Le garde obtempéra. Lyons sortit les plans et les éparpilla devant lui.

– Restez avec lui, Stoltz, dit Altmüller.

Stoltz leva les yeux, stupéfait. Il ne dit rien cependant. Il s'avança vers le bord de la piscine et s'assit dans un transat, les yeux fixés sur Lyons.

Altmüller se tourna vers Joan.

– Puis-je dire deux mots au colonel, s'il vous plaît ?

Joan regarda Spaulding. Elle retira sa main de la sienne et s'éloigna à l'extrémité de la terrasse. Rhinemann resta au centre, le regard rivé sur Lyons.

– Pour notre sécurité à tous, fit Altmüller, je crois que vous devriez me dire ce qui s'est passé à San Telmo.

David observa l'Allemand avec attention. Altmüller ne mentait pas. Il n'essayait pas de le piéger. *Il ne savait rien de la Haganah. Ni d'Asher Feld.* C'était l'unique chance de Spaulding.

– La Gestapo, déclara David en donnant à ce mensonge la simplicité de la conviction.

– Impossible! éructa Altmüller. Vous savez que c'est impossible! Je suis là, moi!

– Cela fait quatre ans que, d'une façon ou d'une autre, je traite avec la Gestapo. Je connais l'ennemi... Accordez-moi au moins cela.

– Vous vous trompez! Ce n'est absolument pas possible!

– Vous avez passé trop de temps au ministère, pas assez sur le terrain. Vous voulez l'opinion d'un professionnel?

– Comment?

David s'accouda à la rambarde.

– Vous vous êtes fait avoir.

– Quoi?

– Tout comme moi. Par ceux qui utilisent nos incommensurables talents. A Berlin comme à Washington. Il y a une autre coïncidence remarquable... Ils ont tous deux les mêmes initiales... A.S.

Altmüller fixa Spaulding d'un regard bleu pénétrant, les lèvres entrouvertes, incrédule.

– *Albert Speer...*, prononça-t-il dans un souffle.

– Alan Swanson, ajouta doucement David.

– Cela ne se peut pas, dit Altmüller, qui mit, dans son propos, moins de conviction qu'il ne l'aurait souhaité. Il n'est pas au courant...

– Ne vous lancez pas sur le terrain sans un entraînement poussé. Ça ne durera pas longtemps... Pourquoi, à votre avis, ai-je proposé un marché à Rhinemann?

Altmüller écoutait sans écouter. Son regard se détacha de Spaulding, absorbé par le méli-mélo d'un incroyable puzzle.

– Si ce que vous dites était vrai – ce que je ne crois nullement –, vous n'enverriez pas les codes, le transfert ne se ferait pas. Il n'y aurait pas de silence radio. Votre flotte croiserait dans la zone sensible, avec les radars et l'aviation. Tout serait perdu!

David croisa les bras. C'était l'instant précis où son interlocuteur accepterait ou rejetterait son mensonge. Il le savait. Il éprouva ce qu'il avait éprouvé des centaines de fois dans les régions du Nord, chaque fois que le mensonge était la clé de la réussite.

– Le jeu est plus dur de votre côté. C'est votre Ordre Nouveau qui veut cela. On ne me tuera pas. Ils veulent juste s'assurer que je ne sais rien. Ce sont les plans qui leur importent... Pour vous, c'est différent. Vos supérieurs n'ont pas arrêté leur décision.

David se tut et sourit à Rhinemann, qui avait quitté son poste de sentinelle au bord de la terrasse pour mieux les observer. Altmüller ne quittait pas Spaulding des yeux... Il avait l'air d'un « courrier » inexpérimenté à qui on faisait la leçon, pensa David.

– Et, à votre avis, quelle décision prendront-ils ?

– Ils ont le choix entre plusieurs solutions, je pense, répondit Spaulding. Me neutraliser, imposer un autre codeur à la dernière minute, substituer de faux plans ou faire sortir les diamants d'Ocho Calle autrement que par la mer... ce qui serait difficile avec ces caisses, mais pas impossible.

– Pourquoi devrais-je m'opposer à la réalisation de ces solutions ? Vous me tentez.

Spaulding avait levé les yeux dans le vide. Il se retourna brusquement et regarda Altmüller.

– N'allez jamais sur le terrain. Vous ne tiendriez pas une journée. Restez dans votre ministère.

– Qu'est-ce que cela signifie ?

– En cas de changement de stratégie, vous êtes un homme mort. Vous constituez un handicap, à présent. Vous avez « traité » avec l'ennemi. Speer le sait. La Gestapo le sait. Votre seule chance est d'utiliser ce que vous savez. Tout comme moi. Vous contre votre vie. Moi pour une grosse somme d'argent. Et Dieu sait que les sociétés d'aéronautique me paieront une petite fortune. Je le mérite un peu.

Altmüller fit deux pas en direction de la balustrade et, à côté de David, contempla le fleuve en contrebas.

– Tout cela ne rime à rien.

– Réfléchissez un peu, poursuivit Spaulding. Dans cette affaire, on n'a rien sans rien.

David, qui regardait droit devant lui, sentit le regard d'Altmüller peser sur lui. Il devina les pensées qui germaient dans le cerveau de l'Allemand.

– Votre générosité risque de causer votre perte, mon colonel... Nous pouvons encore avoir quelque chose pour rien. Moi, une médaille du Reich... Nous, vous avons vous. Mme Cameron. On peut sacrifier le physicien, j'en suis sûr... Vous enverrez les codes. Vous étiez prêt à négocier votre prix. Vous négocierez certainement pour sauver votre vie.

Comme Altmüller, David regarda droit devant lui quand il répondit. Il avait les bras croisés, était insolemment détendu, comme il devait le paraître.

– Nous avons conclu un marché. Si Lyons approuve les plans, j'enverrai les codes dès que Mme Cameron et lui seront de retour à l'ambassade. Pas avant.

– Vous les enverrez quand je vous l'ordonnerai.

Altmüller avait le plus grand mal à ne pas hausser le ton. Rhinemann observa de nouveau leur face-à-face, sans manifester le désir d'intervenir. Spaulding comprit. Rhinemann jouait avec ses chacals.

– Désolé de vous décevoir, dit David.

– Alors, il se produira des choses extrêmement désagréables. Pour Mme Cameron d'abord.

– Laissez tomber, soupira David. Respectez les règles que nous avions fixées. Vous n'avez pas la moindre chance de réussir.

– Vous êtes bien sûr de vous pour un homme seul.

Spaulding s'écarta de la rambarde et se retourna pour faire face à l'Allemand.

– Vous êtes un imbécile patenté, murmura-t-il très bas. Vous ne tiendriez pas une heure à Lisbonne... Vous croyez que je suis venu ici sans avoir assuré mes arrières ? Vous croyez que Rhinemann se figure une chose pareille ?... Nous, les hommes de terrain, nous sommes très prudents, très lâches. Nous n'avons rien d'héroïque. Nous ne fichons pas tout en l'air si nous avons une chance de rester en piste. Nous ne détruisons un pont ennemi que si nous disposons d'un autre moyen pour rejoindre notre camp.

– Vous êtes seul. Vous n'avez laissé aucun pont derrière vous !

David jeta à Altmüller le regard que l'on jette sur un mauvais morceau de viande, puis il consulta sa montre.

– Votre Stoltz était un crétin. Si je ne donne pas un coup de fil dans quinze minutes, un certain nombre de lignes téléphoniques seront occupées et je ne sais combien de voitures officielles prendront la route de Lujan. Je suis un attaché militaire affecté à l'ambassade américaine. J'ai accompagné la fille de l'ambassadeur à Lujan. Cela suffit.

– C'est ridicule ! Nous sommes dans une ville neutre. Rhinemann aurait...

– Rhinemann ouvrirait grandes ses portes et jetterait les chacals dehors, l'interrompit Spaulding avec le plus grand calme. Nous sommes tous les deux des poids morts. « Tortugas » pourrait lui exploser à la figure après la guerre. Il ne le permettra pas. Peu importe ce qu'il pense du système, du vôtre *ou* du mien. Il n'y a qu'une chose qui compte à ses yeux : la cause d'Erich Rhinemann... Je pensais que vous le saviez. C'est vous qui l'avez choisi.

Altmüller respirait régulièrement, un peu trop profondément, songea David. Il voulait rester maître de lui et avait toutes les peines du monde à y parvenir.

– Vous... avez pris des dispositions pour envoyer les codes ? D'ici ?

Il avait gobé son mensonge. La touche avait fait mouche.

– Les règles seront respectées. Black-out radio et radar. Pas de raids aériens au-dessus des sous-marins qui feront surface, pas d'interception des chalutiers... qui, sous pavillon paraguayen, pénétreront dans la zone côtière. Nous gagnerons tous les deux... Qu'est-ce que vous voulez, chacal ?

Altmüller se tourna de nouveau vers la balustrade et posa les mains sur la rampe. Il sentit la rigidité de ses doigts sur la pierre froide. Les plis impeccables de son costume blanc lui conféraient une espèce d'immobilité amidonnée. Il baissa les yeux vers le fleuve.

– Les règles de « Tortugas » sont de nouveau en vigueur.

– Il faut que je passe un coup de fil, dit David.

– Je m'y attendais, répliqua Rhinemann, qui jeta un regard méprisant sur Altmüller. Je n'aurai pas le culot de kidnapper un membre de l'ambassade. Ce ne serait dans l'intérêt de personne.

– Ne soyez pas trop dur, fit Spaulding d'un air avenant. Cela m'a fait venir ici en un temps record.

– Donnez votre coup de fil.

Rhinemann désigna un appareil qui se trouvait sur une table, près du passage voûté.

– Votre conversation sera amplifiée, bien entendu.

– Bien entendu, répondit David en s'avançant vers le téléphone.

– Ici, le service des transmissions..., entendit-on dans d'invisibles haut-parleurs.

– Ici le lieutenant-colonel Spaulding, attaché militaire, dit David qui coupa la parole à Ballard.

Il y eut un bref silence avant que Ballard ne réponde.

– Oui, mon colonel ?

– J'avais fait une demande d'enquête avant mon entrevue de cet après-midi. Vous pouvez l'annuler maintenant.

– Bien, mon colonel... Très bien, mon colonel.

– Pouvez-vous me passer le cryptographe principal, s'il vous plaît ? M. Ballard, je crois.

– Mais c'est... moi, Ballard, mon colonel.

– Désolé, fit David d'un ton abrupt, je ne vous avais pas reconnu, Ballard. Tenez-vous prêt à envoyer les codes que je vous ai laissés sous enveloppe cachetée. L'enveloppe verte. Ouvrez-la et familiarisez-vous avec la progression. Quand je vous donnerai l'ordre, je veux qu'il soit transmis immédiatement. Priorité Drap Noir.

– Pardon... mon colonel ?

– Le mot de passe est Drap Noir, Ballard. C'est dans le lex. Dégagez tous les canaux de brouilleur. Vous ne rencontrerez aucune opposition avec cette priorité-là.

– Bien, mon colonel...

David raccrocha en priant le ciel que Ballard fût aussi compétent qu'il le pensait. Ou aussi doué pour les jeux de société que le croyait Henderson Granville.

– Vous êtes très efficace, dit Rhinemann.

– J'essaie de l'être, répondit David.

Ballard contempla le téléphone. Spaulding essayait de lui dire quelque chose, mais quoi ? De toute évidence, que Joan allait bien. Que Lyons et lui allaient bien, eux aussi. Du moins pour le moment.

Tenez-vous prêt à envoyer les codes que je vous ai laissés sous enveloppe cachetée...

David n'avait rien laissé du tout. C'était lui qui avait préparé ces codes. David avait appris les séries de chiffres par cœur, c'était vrai, mais seulement au cas d'un événement inattendu.

De quelle fichue enveloppe verte pouvait-il bien s'agir ?

Il n'y avait aucune enveloppe, ni rouge, ni bleue, ni verte !

Et puis cette bribe de phrase qui ne voulait rien dire... *priorité Drap Noir.*

Qu'est-ce que c'était que ce Drap Noir ? Cela n'avait pas de sens !

Mais c'était une *clé.*

C'est dans le lex...

Lex... Lexique. Le lexique de cryptographie !

Drap Noir... Cela lui rappelait quelque chose... quelque chose de très obscur, de très ancien. Drap Noir était une vieille expression, que l'on utilisait plus depuis longtemps. Il ne s'était pas plongé dans le lexique depuis des années. C'était devenu un manuel inutile, périmé.

Il se trouvait sur la plus haute étagère au milieu des ouvrages de référence qui ne servaient à rien et, comme eux, il était couvert de poussière.

Il trouva le terme à la page 71. Un paragraphe unique lui était consacré, pris en sandwich entre deux paragraphes qui eux aussi n'avaient plus de signification. Mais, à présent, il y en avait une.

« Le Drap Noir, également connu sous le nom de *Schwarztuch-chiffre,* car c'est l'armée impériale allemande qui l'a utilisé la première en 1916, est un code de stratagème. Il est d'un usage risqué, ne pouvant être répété dans le même secteur. Ce signal implique l'envoi d'un code qui doit déclencher une série de dispositions aboutissant à l'annulation de dispositions préétables. Le facteur de résiliation s'exprime en minutes et se chiffre de manière particulière. Il fut pratiquement abandonné en 1917 car il annula... »

Implique l'envoi... aboutissant a l'annulation...

Ballard referma le livre et retourna à son fauteuil, devant ses cadrans.

Lyons tournait et retournait les pages des plans dans tous les sens, comme s'il voulait vérifier ses calculs une nouvelle fois. Rhinemann l'appela à deux reprises du haut du balcon pour lui demander s'il y avait des problèmes. Deux fois, Lyons se retourna sur son siège et hocha négativement la tête. Stoltz était resté dans le transat au bord de la piscine, à fumer des cigarettes. Altmüller dit deux mots à Rhinemann. Aucun ne parut satisfait de cette conversation. Altmüller revint vers le fauteuil devant la table au plateau de verre et feuilleta un journal de Buenos Aires.

David et Joan bavardaient tranquillement sur un coin de la terrasse. De temps à autre, Spaulding haussait le ton. Si Altmüller écoutait, il les entendait parler de New York, de cabinets d'architecte, de vagues projets d'après-guerre. Des projets d'amoureux.

Mais c'étaient des propos sans queue ni tête.

– A l'hôtel Alvear, dit doucement David en prenant la main de Joan, quelqu'un est inscrit sous le nom d'E. Pace. *E. Pace.* Son véritable nom est Asher Feld. Présente-toi comme contact venant de ma part... et de celle d'un agent de Fairfax du nom de Barden. Ira Barden. Rien d'autre. Dis-lui que je m'occupe de ses... priorités. Deux heures exactement après... l'instant où tu auras appelé de l'ambassade... Je dis bien l'instant même, Joan, il comprendra...

Une fois, une seule, Joan retint son souffle. David la regarda fixement et lui pressa la main. Elle dissimula son étonnement derrière un rire qui sonnait faux.

Altmüller leva les yeux de son journal. Il y avait du mépris dans ses yeux et au-delà du mépris, tout aussi évidente, de la colère.

Lyons quitta son fauteuil et s'étira. Il avait passé trois heures et dix minutes devant cette table. Il se retourna et leva les yeux vers le balcon. Vers Spaulding.

Il hocha la tête.

– Bon, dit Rhinemann en s'approchant d'Altmüller. Nous allons passer à la suite des événements. Il fera bientôt nuit. Tout sera terminé à l'aube. Plus de retard ! Stoltz ! *Kommen Sie hier ! Bringen Sie die Aktenmappe !*

Stoltz se dirigea vers la table et replaça les feuilles dans la mallette.

David prit le bras de Joan et la conduisit jusqu'à Rhinemann et Altmüller.

– Ces plans comprennent environ quatre cent soixante pages de données et d'équations successives, déclara le nazi. Personne ne peut retenir une telle information. Si l'une des parties manque, les plans sont inutilisables. Dès que vous aurez contacté votre cryptographe et que vous lui aurez transmis les codes, Mme Cameron et le physicien pourront s'en aller librement.

— Je suis désolé, dit Spaulding. Je n'enverrai les codes que lorsqu'ils seront de retour à l'ambassade. C'est ce dont nous étions convenus. C'est ainsi que nous devons procéder.

— Vous ne pensez quand même pas, intervint Rhinemann d'un ton furieux, que je laisserai...

— Non, le coupa David. Mais je ne sais pas jusqu'où s'étend votre influence, une fois franchies les portes de Habichtsnest. Je suis certain que, de cette façon, vous ferez ce qui sera en votre pouvoir pour que tout se passe bien.

42.

Une heure et trente et une minutes devaient s'écouler avant que le téléphone ne sonne. A neuf heures et quart exactement. Le soleil avait disparu derrière les collines de Lujan. Au loin, sur les berges du fleuve, la lumière vacillait, noyée dans l'obscurité tombante.

Rhinemann décrocha l'appareil, écouta et fit un signe de tête à David.

Spaulding se leva et s'avança vers le financier. Il lui prit le téléphone des mains. Rhinemann appuya sur l'interrupteur mural. On entendit les haut-parleurs.

– Nous sommes arrivés, David.

La voix de Joan résonnait sur la terrasse.

– Bon, répondit Spaulding. Pas de problèmes alors ?

– Pas vraiment. Après la fourche, j'ai cru que le professeur Lyons allait tomber malade. Ils conduisaient si vite...

Après... fourche...

Asher... Feld...

Joan avait réussi !

– Il va bien maintenant ?

– Il se repose. Il lui faudra quelques heures avant de reprendre le dessus...

Heures.

Joan avait indiqué à Asher Feld l'heure précise.

– D'accord...

– *Genug ! Genug !* dit Altmüller qui se tenait près du balcon. Ça suffit. Vous avez votre preuve. Ils sont là-bas. Les codes !

David leva les yeux vers le nazi. Il lui lança un regard peu accommodant, lui signifiant qu'il n'avait pas l'intention de se dépêcher.

– Joan ?

– Oui ?

– Vous êtes dans la salle des transmissions ?

– Oui.

– Passez-moi ce Ballard.

– Le voilà.

Ballard lui répondit d'une voix impersonnelle, efficace.

– Colonel Spaulding ?

– Ballard, avez-vous dégagé tous les canaux du brouilleur ?

– Oui, mon colonel. Et je me suis occupé de votre code prioritaire. La Drap est confirmé, mon colonel.

– Parfait. Ne bougez pas avant que je vous appelle. Ça ne devrait pas durer plus de quelques minutes.

David raccrocha aussitôt.

– Que faites-vous ? hurla Altmüller, furibond. Les codes ! Envoyez-les !

– Il est en train de nous trahir ! beugla Stoltz, qui bondit de son siège.

– Vous allez devoir vous expliquer, dit doucement Rhinemann.

Il y avait dans sa voix comme l'ébauche d'une menace.

– Quelques détails de dernière minute, c'est tout, fit Spaulding en allumant une cigarette. Ce n'est qu'une question de minutes... Rhinemann, pourrions-nous parler seul à seul ?

– Ce n'est pas nécessaire. De quoi s'agit-il ? demanda le financier. De votre départ ? C'est arrangé. On vous conduira au terrain de Mendarro avec les plans. C'est à moins de dix minutes d'ici. Toutefois, vous ne monterez dans l'avion que lorsque nous aurons reçu confirmation du transfert de la cargaison Koening.

– Combien de temps cela prendra-t-il ?

– Quelle importance ?

– Quand le black-out sera mis en place, je n'aurai plus aucune protection, voilà ce qui est important.

– *Ach !*

Rhinemann ne dissimulait pas son impatience.

– Pendant quatre heures, vous aurez la meilleure protection du monde. Je n'aurais pas l'audace d'offenser Washington !

– Vous voyez ? dit David à Franz Altmüller. Je vous avais bien dit que nous étions des poids morts.

Il se retourna vers Rhinemann.

– D'accord. J'accepte. Vous avez trop à perdre. Premier détail réglé. Passons au suivant. Ce que vous allez me payer.

Rhinemann lui lança un regard oblique.

– Vous êtes un homme méticuleux... Une somme de cinq cent mille dollars américains sera transférée à la banque Louis-XIV de Zurich. C'est un chiffre généreux et non négociable.

– Extrêmement. C'est plus que je n'aurais demandé... Quelle garantie me donnez-vous ?

– Allons, mon colonel, nous ne sommes pas des marchands de tapis. Vous savez où j'habite. Vous avez prouvé ce dont vous étiez capable. Je ne veux pas voir mon horizon bloqué par le spectre de l'homme de Lisbonne.

– Vous me flattez.

– L'argent sera déposé à Zurich à votre nom, ainsi que les papiers nécessaires. A la banque, selon la procédure normale.

David éteignit sa cigarette.

– D'accord, à Zurich... Maintenant un dernier détail. Pour les sommes généreuses que l'on me versera chez moi... Les noms, s'il vous plaît. Écrivez-les sur une feuille de papier.

– Êtes-vous certain que je connaisse ces noms ?

– C'est la seule chose dont je sois vraiment sûr. C'est le seul élément que vous n'auriez certainement pas négligé.

Rhinemann prit un petit bloc de cuir noir dans la poche de sa veste et écrivit quelques mots à la hâte. Il déchira la page et la tendit à Spaulding.

David lut les noms :

Kendall, Walter
Swanson, A. Armée U.S.
Oliver, H. Meridian Aircraft.
Craft, J. Packard

– Merci, dit Spaulding.

Il enfouit la feuille dans sa poche et posa la main sur le téléphone.

– Appelez-moi l'ambassade américaine, s'il vous plaît.

Ballard lut la série codée que David lui avait donnée. Elle n'était pas parfaite mais pas très éloignée non plus de la réalité. Spaulding avait inversé une équation de voyelles, mais le message était clair. David avait insisté sur le « mégacycle de fréquence cent vingt pour tous les messages à venir », charabia dépourvu de signification. Mais cela aussi était fort clair.

Cent vingt minutes.

Drap Noir.

Le code d'origine comprenait quatorze caractères :

CABLER TORTUGAS

Le code qu'avait transmis Spaulding en comprenait seize. Ballard contempla le message.

DÉTRUIRE TORTUGAS

Dans deux heures.

David voulut régler un dernier « détail », ce que personne ne pouvait lui reprocher professionnellement. Tous tentèrent pourtant de s'y opposer. Puisque quatre heures devaient s'écouler – plus ou moins – avant qu'on ne le conduise à l'aérodrome de Mendarro, il risquait – lui ou Rhinemann –, pendant ce laps de temps, de perdre les plans de vue. Il exigea donc qu'on les range dans une mallette métallique fermée par une seule serrure et attachée par une chaîne à un élément fixe. La chaîne serait munie d'un cadenas dont on lui confierait les clés. Il tenait également à détenir les clés de la mallette et à poser un fil sur le fermoir. Si l'on touchait aux plans, il s'en apercevrait aussitôt.

– Vous êtes d'une prudence maladive, lui dit Rhinemann d'un ton désagréable. Je devrais passer outre. Les codes ont été envoyés.

– Alors faites-moi ce plaisir. Je suis un agent quatre-zéro de Fairfax. Nous travaillerons peut-être ensemble une autre fois.

Rhinemann sourit.

– C'est toujours ainsi que l'on procède, n'est-ce pas ? Soit !

Rhinemann demanda que l'on apporte une chaîne et un cadenas, qu'il prit un certain plaisir à montrer à David, dans leur boîte originelle. Le rituel dura quelques minutes. La mallette de métal fut enchaînée à la rampe de l'escalier du grand hall. Les quatre hommes s'installèrent dans l'immense salle de séjour, à la droite du hall. Au bout d'un long passage voûté, on apercevait l'escalier... et la mallette métallique.

Le financier devint un hôte charmant. Il leur proposa un cognac. Seul Spaulding accepta, suivi peu après par Heinrich Stoltz. Altmüller refusa de boire.

Un garde vêtu en uniforme aux plis amidonnés apparut dans le passage voûté.

– Nos opérateurs confirment le black-out radio, monsieur. Dans toute la zone côtière.

– Merci, dit Rhinemann. Contrôlez toutes les fréquences.

La garde hocha la tête. Il fit volte-face et quitta la pièce aussi vite qu'il était venu.

– Vos hommes sont efficaces, observa David.

– Ils sont payés pour ça, répondit Rhinemann en regardant sa

411

montre. Nous n'avons plus qu'à attendre. Notre affaire progresse et il ne nous reste plus qu'à être patients. Je vais nous faire préparer un buffet. Les canapés ne sont pas assez nourrissants... et nous avons le temps.

– Vous êtes très accueillant, fit Spaulding qui, son cognac à la main, se dirigea vers le fauteuil voisin de celui d'Altmüller.

– Et généreux, ne l'oubliez pas.

– Ce serait difficile de... Cependant, j'ai autre chose à vous demander.

David posa son verre sur la petite table basse et désigna ses vêtements froissés et peu seyants.

– Je les ai empruntés à un ouvrier du ranch. Dieu seul sait depuis combien de temps ils n'ont pas été lavés. Moi aussi... j'aimerais prendre une douche, me raser, et si vous pouviez me prêter un pantalon et une chemise ou un pull...

– Je suis certain que vous trouverez tout ce qu'il vous faudra à l'intendance de votre armée, intervint Altmüller, l'air soupçonneux.

– Mais enfin, Altmüller, je ne vais nulle part ! Sauf pour me doucher ! Les plans sont là-bas !

Spaulding pointa un doigt furieux sur la mallette enchaînée à la rampe de l'escalier, de l'autre côté du passage voûté.

– Si vous croyez que je vais partir sans *ça*, vous êtes débile !

L'insulte mit le nazi dans une colère noire. Il s'agrippa aux bras de son fauteuil pour se maîtriser. Rhinemann éclata de rire.

– Le colonel vient de vivre quelques journées exténuantes, dit-il à Altmüller. Il ne demande pas grand-chose et je puis vous assurer qu'il ira à l'aérodrome de Mendarro, pas ailleurs... J'aimerais qu'il y soit déjà. J'économiserais un demi-million de dollars.

– A Zurich, un homme muni d'une telle somme d'argent peut au moins avoir la conscience tranquille, déclara-t-il en réponse au rire de Rhinemann.

Puis il se leva de son fauteuil.

– Et vous avez raison : ces derniers jours m'ont épuisé. Je suis vidé. Et j'ai mal partout. Si vous aviez un lit douillet, je pourrais même y faire une sieste.

Il regarda Altmüller.

– Avec un bataillon de gardes armés à la porte si cela peut tranquilliser notre bon ami.

– Assez ! explosa Altmüller d'une voix âpre et forte.

– Oh, asseyez-vous ! dit David. Vous êtes ridicule.

Le garde de Rhinemann lui apporta un pantalon, un col roulé léger et une veste de daim marron. David vit qu'il n'y avait là que des vêtements coûteux qui lui iraient parfaitement. Les différents accessoires nécessaires pour se raser se trouvaient dans la salle de bains. S'il avait besoin de quoi que ce fût, il n'avait qu'à ouvrir la porte et à demander. L'homme resterait dans le couloir. En fait, il y avait deux gardes.

David comprit.

Il prévint le garde – un porteño – qu'il avait l'intention de dormir une heure, puis de se doucher et de se raser avant le voyage. Le garde aurait-il la gentillesse de le réveiller à onze heures ?

Le porteño acquiesça.

Il était dix heures cinq à la montre de David. Joan avait téléphoné à neuf heures et quart. Asher Feld avait exactement deux heures devant lui, depuis ce coup de téléphone.

David disposait donc d'une heure et six minutes.

Onze heures et quart.

A condition qu'Asher Feld ait vraiment des priorités.

La pièce était grande, haute de plafond, avec deux fenêtres doubles, deux étages au-dessus du sol. Elle était située dans l'aile est de la maison. La lumière allumée, c'était tout ce qu'il pouvait déduire d'une observation volontairement limitée.

Il éteignit et retourna vers les fenêtres. Il ouvrit la croisée de gauche, calmement, et jeta un coup d'œil derrière les rideaux.

Il y avait un toit d'ardoise. Ce n'était pas bon. Une large gouttière. C'était mieux. La gouttière conduisait à un tuyau d'évacuation situé à environ six mètres. C'était satisfaisant.

Juste en dessous, au premier étage, étaient alignés quatre petits balcons prolongeant sans doute quatre chambres. Le balcon le plus éloigné n'était qu'à un mètre cinquante du tuyau. Peut-être utilisable. Probablement pas.

La pelouse en contrebas était comme tout ce qui se trouvait dans le domaine de Habichtsnest : merveilleusement entretenue, d'un noir verdâtre au clair de lune, épaisse, avec çà et là des meubles de jardin en fer forgé, peints en blanc, et des allées pavées bordées de fleurs. Du coin situé juste sous ses fenêtres partait une grande allée arrondie, ratissée, qui disparaissait dans l'obscurité et les arbres. Il l'avait déjà aperçue, du haut de la terrasse qui donnait sur la piscine. Il se rappelait les empreintes de sabots, disséminées, que l'on n'avait pas ratissées. C'était une allée cavalière. Elle devait mener à une écurie, quelque part dans les arbres.

Cela devait être utilisable. Relativement utilisable, étant donné les circonstances.

Spaulding aperçut alors la lueur d'une cigarette, au creux d'une main, sous une tonnelle à un dizaine de mètres du périmètre défini par les meubles de jardin. Rhinemann était absolument certain qu'il serait, lui, David, en route pour Mendarro dans quelques heures, mais quelques sentinelles postées çà et là venaient conforter cette certitude.

Il n'en fut pas surpris. L'absence de patrouille l'eût étonné. C'était aussi pour cela qu'il comptait sur Asher Feld.

Il laissa retomber le rideau, s'éloigna de la fenêtre et se dirigea vers le lit à baldaquin. Il tira les couvertures et se déshabilla, ne gardant que son caleçon, un caleçon en drap grossier qu'il avait trouvé dans l'adobe et qui avait remplacé le sien, taché et déchiré. Il s'allongea et ferma les yeux sans avoir l'intention de dormir. Il pensa à la haute clôture électrifiée partant du portail de Habichtsnest. Il avait eu le temps de l'observer pendant que les gardes de Rhinemann le fouillaient, le dos contre le véhicule défoncé de la base.

A la droite de l'immense portail. A l'est.

La lumière des projecteurs lui avait permis de repérer la légère incurvation de la clôture au moment où celle-ci s'enfonçait dans les bois. Légère mais réelle.

Nord-nord-est.

Il visualisa une fois encore le balcon qui donnait sur la piscine. Au-delà de la balustrade, complètement à droite de la terrasse où il avait tranquillement bavardé avec Joan. Il concentra son attention sur la zone située en dessous – devant, à droite.

Nord-nord-est.

Il vit distinctement. Le terrain à droite du jeu de croquet et des tables descendait en pente douce jusqu'aux grands arbres, à l'orée des bois environnants. C'était dans cette forêt que s'enfonçait le sentier qu'il apercevait en contrebas. Et dans la pente – à un kilomètre en direction de la rive du fleuve – il y avait une échappée entre les faîtes des arbres, il s'en souvenait. De nouveau à droite.

Des champs.

S'il y avait des chevaux – et il y en avait – et une écurie – il devait y avoir une écurie –, il y avait aussi des champs. Pour que les bêtes puissent paître et oublier l'étroitesse de leur sentier de promenade.

Dans les espaces aperçus entre les arbres de la pente se découpaient des pâturages. Il n'y avait pas d'autre explication.

Nord-nord-est.

Il reporta son attention sur la grand-route à trois kilomètres au sud du perron de marbre de Habichtsnest, qui menait à Buenos Aires en traversant la région de Lujan. Il s'en souvint : la route qui dominait le fleuve au carrefour de Habichtsnest bifurquait sur la gauche et descendait vers le district du Tigre. Il essaya de se rappeler avec précision son cauchemardesque voyage en Bentley qui avait pris fin dans les Colinas Rojas, parmi la fumée, le feu et la mort. La voiture était sortie par une porte dérobée et, pendant plusieurs kilomètres, avait foncé vers l'est en descendant la pente avant de prendre légèrement vers le nord. Puis elle avait suivi un axe parallèle à la rive du fleuve.

Nord-nord-est.

C'était par là qu'il s'échapperait.

Il descendrait le sentier à l'abri de la forêt obscure et se dirigerait vers le nord-est, vers l'échappée au milieu des arbres, vers les champs. Il traverserait les prés en marchant vers la droite, vers l'est et, au bas de la pente, prendrait la direction du nord. Il s'enfoncerait de nouveau dans la forêt escarpée, suivrait le cours du fleuve jusqu'à la clôture électrifiée qui bordait l'immense enceinte qu'était Habichtsnest.

Au-delà de la clôture, c'était la grand-route qui menait à Buenos Aires. Et à l'ambassade.

A Joan.

David se détendit, laissa la douleur s'enrouler autour de sa peau déchirée. Il respira régulièrement, profondément. Il fallait rester calme. C'était le plus difficile.

Il regarda sa montre, cadeau de Joan. Il était presque onze heures. Il sortit du lit, enfila le pantalon et le pull. Il mit ses chaussures et serra ses lacets au point que le cuir comprimait les pieds. Puis il saisit l'oreiller et l'enveloppa de la chemise sale qu'il avait rapportée du ranch. Il replaça l'oreiller à la tête du lit et tira la couverture sans le couvrir complètement. Il souleva les draps, les roula en tampon et y glissa le pantalon de l'ouvrier agricole avant de remettre les couvertures en place.

Il se redressa. Dans l'obscurité, avec le peu de lumière qui parvenait du couloir, la forme sur le lit lui parut assez convaincante, dans l'immédiat du moins.

Il avança vers la porte et s'adossa au mur à côté.

Sa montre indiquait onze heures moins une.

On frappa fort.

La porte s'ouvrit.

– *Señor ?... Señor ?*

La porte s'ouvrit davantage.

– *Señor*, c'est l'heure. Il est onze heures.

Le garde se tenait dans l'embrasure et observait le lit.

– *Él duerme,* dit-il naturellement par-dessus son épaule.

– *Señor Spaulding !*

Le garde pénétra dans la chambre obscure.

A l'instant même où il franchissait le seuil, David fit un pas en

415

avant et, des deux mains, le saisit à la gorge. Il lui enfonça les doigts dans les artères et l'attira contre lui, en diagonale.

On n'entendit pas un cri. Sa trachée artère était privée d'air. Il s'effondra.

Spaulding ferma lentement la porte et appuya sur l'interrupteur mural.

– Merci, dit-il tout haut. Donnez-moi un coup de main, s'il vous plaît. Mon ventre me fait atrocement souffrir...

A Habichtsnest, la blessure de l'Américain n'était un secret pour personne.

David se pencha sur le garde évanoui. Il lui massa la gorge, lui pinça les narines, posa ses lèvres sur la bouche du porteño et insuffla de l'air dans sa trachée artère meurtrie.

Le garde réagit. Conscient sans l'être. Dans un état de demi-choc.

Spaulding retira le Lüger de l'étui qui pendait à la ceinture de l'homme et un grand couteau de chasse d'un fourreau accroché juste à côté. Il plaça la lame sous sa mâchoire et, avec la pointe acérée, fit perler le sang. Il soupira. Et s'adressa à lui en espagnol :

– Comprenez-moi bien ! Je veux que vous riiez ! Tout de suite ! Si vous ne riez pas, je vous enfonce cette lame dans la chair. En travers du cou !... Maintenant riez !

Dans les yeux affolés du garde se peignit une totale incompréhension. Il se croyait sans doute en face d'un maniaque. Un fou qui allait le tuer.

Faiblement d'abord, puis de plus en plus fort, sous l'emprise de la panique, l'homme rit.

Spaulding rit avec lui.

Le rire se fit plus audible. David, qui ne quittait pas l'homme des yeux, lui fit signe de s'esclaffer avec plus de conviction, d'enthousiasme. Perplexe, ahuri et terrifié, le garde se tordit de rire, tel un hystérique.

Spaulding entendit le bruit sec de la poignée de la porte à cinquante centimètres de son oreille. Il frappa le porteño à la tête avec le canon de son Lüger et se redressa au moment où son compagnon entrait.

– *Qué pasa, Antonio ? Tu re...*

La crosse du Lüger vint s'écraser contre le crâne de l'Argentin avec une violence telle que, tandis qu'il s'écroulait sur le sol, il souffla bruyamment.

David regarda sa montre. Il était onze heures huit. Il lui restait sept minutes.

Si le dénommé Asher Feld croyait en ce qu'il défendait avec tant de conviction.

Spaulding saisit les armes du deuxième garde, glissa le second Lüger dans sa ceinture. Il fouilla les poches des deux hommes et en retira tous les billets qu'il y trouva. Et quelques pièces de monnaie.

Il n'avait pas d'argent sur lui. Il pourrait en avoir besoin.

Il se précipita dans la salle de bains, tourna le robinet de la douche et le régla sur la température maximale. Il revint vers la porte qui donnait sur le couloir et la verrouilla. Puis il éteignit les lumières et se dirigea vers la croisée de gauche en fermant les yeux pour s'adapter à l'obscurité extérieure. Il l'ouvrit et cligna des yeux plusieurs fois en essayant de chasser les petites taches blanches que l'angoisse faisait danser devant ses prunelles.

Il était onze heures neuf.

Il frotta ses mains moites sur son élégant col roulé, respira profondément et attendit.

L'attente lui parut presque insupportable.

Parce qu'il ne savait pas.

Enfin il entendit ! Et il sut.

Deux explosions retentissantes ! Si puissantes, si saisissantes qu'elles l'avaient pris au dépourvu, le laissaient pantelant, le souffle coupé.

Puis il perçut le crépitement d'une mitrailleuse qui déchira le silence de la nuit.

Sur le sol, en contrebas, des hommes criaient en se précipitant vers le vacarme qui emplissait le périmètre de l'enceinte avec une férocité croissante.

David contempla le spectacle à ses pieds : une confusion hystérique régnait. Sous ses fenêtres, cinq gardes quittèrent leur poste au pas de course. Il vit aussi le flot de lumière déversé par les projecteurs que l'on venait d'allumer à sa droite, dans l'élégante cour intérieure de Habichtsnest. Il entendit le ronflement puissant des moteurs et les ordres de plus en plus nombreux sous l'effet de la panique.

Il se glissa par la fenêtre, s'accrocha au rebord jusqu'à ce que ses pieds effleurent la gouttière.

Il avait deux Lüger dans sa ceinture, un couteau entre les dents. Il ne pouvait pas prendre le risque de porter une lame près du corps. Si c'était nécessaire, il pourrait toujours le jeter. Il longea le toit d'ardoise, un pied après l'autre. Le tuyau d'évacuation n'était plus qu'à quelques dizaines de centimètres.

Devant le portail, les explosions et la fusillade se firent de plus en plus assourdissantes. David s'émerveilla non seulement de la fidélité d'Asher Feld à ses engagements, mais aussi de sa logistique. Le chef de la Haganah avait sans doute amené là une armée peu nombreuse mais suréquipée.

Il se baissa prudemment, s'appuyant au toit. Il saisit la gouttière de la main droite, à l'extrémité du tuyau d'évacuation, et, lentement, soigneusement, s'accroupit en position oblique en avançant les pieds centimètre par centimètre pour trouver l'équilibre. Il repoussa le bord extérieur de la gouttière pour tester sa force et, d'un petit saut rapide, se lança de l'autre côté et saisit le rebord des deux mains. Les pieds au mur, il enfourcha le tuyau d'évacuation.

Il commença à descendre en faisant glisser une main après l'autre sur le tuyau.

Au milieu des tirs en rafales, il entendit soudain un grand fracas au-dessus de sa tête. Il y eut des cris en allemand et en espagnol et le bruit caractéristique du bois brisé.

On était entré dans la chambre qu'il venait de quitter.

Il était alors parallèle au balcon du premier étage, à l'extrême nord. Il tendit la main gauche et agrippa le rebord, lança sa main droite pour trouver un appui et se jeta dans le vide. Son corps se balança à dix mètres au-dessus du sol, mais hors de la vue de ses adversaires.

Des hommes regardaient par la croisée du dessus. Ils enfoncèrent la crémone de fonte sans se soucier des poignées. Le verre vola en éclats. Le métal crissa contre le métal.

Le bruit de tonnerre d'une autre explosion lui parvint du lieu des combats, à quatre cents mètres de là, dans un champ pris sur la forêt et surplombé de crêtes noires. La cour intérieure résonna de la détonation d'une arme lointaine. L'éclairage s'éteignit brusquement. Asher Feld avançait. Des deux côtés, les tirs croisés seraient meurtriers. Suicidaires.

Les cris s'éloignèrent de la fenêtre du dessus. Il balança les pieds latéralement, deux fois de suite, afin d'avoir assez d'élan pour lâcher les mains et saisir de nouveau le tuyau.

Il y parvint. La lame qu'il tenait entre les dents lui meurtrissait la mâchoire.

Il se laissa glisser sur le sol, s'éraflant les mains sur le métal érodé, insensible aux coupures de ses paumes et de ses doigts.

Il retira le couteau de sa bouche, le Lüger de sa ceinture, se précipita vers le sentier ratissé, puis vers la masse sombre de la forêt. Il courut dans ce couloir noir comme de l'encre, bordé d'arbres, contournant les troncs, prêt à plonger au premier coup de feu rapproché.

Il perçut des détonations. Quatre d'affilée, des balles qui cognaient contre les grands arbres avec un bruit sourd, implacable comme le destin.

Il se jeta derrière un large tronc et regarda en direction de la maison. L'homme qui tirait était seul. Il se tenait près du tuyau d'évacuation. Un deuxième garde vint le rejoindre, qui arrivait en courant de la zone du jeu de croquet, tenant un doberman qui tirait sur sa laisse. Ils crièrent tous les deux, chacun tentant d'imposer son autorité tandis que le chien aboyait sauvagement.

Ils hurlaient encore quand deux mitrailleuses crépitèrent dans la cour. Deux autres projecteurs explosèrent.

Les deux hommes se figèrent sur place et regardèrent droit devant eux. L'individu au chien tira sur la laisse, forçant l'animal à reculer sur le côté de la maison. Le deuxième garde s'accroupit, puis se redressa et longea le bâtiment, à petits pas, jusqu'à la cour, en ordonnant à son homologue de le suivre.

Ce fut alors que David l'aperçut. Au-dessus. A droite. A travers le feuillage. Sur la terrasse qui donnait sur la pelouse et sur la piscine.

Erich Rhinemann était entré en trombe, hurlant de colère, non de panique. Il maintenait l'ordre parmi ses troupes, manœuvrait ses lignes de défense... Au cœur de la bataille, Ce César inspiré ordonnait à ses bataillons d'attaquer, d'attaquer, d'attaquer. Trois hommes apparurent derrière lui. Il rugit et deux d'entre eux se ruèrent à l'intérieur de la demeure. Le troisième discuta. Rhinemann l'abattit sans la moindre hésitation. Le corps s'effondra, disparaissant de la vue de David. Rhinemann se précipita vers le mur, dissimulé en partie par la balustrade, pas entièrement toutefois. On avait l'impression qu'il hurlait face au mur.

Qu'il transperçait le mur de son cri perçant.

Au milieu des tirs, David entendit un vrombissement régulier, assourdi, et il comprit ce que Rhinemann était en train de faire.

Le téléphérique remontait des berges du fleuve.

Quand les combats faisaient rage, ce César-là fuyait le feu.

Ce porc de Rhinemann. L'ultime manipulateur. Ce corrupteur de toute chose, qui ne respectait rien.

Nous travaillerons peut-être ensemble, une autre fois...

C'est toujours ainsi que l'on procède, n'est-ce pas ?

David jaillit de son refuge et rebroussa chemin jusqu'à l'endroit où le jardin et les bois rejoignaient la pelouse, sous le balcon. Il courut vers la table blanche aux pieds de fer forgé, la table à laquelle était assis Lyons, son corps frêle penché sur les plans. Rhinemann avait disparu.

Il devait être là !

Spaulding eut une brusque illumination : s'il avait été arraché à Lisbonne et envoyé à l'autre bout du monde, à travers le feu et le sang, c'était pour l'homme qui se trouvait au-dessus de lui, caché sur le balcon.

– Rhinemann !... Rhinemann ! Je suis là !

L'immense silhouette du financier se rua vers la balustrade. Il tenait un Sternlicht automatique dans la main. Puissant, meurtrier.

– Vous ! Vous êtes un homme mort !

Il se mit à tirer. David se jeta à terre, sous la table, la retourna pour s'en servir comme d'un bouclier. Les balles venaient heurter la terre et ricochaient sur le métal. Rhinemann continua à hurler :

– Vous nous avez joué un tour qui vous mènera au suicide, Lisbonne ! Mes hommes accourent de partout ! Par centaines ! Dans quelques minutes !... Venez, Lisbonne ! Montrez-vous. Vous avez avancé l'heure de votre mort ! Vous vous imaginiez que je vous aurais laissé la vie sauve ? Jamais ! Montrez-vous ! Vous êtes mort !

David comprit. Le manipulateur ne voulait pas offenser Washington, mais ne tenait pas non plus à ce que son horizon personnel fût bouché par l'homme de Lisbonne. Les plans seraient partis pour Mendarro. Pas l'homme de Lisbonne.

On l'aurait éliminé sur la route de Mendarro.

C'était tellement évident !

David leva son Lüger. Il lui fallait saisir l'instant propice. Une diversion, puis un instant.

Ce serait suffisant...

La leçon des régions du Nord.

Il se pencha, laboura le sol avec ses ongles et recueillit de petites mottes de terre et d'herbe dans sa main gauche. Quand il en eut gros comme le poing, il lança la motte en l'air, à la gauche du bord de métal. La terre noire et les brins d'herbe coupante flottèrent dans l'air, grossis par un faible halo de lumière, dans l'ardeur des combats qui se rapprochaient.

Le Sternlicht tira en rafales régulières. Spaulding se jeta à droite de la table et appuya cinq fois sur la détente du Lüger, à brefs intervalles.

Le visage d'Erich Rhinemann explosa dans un nuage de sang. Il lâcha le Sternlicht tandis que ses mains se crispaient dans un spasme mortel. Le grand corps vacilla en arrière, en avant, et passa par-dessus la balustrade.

Rhinemann tomba lourdement du balcon.

David entendit les cris des gardes au-dessus et se réfugia aussitôt dans l'obscurité du sentier. Il courut à toutes jambes le long de l'allée sinueuse et sombre. Ses chaussures s'enfonçaient, de temps à autre, dans le sol mou et ratissé des bords.

Le sentier tourna brusquement. Vers la gauche.

Bon sang !

Puis il entendit les hennissements des chevaux apeurés. Leur odeur lui emplit les narines et, à sa droite, il aperçut un bâtiment de plain-pied qui abritait les stalles de l'écurie. Il perçut aussi la voix d'un palefrenier qui essayait de calmer ses protégés.

Pendant un quart de seconde, David caressa l'idée d'en prendre un, puis la rejeta. Un cheval, ce serait rapide certes, mais difficile à utiliser.

Il courut jusqu'à l'extrémité de l'écurie, tourna à l'angle et s'arrêta pour reprendre haleine et s'orienter. Il pensait savoir où il se trouvait. Il se représenta une vue aérienne de l'enceinte.

Les champs ! Les champs devaient être tout près.

Il se précipita à l'autre extrémité du bâtiment et aperçut les pâturages au-delà. Comme il l'avait imaginé, le terrain descendait en pente douce vers le nord, une pente où l'on pouvait faire paître les animaux, où l'on pouvait aussi courir. Au loin, derrière les prés, il aperçut les collines boisées au clair de lune. A droite... vers l'est.

Entre les herbages et le versant de la colline se trouvait la ligne à suivre. C'était le chemin le plus secret, le plus direct, qui puisse mener à la clôture électrifiée.

Nord-nord-est.

Il se rua vers le haut lissage qui clôturait le pré, se glissa au travers et se mit à courir. Il entendait toujours derrière lui, au loin, les salves de la fusillade qui ne semblait pas s'apaiser. Spaulding atteignit une avancée d'où il dominait le fleuve, à quelque sept cents mètres en contrebas. Il était, lui aussi, bordé d'une haute clôture, pour empêcher les bêtes de dévaler les pentes les plus abruptes. Il vit des lampes s'allumer au bord du fleuve. Les crépitements incessants de la mort allaient crescendo, portés par les vents d'été jusqu'aux quartiers résidentiels.

Il fit volte-face, sous le choc. Une balle lui siffla au-dessus de la tête. C'était lui que l'on visait ! Il était repéré !

Il se jeta dans l'herbe et s'éloigna en rampant. Il roula le long de la petite pente qu'il avait devant lui, roula, roula, jusqu'à ce que son corps heurte le bois dur d'un poteau. Il avait atteint l'autre extrémité du champ. Au-delà, la forêt reprenait ses droits.

Il entendit les hurlements féroces des chiens et comprit qu'ils se dirigeaient vers lui.

A genoux, il aperçut la silhouette d'une sorte de monstre qui courait vers lui, à travers les herbes. Son Lüger était en position de tir, mais il se rendit compte qu'en tirant il indiquerait sa position. Il prit l'arme dans la main gauche et sortit le couteau de chasse de sa ceinture.

Le monstre noir voltigea dans l'air, attiré par l'odeur de sa cible de chair. Spaulding le frappa violemment de la main gauche, sentit l'impact du poil dur, de la musculature du doberman sur le haut de son corps, vit l'affreuse tête se tourner brusquement. Ses crocs déchiquetèrent son pull avant de se planter dans son bras.

Il leva la main droite d'un geste vif et planta le couteau, avec toute la force qui lui restait, dans le flanc de l'animal. Du sang chaud s'écoula du ventre lacéré du chien. Le son étouffé d'un aboiement sauvage sortit de la gorge de l'animal agonisant.

David se tâta le bras. Les crocs s'étaient enfoncés dans la chair, sous l'épaule. Et les diverses culbutes qu'il avait dû exécuter avaient arraché au moins l'un des points de suture de sa plaie.

Il s'accrocha au lissage du pâturage et rampa vers l'est.

Nord-nord-est ! Pas l'est, bon sang !

Encore sous le choc, il se rendit compte qu'au loin la fusillade s'était ralentie. Depuis combien de temps ne l'entendait-il plus ? Il y avait toujours des explosions, mais les tirs des armes de petit calibre s'estompaient.

Considérablement.

Il y eut des cris. A l'autre bout du champ, près de l'écurie. Il regarda entre les arbres, au-dessus des herbes. Des hommes accouraient avec des torches qui projetaient leurs rayons aux diagonales changeantes. David entendit hurler des ordres.

Ce qu'il vit le figea sur place. Il regarda fixement devant lui, incrédule. De l'autre côté du pré, les torches convergeaient sur une silhouette qui quittait l'écurie, à cheval ! Une dizaine de rayons lumineux firent surgir de la nuit le reflet éblouissant d'un costume d'été blanc.

Franz Altmüller !

Altmüller avait opté pour l'idée folle que David, lui, avait repoussée.

Bien entendu, ils avaient joué des rôles fort différents.

David savait que, maintenant, c'était lui le gibier. Altmüller, le chasseur.

D'autres suivraient sa trace, mais Altmüller n'attendrait pas, ne pourrait pas attendre. Il aiguillonna les flancs de sa monture et jaillit entre les portes ouvertes.

Spaulding comprit autre chose. S'il était lui-même en vie, Franz Altmüller était un homme mort. Son seul moyen de survivre à Berlin serait de montrer le cadavre de l'homme de Lisbonne. L'agent de Fairfax qui avait fait échouer l'opération « Tortugas ». Un corps que les hommes de garde et les chercheurs d'Ocho Calle pourraient identifier. L'homme que la « Gestapo » avait déniché et provoqué.

Si dur. Si loin de lui.

Le cheval et son cavalier s'éloignèrent à travers champs, au grand galop. David demeura face contre terre, contre cette terre dure qui menait vers l'est. Il ne pouvait pas tenir debout. Altmüller avait en main une torche puissante, au long rayon lumineux. S'il roulait sous le lissage, il pourrait sans doute se cacher derrière les plantes sauvages et les herbes plus hautes encore, mais il risquait aussi de les faire plier, de briser leur belle unité.

Si... Il risquait.

Il cherchait une justification et le savait. Mieux valait se fier aux herbes hautes. Loin des regards. Mais aussi hors stratégie. Cette situation le chagrinait et il savait pourquoi.

Il aimait être chasseur. Pas gibier.

Il voulait voir Altmüller mort.

Franz Altmüller n'était pas un ennemi que l'on laissait en vie. Il était tout aussi mortellement dangereux au fond d'un paisible monastère en temps de paix que sur un champ de bataille en temps de guerre. C'était l'ennemi absolu. Il l'avait lu dans ses yeux. Cela n'avait rien à voir avec la cause de l'Allemagne. C'était plutôt cette arrogance profondément ancrée en lui : Altmüller avait vu s'effondrer son œuvre, avait vu « Tortugas » anéantie. Par un autre homme qui l'avait traité d'inférieur.

Cela, Altmüller ne pouvait le tolérer.

On le mépriserait après un coup pareil.

Inacceptable !

Altmüller attendrait son heure. A Buenos Aires, à New York, à Londres : n'importe où. Et sa première cible serait Joan. Au bout de son viseur, ou bien d'un coup de couteau dans la foule, ou bien encore d'un pistolet caché dans la nuit. Altmüller le ferait payer. Il l'avait lu dans ses yeux.

Spaulding embrassa la terre tandis que le cheval au galop atteignait le milieu du champ, fonçant droit devant lui, guidé par le rayon des torches des hommes de garde qui étaient restés près de l'écurie, à quelque quatre cents mètres. Leurs lampes étaient dirigées vers la zone où avait disparu le doberman.

Altmüller retint son cheval, lui fit ralentir le pas sans l'immobiliser. Il balaya le terrain avec sa torche, s'approcha avec précaution, l'arme à la main, tenant les rênes, mais prêt à tirer.

Il y eut une explosion soudaine, assourdissante, que rien n'annonçait, du côté de l'écurie. Les rayons lumineux qui provenaient de l'autre extrémité du pré disparurent. Les hommes qui avaient suivi Altmüller s'arrêtèrent et se retournèrent. Le long de la clôture, c'était l'affolement général. Un incendie s'était déclaré.

Altmüller poursuivit sa route. S'il était conscient de la situation dramatique qu'il avait laissée derrière lui, il n'en laissa rien paraître. Il aiguillonna sa monture pour la faire avancer.

Le cheval s'immobilisa, s'ébroua, piaffa en soulevant maladroitement ses antérieurs avant de reculer en dépit des ordres de son cavalier. Le nazi était frénétique. Il hurlait, en vain. Le cheval venait de croiser le cadavre du doberman. L'odeur du sang le faisait reculer.

Altmüller vit le corps du chien dans l'herbe. Il dirigea sa torche vers la gauche, puis vers la droite. Le rayon transperça l'espace au-dessus de la tête de David. Il fit avancer sa monture au trot, pas au galop.

David comprit pourquoi. Altmüller suivait les taches de sang du doberman dans l'herbe.

David rampa aussi vite qu'il le put, fuyant devant la torche d'Altmüller, qui progressait lentement. Quand il se retrouva dans une relative pénombre, il bifurqua brusquement sur la droite et courut au ras du sol jusqu'au *centre* du pré. Il attendit que le cheval et son cavalier soient entre la clôture et lui, puis, pas à pas, il avança vers le nazi. Il fut tenté d'appuyer sur la détente du Lüger, mais il fallait attendre la dernière minute. Il lui restait plusieurs kilomètres à parcourir, sur un terrain qui ne lui était pas familier, à travers une forêt sombre que d'autres connaissaient mieux que lui. En entendant la détonation de son pistolet, une arme de gros calibre, ceux qui se battaient là-bas, à quatre cents mètres, dans la plus grande confusion, allaient se ruer dans sa direction.

Ce serait peut-être nécessaire.

Il n'était plus qu'à trois mètres, le Lüger dans la main gauche, la main droite libre... Un peu plus près, encore un peu plus près. Il s'était approché du point où il était resté étendu dans l'herbe, immobile.

Alors, Spaulding sentit la brise légère qui soufflait dans son dos et sut − instant terrible où surgit l'intuition − que le moment était venu.

La tête du cheval se redressa brusquement, les grands yeux exorbités. Il avait perçu l'odeur du sang qui imprégnait les vêtements de David.

Spaulding bondit, la main droite tendue vers le poignet d'Altmüller. Il referma les doigts sur le canon d'une arme. C'était un colt ! Une arme de l'armée américaine, un colt 45 ! Il glissa son pouce dans le pontet. Altmüller se retourna violemment, sous le choc d'un assaut qui l'avait pris totalement au dépourvu. Il rejeta les bras en arrière et frappa sa monture avec ses pieds. Le cheval se cabra, se dressa sur ses membres postérieurs. Spaulding tint bon, força Altmüller à baisser la main. Baisser. Il le tira vers lui de toutes ses forces et, arrachant littéralement Altmüller du dos de l'animal, le précipita dans l'herbe. Il frappa le poignet du nazi contre le sol, encore et encore, jusqu'à ce que la chair heurte le rocher et que retombe le colt. Ce faisant, il lui écrasa son Lüger sur la face.

L'Allemand rendit coup pour coup, griffa les yeux de Spaulding de la main gauche, lui donna des coups de genou et de pied dans les testicules, les jambes, et bascula brutalement en lui enfonçant la tête et les épaules dans le corps.

– Vous ! Vous et... Rhinemann ! Trahison ! hurla-t-il.

Le nazi vit le sang qui coulait de l'épaule de David et plongea dans la plaie, agrandissant celle-ci au point que David crut ne plus pouvoir endurer la douleur.

Altmüller lui donna un coup d'épaule dans le ventre et tira avec acharnement sur son bras ensanglanté pour le faire rouler sur le côté. Le nazi bondit alors sur ses pieds et se jeta dans l'herbe, là où était tombé le colt 45. Il chercha frénétiquement l'arme sur le sol.

Il la trouva.

Spaulding tira le couteau de chasse de sa ceinture et franchit d'un bond la courte distance qui le séparait d'Altmüller. Le canon du colt se mit en position de tir. David avait le petit orifice noir devant les yeux.

Quand la lame pénétra dans la chair, un coup de feu partit du puissant pistolet, le bruit lui déchira les tympans, la balle lui frôla le visage, lui brûla la peau mais le manqua.

David enfonça le couteau dans la poitrine d'Altmüller et l'y laissa.

L'ennemi absolu était mort.

David savait qu'il n'y avait pas un instant à perdre. D'autres hommes arriveraient, d'autres chevaux... et une horde de chiens.

Il se rua vers la clôture du champ, sauta par-dessus et s'enfonça dans l'obscurité des bois. Il courut à l'aveuglette en essayant désespérément de bifurquer vers la gauche. Le nord.

Nord-nord-est.

S'échapper !

Il trébucha sur des cailloux et des branches brisées avant de pénétrer, enfin, dans l'épais feuillage, écartant les bras pour se frayer un chemin, n'importe quel chemin. Il avait l'épaule gauche engourdie, un danger et une aubaine à la fois.

On n'entendait plus de coups de feu au loin. Il n'y avait plus que l'obscurité, le bourdonnement de la forêt la nuit et le battement rapide de son cœur. Près de l'écurie, les combats avaient cessé. Les hommes de Rhinemann pouvaient désormais se lancer à sa poursuite.

Il avait perdu du sang. Il ne savait ni s'il avait beaucoup saigné ni si la blessure était grave. Ses yeux, tout son corps étaient fatigués. Les branches, grossiers tentacules, lui semblaient plus lourdes. Les déclivités, des sommets à gravir. Chaque pente était un ravin profond qu'il lui fallait franchir sans cordes. Ses jambes chancelaient jusqu'à ce qu'il les raidisse à nouveau, avec acharnement.

La clôture ! La clôture était là !

Au pied d'un escarpement, entre les arbres.

Il se mit à courir, trébucha, s'agrippa au sol, avançant vers la base de la colline.

Il y parvint enfin. Elle était là.

La clôture.

Il ne pouvait pourtant pas la toucher. Peut-être...

Il ramassa un bâton de bois sec et le lança dans les fils.

Étincelles et crépitements électriques. S'il touchait les fils, c'était la mort.

Il leva les yeux, cherchant les arbres. La sueur coulait de son front et de son cuir chevelu, lui piquait les yeux, lui brouillait la vue. Il devait bien y avoir un arbre.

Un arbre. L'arbre salvateur.

Il n'en était pas certain. L'obscurité jouait avec les feuilles, les branches. Toute matière projetait une ombre au clair de lune.

Il n'y avait pas de branches ! Pas de branches pendant au-dessus de la clôture et dont le contact signifierait l'oubli. De chaque côté, Rhinemann avait fait sectionner tout ce qui s'approchait des hauts fils d'acier !

Il courut autant que ses jambes le lui permettaient vers la gauche, vers le nord. Le fleuve était peut-être à un kilomètre. Peut-être.

Peut-être l'eau.

Mais le fleuve, s'il pouvait l'atteindre par ces pentes abruptes interdites aux chevaux, le ralentirait, lui volerait ce temps dont il avait désespérément besoin. Et Rhinemann avait certainement posté des gardes sur les berges du fleuve.

Alors, il l'aperçut.

Peut-être.

Une branche élaguée à quelques dizaines de centimètres au-dessus des fils tendus, qui avançait à quelques dizaines de centimètres de la clôture. Elle était épaisse, et s'élargissait brusquement avant de rejoindre le tronc. L'ouvrier qui l'avait taillée, en partisan du moindre effort, l'avait tronçonnée avant que son diamètre ne s'élargisse. On ne pouvait pas lui en vouloir. La branche était trop haute, trop éloignée, de toute façon.

Spaulding comprit que c'était sa dernière chance. La seule qui restait. Cela lui parut plus clair encore quand il perçut le bruit des hommes et des chiens, dans le lointain. Ils étaient à ses trousses.

Il tira l'un des Lüger de sa ceinture et le lança par-dessus la clôture. Il lui suffisait d'un objet encombrant.

Il sauta deux fois avant d'attraper un bout noueux. Son bras gauche lui faisait mal, car il n'était plus engourdi, hélas. Il grimpa le long du large tronc, ses jambes frottant contre l'écorce, jusqu'à ce qu'il puisse saisir une branche plus haute. Il lutta contre la douleur qui lui brûlait l'épaule et le ventre, et se hissa plus haut.

La branche taillée se trouvait juste au-dessus.

Il planta les bords latéraux de ses chaussures dans l'écorce, plaqua son tibia contre le bois rugueux, lança ses deux bras au-dessus de sa tête et fit passer en force son coude gauche par-dessus la branche en le tirant avec la main droite, comme un forcené. Il serra la branche amputée entre ses bras en faisant pédaler ses pieds contre le tronc pour acquérir l'élan qui lui permettrait de lancer sa jambe droite. Il prit appui sur ses bras pour s'asseoir, le dos contre le tronc.

Il avait réussi. En partie.

Il respira profondément, plusieurs fois, et essaya de fixer son regard. Il baissa les yeux vers les fils de fer barbelés et électrifiés, au sommet de la clôture. Elle était à moins d'un mètre vingt en dessous mais à presque un mètre devant lui. A environ deux mètres cinquante de la surface du sol. Pour franchir ces fils, il fallait effectuer un saut en torsion. Même s'il en était capable, il ignorait si son organisme supporterait le choc d'une telle chute.

Mais il entendait parfaitement les hommes et les chiens. Ils avaient pénétré dans les bois, de l'autre côté des prés. Il tourna la tête et aperçut, à travers le feuillage, les pâles rayons lumineux.

Sauter ou mourir.

Il était inutile de tergiverser. Inutile de réfléchir. Seule comptait l'action.

Il se hissa avec les mains, ignorant la douleur lancinante de son épaule, saisit de minces branches, leva les jambes jusqu'à ce que ses pieds se posent sur un support plus solide. Puis il se jeta en avant, roulant au-dessus des fils tendus dont il vit défiler l'image brouillée. A cet instant précis, il imprima une violente torsion à son corps, se courba et replia ses jambes contre sa poitrine.

Il eut une étrange sensation de flottement : dans un désespoir total mêlé d'objectivité clinique, au sens propre du terme. Il avait fait tout ce qui était en son pouvoir. Il était à bout.

Il heurta le sol, amortit le choc de l'épaule droite, roula en avant, les genoux repliés, se laissa rouler sans fin, en répartissant l'impact sur tout son corps.

Il fut propulsé contre un écheveau de racines et heurta le pied d'un arbre. Il porta les mains à son ventre. Il comprit à sa douleur aiguë que la blessure s'était rouverte. Il lui faudrait en maintenir les bords, les resserrer... sécher la plaie. Son vêtement, trempé de sueur et de sang – le sien et celui du doberman –, avait été mis en lambeaux par ses chutes et ses acrobaties.

Mais il avait réussi.

Ou presque.

Il était sorti de l'enceinte. Il s'était échappé de Habichtsnest.

Il jeta un regard cirulaire et aperçut le second Lüger sur le sol, dans la lumière de la lune... Il se contenterait de celui qu'il avait glissé dans sa ceinture. S'il ne lui suffisait pas, l'autre ne pourrait être d'aucun secours. Il l'abandonna.

La grand-route n'était plus à présent qu'à sept cents mètres. Il rampa dans les broussailles pour reprendre son souffle, rassembler ses dernières forces. Il en aurait besoin pour la fin du voyage.

Les chiens se rapprochaient. Il entendit les cris des gardes à quelques centaines de mètres. Il fut soudain pris de panique. Que s'était-il imaginé ? Qu'était-il en train de faire ?

Qu'était-il en train de faire ?

Il était étendu dans les broussailles et se croyait... se croyait libre !

Mais l'était-il ?

Il y avait des hommes armés et des bêtes sauvages, férocement sauvages, à portée de la voix, bien placés pour voir s'enfuir sa silhouette.

Alors, il entendit ces mots, ces ordres hurlés, vociférés. De rage.

– *Freilassen ! Die Hunde freilassen !*

On lâchait les chiens ! Leurs maîtres pensaient que le gibier était aux abois ! On lâchait les chiens pour qu'ils déchiquettent leur proie !

Il aperçut les rayons lumineux qui grimpaient l'escarpement, précédant les chiens. Puis leur silhouette se détacha quand, ayant franchi le sommet, ils s'élancèrent dans la pente. Six, huit, dix bêtes couraient, monstrueuses formes foulant le sol et se ruant sur les traces de l'objet haï. Ils se rapprochaient, affolés par le désir, le besoin sauvage de planter leurs crocs dans la chair.

David resta comme hypnotisé devant le spectacle qui suivit.

Toute la zone s'illumina, tel un grand brasier. Des craquements, des sifflements électriques emplirent l'air. Les uns après les autres, les chiens vinrent s'écraser contre la clôture de barbelés. Leur pelage prit feu dans l'instant. D'horribles hurlements aigus, prolongés, montèrent dans la nuit.

Du sommet, on tira des coups de feu d'alarme. En vain. Des

hommes couraient dans tous les sens, certains vers les chiens et la barrière, d'autres vers les flancs de la colline, d'autres battirent en retraite.

David sortit des broussailles en rampant et fila à travers bois.

Il était libre !

La prison Habichtsnest retenait ses poursuivants. Mais lui était libre !

Il courut dans l'obscurité en se tenant le ventre.

La grand-route était bordée de sable et de gravillons. A la sortie de la forêt, il trébucha et tomba sur les petits cailloux pointus. Sa vue se brouilla. Tout se mit à danser. Il avait la gorge sèche, à la bouche un goût de vomi. Il comprit qu'il était incapable de se relever. Il ne tenait plus debout.

Il aperçut une automobile au loin, à droite. A l'ouest. Elle roulait à vive allure. On lui fit des appels de phares. Ils s'éteignaient... s'allumaient, s'éteignaient... s'allumaient. S'allumaient, s'allumaient, s'allumaient... s'éteignaient, s'éteignaient, s'éteignaient, à intervalles réguliers.

C'était un signal !

Mais il ne tenait pas debout ! Il ne pouvait pas se relever !

Alors, il entendit son nom. Crié à l'unisson par les fenêtres ouvertes, par plusieurs voix. A l'unisson ! Comme on chante une chanson !

— ...Spaulding. Spaulding. Spaulding...

La voiture allait passer devant lui ! Il ne parvenait pas à se redresser !

Il porta la main à sa ceinture et en arracha le Lüger.

Il tira deux fois. Il avait à peine la force de presser la détente. Au second coup de feu... tout s'obscurcit.

Il sentit la douceur des doigts autour de sa blessure, les vibrations de l'automobile qui roulait.

Il ouvrit les yeux.

Asher Feld le regardait. La tête de Spaulding était sur ses genoux. Le juif sourit.

— Je répondrai à toutes vos questions. Mais laissez d'abord le médecin vous recoudre. Il faut vite recoller les morceaux.

David leva la tête, tandis qu'Asher Feld le soutenait. Il y avait un autre homme, jeune, assis sur le siège arrière, penché sur son ventre. Les jambes de Spaulding étaient allongées sur ses genoux. L'homme prit de la gaze et des pinces.

— Vous ne ressentirez qu'une faible douleur, dit-il dans cet anglais à l'accent si particulier que David avait si souvent entendu. Je crois que vous en avez assez. Vous êtes sous anesthésie locale.

– Je suis sous quoi ?

– Novocaïne, c'est tout, répondit le médecin. Je vais vous refaire ces points de suture là. Vous avez plein d'antibiotiques dans le bras, mis au point dans un laboratoire de Jérusalem, entre parenthèses.

Le jeune homme sourit.

– Quoi ? Où...?

– Nous n'avons pas le temps, interrompit Feld avec calme et autorité. Nous sommes en route pour Mendarro. L'avion attend. Il n'y aura pas d'interférence.

– Vous avez les plans ?

– Enchaînés à l'escalier, Lisbonne. Nous ne nous attendions pas à une telle installation. Nous avions pensé au balcon, peut-être à l'étage. Nous sommes entrés très vite, grâce à Dieu. Les troupes de Rhinemann sont arrivées rapidement. Pas assez rapidement... Du beau travail, cet escalier. Comment avez-vous réussi ?

David sourit malgré la « faible douleur ». Il lui était difficile de parler.

– Parce que... tout le monde voulait garder l'œil sur ces plans. C'est drôle, non ?

– Je suis heureux que vous réagissiez ainsi. Vous allez avoir besoin de cette force d'âme.

– Quoi ?... Joan ?

Spaulding se redressa, abandonnant une position inconfortable. Feld le retint par les épaules, le médecin s'arrêta en pleine opération.

– Non, mon colonel. N'ayez aucune inquiétude pour Mme Cameron ni pour le physicien. Ils quitteront Buenos Aires ce matin, sans aucun doute... Et le black-out côtier prendra fin dans quelques minutes. Les écrans radars vont repérer le chalutier...

David leva la main pour l'interrompre. Il reprit plusieurs fois haleine avant de parler.

– Prévenez les marines de la Flotte. Dites-leur que le rendez-vous est approximativement prévu pour... quatre heures... à partir du moment où le chalutier aura quitté Ocho Calle. Évaluez la vitesse maximale du chalutier... Tracez un demi-cercle... Suivez cette ligne.

– Très bien, dit Asher Feld. Nous allons les prévenir.

Le jeune médecin avait terminé. Il se pencha vers David.

– Tout bien considéré, vous n'auriez pas eu de plus beaux points de suture à Bethesda, fit-il sur le ton de la plaisanterie. Beaucoup mieux que ce que l'on vous a fait à l'épaule droite.

C'était affreux. Vous pouvez vous asseoir. Doucement, maintenant.

David avait oublié. Le médecin britannique des Açores – il y avait des siècles de cela – avait été abondamment critiqué par ses collègues. Instructions erronées : l'officier américain devait avoir quitté le terrain de Lajes dans l'heure qui suivait. Il en avait reçu l'ordre.

Spaulding se redressa très lentement, aidé par les deux hommes de la Haganah.

– Rhinemann est mort, dit-il simplement. Ce porc de Rhinemann n'est plus. Il n'y aura plus de négociations. Dites-le à vos hommes.

– Merci, répondit Asher Feld.

Ils roulèrent en silence quelques minutes. On apercevait à présent les projecteurs du terrain d'aviation qui zébraient leurs rayons dans le ciel nocturne.

– Les plans sont dans l'avion, déclara Feld. Nos hommes montent la garde... Je suis désolé d'être contraint de vous faire voyager ce soir. Ce serait plus simple si le pilote était seul. Mais ce n'est pas possible.

– C'est pour ça que l'on m'a envoyé ici.

– C'est un peu plus compliqué, je le crains. Vous en avez vu de toutes les couleurs, vous avez été gravement blessé. De toute évidence, vous devriez être hospitalisé... Mais cela attendra.

– Oh ?

David comprit que Feld avait à lui dire quelque chose que même lui, le juif pragmatique, avait du mal à formuler.

– Vous feriez mieux de me le dire...

– Vous allez devoir vous débrouiller tout seul, mon colonel, l'interrompit Feld. Vous voyez... Les hommes de Washington ne s'attendent pas à vous voir débarquer de cet avion. Ils ont donné l'ordre de vous exécuter.

43.

Le général de brigade Alan Swanson, ancien collaborateur du ministère de la Guerre, s'était suicidé. D'après ceux qui le connaissaient bien, la tension professionnelle, l'énorme logistique qu'il devait chaque jour mettre sur pied étaient devenues trop lourdes pour cet officier dévoué et patriote. Ces proches du général étaient au service de ceux qui, loin derrière les lignes, amorçaient la machine de guerre avec toute l'énergie désintéressée dont ils étaient capables.

A Fairfax, Virginie, dans l'immense enceinte où des obsédés de la sécurité détenaient les secrets du bureau des renseignements alliés, un lieutenant-colonel du nom d'Ira Barden s'était volatilisé. Purement et simplement volatilisé. Un jour matériellement présent, évaporé le lendemain. Avec lui avaient disparu des armoires blindées un certain nombre de dossiers ultra-confidentiels. Ce qui avait plongé dans la perplexité ceux qui en connaissaient le contenu. Il s'agissait surtout des dossiers personnels de nazis de haut rang impliqués dans la mise en place des camps de concentration. Les transfuges ne s'intéressaient guère à ce type de donnée. On sortit le dossier d'Ira Barden pour le classer aux archives. On envoya des condoléances à sa famille. Le lieutenant-colonel Barden fut porté disparu. Disparu en mission. Étrange. Mais la famille n'insista pas pour que l'on fît une enquête. Ce qui, après tout, était son droit... Étrange.

On avait retrouvé, dans les collines du Pays Basque, un cryptographe du nom de Marshall. Blessé lors d'escarmouches à la frontière, il avait été soigné et guéri par des partisans. Les rapports faisant état de sa mort avaient volontairement exagéré la gravité de son état. Les services secrets allemands l'avaient dans le collimateur. Actuellement, il était consigné à l'ambassade où il avait repris ses fonctions. Il avait envoyé un message à un vieil ami qui s'inquiétait sans doute de son sort. Au colonel David Spaulding. C'était un message amusant, curieusement libellé. Il tenait à prévenir Spaulding qu'il ne lui en voulait pas d'avoir pris des vacances en Amérique du Sud. Le crypto avait pris des vacances, lui aussi. Il y avait des codes à déchiffrer, à condition qu'ils fussent déchiffrables. A l'avenir, il faudrait s'organiser un peu mieux. Ils devraient prendre des vacances ensemble. Comme tous les bons amis.

Il y avait un autre cryptographe. A Buenos Aires. Un certain Robert Ballard. Le Département d'État ne tarissait pas d'éloges sur ce Ballard. Le cryptographe de Buenos Aires avait repéré une erreur considérable dans un message brouillé et avait pris l'initiative non seulement de le mettre en question, mais également de refuser de l'authentifier. Une série de profonds malentendus et de renseignements erronés avait amené le Département d'État à donner l'ordre de tirer à vue sur le colonel Spaulding. Code : trahison. Passage à l'ennemi au cours d'une mission. Il avait fallu beaucoup de courage à ce Ballard pour refuser de transmettre un ordre provenant d'une autorité aussi haute. D'autant plus que le Département d'État ne répugnait pas à mettre le ministère de la Guerre dans l'embarras.

Le physicien en aéronautique, Eugène Lyons, docteur d'État, avait été ramené à Pasadena. La situation... la situation du professeur Lyons s'était modifiée. Les laboratoires Sperry Rand, les meilleurs du pays, lui avaient proposé un contrat intéressant et lucratif, qu'il avait accepté. Il avait été hospitalisé à Los Angeles pour subir une opération de la gorge. Pronostic : soixante chances sur cent de réussite, à condition qu'il en eût la volonté. Il l'avait. Il y avait un autre détail au sujet de Lyons. Grâce à son contrat, il avait pu obtenir un emprunt bancaire et se faisait construire, dans un coin paisible de la vallée de San Fernando, une drôle de maison de style méditerranéen.

Mme Joan Cameron était retournée sur la côte est du Maryland, pour deux jours. Le Département d'État, à la requête personnelle de Henderson Granville, ambassadeur à Buenos Aires, avait décidé d'adresser à Mme Cameron des félicitations officielles. Bien qu'elle n'eût pas un statut officiel, sa présence à l'ambassade avait été très appréciée. Elle avait permis de maintenir une certaine communication avec diverses factions de la ville neutre. Une communication souvent mise en péril par les nécessités diplomatiques. Les autorités du Département d'État devaient remettre cette lettre de félicitations à Mme Cameron, au cours d'une petite cérémonie présidée par le sous-secrétaire en personne. Le Département d'État apprit avec étonnement qu'on ne pouvait pas joindre Mme Cameron, qu'elle n'était pas dans sa famille, sur la côte est du Maryland. Elle était à Washington. A l'hôtel Shoreham. Le colonel David Spaulding était descendu au Shoreham... Plus qu'une coïncidence peut-être, mais cela ne risquait nullement de remettre en question sa lettre de félicitations. Pas en ce moment. Pas à Washington.

Le colonel David Spaulding leva les yeux vers la pierre brune et les piliers carrés du ministère de la Guerre. Il tira son pardessus militaire pour replacer la lourde étoffe sur son bras en écharpe. C'était la dernière fois qu'il portait l'uniforme, qu'il pénétrait dans ce bâtiment. Il commença à gravir les marches.

C'était curieux, songeait-il. Il était rentré depuis presque trois semaines et chaque jour, chaque nuit, il avait pensé à ce qu'il allait dire, cet après-midi. La fureur, la répulsion... le gaspillage. Toute une vie de ressentiments. Mais la vie continuerait et, étrangement, il n'était plus animé de sentiments aussi violents. Il n'éprouvait plus qu'une grande lassitude, un épuisement qu'il lui fallait surmonter pour retrouver le sens des valeurs. Quelque part.

Avec Joan.

Il savait qu'il ne pourrait pas convaincre les hommes de « Tortugas » avec des mots. Le langage de la conscience n'avait plus aucune signification pour ces hommes-là. Comme il avait souvent perdu toute signification pour lui. C'était encore l'un de leurs crimes. Ils lui avaient volé... la décence. Comme à tant d'autres. Et pour si peu.

Spaulding déposa son pardessus dans l'antichambre et se dirigea vers la petite salle de conférences. Ils étaient là, les hommes de « Tortugas ».

Walter Kendall.

Howard Oliver.

Jonathan Craft.

Aucun ne se leva de la table. Tous gardèrent le silence. Tous le regardèrent. Il y avait dans leurs regards un mélange de haine et de crainte, souvent inséparables.

Ils étaient prêts à lutter, à protester... à faire la part du feu. Ils avaient eu des discussions. Ils avaient décidé d'une stratégie.

Ils étaient tellement transparents, pensa David.

Il se tint à une extrémité de la table, plongea une main dans sa poche, en sortit une poignée de carbonados qu'il lança sur la surface dure. Les minuscules pierres s'entrechoquèrent en roulant.

Les hommes de « Tortugas » ne dirent pas un mot. Les yeux se tournèrent vers les pierres, puis vers Spaulding.

– Le transfert Koening, dit David. Les matières premières de Peenemünde. Je désirais vous les montrer.

Howard Oliver poussa un long soupir d'impatience.

– Nous n'avons aucune idée de..., fit-il avec une condescendance exercée.

– Je sais, l'interrompit Spaulding avec fermeté. Vous êtes très occupés. Alors, dispensons-nous de propos inutiles. En fait, vous n'avez aucune raison de dire quoi que ce soit. Contentez-vous d'écouter. Je serai bref. Et vous saurez toujours où me joindre.

David glissa la main gauche dans l'écharpe de son bras et sortit une enveloppe. C'était une enveloppe ordinaire, cachetée, épaisse. Il la posa délicatement sur la table.

– Voilà l'histoire de « Tortugas », poursuivit-il. De Genève à Buenos Aires. De Peenemünde à un endroit appelé Ocho Calle. De Pasadena à une rue... Terraza Verde. C'est une sale histoire. Elle pose des questions qui ne devraient peut-être pas être soulevées aujourd'hui. Ni jamais. Pour des raisons de simple bon sens... Où que ce soit.

« Mais c'est vous qui en déciderez, ici, autour de cette table... Il existe plusieurs copies de ce... cette mise en accusation. Je ne vous dirai pas où elles se trouvent et vous ne les trouverez jamais. Mais elles existent. Quand elles seront rendues publiques, elles feront les gros titres des journaux de New York, de Londres et de Berlin. A moins que vous ne fassiez exactement ce que je vais vous dire...

« Ne protestez pas, monsieur Kendall. Ça ne sert à rien... Cette guerre est gagnée. Le carnage continuera encore un temps, mais nous avons gagné. Peenemünde n'est pas resté inactif. Ils ont remué ciel et terre. On construira quelques milliers de fusées, on en détruira quelques milliers. Mais de loin pas autant qu'ils en avaient espéré. Ni ce dont ils avaient besoin. Notre aviation rasera la moitié de l'Allemagne. Nous serons vainqueurs. Et c'est très bien ainsi. Après le carnage, il faut panser les plaies. Et vous, messieurs, vous allez y consacrer le reste de votre vie. Vous allez rompre tous les liens que vous entretenez avec vos sociétés respectives. Vous vendrez tous vos avoirs, tout ce qui vient en plus du strict niveau de subsistance, tel qu'il est défini par les indices économiques nationaux, et vous ferez don de leurs revenus à des œuvres charitables, anonymement mais en demandant des justificatifs. Puis vous irez proposer vos immenses talents à un État reconnaissant, en échange d'un salaire de fonctionnaire.

« Vous serez des fonctionnaires qualifiés le restant de votre vie. Et vous ne serez que cela.

« Vous disposez de soixante jours pour satisfaire à ces exigences. A ce propos, je tiens à vous informer que, puisque vous avez naguère ordonné mon exécution, vous devrez, par ce contrat, assurer mon bien-être. Et le bien-être de mes proches, bien entendu.

« Enfin, il m'est venu à l'esprit que vous pourriez souhaiter l'adhésion de quelques cosignataires à ce contrat. Cet acte d'accusation indique clairement que vous n'avez pas monté seuls l'opération « Tortugas ». ... Donnez-moi les noms que vous voudrez. Le monde est en piteux état, messieurs. Toute aide sera bienvenue.

Spaulding ramassa l'enveloppe et la jeta sur la table. Le bruit mat du papier sur le bois fit converger tous les regards.

– Réfléchissez à tout cela, dit David.

Les hommes de « Tortugas » fixèrent l'enveloppe des yeux. David fit volte-face, s'avança vers la porte et sortit.

Mars à Washington. Il faisait frisquet, un vent d'hiver soufflait, mais il ne tomberait pas de neige.

Le lieutenant-colonel David Spaulding traversa l'avenue du Wisconsin en évitant les voitures et se dirigea vers l'hôtel Shoreham. Il ne s'était pas aperçu que son manteau était ouvert. Le froid n'avait pas de prise sur lui.

C'était fini ! Il avait terminé ! Il lui resterait des cicatrices, de profondes cicatrices, mais avec le temps...

Avec Joan...

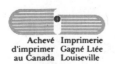

Achevé Imprimerie
d'imprimer Gagné Ltée
au Canada Louiseville

Dépôt légal : juin 1990
N° d'édition : 32607 – N° d'impression : 14483

ROBERT LUDLUM
chez Robert Laffont

LA MÉMOIRE DANS LA PEAU

LA MOSAÏQUE PARSIFAL

L'HÉRITAGE SCARLATTI

LE CERCLE BLEU DES MATARÈSE

LE WEEK-END OSTERMAN

LA PROGRESSION AQUITAINE

LE PACTE HOLCROFT

LA MORT DANS LA PEAU

UNE INVITATION POUR MATLOCK

SUR LA ROUTE DE GANDOLFO

L'AGENDA ICARE

Couverture : Maquette de Jean-Roger Deseigne.